LEEDS BRADFORD STREET ATLAS

CONTENTS

Key to Map Pages	2-3
Map Pages at 6″ to 1 mile	4-126
Index to Places & Areas	127
Postcode Map	128-129
Index to Streets	130 onwards

REFERENCE

Motorway	M1
'A' Road	A65
Under Construction	
Proposed	
'B' Road	B6147
Dual Carriageway	
One-Way Street Traffic flow on 'A' Roads is indicated by a heavy line on the driver's left.	
Pedestrianized Road	
Restricted Access	
Track or Footpath	
Railway	Level Crossing, Station
Built-Up Area	MILL ST.
District Boundary	
Posttown Boundary By arrangement with the Post Office	
Postcode Boundary Within Posttowns	
Map Continuation	40
Ambulance Station	
Car Park Selected	P
Church or Chapel	†
Fire Station	■
Hospital	H
House Numbers 'A' & 'B' Roads only	48, 5
Information Centre	
Police Station	▲
Post Office	★
Toilet	▽

SCALE

1:10,560
6 inches to 1 mile

0 — ¼ — ½ Mile
0 — 250 — 500 — 750 Metres

Geographers' A-Z Map Company Ltd.

Head Office:
Fairfield Road, Borough Green, Sevenoaks, Kent, TN15 8PP
Telephone 0732-781000

Showrooms:
44 Gray's Inn Road, London, WC1X 8LR
Telephone 071-242 9246

Edition 1 1993

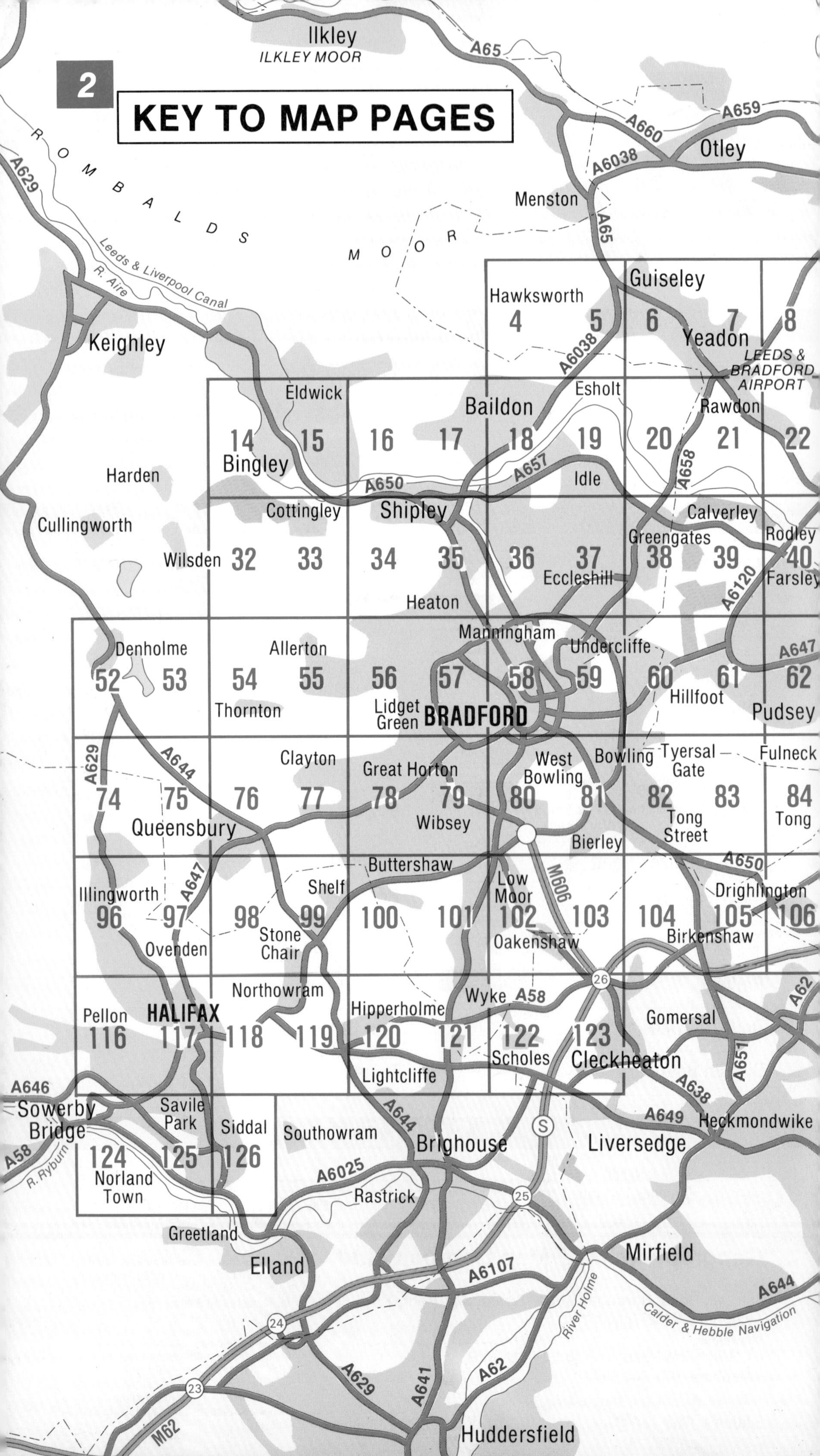
2
KEY TO MAP PAGES
Ilkley
ILKLEY MOOR
A65
A659
A660
Otley
A6038
Menston
A65
ROMBALDS MOOR
A629
Leeds & Liverpool Canal
R. Aire
Keighley
Hawksworth
4
5
Guiseley
6
7
Yeadon
8
LEEDS & BRADFORD AIRPORT
A6038
Eldwick
Baildon
Esholt
Rawdon
14
15
16
17
18
19
20
21
22
Bingley
Harden
A650
A657
Idle
A658
Cullingworth
Cottingley
Shipley
Calverley
Greengates
Rodley
Wilsden
32
33
34
35
36
37
38
39
40
Eccleshill
Farsley
A6120
Heaton
Manningham
Undercliffe
Denholme
Allerton
A647
52
53
54
55
56
57
58
59
60
61
62
Thornton
Lidget Green
BRADFORD
Hillfoot
Pudsey
Clayton
West Bowling
Bowling
Tyersal Gate
Fulneck
A629
A644
Great Horton
74
75
76
77
78
79
80
81
82
83
84
Queensbury
Wibsey
Tong Street
Tong
Bierley
A650
Buttershaw
Low Moor
M606
Illingworth
A647
Shelf
Drighlington
96
97
98
99
100
101
102
103
104
105
106
Ovenden
Stone Chair
Oakenshaw
Birkenshaw
26
Northowram
Wyke
A58
A62
Pellon
HALIFAX
Hipperholme
Gomersal
116
117
118
119
120
121
122
123
Scholes
Cleckheaton
Lightcliffe
A651
A646
A638
Sowerby Bridge
Savile Park
Siddal
Southowram
A644
A649
Heckmondwike
A58
R. Ryburn
124
125
126
Norland Town
Brighouse
Liversedge
A6025
Rastrick
25
Greetland
Mirfield
Elland
A6107
River Holme
A644
Calder & Hebble Navigation
24
23
A629
A641
A62
M62
Huddersfield

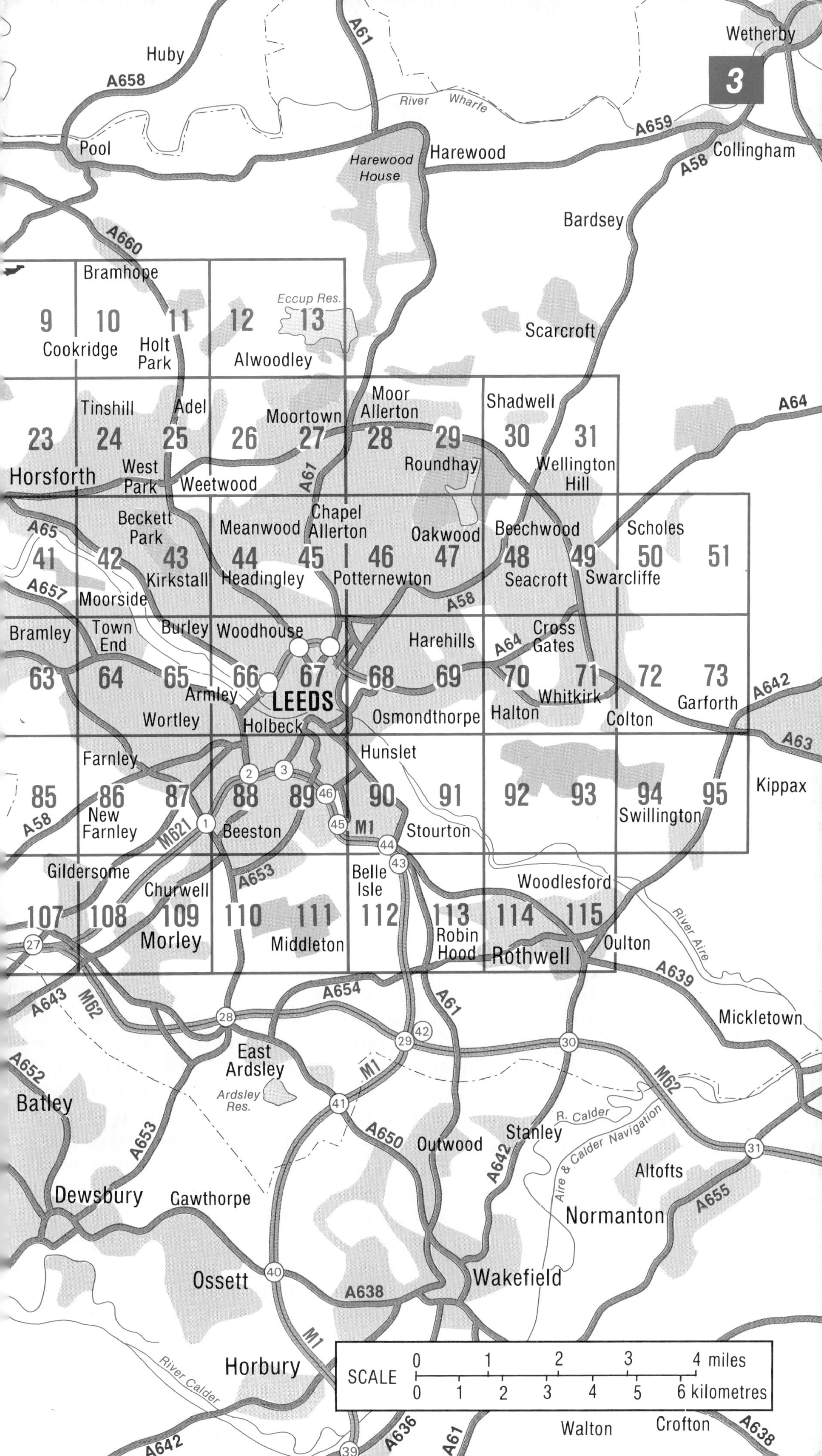

3
Wetherby
Huby
A658
A61
River Wharfe
A659
Pool
Harewood House
Harewood
A58
Collingham
Bardsey
A660
Bramhope
Eccup Res.
9
10
11
12
13
Cookridge
Holt Park
Alwoodley
Scarcroft
Moor Allerton
Shadwell
A64
Tinshill
Adel
Moortown
23
24
25
26
27
28
29
30
31
West Park
Roundhay
Wellington Hill
Horsforth
Weetwood
A61
Chapel Allerton
Beckett Park
Meanwood
Oakwood
Beechwood
Scholes
A65
41
42
43
44
45
46
47
48
49
50
51
Kirkstall
Headingley
Potternewton
Seacroft
Swarcliffe
A657
Moorside
A58
Bramley
Town End
Burley
Woodhouse
Harehills
A64
Cross Gates
63
64
65
66
67
68
69
70
71
72
73
A642
Armley
LEEDS
Whitkirk
Garforth
Wortley
Holbeck
Osmondthorpe
Halton
Colton
A63
Farnley
Hunslet
85
86
87
88
89
90
91
92
93
94
95
Kippax
A58
New Farnley
M621
Beeston
M1
Stourton
Swillington
Gildersome
Belle Isle
Woodlesford
Churwell
A653
107
108
109
110
111
112
113
114
115
River Aire
Morley
Middleton
Robin Hood
Rothwell
Oulton
A639
A643
M62
A654
A61
Mickletown
East Ardsley
A652
M1
M62
Batley
Ardsley Res.
R. Calder
Stanley
A650
Outwood
Aire & Calder Navigation
A653
A642
Altofts
A655
Dewsbury
Gawthorpe
Normanton
Ossett
A638
Wakefield
M1
River Calder
Horbury
SCALE
0 1 2 3 4 miles
0 1 2 3 4 5 6 kilometres
Walton
Crofton
A638
A642
A636
A61

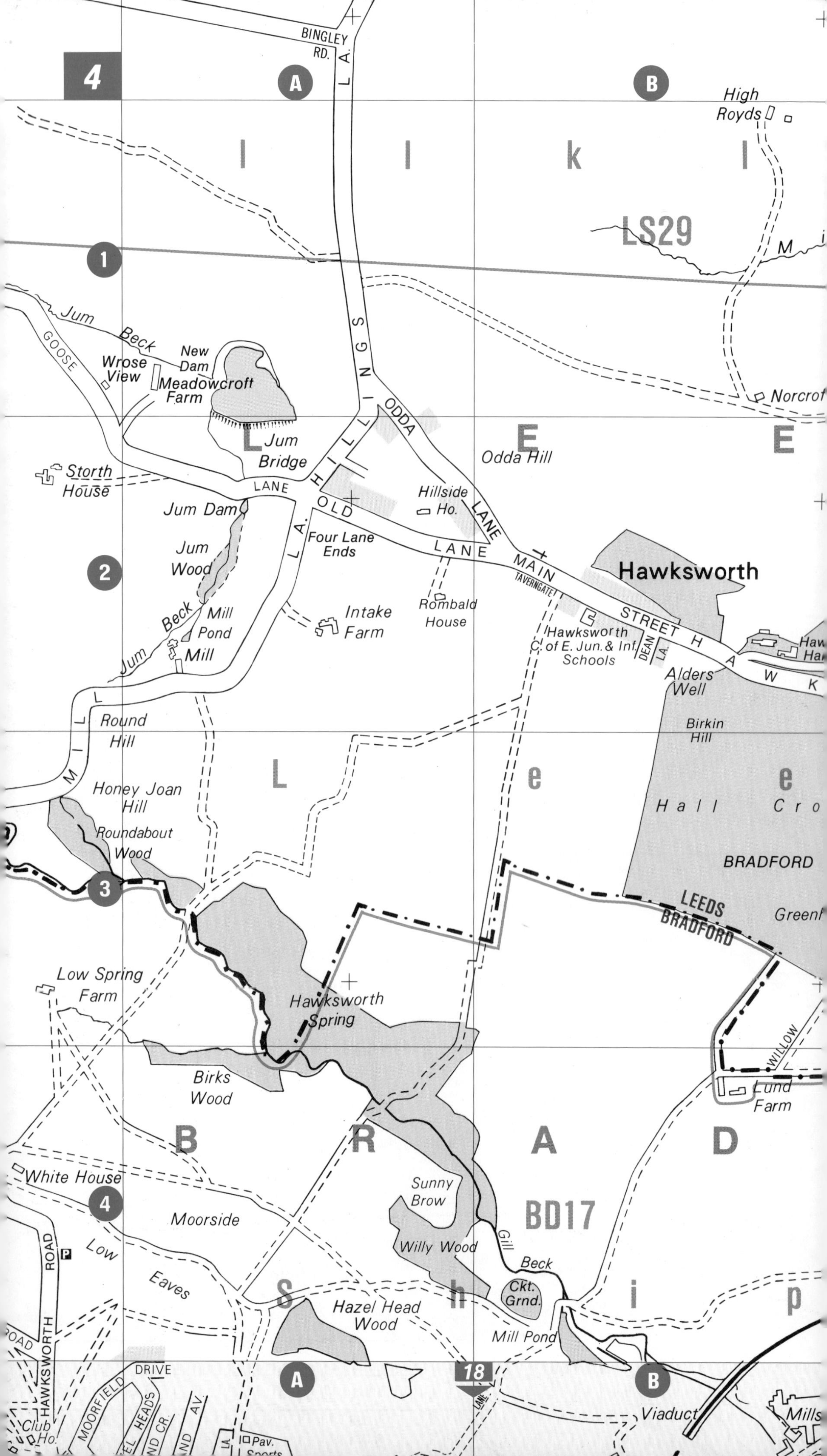
4
BINGLEY RD.
LA.
A
B
High Royds
Ilkley
LS29
1
Jum Beck
GOOSE
New Dam
Wrose View
Meadowcroft Farm
HILLINGS LA.
ODDA
Norcroft
Jum Bridge
Odda Hill
Storth House
LANE
OLD LANE
Hillside Ho.
LANE
Jum Dam
Four Lane Ends
MAIN STREET
TAVERNGATE
Hawksworth
Jum Wood
2
Intake Farm
Rombald House
Mill Pond
Hawksworth C. of E. Jun. & Inf. Schools
DEAN LA.
Jum Beck
Mill
Alders Well
Round Hill
Birkin Hill
MILL
Honey Joan Hill
Roundabout Wood
Hall Cro
BRADFORD
3
LEEDS
BRADFORD
Low Spring Farm
Hawksworth Spring
WILLOW
Birks Wood
Lund Farm
BRADFORD
White House
4
Sunny Brow
Moorside
BD17
HAWKSWORTH ROAD
Low Eaves
Willy Wood
Gill Beck
Ckt. Grnd.
Shipley
Hazel Head Wood
Mill Pond
DRIVE
MOORFIELD
A
18
B
Viaduct
Mills
Club Ho.
Pav.
Sports

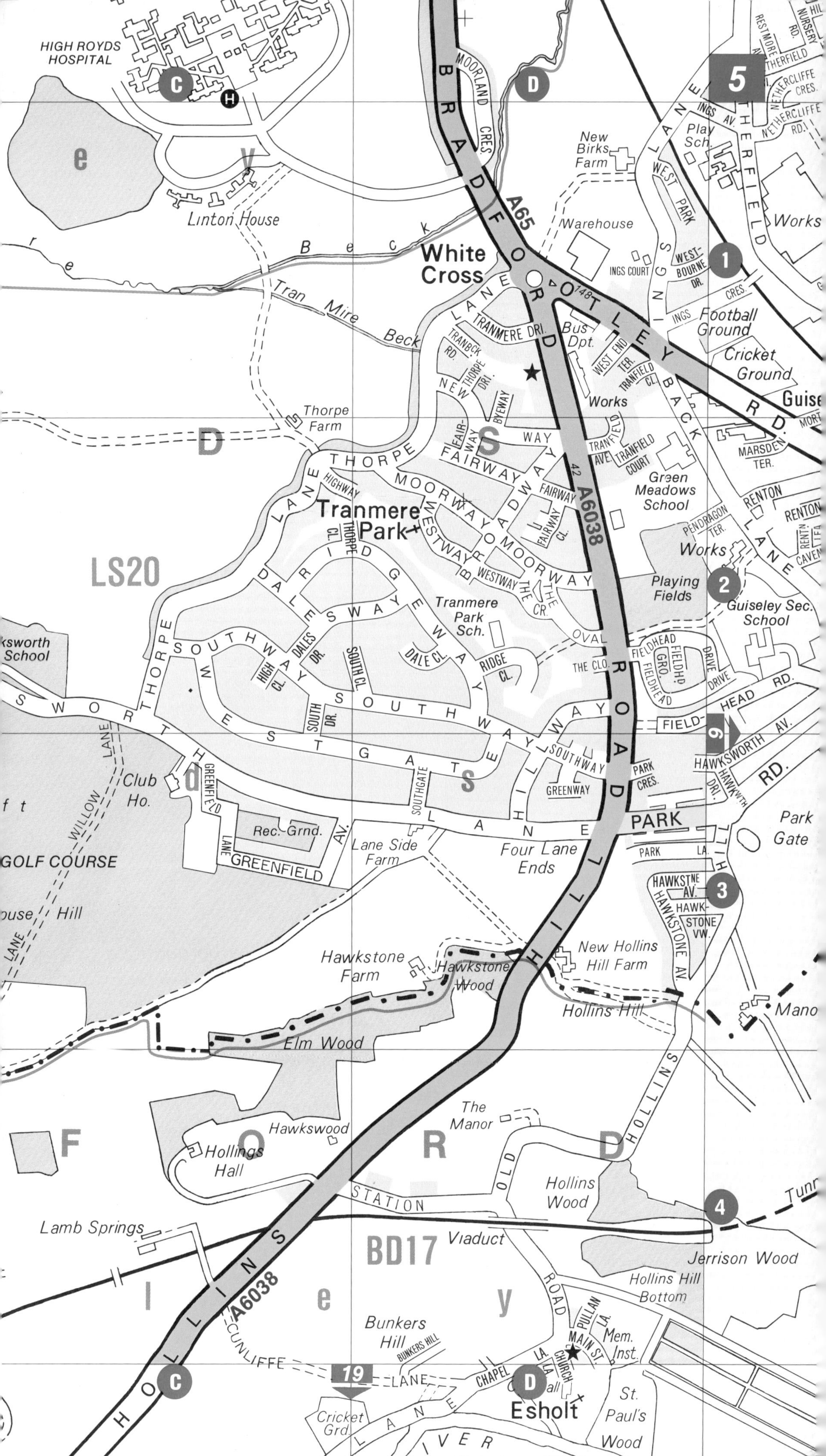
5
HIGH ROYDS HOSPITAL
Linton House
White Cross
Tran Mire Beck
Beck
New Birks Farm
Warehouse
Ings Court
Play Sch.
Works
Football Ground
Cricket Ground
Guise
Bus Dpt.
Works
Thorpe Farm
Tranmere Park
Green Meadows School
Works
Playing Fields
Guiseley Sec. School
Tranmere Park Sch.
LS20
Hawksworth School
Club Ho.
GOLF COURSE
Rec. Grnd.
Lane Side Farm
Four Lane Ends
Park Gate
Hawkstone Farm
Hawkstone Wood
New Hollins Hill Farm
Hollins Hill
Elm Wood
Mano
The Manor
Hawkswood
Hollings Hall
Hollins Wood
Lamb Springs
Viaduct
BD17
Jerrison Wood
Hollins Hill Bottom
Bunkers Hill
Mem. Inst.
St. Paul's Wood
Cricket Grd.
Esholt
A65
A6038
BRADFORD ROAD
OTLEY RD.
HOLLINS HILL
HOLLINS LANE
PARK RD.
PARK LA.
STATION
OLD ROAD
CUNLIFFE LANE
CHAPEL LANE
MAIN ST.
CHURCH LA.
PULLAN LA.
THORPE LANE
TRANMERE DRI.
MOORWAY
WESTWAY
FAIRWAY
BROADWAY
RIDGEWAY
DALESWAY
SOUTHWAY
WESTGATE
SOUTHGATE
HAWKSWORTH RD.
HAWKSWORTH AV.
FIELDHEAD RD.
FIELDHEAD DRIVE
GREENFIELD AV.
GREENFIELD LANE
GREENWAY
HAWKSTONE AV.
HAWKSTONE VW.
INGS LANE
BACK INGS LANE
NETHERFIELD RD.
NETHERCLIFFE CRES.
MOORLAND CRES.
WEST PARK
WESTBOURNE DR.
RENTON LANE
MARSDEN TER.
PENDRAGON TER.
WILLOW LANE
9
19

A
B
GUISELEY
Guiseley
Kelcliffe Farm
Greenlaw
Kelcliffe Mount
Nursery
Works
Play Sch.
Football Ground
Cricket Ground
Green Meadows School
Guiseley Sec. School
Play Fields
Rec. Grd.
Mill
Leisure Cen.
St. Oswald's C.of E. Junior School
Playing Field
Shop. Cen.
Lib.
Tunnel
West Side Retail Park
Aireborough Grammar Sch.
Park Gate
Sodhall Hill
Manor Farm
Sodhall Hill Wood
Esholt Junction
New Scarborough
West Lea Farm
R.C. Prim Sch.
Yeadon Westfield Schs.
Westfield
Spring Wood
Jerrison Wood
Hollins Hill Bottom
Mem. Inst.
St. Paul's Wood
Stone Top Wood
Guiseley Beck
Belmont Wood
Yeadon Gill
BRADFORD
LEEDS
BD17
Shipley
LS20
LS19
A65
B6153
OTLEY ROAD
LEEDS RD.
NEW RD.
KELCLIFFE LANE
OXFORD ROAD
OXFORD AVE
MOORLAND AV.
MOOR LANE
CARLTON
WILLS GILL
SHAW LANE GDNS.
QUEENS WAY
ALBION PLACE
CHURCH
THE GREEN
TOWN ST.
SPRINGFIELD RD
SILVERDALE AVENUE
SILVERDALE DRIVE
COACH ROAD
PARK ROAD
HOLLINS HILL
OLD HOLLINS HILL
FIELDHEAD ROAD
HAWKSWORTH AV.
NETHERFIELD RD.
WEST PARK
INGS LANE
BACK LANE
RENTON AV.
CAVENDISH ROAD
VICTORIA RD
SPENSER ROAD
SHAKESPEARE RD.
TENNYSON
RUSKIN CRESCENT
NUNROYD
WESTFIELD LANE
OLD WHACK HOUSE LANE
GREENLEA AVENUE
WOODLEA
5
20
1
2
3
4

Hopewell Farm
Grange Farm
Calfhole Wood
Calfhole Beck
LS20
Lee Garth Plantation
Deipkier
Wood Plain Plantation
Works
Shaw Beck
CEMETERY RD.
Yeadon Cemetery
Yeadon Haw
Yeadon Banks
LS19
Maria Regina Convent
Damfield Farm
Tarnfield
Inf. and Jun. Schs.
Aged Persons' Home
Kirk Lane Park
Sports Grd.
Yeadon Tarn
Boys Club
Cricket Ground
Moorfield Ind. Est.
Moorfield Bus Pk.
Mill
Westfield Ind. Est.
YEADON
Town Hall
Health Cent.
Lib.
Sch.
Rufford Park
Nursy. Sch.
Henshaw
Low Hall
Gasholder Stn.
Greenside Farm
Works
A65
A658
GREEN LANE
HARROGATE ROAD
Benton Park Sch.
Nether

8
21

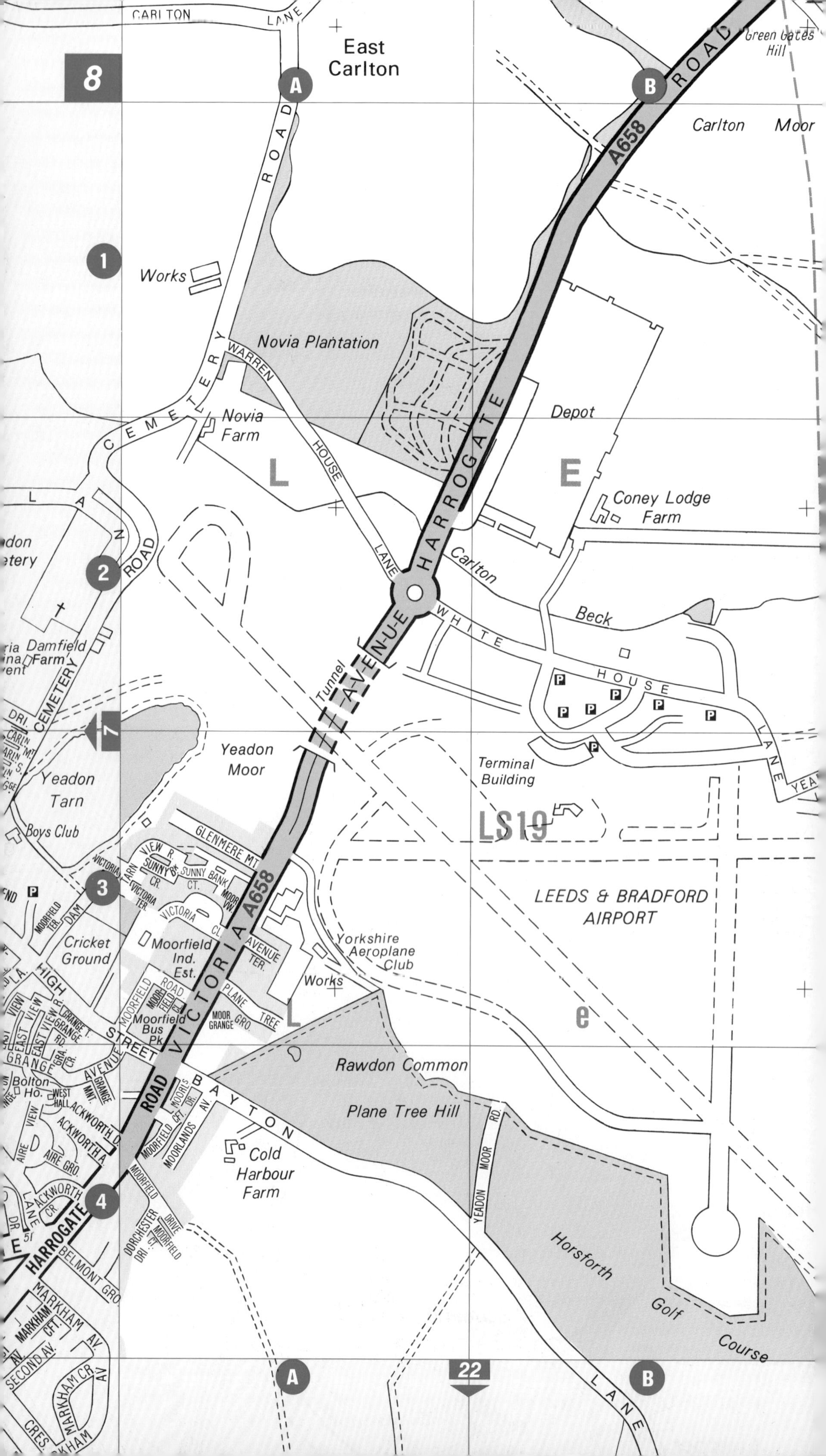

CARLTON LANE
East Carlton
A
B
HARROGATE ROAD
Green Gates Hill
Carlton Moor
A658
CEMETERY ROAD
Works
Novia Plantation
WARREN HOUSE LANE
Novia Farm
Depot
L
E
Coney Lodge Farm
Carlton
Beck
WHITE HOUSE LANE
Tunnel
HARROGATE AVENUE
Damfield Farm
CEMETERY
Yeadon Moor
Terminal Building
Yeadon Tarn
Boys Club
LS19
GLENMERE MT.
LEEDS & BRADFORD AIRPORT
VICTORIA ROAD
Yorkshire Aeroplane Club
Cricket Ground
Moorfield Ind. Est.
Works
Moorfield Bus Pk.
HIGH STREET
L
e
Rawdon Common
Plane Tree Hill
BAYTON LANE
YEADON MOOR RD.
Cold Harbour Farm
Horsforth Golf Course
HARROGATE ROAD
MARKHAM AV.
SECOND AV.
1
2
3
4
7
22

9
C
D
OCCUPATION LA.
Brewery Farm
Abbey House Farm
MOORLAND ROAD
Woodlands Farm
Green Gates
The Bungalow
1
Bramhope Moor
St. Helena Plantation
OTLEY
LANE
None-go-bye's Hill
OLD
E
Pit Holes Plantation
D
S
Gill Plantation
None-Go-Bye Farm
Bramhope
ROAD
Headlands
High Trees Farm
DEAN
DEAN M.
HEAD
Banks Plantation
2
Dean Head Farm
Dean Head
DEAN
Moor
Side
LS16
MOOR RD.
S
OTLAND
10
LS18
Crag House Farm
Crag
3
Moseley
Oaks Farm
Beck
e
d
s
Smithy Farm
Dean Grange Farm
Leeds Country Way
Cookridg
Moseley Farm
4
Moseley
The Rookery
Moor Grange Farm
Scotland
Owlet Farm
Bottom
Owlet Grange
Scotland Beck
23
C
D
Works
LANE
The White House
Moss
MOSELEY GARDENS
MOSELEY
MOSELEY WD GR
MOSELEY WOOD BNK
MOSELY WOOD RISE
MOSELEY WOOD WALK
MOSELEY WOOD CRES

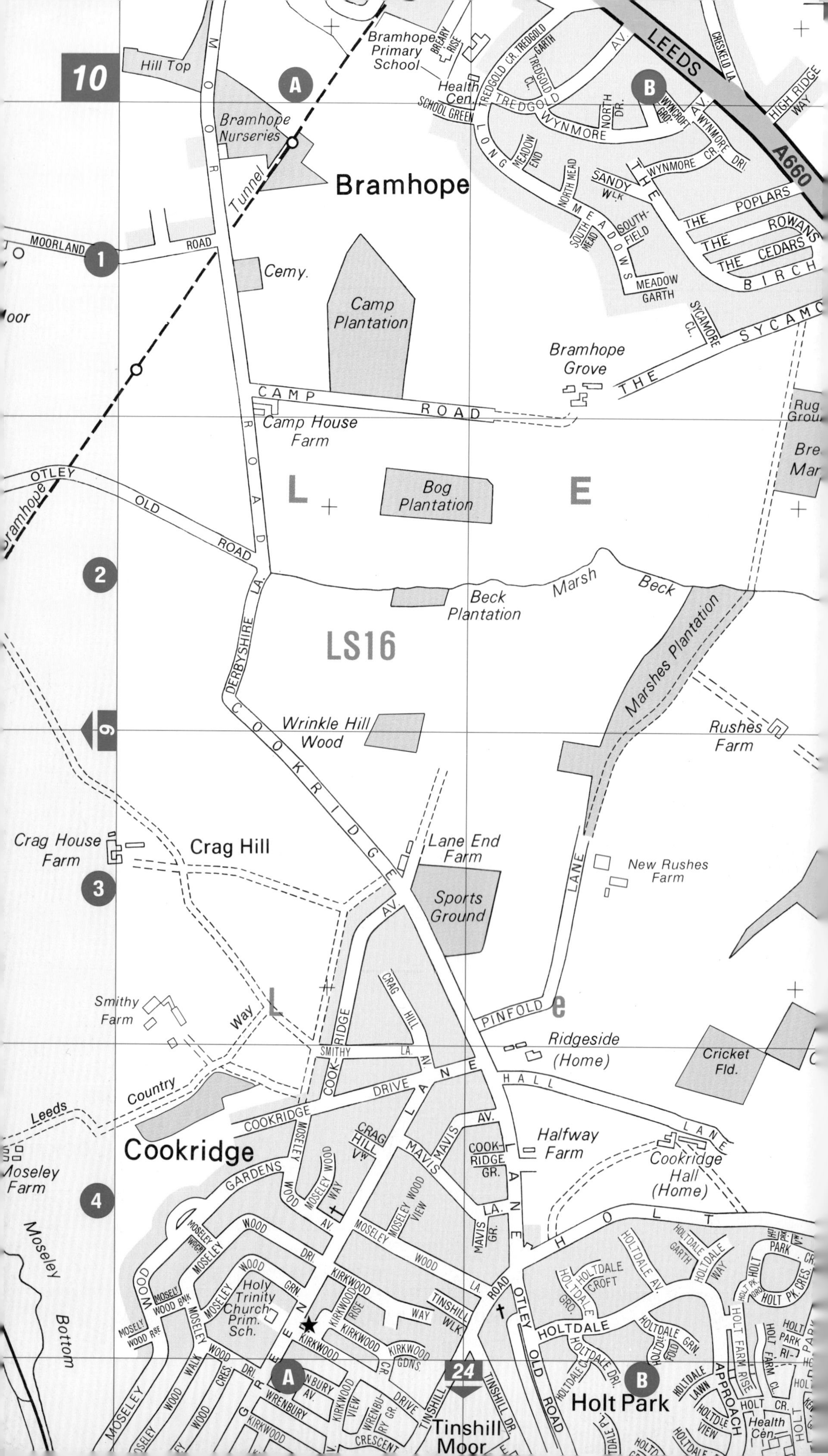
Hill Top
Bramhope Primary School
Health Cen.
Bramhope Nurseries
Tunnel
Bramhope
LEEDS
A660
MOORLAND ROAD
Cemy.
Camp Plantation
Bramhope Grove
CAMP ROAD
Camp House Farm
OTLEY OLD ROAD
Bog Plantation
L
E
Beck Plantation
Marsh Beck
LS16
Marshes Plantation
DERBYSHIRE LA.
COOKRIDGE LANE
Wrinkle Hill Wood
Rushes Farm
Crag House Farm
Crag Hill
Lane End Farm
Sports Ground
New Rushes Farm
Smithy Farm
Leeds Country Way
PINFOLD
Ridgeside (Home)
Cricket Fld.
HALL LANE
Halfway Farm
Cookridge Hall (Home)
Cookridge
Moseley Farm
Moseley Bottom
HOLT
Holy Trinity Church Prim. Sch.
OTLEY OLD ROAD
HOLTDALE
Holt Park
Health Cen.
Tinshill Moor
TINSHILL DR.
24
A
B
1
2
3
4
9

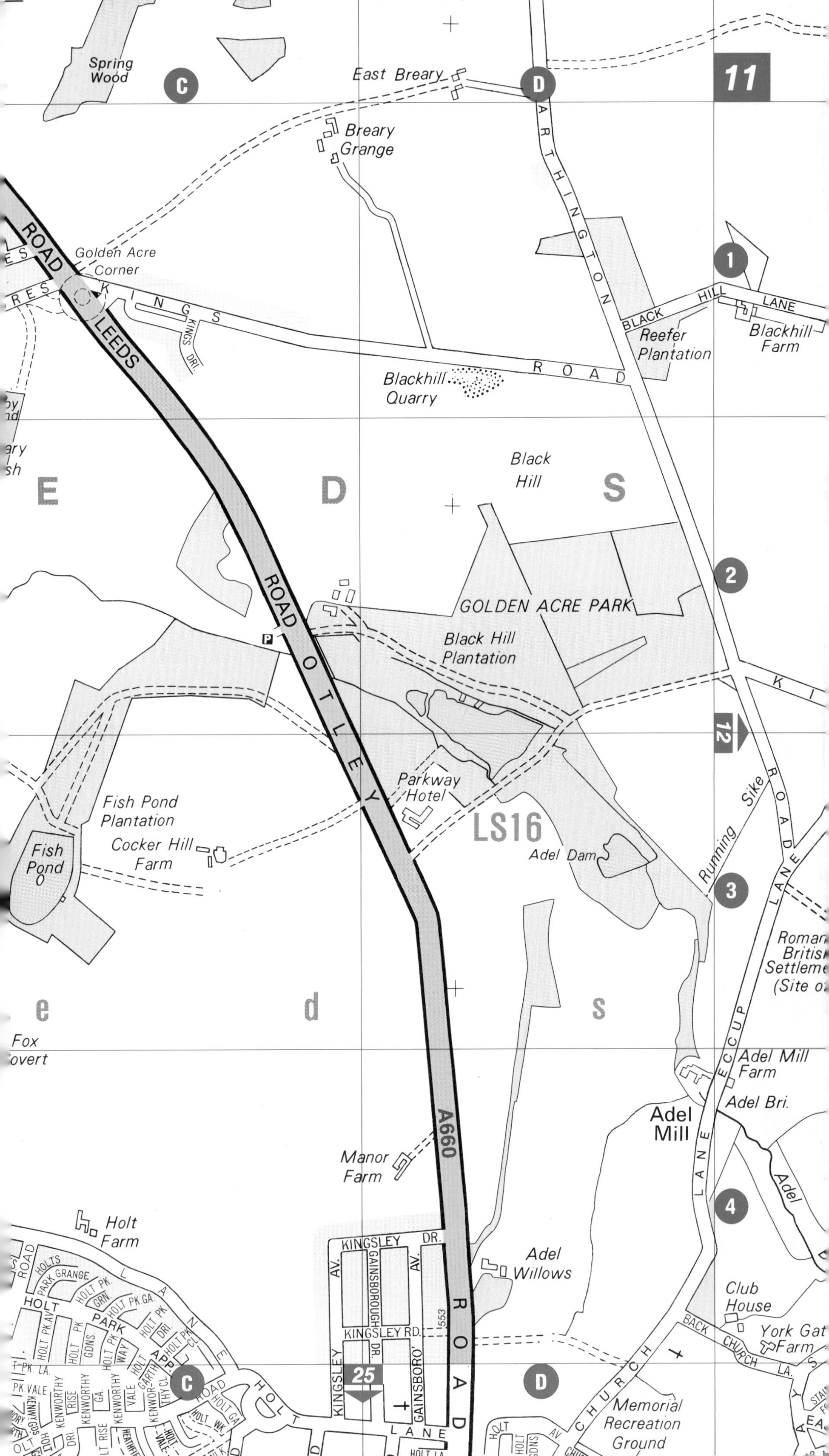
Spring Wood
C
East Breary
D
Breary Grange
Golden Acre Corner
LEEDS ROAD
KINGS ROAD
KINGS DRI.
HARTHINGTON
Blackhill Quarry
BLACK HILL LANE
Reefer Plantation
Blackhill Farm
1
Black Hill
E
D
S
2
GOLDEN ACRE PARK
Black Hill Plantation
OTLEY ROAD
P
12
Parkway Hotel
Fish Pond Plantation
Fish Pond
Cocker Hill Farm
LS16
Adel Dam
Running Sike
3
Roman British Settlement (Site of
e
d
s
Fox Covert
Adel Mill Farm
Adel Bri.
Adel Mill
A660
Manor Farm
ECCUP LANE
4
Holt Farm
Adel Willows
KINGSLEY DR.
KINGSLEY AV.
GAINSBOROUGH DR.
KINGSLEY RD.
553
Club House
York Gate Farm
BACK CHURCH LA.
CHURCH LANE
HOLT LANE
25
Memorial Recreation Ground

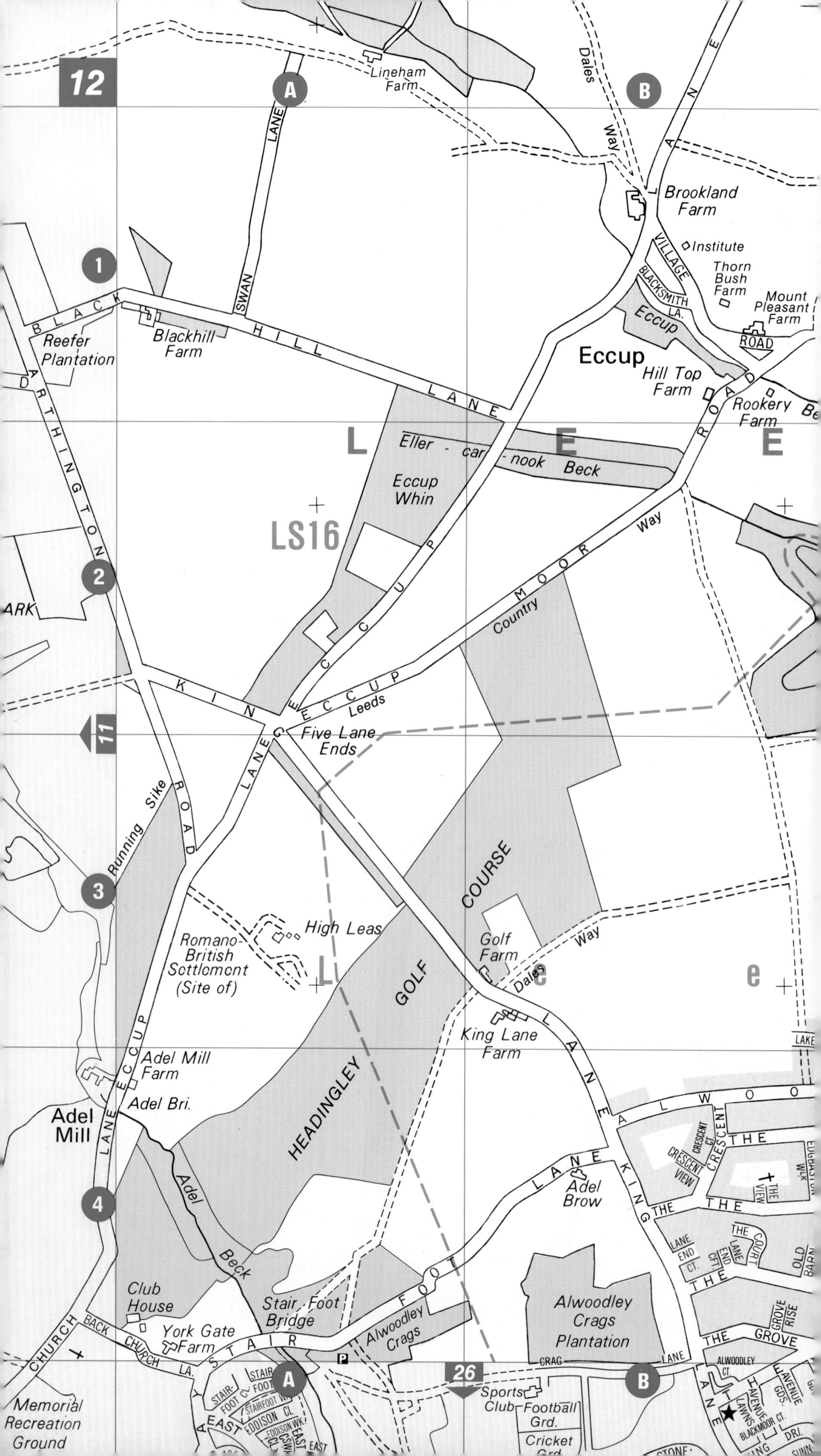

12
A
B
Lineham Farm
Dales Way
SWAN LANE
Brookland Farm
Institute
Thorn Bush Farm
Mount Pleasant Farm
VILLAGE
BLACKSMITH LA.
Eccup
ROAD
Eccup
Hill Top Farm
Rookery Farm
1
BLACK HILL LANE
Reefer Plantation
Blackhill Farm
ARTHINGTON
L
E
E
Eller - car - nook Beck
Eccup Whin
LS16
ECCUP LANE
ECCUP MOOR ROAD
Leeds Country Way
2
ARK
KING LANE
Five Lane Ends
11
Running Sike
ROAD
3
High Leas
Romano-British Settlement (Site of)
HEADINGLEY GOLF COURSE
Golf Farm
Dales Way
L
e
e
King Lane Farm
KING LANE
ALWOODLEY LANE
LAKE
CRESCENT CT.
CRESCENT VIEW
THE CRESCENT
EDGBASTON
THE VIEW
THE
Adel Mill Farm
Adel Bri.
Adel Mill
ECCUP LANE
Adel Beck
Adel Brow
4
LANE END CT.
LANE END CFT.
THE COURT
OLD BARN
THE
Club House
Stair Foot Bridge
Alwoodley Crags
STAIR FOOT
Alwoodley Crags Plantation
GROVE RISE
THE GROVE
York Gate Farm
BACK CHURCH LA.
CHURCH
A
26
CRAG LANE
B
ALWOODLEY CT.
AVENUE
GDS.
P
STAIR FOOT
STAIRFOOT CL.
STAIRFOOT WK.
EDDISON CL.
EDDISON WK.
Sports Club
Football Grd.
Cricket
LAWNS
BLACKMOOR CT.
Memorial Recreation Ground
EAST

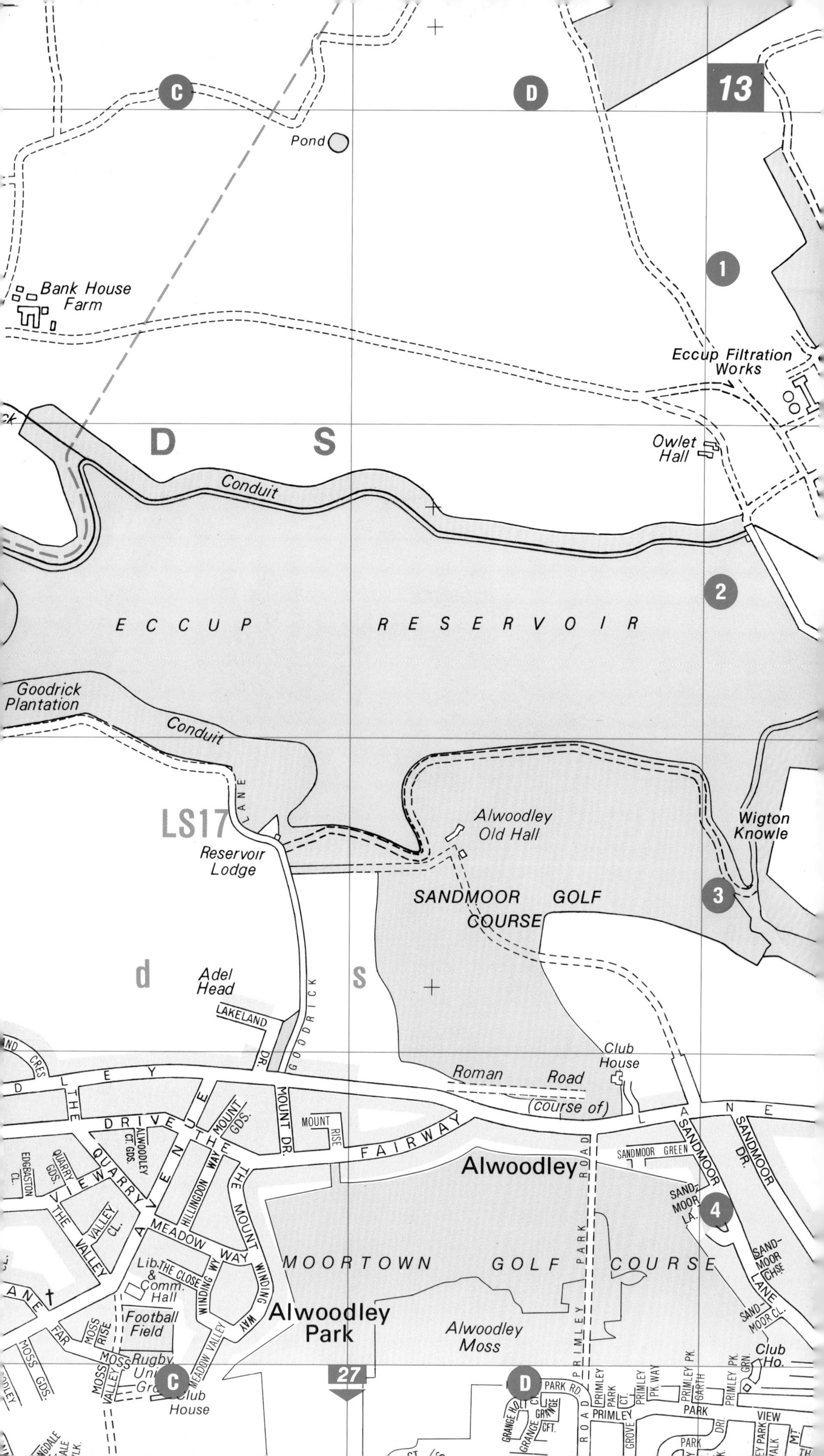

C
D
13
Pond
1
Bank House Farm
Eccup Filtration Works
Owlet Hall
D
S
Conduit
2
ECCUP RESERVOIR
Goodrick Plantation
Conduit
LANE
LS17
Reservoir Lodge
Alwoodley Old Hall
Wigton Knowle
3
SANDMOOR GOLF COURSE
d
s
Adel Head
LAKELAND
DR.
GOODRICK
Club House
Roman Road (course of)
MOUNT DR.
MOUNT RISE
FAIRWAY
LANE
SANDMOOR GREEN
SANDMOOR
SANDMOOR DR.
Alwoodley
ROAD
SANDMOOR LA.
4
THE DRIVE
ALWOODLEY CT. GDS.
THE AVENUE
MOUNT GDS.
EDGBASTON CL.
QUARRY GDS.
VIEW
QUARRY
HILLINGDON WAY
THE MOUNT
VALLEY CL.
THE VALLEY
MEADOW WAY
MOORTOWN GOLF COURSE
PRIMLEY PARK
SANDMOOR CHSE
SANDMOOR LANE
Lib. & Comm. Hall
THE CLOSE
WINDING WY
WINDING WAY
Alwoodley Park
Alwoodley Moss
SANDMOOR CL.
Club Ho.
LANE
FAR
MOSS RISE
Football Field
MOSS GDS.
MOSS VALLEY
Rugby Union Ground
MEADOW VALLEY
C
Club House
27
D
PARK RD
PRIMLEY PARK CT.
PRIMLEY PK. WAY
PRIMLEY PK. GARTH
PRIMLEY PK. GRN.
GRANGE
GRANGE CFT.
ROAD
PRIMLEY
GROVE
PARK
DRI.
VIEW
PARK

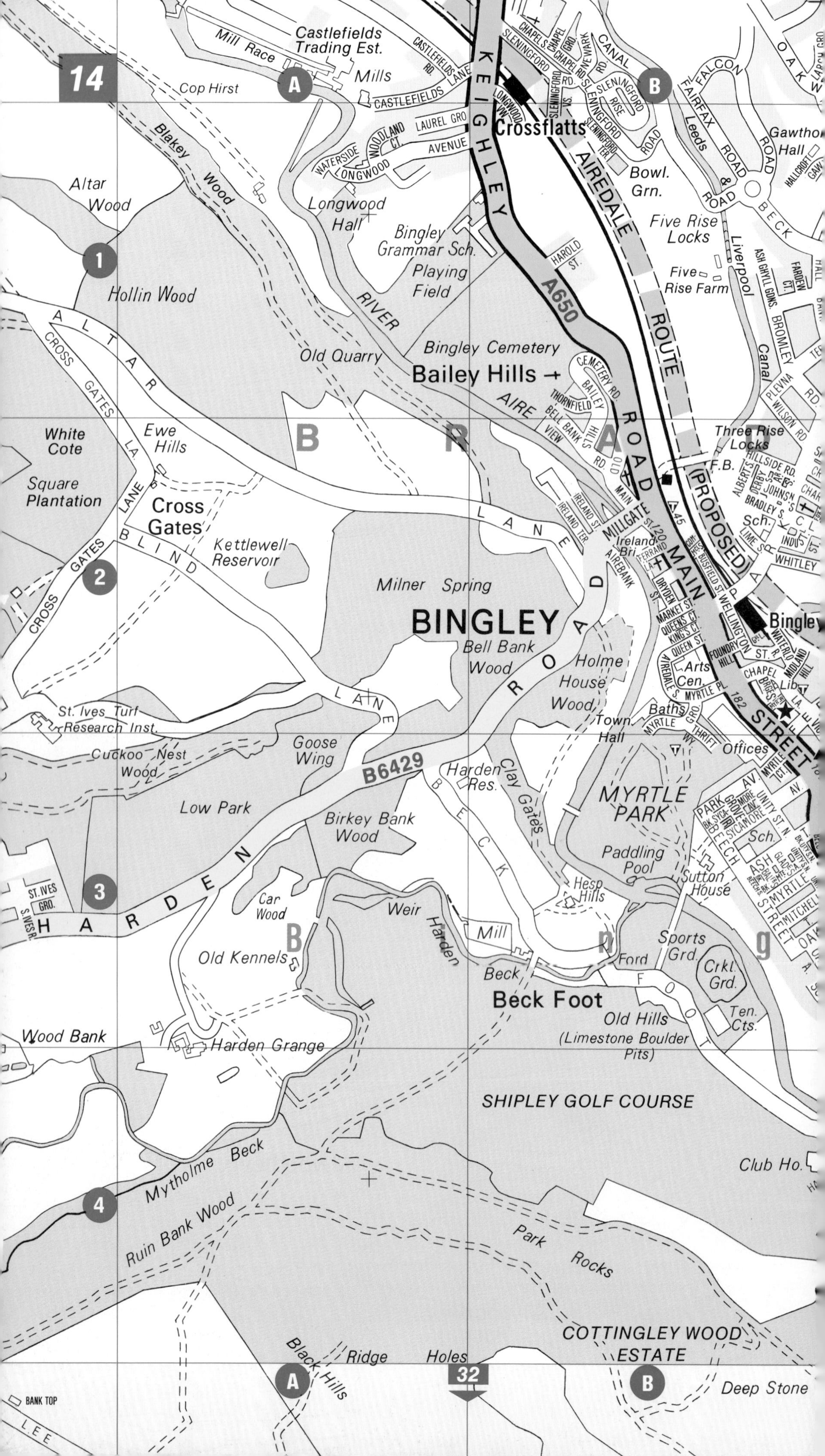

14
Castlefields Trading Est.
Mill Race
Mills
Cop Hirst
CASTLEFIELDS LANE
KEIGHLEY
Crossflatts
CANAL
FALCON
FAIRFAX ROAD
Leeds & Liverpool Canal
Gawthorpe Hall
Altar Wood
Blakey Wood
LAUREL GRO.
WOODLAND CT.
AVENUE
LONGWOOD
WATERSIDE
Longwood Hall
Bingley Grammar Sch.
Playing Field
AIREDALE ROUTE (PROPOSED)
Bowl. Grn.
Five Rise Locks
Five Rise Farm
Hollin Wood
RIVER AIRE
HAROLD ST.
A650
Bingley Cemetery
Old Quarry
Bailey Hills
ALTAR LANE
CROSS GATES LA.
White Cote
Square Plantation
Ewe Hills
Cross Gates
BLIND LANE
Kettlewell Reservoir
CROSS GATES LANE
Milner Spring
BINGLEY
Bell Bank Wood
MAIN ROAD
Three Rise Locks
Bingley
Holme House Wood
Town Hall
Arts Cen.
Baths
Offices
St. Ives Turf Research Inst.
Cuckoo Nest Wood
Goose Wing
B6429
Harden Res.
Clay Gates
MYRTLE PARK
Low Park
Birkey Bank Wood
Paddling Pool
Sutton House
HARDEN ROAD
ST. IVES GRO.
Car Wood
Weir
Harden Beck
Mill
Hesp Hills
Sports Grd.
Crkt. Grd.
Old Kennels
Ford
FOOT
Beck Foot
Old Hills (Limestone Boulder Pits)
Ten. Cts.
Wood Bank
Harden Grange
SHIPLEY GOLF COURSE
Mytholme Beck
Club Ho.
Ruin Bank Wood
Park Rocks
COTTINGLEY WOOD ESTATE
Black Hills
Ridge
Holes
32
Deep Stone
BANK TOP
LEE

15
Eldwick First Sch.
Lady Park Nursing Home
PRINCE OF WALES PARK
Eldwick
Priestthorpe
Crow Nest
Gilstead
Bingley Hospital
Ferncliffe
Tennis Cts.
Gilstead Middle School
Laurel Bank Farm
Sheriff Farm
Lane End Frm.
Recreation Ground
Delph Wood
16
Leeds & Liverpool Canal
Old Hills
Works
Play. Fld.
Sch.
Milnerfield Farm
Dowley Gap
Dowley Gap Bridge
Scourer Bri.
Locks
Dowley Gap Bri.
Bull Coppy Wood
Hirst
BD16
BD18
Beckfoot School
Playing Field
Low Laithe Farm
Cottingley Bri.
Crkt. Grd.
Rugby Ftbl. Grd.
Dowley Gap Nursery
Rye Loaf Hill
AIREDALE ROUTE (PROPOSED)
RIVER AIRE
Rugby Football Ground
Rye Loaf Wood
Viaduct
Bankfield Hotel
Gill Wood
Cottingley Bar
33
A650
BRADFORD ROAD
Mill
1
2
3
4

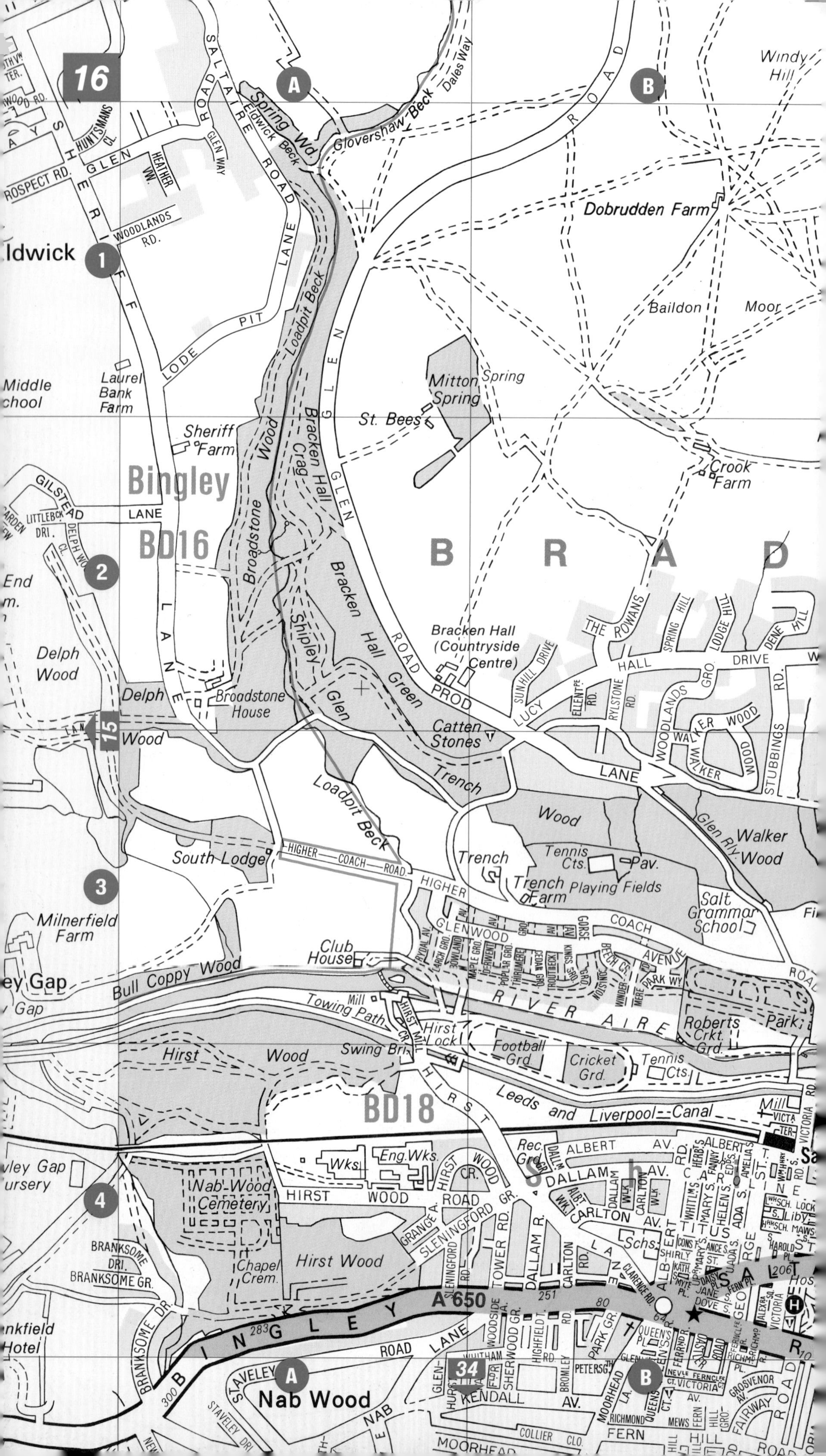
A
B
Windy Hill
Spring Wd.
Eldwick Beck
Glovershaw Beck
Dales Way
SALTAIRE ROAD
HUNTSMANS CL.
GLEN
HEATHER VW.
GLEN WAY
PROSPECT RD.
WOODLANDS RD.
Dobrudden Farm
Eldwick
LANE
PIT
LODE
Loadpit Beck
Baildon
Moor
Laurel Bank Farm
Middle School
Mitton Spring
St. Bees
Sheriff Farm
Bracken Hall Crag
Bingley
GILSTEAD LANE
LITTLEBECK DRI.
DELPH CL.
BD16
Broadstone Wood
Crook Farm
B R A D
2
THE ROWANS
SPRING HILL
LODGE HILL
DENE HILL
Bracken Hall Green
Bracken Hall (Countryside Centre)
SUNHILL DRIVE
HALL
DRIVE
Delph Wood
Shipley Glen
PROD
LUCY
ELLENT^{PE} RD.
RYLSTONE RD.
WOODLANDS GRO.
WALKER WOOD
Broadstone House
Catten Stones
15
Delph Wood
Trench
LANE
STUBBINGS RD.
Loadpit Beck
Wood
Glen Rly.
Walker Wood
South Lodge
HIGHER COACH ROAD
Trench
Tennis Cts.
Pav.
Trench Farm
Playing Fields
Salt Grammar School
3
Milnerfield Farm
GLENWOOD
COACH
AVENUE
Club House
Bull Coppy Wood
PARK WY.
RIVER AIRE
Mill
Towing Path
HIRST MILL CR.
Hirst Lock
Football Grd.
Cricket Grd.
Roberts Park
Crkt. Grd.
Hirst Wood
Swing Bri.
Tennis Cts.
Leeds and Liverpool Canal
BD18
Mill
VICTA TER.
Wks.
Eng. Wks.
Rec. Grd.
ALBERT AV.
DALLAM AV.
Nab Wood Cemetery
HIRST WOOD ROAD
CARLTON AV.
4
BRANKSOME DRI.
BRANKSOME GR.
Chapel Crem.
Hirst Wood
SLENINGFORD GR.
TOWER RD.
DALLAM R.
CARLTON RD.
Schs.
TITUS
SALT
A 650
BINGLEY
ROAD
LANE
Nab Wood
STAVELEY
34
KENDALL AV.
PETERSGTH
Hotel
BRANKSOME DR.
MOORHEAD
FERN
COLLIER CLO.
FAIRWAY
GROSVENOR AV.
CT. VICTORIA
RICHMOND MEWS
QUEEN'S CT.
Hos.
206
251
283
300
80

C
D
Low Plain
BINGLEY RD.
HAWKSWORTH RD.
BAILDON MOOR
High Plain
Hope Hill
Strathmore Farm
Brandcliff Hill
GREEN LANE
Hope Farm
BD17
BAILDON
Belmont School
Clark House
Oakleigh
Oakleigh Lodge
Rockfield Farm
Midgeley Wood
Glenaire First School
Baildon Green
Fairbank Wood
Ferniehurst Quarries
Ferniehurst First School
Sandal Sch.
Clinic
Rec. Grd.
The Dell
Baildon Hall
Baildon Wood Bottom
Baildon Holmes
Baildon Bridge
BROWGATE
B6151
BAILDON RD.
BAILDON ROAD
OTLEY RD.
A6038
Saltaire
Govt. Office
T.A.V.R. Centre
Sports Centre
Towing Path
R. AIRE
COACH ROAD
DOCKFIELD RD.
COMMERCIAL ST.
BRIGGATE
A657
SALTAIRE RD.
KIRKGATE
LEEDS ROAD
Shipley
Leeds Junc.
Guiseley Junc.
Canal
Viaduct
BD18
1
2
3
4
18
35
Windhill

18
4
36
17
A
B
1
2
3
4
BAILDON
Low Baildon
Baildon
Brook Hill
Charlestown
Tong Park
Hazel Head Wood
Mill Pond
Viaduct
Baildon Hall
Baildon Ho.
Hoyle Court
Round Wood
St. James P
Ford House Farm
Buck Mill Bri.
Butterfield Ind. Est.
Thackley West Wood
Brown Wood
Baildon Wood Bottom
Dockfield Industrial Estate
Shipley
BD17
BD18
West Royd
Woodend
Woodend Middle Sch.
Catstones Wood
Catstones Quarry
Idle Hill Reservoir
St Anthony's R.C School
The Dell
Rec. Grd.
Baildon Holmes
Guiseley Junc.
Leeds Junc.
Windhill
RIVER AIRE
Canal
A6038
A657
B6151
OTLEY ROAD
BROWGATE
BAILDON RD.
STATION ROAD
LEEDS ROAD
WINDHILL ROAD
HOLDEN LANE
LANGLEY LANE
PARK ROAD
BUSY LANE
WROSE BROW
Sports Ground
Ckt. Grnd.
Crkt. Grd.
Cricket Grd.
Sprts. Grd.
Mills
Wks.
Sch.
Cem.
Nurs.
Nursery
Cote

19
20
37
5
Hollins Hill Bottom
Bunkers Hill
Esholt
St. Paul's Wood
Old Hall
Mem. Inst.
Cricket Grd.
River Aire
Works
Gill Beck Farm
Field Locks
Field Wood
Towing Path
Leeds and Liverpool Canal
Buck Wood
Swing Bri.
Esholt Outfall Sewer Tunnel Wks.
Round Wd.
Poggy Wood
Storm Water Tanks
The Nosegay
Football Grd.
Playing Flds.
Birk Hill
Low Ash Farm
Dawson Wood
Bradford
Thackley Tunnels
BD10
Burnwells
Thackley End
Thackley
Park Hill Farm
Playing Fields
Ashfield Residential Unit
Plumpton House
Ashfield Special School
Little Cote Farm
Greenfield Sch.
Idle C.E. First Sch.
Mills
Simpson Grn. Fm.
Simpson Green
Dobson Locks
Rec. Grd.
Idle
Mill
Cricket Field
Clinic
Works
Wks.
Fourlands
A6038
A657
A 643
HOLLINS HILL
LEEDS ROAD
APPERLEY RD.
MITCHELL LANE
CORONATION
THACKLEY ROAD
PARK AV.
PARK RD.
CARR RD.
HIGH ST.
ALBION RD.
NEW ST.
Thackley Canal

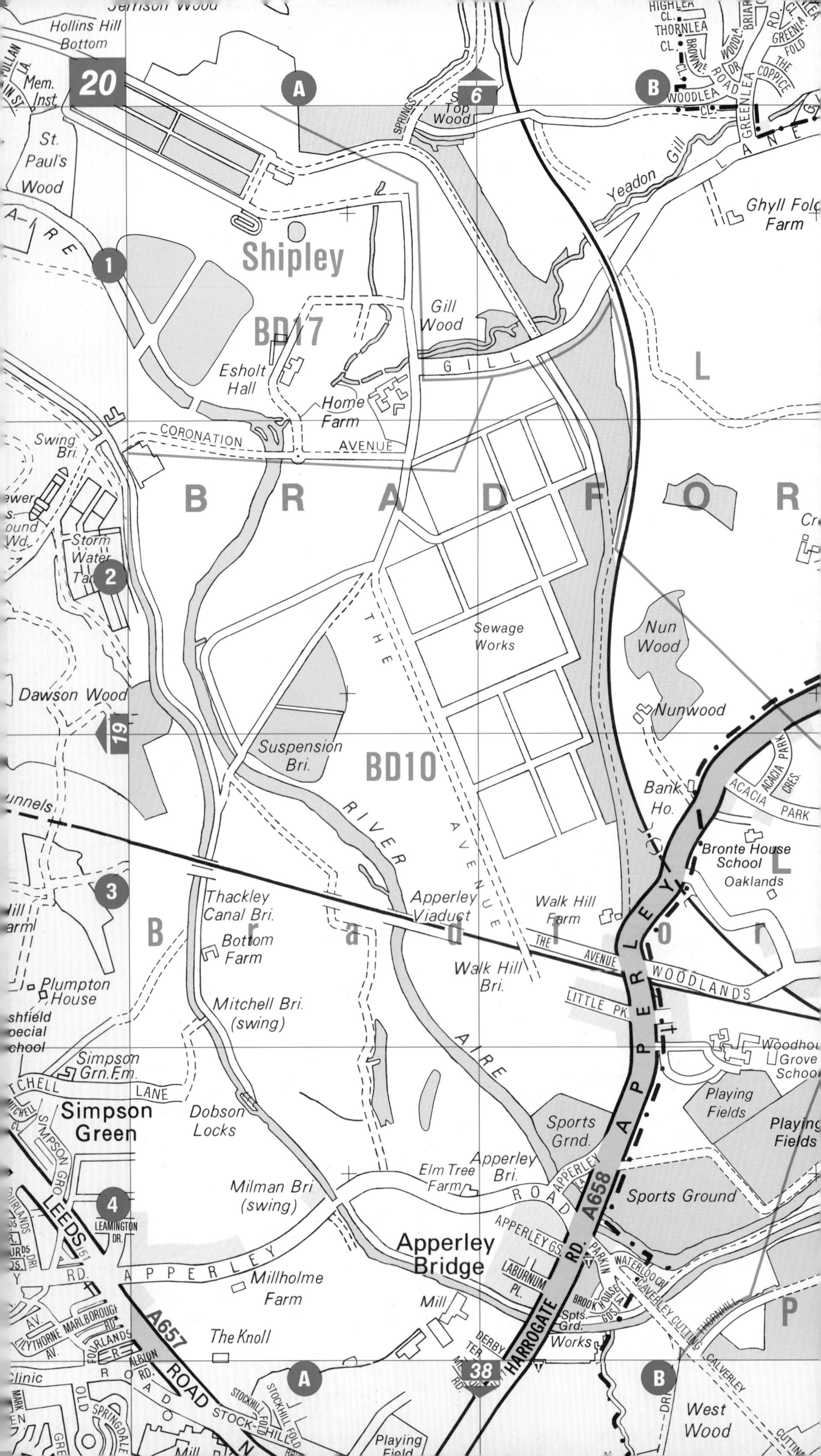
20
6
19
38
A
B
1
2
3
4
Hollins Hill Bottom
Mem. Inst.
St. Paul's Wood
AIRE
Shipley
BD17
Esholt Hall
Home Farm
Gill Wood
GILL
CORONATION
AVENUE
Top Wood
SPRINGS
Yeadon Gill
Ghyll Fold Farm
HIGHLEA CL.
THORNLEA CL.
WOODLEA CL.
GREENLEA
LANE
COPPICE
Swing Bri.
Storm Water Tank
BRADFORD
Dawson Wood
Sewage Works
THE AVENUE
Nun Wood
Nunwood
Suspension Bri.
BD10
RIVER AIRE
Bank Ho.
ACACIA PARK
ACACIA PARK CRES.
Bronte House School
Oaklands
Thackley Canal Bri.
Apperley Viaduct
Walk Hill Farm
Bradford
Bottom Farm
Walk Hill Bri.
WOODLANDS
LITTLE PK.
Plumpton House
Mitchell Bri. (swing)
Simpson Grn. Fm.
LANE
Woodhouse Grove School
Playing Fields
Simpson Green
Dobson Locks
Sports Grnd.
Apperley Bri.
Elm Tree Farm
Milman Bri. (swing)
ROAD
APPERLEY LA.
A658
Sports Ground
LEEDS
LEAMINGTON DR.
APPERLEY GS.
Apperley Bridge
LABURNUM PL.
APPERLEY RD.
Millholme Farm
Mill
HARROGATE RD.
WATERLOO CR.
CAVERLEY CUTTING
THORNHILL
CALVERLEY
A657
The Knoll
Spts. Grd.
Works
MARLBOROUGH RD.
FOURLANDS
ALBION RD.
ROAD
STOCKHILL FOLD
STOCK-HILL
Clinic
SPRINGDALE
DERBY TER.
West Wood
Playing Field

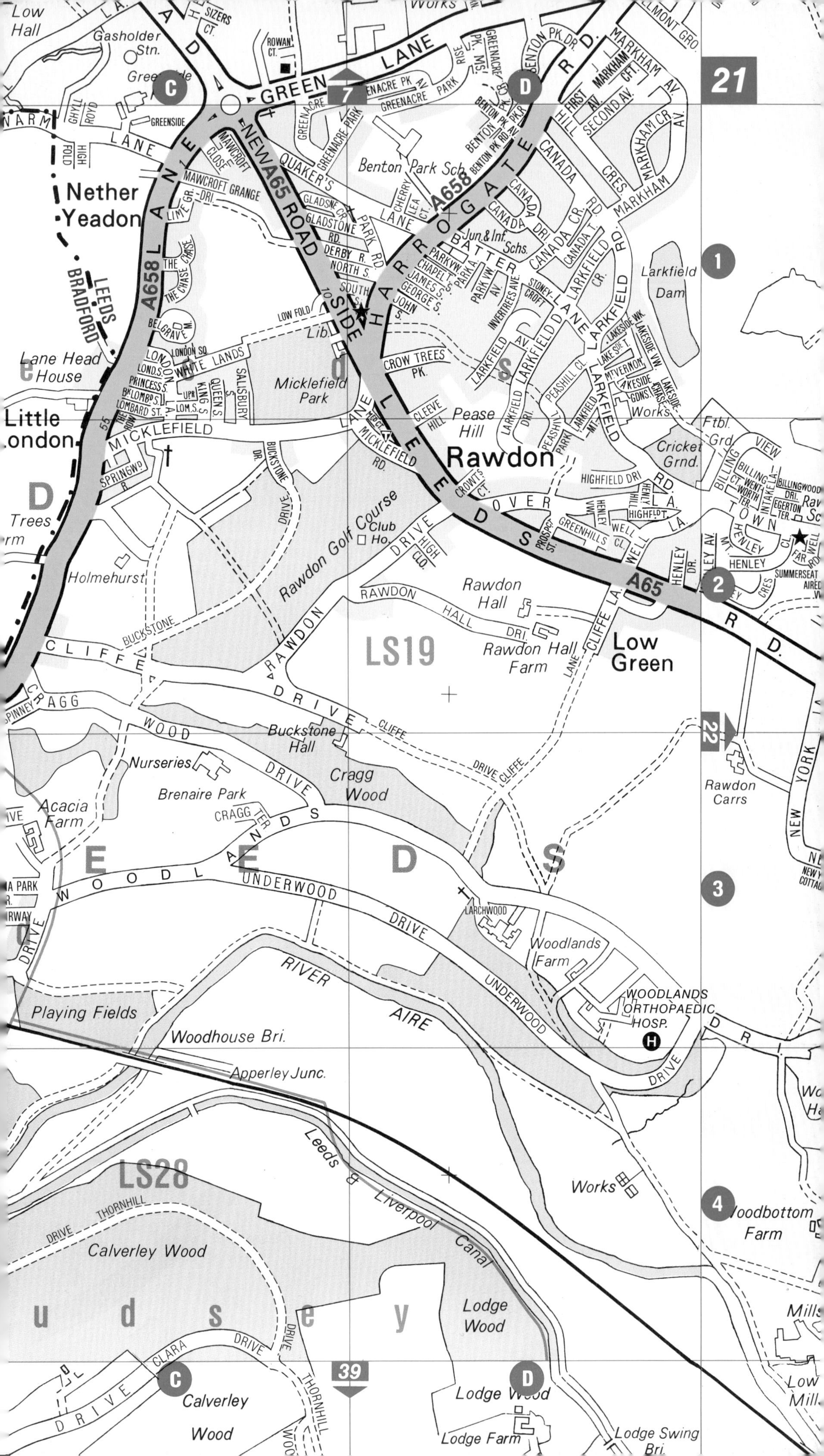

21
Nether Yeadon
Little London
Rawdon
Low Green
Rawdon Golf Course
Micklefield Park
Rawdon Hall
Rawdon Hall Farm
Buckstone Hall
Cragg Wood
Brenaire Park
Acacia Farm
Nurseries
Holmehurst
Lane Head House
Larkfield Dam
Pease Hill
Cricket Grnd.
Rawdon Carrs
Woodlands Farm
WOODLANDS ORTHOPAEDIC HOSP.
Playing Fields
Woodhouse Bri.
Apperley Junc.
RIVER AIRE
Leeds & Liverpool Canal
Calverley Wood
Lodge Wood
Lodge Farm
Lodge Swing Bri.
Woodbottom Farm
Works
LS19
LS28
A65
A658
GREEN LANE
NEW ROAD SIDE
HARROGATE RD.
LEEDS RD.
LEEDS
BRADFORD
CLIFFE DRIVE
UNDERWOOD DRIVE
WOODLANDS DRIVE
CRAGG WOOD DRIVE
RAWDON DRIVE
MICKLEFIELD
7
39
22

A
B
8
1
2
3
4
21
40
Golf Course
BAYTON LANE
Billing Hill
Larkfield Dam
Ftbl. Grd.
Cricket Grnd.
Works
Rawdon C of E Jun. & Inf. Schs.
LAYTON AVENUE
Jubilee Comm. Bldg.
Layton Hall
Bayton House
Club House
Westbrook Farm
ROAD
Low Green
LEEDS A65 ROAD
LS19
Rawdon Carrs
NEW YORK LANE
NEW YORK COTTAGES
SOUTHLANDS AV.
High Knott Wood
Red Beck House
Springfield Farm
West End
West End Jun. & Inf. Schs.
WOODLANDS ORTHOPAEDIC HOSP.
Woodleigh Hall
Woodleigh Hall Farm
Crematorium
Wellroyd
Wood Bottom
Woodbottom Farm
RAWDON
The Grange
Daisybank
REDBECK COTTAGES
Mills
Low Mills
Low Fold
Low Hall
LOW HALL ROAD
CALVERLEY
BROADWAY
Works
Lodge Swing
Sough

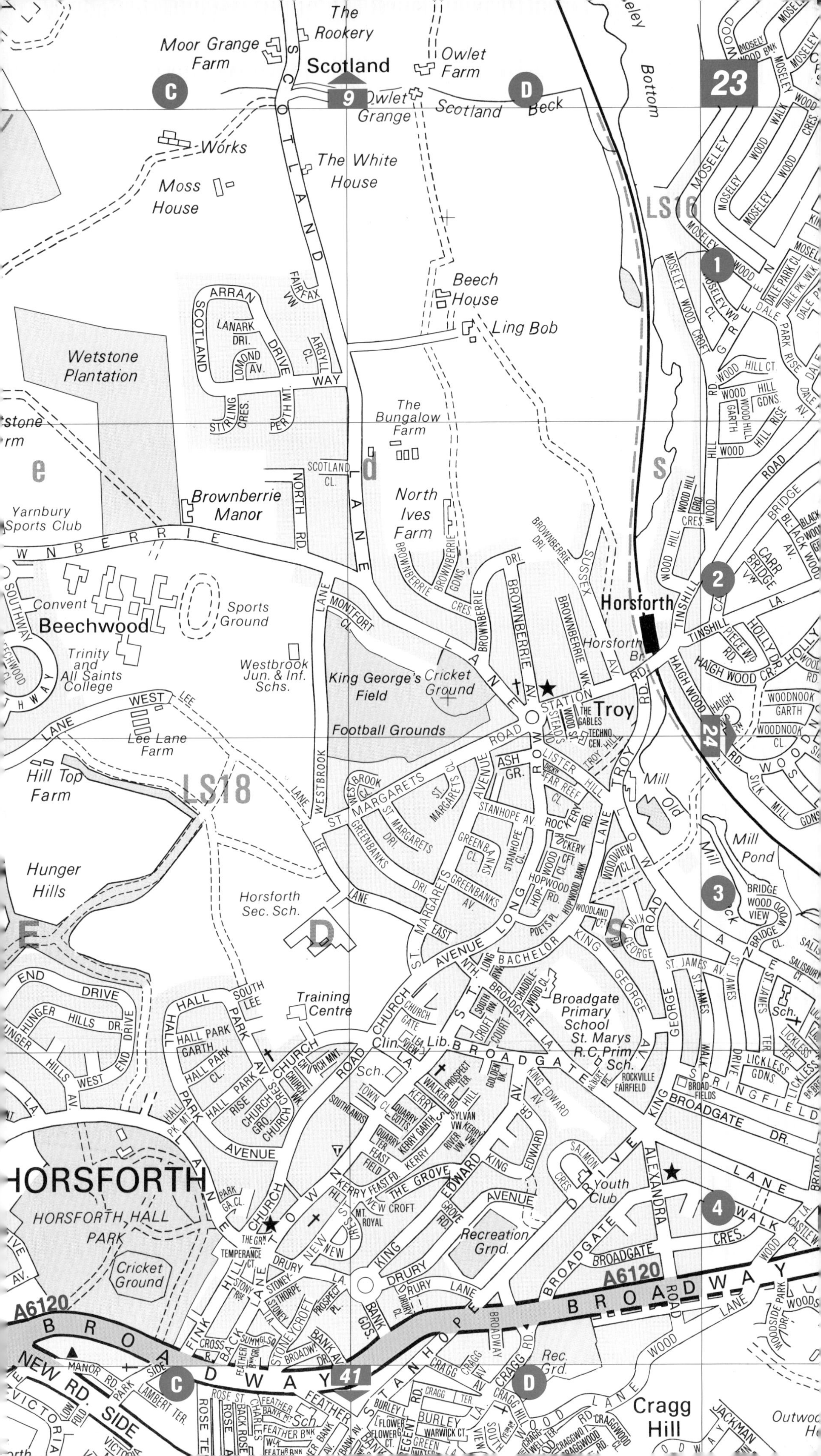

23
24
9
41
C
D
LS16
LS18
The Rookery
Moor Grange Farm
Scotland
Owlet Farm
Owlet Grange
Scotland Beck
Moseley Bottom
Works
The White House
Moss House
Scotland Lane
Beech House
Ling Bob
Arran Way
Lanark Dri.
Lomond Av.
Argyll Cl.
Scotland Way
Stirling Cres.
Perth Mt.
Fairfax Vw
Wetstone Plantation
The Bungalow Farm
North Ives Farm
Scotland Cl.
North Rd.
Brownberrie Manor
Yarnbury Sports Club
Brownberrie Lane
Brownberrie Cres
Brownberrie Gdns
Brownberrie Dri.
Brownberrie Av.
Brownberrie Wk.
Sussex Av.
Horsforth
Horsforth Br.
Convent
Beechwood
Sports Ground
Trinity and All Saints College
Westbrook Jun. & Inf. Schs.
King George's Field
Cricket Ground
Football Grounds
Montfort Cl.
West Lane
Lee Lane
Lee Lane Farm
Hill Top Farm
Station Road
Troy
The Gables
Techno Cen.
Troy Hill
Troy Rd.
Mill
Old Mill
Mill Pond
Westbrook Lane
St. Margarets Rd.
St. Margarets Dri.
St. Margarets Cl.
St. Margarets Av.
Greenbanks Dri.
Greenbanks Av.
Greenbank Cl.
Stanhope Av.
Stanhope Cl.
Ash Gr.
Lister Hill
Far Reef Cl.
Rockery Rd.
Hopwood Rd.
Hopwood Bank
Woodview Cl.
Woodland Cft.
Hunger Hills
Horsforth Sec. Sch.
Long Row
Poets Pl.
Bachelor La.
King George Rd.
King George Av.
St. James Av.
St. James Walk
St. James Dri.
Salisbury Ct.
Sch.
Lickless Gdns.
Lickless Ter.
Springfield
Broadgate Dr.
Broadgate Lane
Broadgate Primary School
St. Marys R.C.Prim. Sch.
Rockville
Fairfield
Broad-Fields
End Drive
Hunger Hills Dr.
West End Drive
Hall Park Av.
Hall Park Garth
Hall Park Cl.
Hall Park Rise
Hall Park Mt.
South Lee
Training Centre
Church Lane
Church Rd.
Church Gro.
Church Cres.
Church Mt.
Church Wk.
Church Gate
Clin.
Lib.
Broadgate
Nth. St.
Chaddle-wood Cl.
South Rw.
Croft Court
Golden Bk.
Walker Rd.
Prospect Ter.
Southlands
Town St.
Quarry Cotts.
Kerry Garth
Kerry Hill
Kerry St.
Sylvan Vw.
River Vw.
Feast Field
Feast Fd.
The Grove
New Croft
Mt. Royal
King Edward Av.
King Edward Cres.
Salmon Cres.
Drive
Youth Club
Alexandra Rd.
Walk Cres.
Avenue
Grove Rd.
Recreation Grnd.
Horsforth
Horsforth Hall Park
Cricket Ground
Park Ga. Cl.
Temperance Ct.
The Grn
Stony Rise
Drury Lane
Drury Ave.
Stoney-Thorpe
Stoneycroft
Prospect Pl.
Bank Gds.
A6120
Broadway
Broadgate Lane
Woodside Park Dri.
Woodside Lane
Fink Hill
Back Lane
Cross R.
Feather Bank Gr.
Summ.
Bank Av.
Manor Rd.
New Rd. Side
Park Side
Lambert Ter.
Victoria
Low Fold
Rose Ter.
Rose St.
Back Rose
Charles
Feather Bank Mt.
Feather Bk.
Sch.
Stanhope Dr.
Burley
Flower Ct.
Regent
Cragg Ter.
Cragg Av.
Cragg Rd.
Cragg La.
Rec. Grd.
Warwick Ct.
Green
South View
Cragg Wood Dr.
Wood Lane
Cragg Hill
Jackman
Outwood
Wood Hill Rd.
Wood Hill Gdns.
Wood Hill Garth
Wood Hill Rise
Wood Hill Ct.
Wood Hill Cres.
Wood Hill Gro.
Tinshill La.
Tinshill Rd.
Carr Bridge Av.
Carr Bridge Vw.
Blackwood
Piece Wd. Rd.
Holly Dr.
Haigh Wood Cr.
Haigh Wood Rd.
Woodnook Garth
Woodnook Cl.
Silk Mill Gdns.
Bridge Wood View
Moseley Wood Croft
Moseley Wood Cres.
Moseley Wood Walk
Moseley Wood Bnk
Moseley Wd. Cl.
Dale Park Cl.
Dale Pk. Wlk.
Dale Park Rise
Dale Park Av.

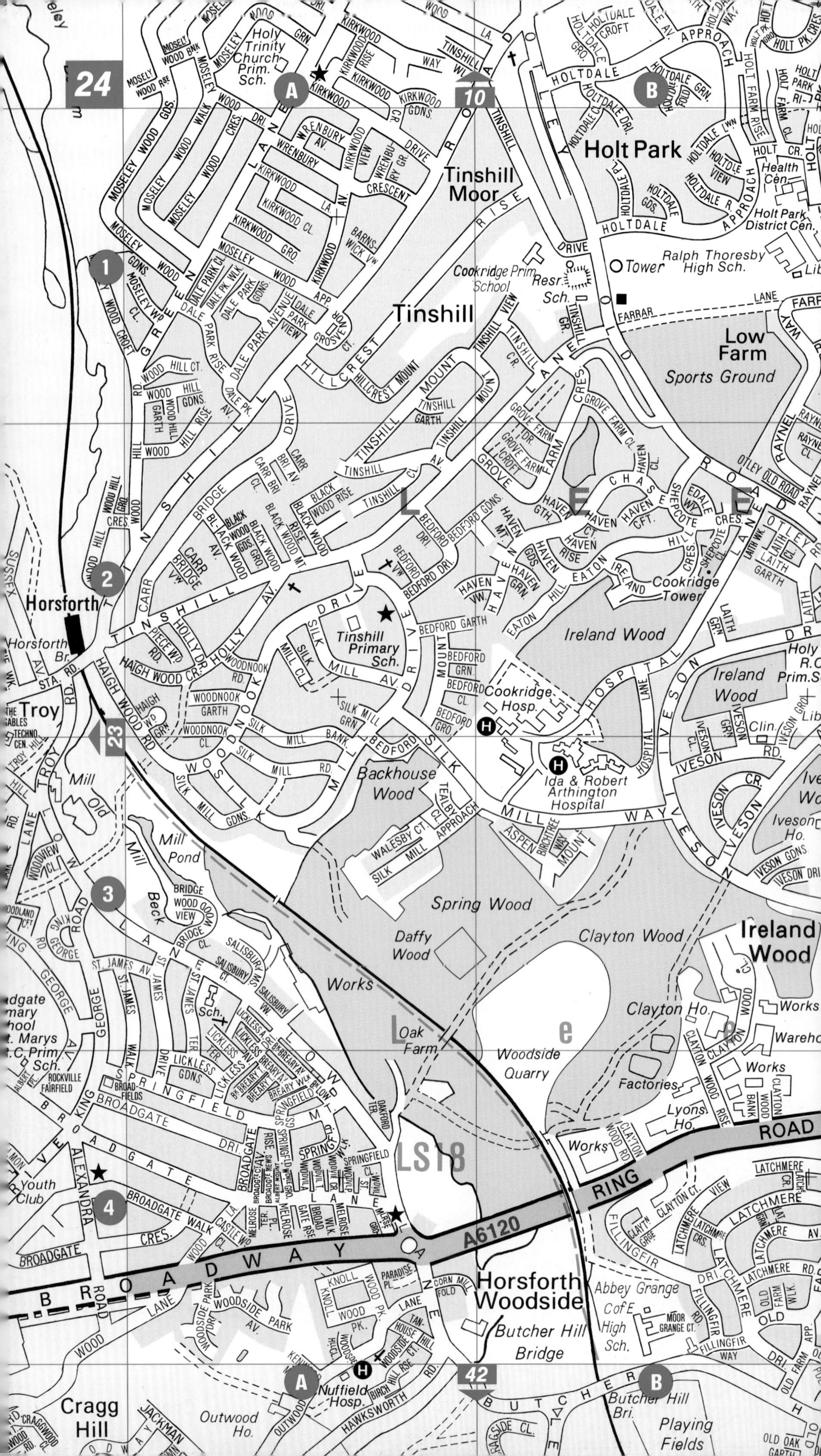
24
A
B
10
1
2
3
4
23
42
LS18
Holt Park
Holt Park District Cen.
Health Cen.
Tinshill Moor
Tinshill
Ralph Thoresby High Sch.
Tower
Cookridge Prim. School
Resr.
Sch.
Low Farm Sports Ground
Holy Trinity Church Prim. Sch.
Horsforth
Horsforth Br.
Troy
Tinshill Primary Sch.
Cookridge Tower
Ireland Wood
Cookridge Hosp.
Ida & Robert Arthington Hospital
Backhouse Wood
Spring Wood
Daffy Wood
Clayton Wood
Clayton Ho.
Woodside Quarry
Oak Farm
Works
Factories
Lyons Ho.
Mill Pond
Beck
Ireland Wood Prim. Sch.
Clin.
Iveson Ho.
Youth Club
Horsforth Woodside
Butcher Hill Bridge
Abbey Grange C of E High Sch.
Nuffield Hosp.
Outwood Ho.
Cragg Hill
Butcher Hill Bri.
Playing Fields
BROADWAY
A6120
RING ROAD
OTLEY ROAD
HOLTDALE APPROACH
TINSHILL LANE
TINSHILL ROAD
KIRKWOOD DRIVE
SILK MILL DRIVE
IVESON DRIVE
HOSPITAL LANE
HORSFORTH STA. RD.
BUTCHER HILL
HAWKSWORTH RD.
BROADGATE LANE
LOW LANE

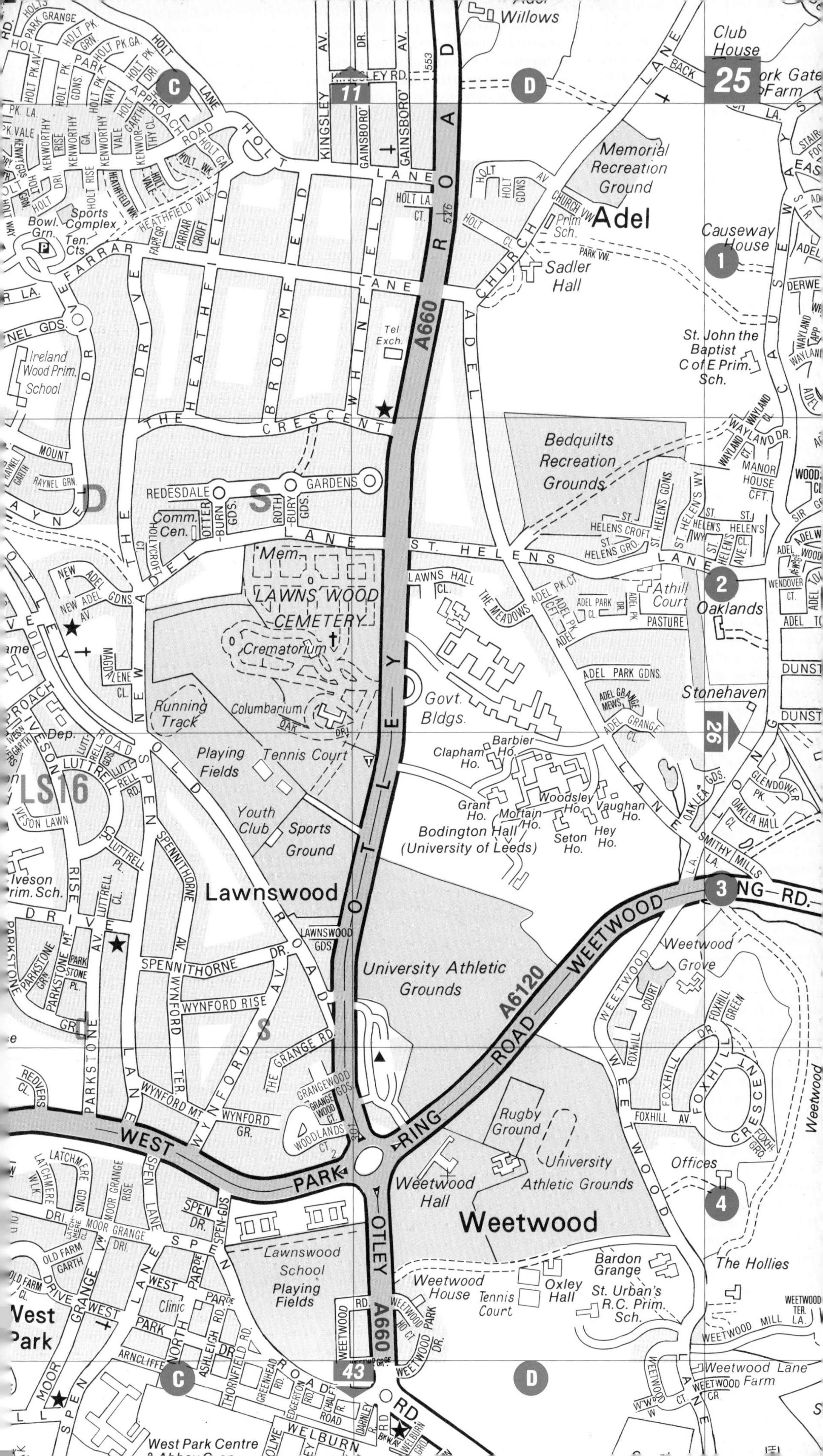
25
11
26
43
Adel
Lawnswood
Weetwood
West Park
LS16
Memorial Recreation Ground
Bedquilts Recreation Grounds
Lawns Wood Cemetery
Crematorium
Columbarium
Running Track
Playing Fields
Tennis Court
Youth Club
Sports Ground
University Athletic Grounds
Govt. Bldgs.
Bodington Hall (University of Leeds)
Clapham Ho.
Barbier Ho.
Grant Ho.
Mortain Ho.
Woodsley Ho.
Vaughan Ho.
Seton Ho.
Hey Ho.
Rugby Ground
Weetwood Hall
Weetwood Grove
Lawnswood School Playing Fields
Weetwood House
Oxley Hall
Bardon Grange
St. Urban's R.C. Prim. Sch.
The Hollies
Offices
Weetwood Lane Farm
West Park Centre
Causeway House
St. John the Baptist C of E Prim. Sch.
Sadler Hall
Prim. Sch.
Oaklands
Athill Court
Stonehaven
Club House
York Gate Farm
Willows
Ireland Wood Prim. School
Iveson Prim. Sch.
Sports Complex
Bowl. Grn.
Ten. Cts.
Comm. Cen.
Tel Exch.
Clinic
OTLEY ROAD
A660
RING ROAD
A6120
WEETWOOD
WEST PARK
ST. HELENS LANE
ADEL LANE
CHURCH LANE
THE CRESCENT
FARRAR LANE
HOLT LANE
SPEN LANE
OLD ROAD
WEETWOOD LANE
HEATHFIELD
BROOMFIELD
WHINFIELD
KINGSLEY AV.
GAINSBORO' DR.
GAINSBORO' AV.
REDESDALE GARDENS
OTTERBURN GDS.
ROTHBURY GDS.
LAWNS HALL CL.
THE MEADOWS
ADEL PARK GDNS.
ADEL PARK CL.
PASTURE
ADEL GRANGE MEWS
ADEL GRANGE CL.
OAKLEA GDS.
OAKLEA HALL CL.
SMITHY MILLS LA.
GLENDOWER PK.
WAYLAND DR.
MANOR HOUSE CFT.
ST. HELENS CROFT
ST. HELENS GRO.
ST. HELENS GDNS.
ST. HELEN'S WY.
PARKSTONE AV.
SPENNITHORNE AV.
SPENNITHORNE DR.
WYNFORD RISE
WYNFORD AV.
WYNFORD TER.
WYNFORD MT.
WYNFORD GR.
THE GRANGE RD.
GRANGEWOOD GDS.
WOODLANDS CT.
LAWNSWOOD GDS.
LUTTRELL CR.
LUTTRELL CL.
IVESON LAWN
IVESON APPROACH
HOLT PARK APPROACH
HOLT RISE
KENWORTHY RISE
HEATHFIELD WLK.
FARRAR CROFT
FOXHILL AV.
FOXHILL CRESCENT
FOXHILL DR.
FOXHILL GREEN
FOXHILL COURT
WEETWOOD COURT
WEETWOOD MILL LA.
WEETWOOD PARK DR.
MOOR GRANGE RISE
MOOR GRANGE DRI.
LATCHMERE WLK.
OLD FARM GARTH
OLD FARM DRIVE
NORTH PARADE
WEST PARADE
ASHLEIGH RD.
THORNFIELD RD.
ARNCLIFFE RD.
WELBURN ROAD
REDVERS CL.

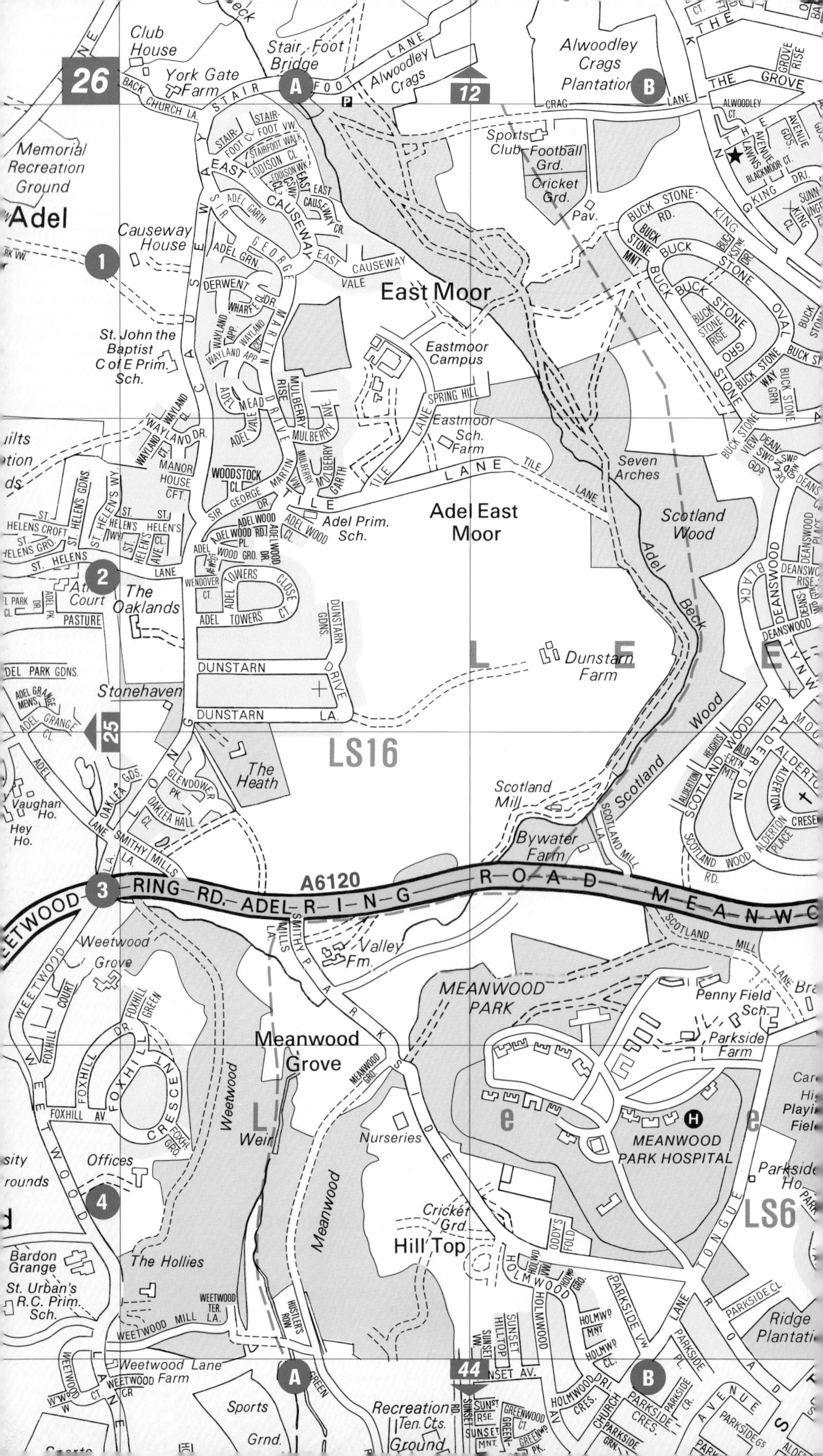

26
Club House
York Gate Farm
Stair Foot Bridge
Alwoodley Crags
12
Alwoodley Crags Plantation
Memorial Recreation Ground
Adel
Causeway House
St. John the Baptist C of E Prim. Sch.
East Moor
Eastmoor Campus
Eastmoor Sch. Farm
Sports Club
Football Grd.
Cricket Grd.
Pav.
Seven Arches
Scotland Wood
Adel Beck
Adel East Moor
Adel Prim. Sch.
The Oaklands
Stonehaven
Dunstarn Farm
25
LS16
The Heath
Scotland Mill
Scotland Wood
Bywater Farm
Vaughan Ho.
Hey Ho.
A6120
RING RD. ADEL RING ROAD MEANWOOD
Weetwood Grove
Valley Fm.
MEANWOOD PARK
Penny Field Sch.
Parkside Farm
Meanwood Grove
Weir
Weetwood
Nurseries
MEANWOOD PARK HOSPITAL
Offices
Meanwood
Cricket Grd.
Hill Top
LS6
Bardon Grange
The Hollies
St. Urban's R.C. Prim. Sch.
Weetwood Lane Farm
Ridge Plantation
44
Sports Grnd.
Recreation Ten. Cts. Ground

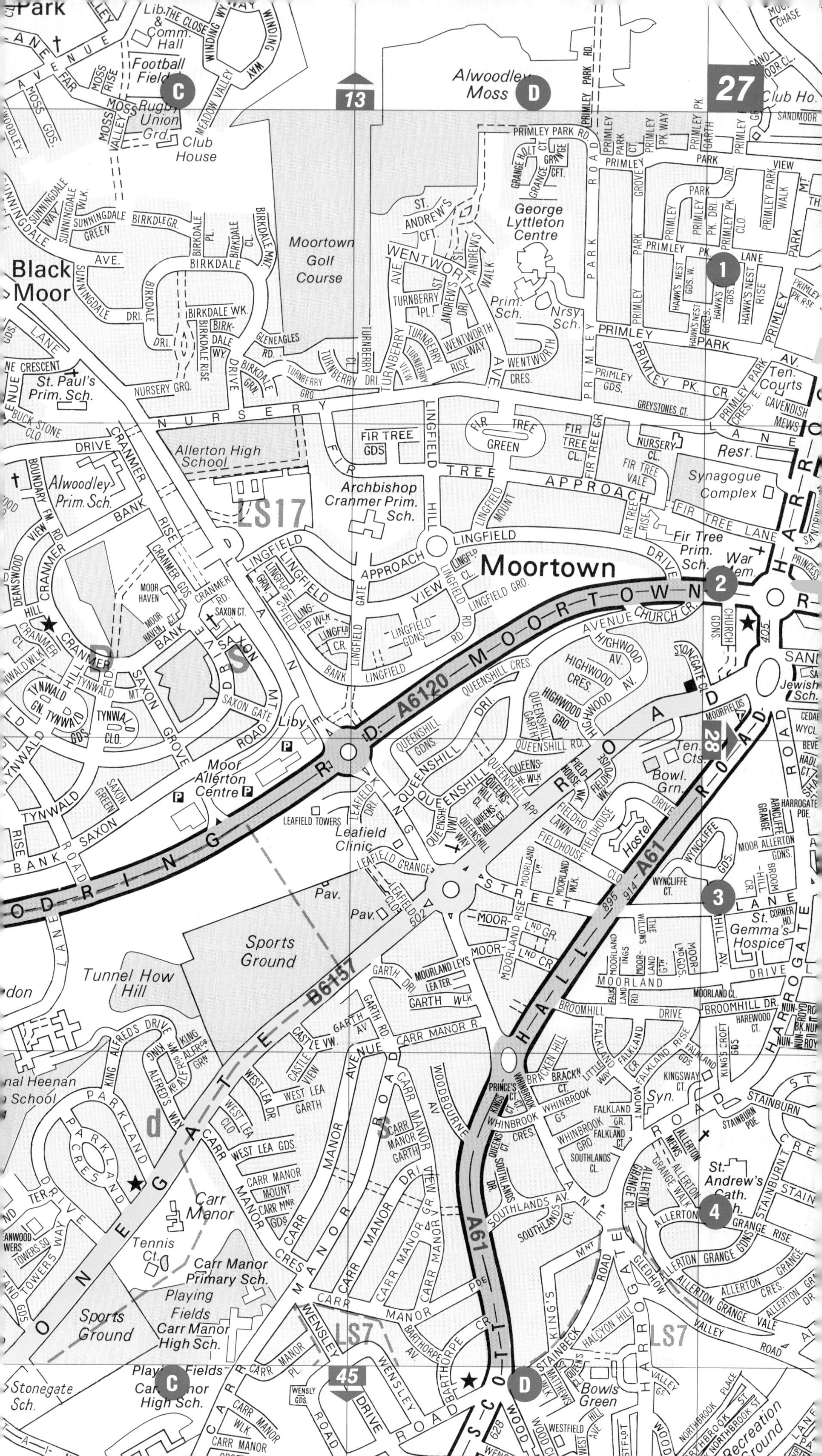

Black Moor
Moortown Golf Course
Alwoodley Moss
George Lyttleton Centre
Moortown
LS17
Allerton High School
Archbishop Cranmer Prim. Sch.
Alwoodley Prim. Sch.
St. Paul's Prim. Sch.
Synagogue Complex
Fir Tree Prim. Sch.
War Mem.
Moor Allerton Centre
Leafield Clinic
Sports Ground
Tunnel How Hill
Carr Manor
Carr Manor Primary Sch.
Playing Fields
Carr Manor High Sch.
St. Gemma's Hospice
St. Andrew's Cath. Ch.
Bowls Green
Recreation Ground
Stonegate Sch.
Football Field
Rugby Union Grd.
Club House
Jewish Sch.
LS7
A6120
A61
B6157
RING ROAD
MOORTOWN
HARROGATE ROAD
STONEGATE
SCOTT HALL ROAD
NURSERY LANE
FIR TREE APPROACH
PRIMLEY PARK ROAD
KING LANE
STREET LANE
CARR MANOR ROAD

13
28
45

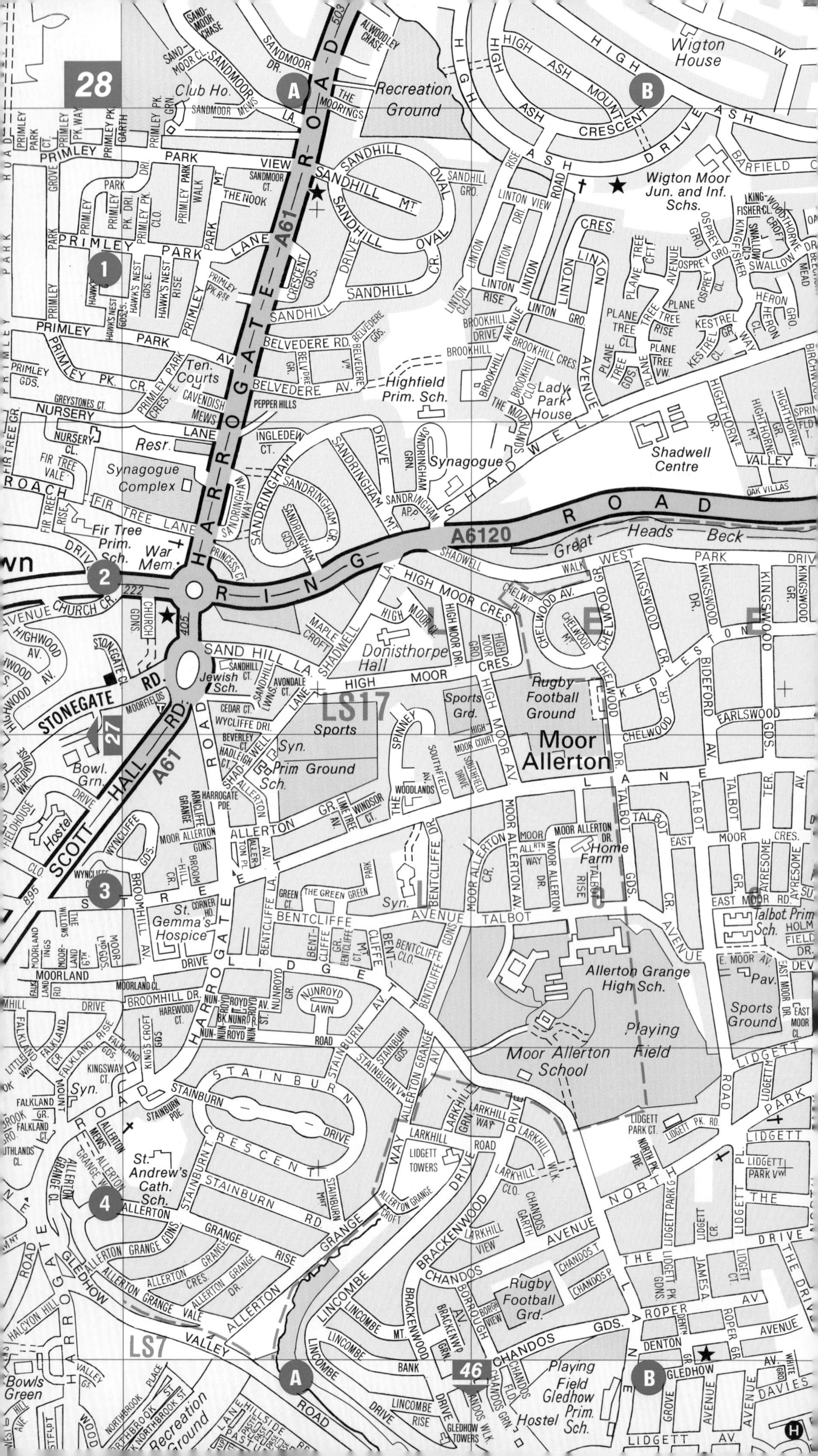
28
A
B
1
2
3
4
HARROGATE ROAD
A61
503
SANDMOOR CHASE
SANDMOOR DR.
SANDMOOR CL.
SANDMOOR LA.
SANDMOOR MEWS
SANDMOOR CT.
Club Ho.
ALWOODLEY CHASE
THE MOORINGS
Recreation Ground
HIGH ASH MOUNT
HIGH ASH CRESCENT
HIGH ASH DRIVE
HIGH ASH RISE
Wigton House
Wigton Moor Jun. and Inf. Schs.
BARFIELD
PRIMLEY PARK VIEW
PRIMLEY PARK LANE
PRIMLEY PARK AV.
PRIMLEY PARK WALK
PRIMLEY PARK RISE
PRIMLEY PARK CR.
PRIMLEY PARK GARTH
PRIMLEY GROVE
PRIMLEY GDS.
THE NOOK
HAWK'S NEST RISE
HAWK'S NEST GDS. E.
SANDHILL OVAL
SANDHILL MT.
SANDHILL DRIVE
SANDHILL CR.
SANDHILL GRO.
SANDHILL CRESCENT GDS.
SANDHILL
BELVEDERE RD.
BELVEDERE AV.
BELVEDERE GDS.
BELVEDERE VW.
LINTON VIEW
LINTON RISE
LINTON CRES.
LINTON GRO.
LINTON AVENUE
LINTON DRI.
LINTON CLO.
BROOKHILL DRIVE
BROOKHILL AVENUE
BROOKHILL CRES.
BROOKHILL CLO.
PLANE TREE RISE
PLANE TREE VW.
PLANE TREE CL.
PLANE TREE GDS
OSPREY GRO
KINGFISHER
SWALLOW CRES.
KESTREL GR.
HERON GRO.
Highfield Prim. Sch.
Lady Park House
Shadwell Centre
HIGHTHORNE DR.
VALLEY T.
OAK VILLAS
Ten. Courts
CAVENDISH MEWS
PEPPER HILLS
GREYSTONES CT.
NURSERY LANE
NURSERY CL.
Resr.
Synagogue Complex
INGLEDEW CT.
SANDRINGHAM DRIVE
SANDRINGHAM GRN.
SANDRINGHAM CR.
SANDRINGHAM GDS.
SANDRINGHAM WAY
SANDRINGHAM MT.
SANDRINGHAM APP.
Synagogue
SHADWELL LANE
THE MOORLANDS
FIR TREE VALE
FIR TREE LANE
FIR TREE RISE
FIR TREE GR.
Fir Tree Prim. Sch.
War Mem.
RING ROAD
A6120
222
405
Great Heads Beck
SHADWELL WALK
WEST PARK
KINGSWOOD DR.
KINGSWOOD CR.
KINGSWOOD GDS.
HIGH MOOR CRES.
HIGH MOOR CL.
HIGH MOOR DRI.
HIGH MOOR GRO.
HIGH MOOR AV.
HIGH MOOR COURT
HIGH MOOR
MAPLE CROFT
Donisthorpe Hall
CHELWOOD AV.
CHELWOOD GR.
CHELWOOD DR.
CHELWOOD MT.
CHELWOOD
KEDLESTON
BIDEFORD AV.
EARLSWOOD GDS.
CHURCH CR.
AVENUE
HIGHWOOD AV.
STONEGATE RD.
STONEGATE
SAND HILL LA.
SANDHILL CT.
Jewish Sch.
AVONDALE CT.
SANDHILL LWNS.
LS17
Sports Grd.
Rugby Football Ground
Moor Allerton
Sports Ground
CEDAR CT.
WYCLIFFE DRI.
BEVERLEY CT.
HADLEIGH CT.
SHADWELL LANE
Syn.
Prim Sch.
SPINNEY
SOUTHFIELD AV.
SOUTHFIELD DRIVE
THE WOODLANDS
MOORFIELDS
27
Bowl. Grn.
Hostel
SCOTT HALL RD.
FIELDHOUSE DRIVE
HARROGATE PDE.
ARNCLIFFE GRANGE
ALLERTON GR.
LIME TREE AV.
WINDSOR CT.
MOOR ALLERTON GDNS.
MOOR ALLERTON DR.
MOOR ALLERTON AV.
MOOR ALLERTON CR.
MOOR ALLERTON WAY
ALLERTON STREET
BROOMHILL CR.
BROOMHILL AV.
BROOMHILL DR.
WYNCLIFFE GDS.
895
Home Farm
TALBOT AVENUE
TALBOT CR.
TALBOT GDS.
TALBOT RISE
TALBOT AV.
TALBOT TER.
EAST MOOR CRES.
EAST MOOR RD.
EAST MOOR DR.
EAST MOOR AV.
AYRESOME AV.
Talbot Prim Sch.
HOLMFIELD DR.
Pav.
Sports Ground
St. Gemma's Hospice
CORNER HO.
THE GREEN
GREEN CT.
BENTCLIFFE LA.
BENTCLIFFE DR.
BENTCLIFFE GR.
BENTCLIFFE CT.
BENTCLIFFE MT.
BENTCLIFFE CLO.
BENTCLIFFE GDNS.
LIDGETT LANE
LIDGETT AVENUE
Allerton Grange High Sch.
Playing Field
Moor Allerton School
MOORLAND DRIVE
MOORLAND RD.
MOORLAND INGS
FALKLAND RISE
FALKLAND MOUNT
FALKLAND GR.
FALKLAND CT.
KINGSWAY CT.
KINGS CROFT GDS
HAREWOOD CT.
NUNROYD LAWN
NUNROYD ROAD
NUNROYD GR.
NUNROYD AV.
NUNROYD ST.
STAINBURN DRIVE
STAINBURN CRESCENT
STAINBURN RD.
STAINBURN GDS
STAINBURN VW.
STAINBURN PDE.
STAINBURN MT.
STAINBURN TERR.
ALLERTON GRANGE AV.
ALLERTON GRANGE WAY
ALLERTON GRANGE RISE
ALLERTON GRANGE CRES.
ALLERTON GRANGE DR.
ALLERTON GRANGE VALE
ALLERTON GRANGE GDNS.
ALLERTON GRANGE CROFT
ALLERTON GRANGE CL.
ALLERTON MEWS
Syn.
St. Andrew's Cath. Sch.
LARKHILL WAY
LARKHILL ROAD
LARKHILL GRN.
LARKHILL WLK.
LARKHILL CLO.
LARKHILL VIEW
LIDGETT TOWERS
LIDGETT PARK CT.
LIDGETT PK. RD.
LIDGETT PARK GR.
LIDGETT PARK VW.
LIDGETT PL.
LIDGETT CR.
LIDGETT CT.
LIDGETT PARK
THE DRIVE
NORTH PK. PDE.
CHANDOS GARTH
CHANDOS AVENUE
CHANDOS TER.
CHANDOS GDS.
CHANDOS FLD.
CHANDOS GRN.
CHANDOS WLK.
BRACKENWOOD DRIVE
BRACKENWOOD CL.
BRACKENWOOD GRN.
BORROUGH AV.
BORROUGH VIEW
Rugby Football Grd.
ROPER AV.
ROPER GR.
DENTON AV.
JAMES AV.
GLEDHOW AVENUE
WHITE GRO
DAVIES AVENUE
LINCOMBE DRIVE
LINCOMBE MT.
LINCOMBE RISE
LINCOMBE BANK
GLEDHOW VALLEY ROAD
GLEDHOW TOWERS
LS7
HALCYON HILL
Bowls Green
NORTHBROOK PLACE
NORTHBROOK ST.
Recreation Ground
46
Playing Field
Gledhow Prim. Sch.
Hostel
AVENUE GROVE

29
C
D
1
2
3
4
30
47
BRANDON GOLF COURSE
Slaid Hill
PLANTATION AV.
SILVERDALE AV.
NEWBY GTH.
SLAID HILL CT.
WIKE RIDGE LA.
BRANDON CT.
BRANDON TER.
CHARTWELL CT.
EMVILLE AV.
SHADWELL LANE
HOLYWELL LA.
MAIN COLLIERS LA.
Club House
CARLTON GARTH
OVERDALE AV.
RAYGILL CLO.
LONGWOOD GARDENS
LONGWOOD CRES.
LONGWOOD CLO.
LONGWOOD WY.
BARFIELD MOUNT
BARFIELD GROVE
PLANTATION
Stone Ho.
WOODLEA CT.
ELMHURST GDS.
ELMHURST CL.
OAKDENE WAY
OAKDENE GDS.
OAKDENE DR.
OAKDENE CT.
OAKDENE VALE
OAKDENE DRIVE
CHESTER WYND
SHADWELL LA.
PARK LA. MEWS
ROUNDHAY PARK LANE
SHADWELL PK. CLO.
SHADWELL PARK GDNS.
SHADWELL PARK AV.
SHADWELL PK. CT.
SHADWELL DRIVE
SHADWELL PK. GRO.
Hawthorn House
Shadwell Grange
LS17
DARKWOOD WAY
DARKWOOD CL.
Oakfield House
Oakhill
BIRCHWOOD AV.
BIRCHWOOD MT.
HODGSON AV.
HODGSON CR.
531
MOORTOWN RING ROAD
A6120
SHADWELL
Addyman Wood
Woodhouse Farm
Gt. Heads Wood
WEST PARK CHASE
(WEST) WEST PARK DRIVE
WEST PARK CLOSE
WEST PARK CT.
WEST PARK CRES.
(EAST) CRES.
WEST PARK AV.
PARK GROVE
KINGSWOOD
NORTON ROAD
ROMAN
Synagogue & Comm. Cen.
VALE
AVENUE TERRACE
SUMMERHILL PL.
SUMMERHILL GDNS.
NORMAN PL.
NORMAN T.
ROMAN DR.
ROMAN PL.
BK. ROMAN PL.
ROMAN GR.
ROMAN GROVE
ROMAN VIEW
ROMAN MT.
ROMAN CT.
WEST PK. GDS.
STANLEY DR.
The Gorge
Club Ho.
North Hills Wood
Roundhay Golf Course
Ram Wood
Castle Wood
Castle
Great Heads Wood
Upper Lake
STREET
WESTCOMBE AV.
DEVONSHIRE
BK. DEVONSHIRE LA.
BEAUMONT AV.
PARKVIEW CT.
Park Villas
Clinic
SHAFTESBURY RD
CROSS INGLEDEW
INGLEDEW CR.
BACK INGLEDEW CR.
BACK PARK CRES.
INGLEDEW DR.
OLD PARK RD.
WEST PARK PL.
WEST PARK RD.
PARK VIEW CR.
PARK LANE
SUTHERLAND
SHAFTESBURY CR.
PARK VILLA CT.
PARK VLS.
WOODVILLE CT.
ROBINWOOD CT.
FERNWOOD CT.
FERNWOOD
GARDEN VW. CT.
PARK CR.
PARK AV.
LS8
PARK COTTS.
Mansion Hotel
MANSION LANE
Roundhay
WEDGEWOOD CT.
Canal Gdns.
THE WALK
THE CARRIAGE DRIVE
Braim Wood
AVENUE
LIDGETT PARK MEWS
Tennis Cts.
NEW
ROUNDHAY PARK
LAKE
Fox Wood
Sports Grd.
MIDDLE WALK
PARK ROAD
WEDGEWOOD GR.
WEDGEWOOD DR.
Lidgett Park
NORTH PARK RD.
THE DRIVE
Sports Ground
Boat House
WATERLOO
Hammond Hall Hostel
AVENUE VICTORIA
LAKEVIEW CT.
WEST CT.
Military Field
PRINCES AVENUE
GREENVIEW CT.
PARKWOOD CT.
PARKWOOD AV.
Ckt. Grd.
OLD PARK
OAKHAMPTON CT.
THE CARRIAGE DR.
Camp Site
Elmete School

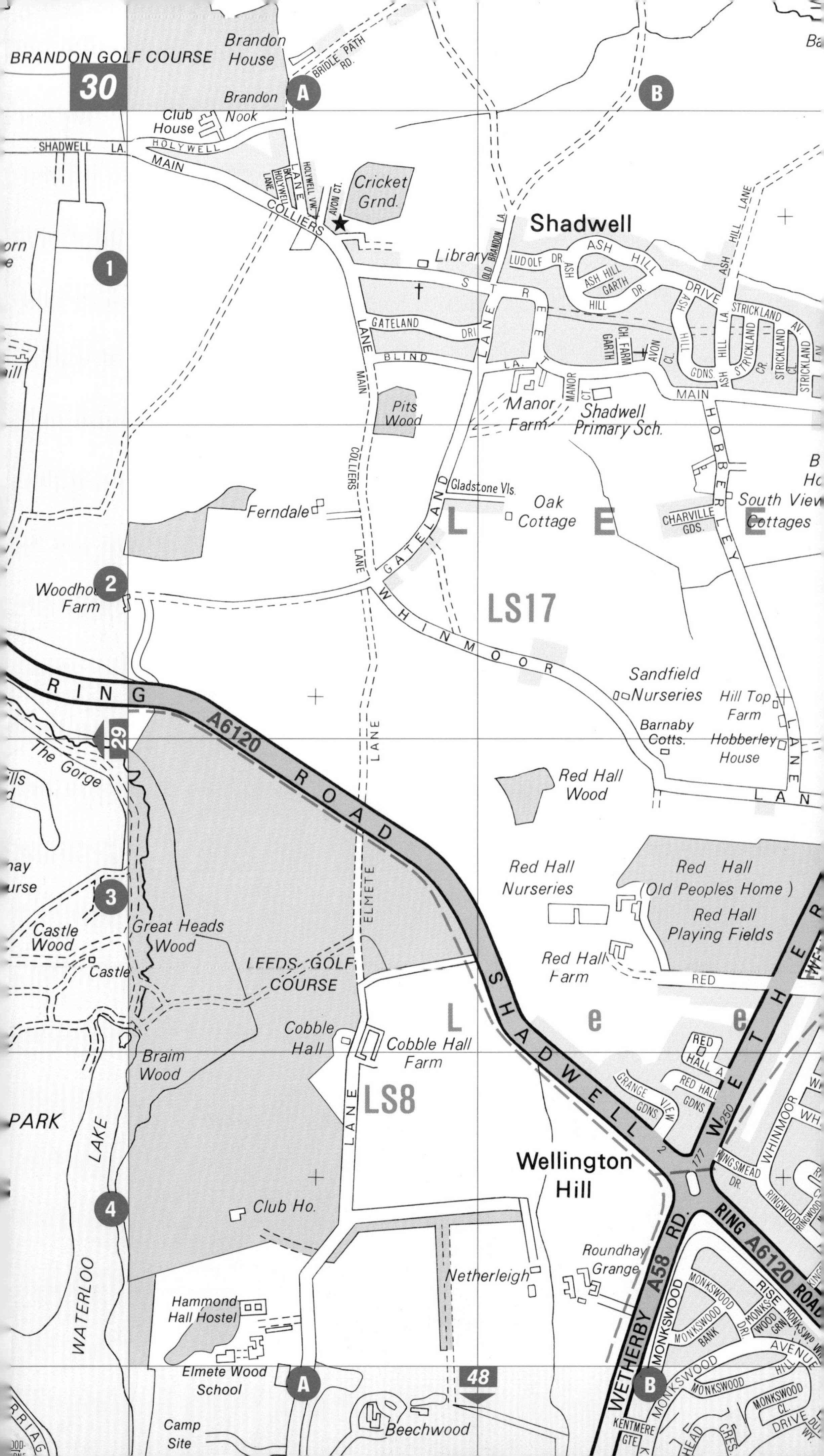
30
BRANDON GOLF COURSE
Brandon House
Brandon Nook
Club House
BRIDLE PATH RD.
A
B
SHADWELL LA.
HOLYWELL
MAIN
COLLIERS
LANE
Cricket Grnd.
Shadwell
Library
OLD BRANDON LA.
LUDOLF DR.
ASH HILL
ASH HILL GARTH
DR.
HILL
DRIVE
ASH HILL LANE
STRICKLAND
STREET
GATELAND DRI
BLIND LA.
CH. FARM GARTH
AVON CL.
ASH HILL GDNS.
STRICKLAND CR.
STRICKLAND CL.
STRICKLAND AV.
MAIN
MANOR CT.
Manor Farm
Shadwell Primary Sch.
HOBBERLEY
Pits Wood
COLLIERS LANE
Gladstone Vls.
Oak Cottage
Ferndale
GATELAND
L
E
E
South View Cottages
CHARVILLE GDS.
1
2
3
4
Woodhouse Farm
WHINMOOR
LS17
RING ROAD
A6120
Sandfield Nurseries
Hill Top Farm
Barnaby Cotts.
Hobberley House
LANE
29
The Gorge
Red Hall Wood
LANE
Red Hall Nurseries
Red Hall (Old Peoples Home)
Red Hall Playing Fields
Castle Wood
Castle
Great Heads Wood
ELMETE
LEEDS GOLF COURSE
Red Hall Farm
RED
SHADWELL
L
e
e
Cobble Hall
Cobble Hall Farm
Braim Wood
RED HALL
RED HALL GDNS.
GRANGE VIEW GDNS.
LS8
PARK
LAKE
LANE
WETHERBY
W250
WHINMOOR
KINGSMEAD DR.
RINGWOOD
Wellington Hill
Club Ho.
RING A6120 ROAD
Roundhay Grange
WATERLOO
Netherleigh
A58 RD.
MONKSWOOD
MONKSWOOD BANK
MONKSWOOD RISE
AVENUE
Hammond Hall Hostel
Elmete Wood School
48
MONKSWOOD
Camp Site
Beechwood
KENTMERE GTE.
WETHERBY

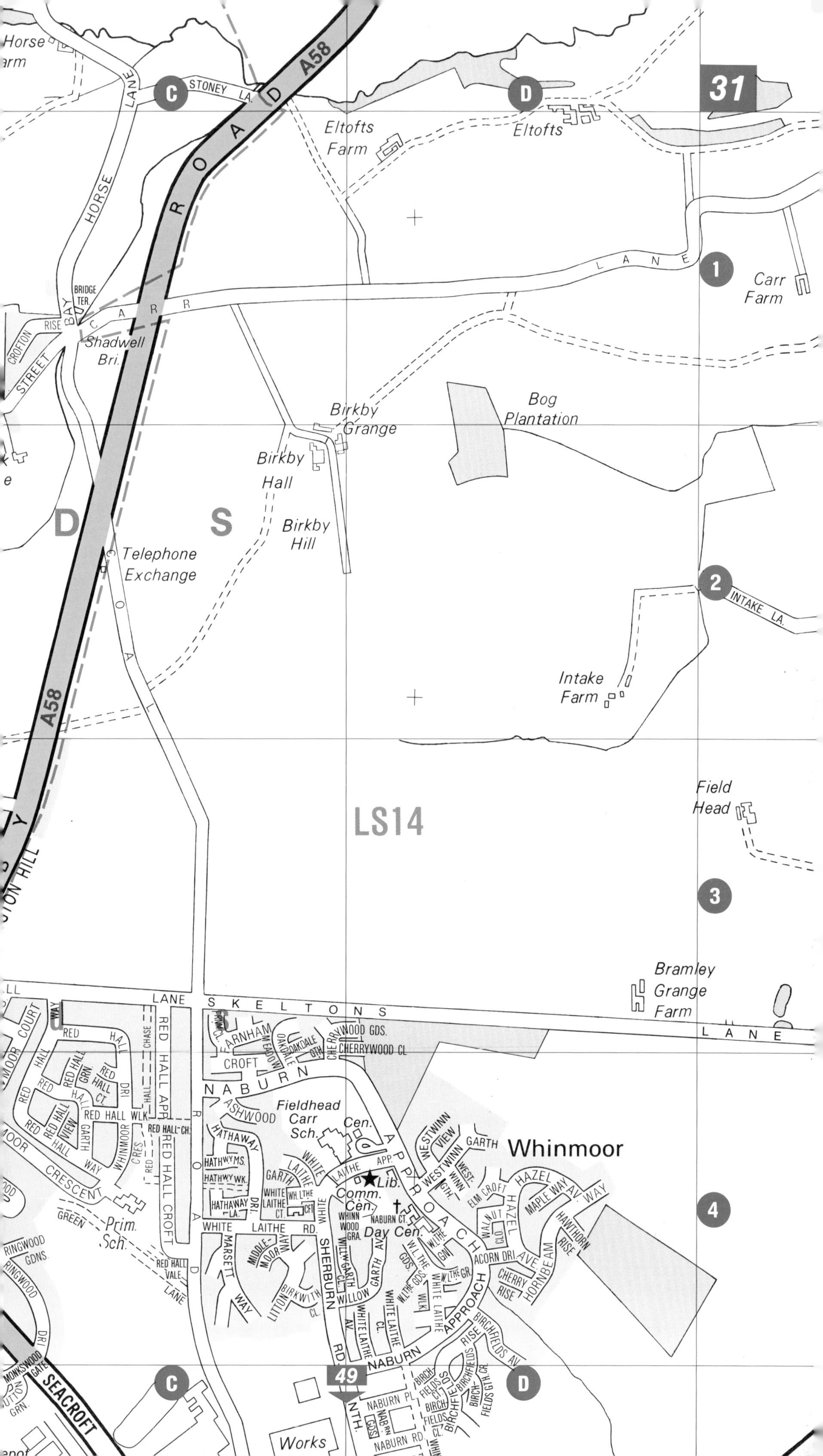
Eltofts Farm
Eltofts
STONEY LA.
BAY HORSE LANE
A58
ROAD
CARR LANE
BRIDGE TER.
BAY RISE
CROFTON STREET
Shadwell Bri.
Carr Farm
Birkby Grange
Bog Plantation
Birkby Hall
Birkby Hill
Telephone Exchange
COAL ROAD
INTAKE LA.
Intake Farm
LS14
Field Head
Bramley Grange Farm
SKELTONS LANE
Whinmoor
NABURN APPROACH
Fieldhead Carr Sch.
Lib.
Comm. Cen.
Day Cen.
Prim. Sch.
RED HALL CROFT
WHITE LAITHE RD.
SHERBURN RD.
SEACROFT
Works
1
2
3
4
C
D
49

A
B
1
2
3
4
14
54
Ridge
Holes
Black Hills
COTTINGLEY
WOOD
ESTATE
Deep Stone
BANK TOP
LEE LANE
Lee Farm
CROSS LANE
LANE
CROSS
COPLOWE
Coplowe
Hill
March Cote Farm
BECKFIELD
WOODSIDE
WOODSIDE AV.
WOOD CRES.
WOODSIDE
DRIVE
GLENMT.
GLENDALE
GLEN DR.
CRWY.
WOOD WAY
Stock-a-Close Farm
Stockagate
MOOR VIEW DRIVE
MOOR VIEW CRES.
Coplowe Hall
Birket
Hill
Lee Lane
Wilsden Beck
MANOR HO. RD.
SPRING PK. RD.
Norr
Claremont Farm
Norr Fold Farm
NORR GRN. TER.
Norr Hill Farm
ANDERSON ST.
TWEEDY S.
WELLS. SCHL. S.
CRANFD. PL.
ALBION FOLD
Wilsden First School
Nook House
Norr Farm
B
R
A
D
Norr
Hill
Norr Hill Farm
Stocka Hou
Farm
LANE
SHAY
Cemy.
CLUB RW.
FIRTH
STH. VW.
CRACK
LISTER VILLE
LINGFIELD R.
Craps Hall
Birkshead
Mill
LINGFIELD GR.
ROYD
KINGSTN. CL.
DEWHIRST S.
ROYD END
MOORSIDE R.
PEEL ST.
WELLINGTN ST.
ALBERT ST.
VICTORIA ST.
QUEEN ST.
BURN.
Birkshead Farm
Wilsden
BD15
Salter Royd
Mount Pleasant
CROOKE LA.
PARK AV.
LING PARK APPR.
BADGERGATE AV.
Goose Hall
Mill
Mill
FIR ST.
OAK ST.
Greenwood House
THE AVENUE
Shay Gate Farm
LANE
Swain Royd Hill
ACACIA
Shay Royd Farm
SHAY GATE
HAWORTH B6144 ROAD
Ckt. Grd.
MOORLND VIEW
WINDY GR.
GILRE AV.
BACK
WILSDEN
Upr. Swain Royd Farm
BOB
PRUNE
Lwr. Swain Royd Fm.
Gaisby Hall Farm
LANE
Gazeby Hall
Swain Royd Lane Bottom
WEST AV.
Prune Park Inn
Shay Brow
Beck
Cottingley
Lower Shay Farm
PARK
LANE
LANE
BACK
STEPHENSON RD.
LANE
STONY
UPPER SHAY

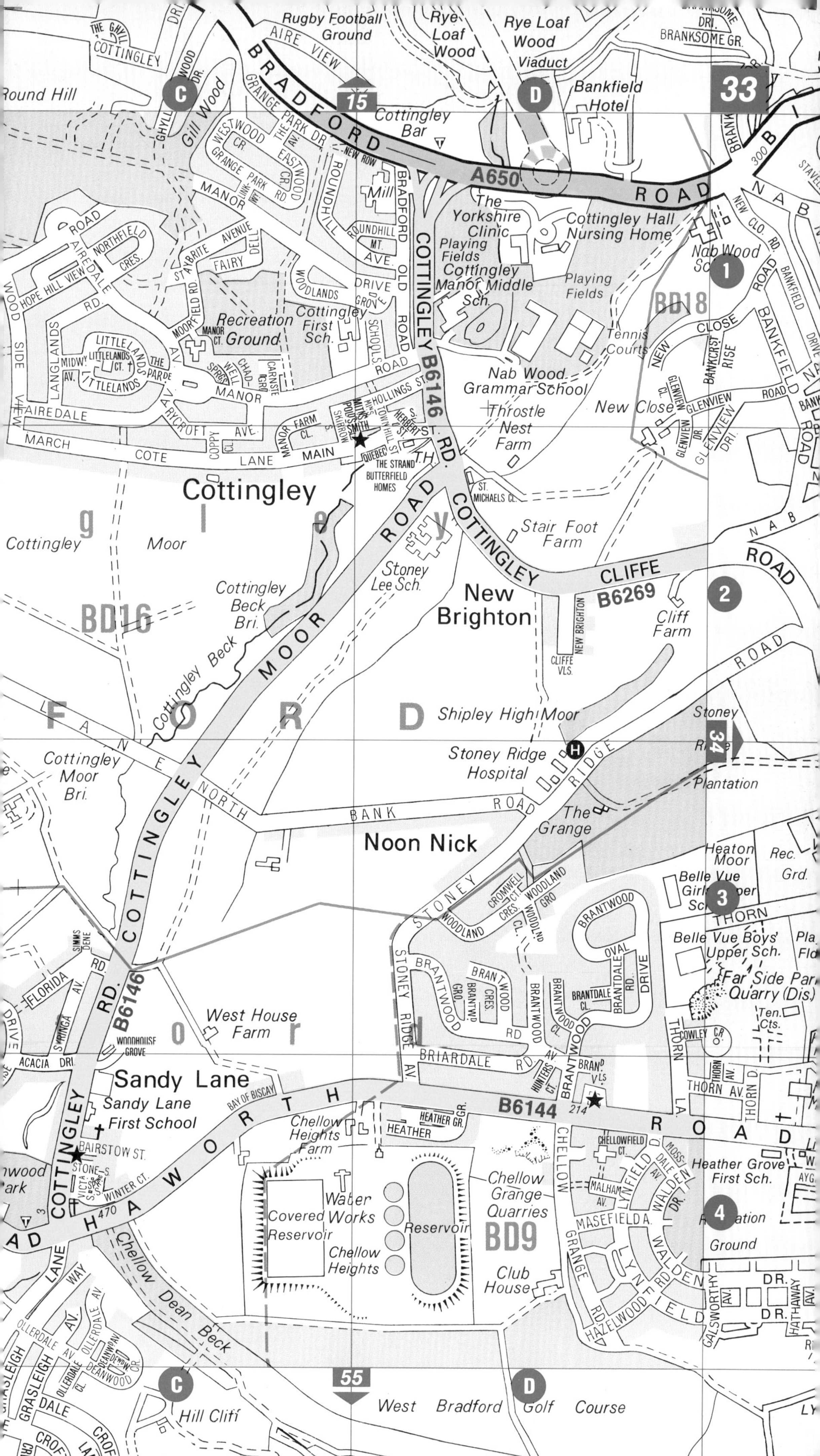
15
34
55
Rugby Football Ground
Rye Loaf Wood
Rye Loaf Wood Viaduct
Bankfield Hotel
Cottingley Bar
BRADFORD ROAD
A650
Round Hill
Gill Wood
THE GHYLL
COTTINGLEY DR.
WOOD DR.
AIRE VIEW
GRANGE PARK DR.
WESTWOOD CR.
GRANGE PARK RD.
THE AV.
EASTWOOD CR.
NEW ROW
ROUNDHILL
Mill
ROUNDHILL MT.
ROUNDHILL AVE.
BRADFORD OLD ROAD
MANOR ROAD
NORTHFIELD CRES.
AIREDALE RD.
HOPE HILL VIEW
AYBRITE AVENUE
FAIRY DELL
MOORFIELD RD.
MANOR CT.
Recreation Ground
WOODLANDS DRIVE
GROVE
Cottingley First Sch.
SCHOOLS ROAD
LANGLANDS
LITTLELANDS
LITTLELANDS CT.
MIDWAY AV.
THE PARADE
SPRINGWELL
CHADWELL
MANOR
CARNSTE
HOLLINGS ST.
AIREDALE
MARCH COTE LANE
RYCROFT AVE.
COPPY CL.
MANOR FARM CL.
MAIN
SKIRROW ST.
SMITH ST.
MITRE ST.
TOWN HILL ST.
HERBERT ST.
QUEBEC
THE STRAND
BUTTERFIELD HOMES
Cottingley
COTTINGLEY RD.
B6146
The Yorkshire Clinic
Cottingley Hall Nursing Home
Playing Fields
Cottingley Manor Middle Sch.
Nab Wood Sch.
Tennis Courts
Nab Wood Grammar School
Throstle Nest Farm
New Close
BD18
NEW CLOSE RD.
NEW CLOSE
BANKCRST
RISE
BANKFIELD ROAD
BANKFIELD DRIVE
GLENVIEW CL.
GLENVIEW ROAD
GLENVIEW DR.
GLENVIEW DRI.
NAB LANE
NAB ROAD
ST. MICHAELS CL.
Stair Foot Farm
COTTINGLEY CLIFFE ROAD
B6269
New Brighton
NEW BRIGHTON
CLIFFE VLS.
Cliff Farm
Cottingley Moor
Cottingley Beck Bri.
Cottingley Beck
Stoney Lee Sch.
BD16
MOOR ROAD
COTTINGLEY MOOR ROAD
FARNE LANE
Shipley High Moor
Stoney Ridge Hospital
Stoney Ridge Plantation
Cottingley Moor Bri.
NORTH BANK ROAD
Noon Nick
The Grange
STONEY RIDGE ROAD
Heaton Moor
Rec. Grd.
Belle Vue Girls' Upper Sch.
Belle Vue Boys' Upper Sch.
THORN
Far Side Quarry (Dis.)
Ten. Cts.
COWLEY CR.
CROMWELL CT.
WOODLAND CRES.
WOODLAND GRO
WOODLAND CL.
BRANTWOOD OVAL
BRANTWOOD GRO.
BRANTWOOD CRES.
BRANTWOOD RD
BRANTWOOD CL.
BRANTDALE CL.
BRANTDALE RD.
DRIVE
STONEY RIDGE AV.
BRIARDALE RD.
HUNTERS CT.
BRAND VLS.
THORN LA.
THORN AV.
THORN D.
SIMMS DENE
FLORIDA RD.
SYRINGA AV.
ACACIA DRI.
WOODHOUSE GROVE
West House Farm
Sandy Lane
Sandy Lane First School
BAY OF BISCAY
HAWORTH ROAD
B6144
HEATHER GR.
HEATHER
Chellow Heights Farm
BAIRSTOW ST.
STONE S.
VICTOR
WINTER CT.
COTTINGLEY ROAD
Water Works
Covered Reservoir
Reservoir
Chellow Heights
Chellow Grange Quarries
BD9
Club House
CHELLOW
CHELLOWFIELD CT.
LYNFIELD DR.
DALE AV.
MOSS
WALDEN DR.
MALHAM AV.
MASEFIELD A.
GRANGE RD.
HAZELWOOD RD.
Heather Grove First Sch.
Recreation Ground
GALSWORTHY AV.
HATHAWAY
Chellow Dean Beck
OLLERDALE AV.
DEANWOOD CR.
GRASLEIGH
DALE
Hill Clift
West Bradford Golf Course

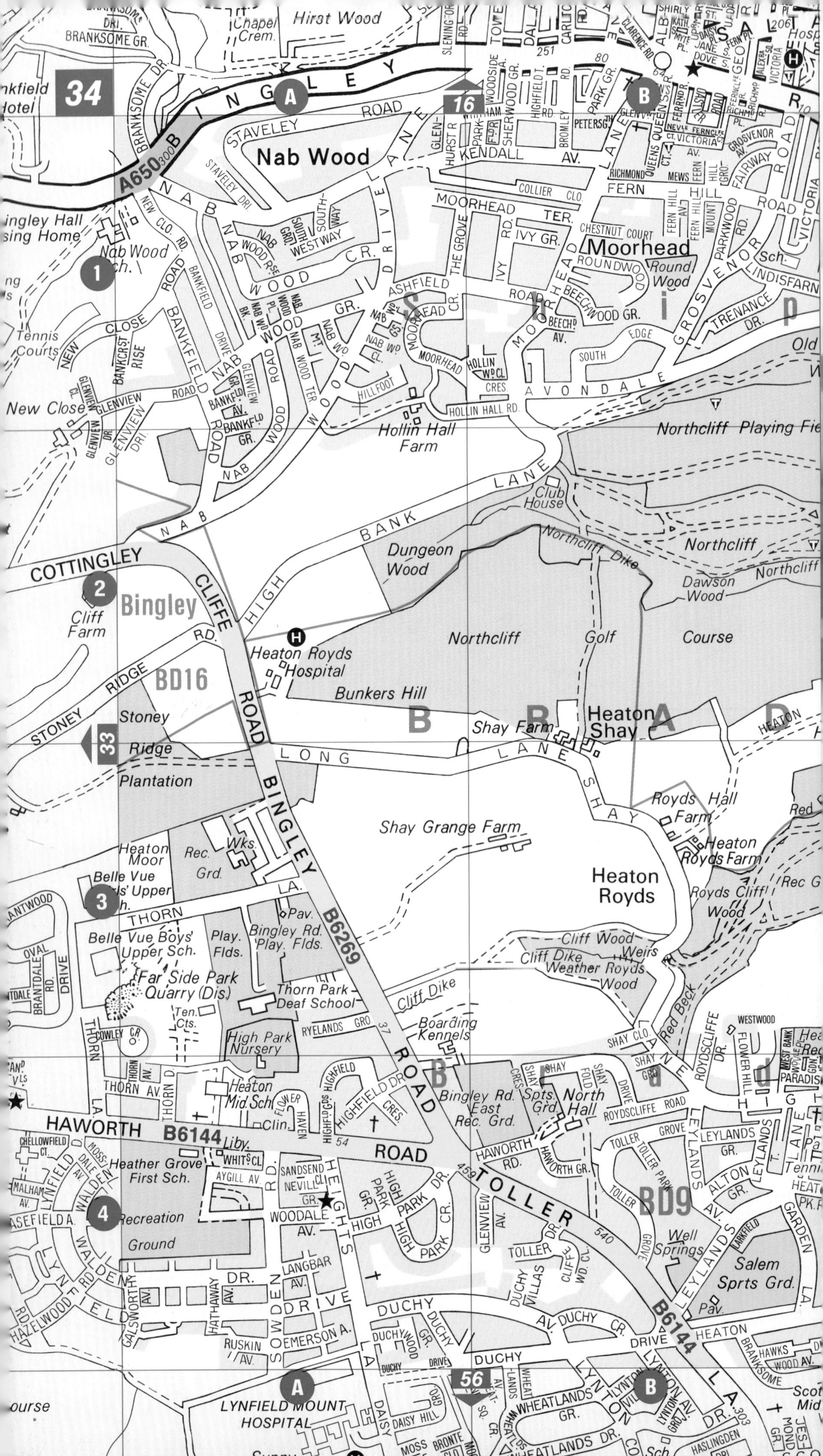
34
Hirst Wood
Chapel Crem.
BRANKSOME GR.
BRANKSOME DRI.
BINGLEY
A650
300
ROAD
STAVELEY
Nab Wood
STAVELEY DRI.
16
NAB
WOOD
DRIVE
LANE
KENDALL AV.
COLLIER CLO.
MOORHEAD TER.
FERN
ROAD
Moorhead
Round Wood
ROUNDWOOD
BEECHWOOD GR.
GROSVENOR
TRENANCE DR.
LINDISFARNE
SOUTH EDGE
AVONDALE
HOLLIN HALL RD.
Hollin Hall Farm
Northcliff Playing Fie
Bingley Hall Nursing Home
Nab Wood Sch.
Tennis Courts
New Close
GLENVIEW
BANKFIELD
NEW CLOSE RD.
NAB BANK LANE
HIGH BANK
Club House
Dungeon Wood
Northcliff Dike
Northcliff
Dawson Wood
COTTINGLEY
Bingley
Cliff Farm
CLIFFE ROAD
RD.
STONEY RIDGE
BD16
Stoney Ridge Plantation
33
Heaton Royds Hospital
Northcliff
Golf
Course
Bunkers Hill
Shay Farm
Heaton Shay
LONG LANE
SHAY LANE
Royds Hall Farm
Heaton Royds Farm
Heaton Royds
Shay Grange Farm
BINGLEY
B6269
Heaton Moor
Rec. Grd.
Wks.
Belle Vue Girls' Upper Sch.
THORN LA.
Belle Vue Boys' Upper Sch.
Play. Flds.
Bingley Rd. Play. Flds.
Far Side Park Quarry (Dis.)
Thorn Park Deaf School
Cliff Dike
Cliff Wood
Weirs
Weather Royds Wood
Royds Cliff Wood
Red Beck
High Park Nursery
RYELANDS GRO.
Boarding Kennels
ROAD
Heaton Mid. Sch.
HIGHFIELD DR.
Bingley Rd. East Rec. Grd.
Spts. Grd.
North Hall
ROYDSCLIFFE ROAD
HAWORTH
B6144
Liby.
ROAD
TOLLER
BD9
Heather Grove First Sch.
Recreation Ground
HIGH PARK DR.
Well Springs
Salem Sprts Grd.
LEYLANDS
DUCHY AV.
DUCHY DRIVE
HEATON DRIVE
56
LYNFIELD MOUNT HOSPITAL
WHEATLANDS DR.
Course

SHIPLEY
Shipley
Windhill
Frizinghall
Heaton
Heaton Grove
Owlet
Wrose Hill
Spring Wood
BD18
BD2
BD9
C
D
1
2
3
4
17
35
36
57
A650
A6038
A657
BRADFORD ROAD
KEIGHLEY ROAD
CANAL RD.
VALLEY RD.
OTLEY RD.
BRIGGATE
LEEDS RD.
CRAG ROAD
COMMERCIAL ST.
KIRKGATE
WESTGATE
MANOR LA.
WESTCLIFFE RD.
BIRKLANDS RD.
SPRINGHURST RD.
SCARBOROUGH RD.
MARLBOROUGH RD.
CLIFFE WOOD AV.
NORWOOD RD.
CARLTON DRIVE
REDBURN DR.
ASHFIELD AV.
AIREVILLE AVENUE
ROYDS LANE
SALISBURY RD.
PROSPECT AV.
OWLET RD.
POPLAR RD.
HOLLIN LANE
GAISBY LA.
EMM LANE
PARSONS RD.
NORTH PARK RD.
HEATON RD.
MANNINGHAM LANE
Shipley Health Centre
Baths
Liby.
Bradford Junc.
Leeds Junc.
Wks.
Works
Schs
Shipley Fields
Playing Fields
Putting Green
Bowl. Grns.
Tenn. Cts.
Pav.
Bandstand
Woods
Low Wood
Red Beck
Bradford Beck
Heaton Royds School
Heaton Hill
St. Barnabas Sch.
Heaton Mount University
Bradford Grammar School
Lodge
Botanical Gdns.
Lister Park
Swim Pool
Met. Sta.
Tennis Crts.
LISTER PARK
Cartwright Hall Art Gallery & Museum
St. Bedes Gram. Sch.
Sports Ground
Sports Field
Football Grd.
Ckt. Grd.
Mill
St. Joseph's Coll.
Cemetery
Rec. Grd.
High Crags Schs.
Homes
Goods Depot
Depot
Swan Hill
Wycliffe Sch.
Crowgill Park
Mills
Indu. Est.

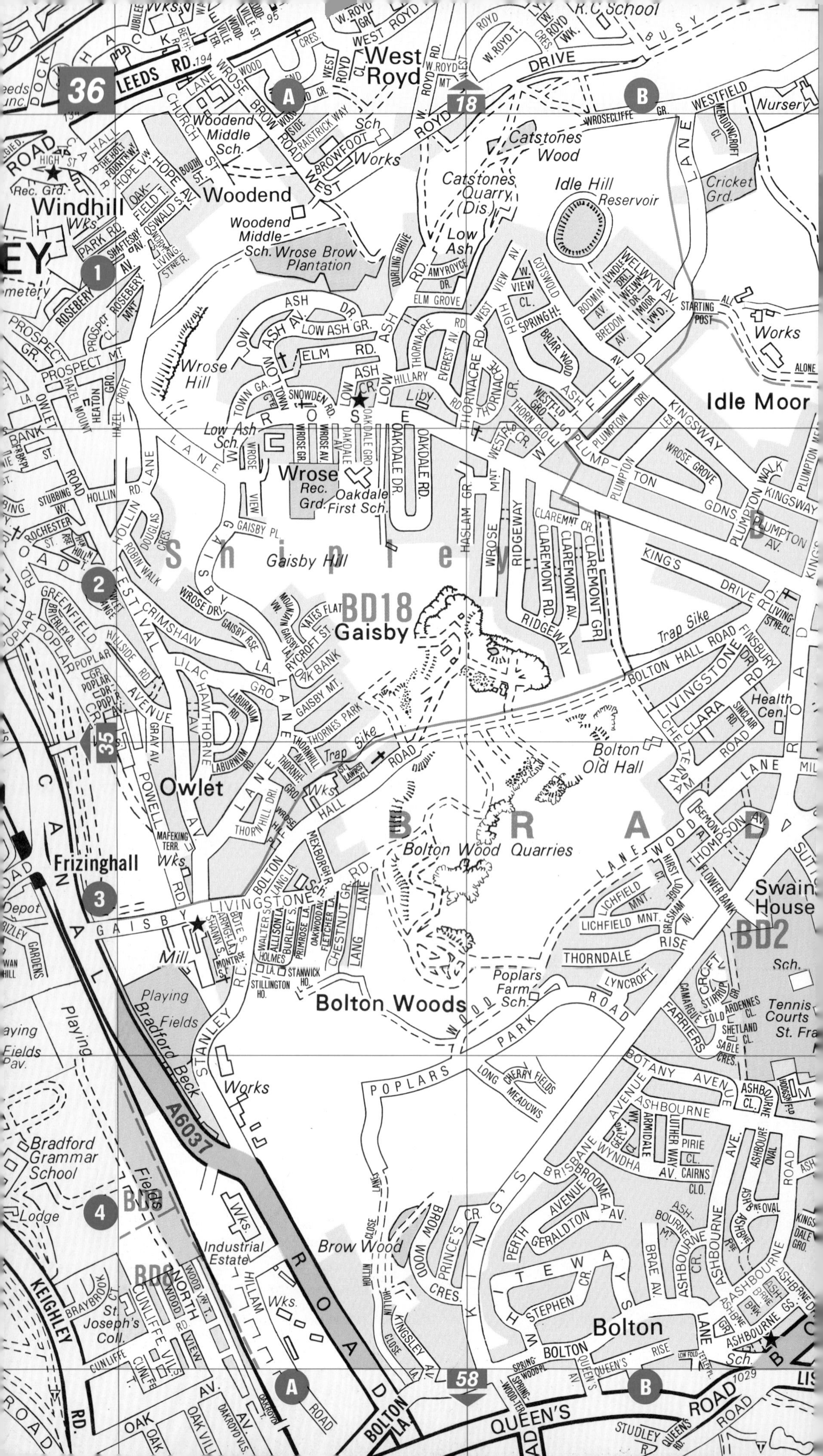

36
18
58
35
A
B
1
2
3
4
West Royd
Woodend
Windhill
Woodend Middle Sch.
Wrose Brow Plantation
Catstones Wood
Catstones Quarry (Dis.)
Idle Hill Reservoir
Low Ash
Cricket Grd.
Nursery
Works
Idle Moor
Wrose Hill
Low Ash Sch.
Wrose
Wrose Rec. Grd.
Oakdale First Sch.
Shipley
Gaisby Hill
BD18
Gaisby
Trap Sike
Bolton Hall Road
Bolton Old Hall
Health Cen.
Owlet
Frizinghall
BRAD
Bolton Wood Quarries
Swain House
BD2
Bolton Woods
Poplars Farm Sch.
Playing Fields
Bradford Beck
A6037
Bradford Grammar School
Lodge
Industrial Estate
Brow Wood
St. Joseph's Coll.
Bolton
Tennis Courts
Mill
Depot
Leeds Rd.
Westfield Lane
Kingsway
Livingstone Rd.
Gaisby Lane
Canal Road
Keighley Road
Queen's Road
Bolton Lane
Poplars Park Road
Kings Road
Ashbourne
Whiteways
Stanley Rd.
R.C. School
Busy Drive
Wrose Road
Wrose Brow Road
Festival Avenue
Crimshaw La.
Ridgeway
Claremont Rd.
Plumpton
Thompson Lane
Botany Avenue
Brisbane Avenue
Wood Lane

37
19
38
59
C
D
1
2
3
4
BD10
Fourlands
Thorpe
Thorpe Edge
Springfield
Blakehill Sch.
Blake Hill
Shopping Centre
Moor End
Five Lane Ends
Bank Top
Eccleshill
Bolton Outlanes
Haigh Fold
Bradford Industrial Museum
Radfield Quarry
Friars Ind! Est.
Victoria Ind. Est.
Thornbridge Squash Club
Highcliffe Ho.
Wellington Sch.
Swain House
Schools
Playing Fields
Sports Centre
Cricket Field
Cricket Grd.
Rec. Grnd.
Rec.War. Grd.Mem.
Playing Fields
Our Lady St. Brendan R.C. Sch.
St. Luke's Sch.
Fagley First Sch.
Hutton Sch.
Bolton House
Clinic
Mill
Works
Wks.
Depot
School
Liby.
Cem.
Sprts. Grd
Apperley Rd.
Leeds Rd.
Idle Road
Highfield Road
Bradford Road
Harrogate Road
Pullan Avenue
Norman Lane
Victoria Road
Bolton Road
Moorside Road
Bolton Lane
Swain House Road
Valley View Gro.
Thorp Garth
Idlethorp Way
Fleaks Rd.
Highfield Av.
Santa Monica Road
Wendron Way
Doctor Hill
Willow Avenue
Willow Crescent
Rowantree Drive
Greystone Crescent
Sandholme Drive
Stonegate Road
Savile Drive
Averingcliffe Road
Summerbridge Cres.
Stone Hall Rd.
Tunwell Lane
Westgate
Chapel St.
Orchard Grove
Brunswick Rd.
Fagley Lane
Leafield Crescent
Acre Lane
Wellington Rd.
Lister Lane
Peel
Undercliffe
Park Cliffe
A6176
A658

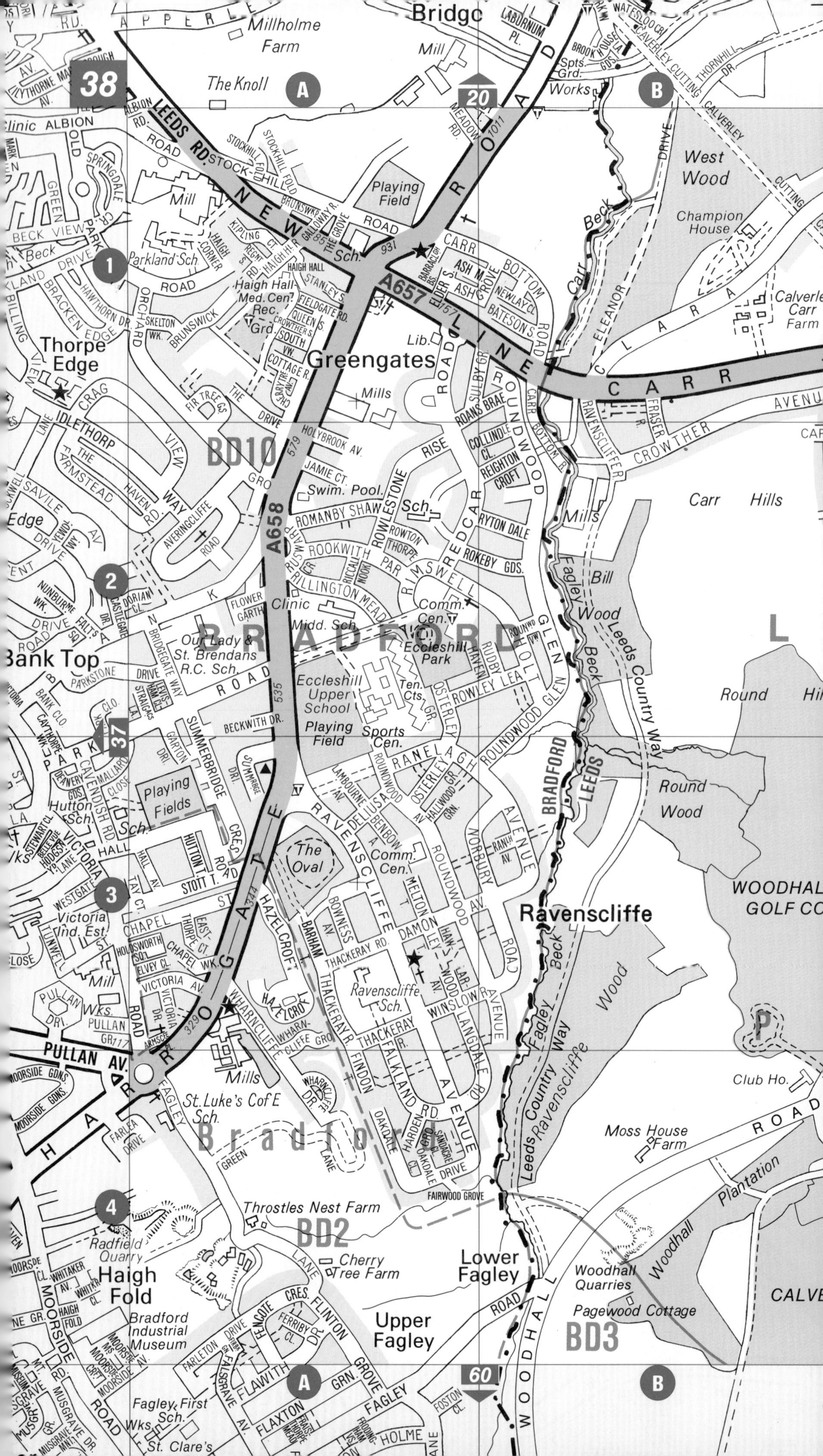

APPERLEY RD.
Millholme Farm
Bridge
LABURNUM PL.
Mill
The Knoll
A
B
20
Spts. Grd.
Works
BROOK HOUSE
WATERLOO GR.
CAVERLEY CUTTING
THORNHILL DR.
CALVERLEY
ALBION RD.
LEEDS RD.
Clinic ALBION
OLD
SPRINGDALE CR.
STOCKHILL FOLD
STOCK HILL
MEADOW RD.
NEW ROAD
Playing Field
Mill
West Wood
Champion House
BECK VIEW
Beck
PARK
DRIVE
1
Parkland Sch.
HAIGH CORNER
KIPLING CT.
Sch.
CARR BOTTOM
ASH M.
ASH G.
GROVE
NEWLAY CL.
BATESON S.
HAIGH HALL
STANLEY S.
A657
Carr
ELEANOR
Calverley Carr Farm
Haigh Hall Med. Cen.
Rec. Grd.
FIELDGATE RD.
QUEEN S.
SOUTH VW.
COTTAGE R.
Lib.
LINE
CLARA
HAWTHORN DR.
BRACKEN EDGE
ORCHARD
SKELTON WK.
BRUNSWICK
Thorpe Edge
Greengates
CARR
CRAG
Mills
FIR TREE GS.
THE DRIVE
RAVENSCLIFFE
FRASER
AVENUE
IDLETHORP
THE FARMSTEAD
VIEW
BD10
579
HOLYBROOK AV.
RISE
ROANS BRAE
COLLINDALE CL.
REIGHTON CROFT
ROUNDWOOD
CARR BOTTOM R.
CROWTHER
SAVILE
HAVEN RD.
WAY
JAMIE CT.
Swim. Pool.
ROWLESTONE
Sch.
REDCAR
RYTON DALE
Carr Hills
Edge
AVERINGCLIFFE ROAD
A658
ROMANBY SHAW
ROWTON THORPE
ROOKWITH PAR
ROKEBY GDS.
Mills
2
NUNBURNHOLME WK.
DORIAN CL.
CASTLEGATE
RILLINGTON MEAD
RIMSWELL
Bill Wood
Fagley Wood
FLOWER GARTH
Clinic
Comm. Cen.
Middl. Sch.
BRADFORD
L
Our Lady & St. Brendans R.C. Sch.
Eccleshill Park
Leeds Country Way
Bank Top
PARKSTONE
DRIVE
ROAD
RUDBY
ROWLEY LEA
HOLT
GLEN
Beck
Round Hill
Eccleshill Upper School
Ten. Cts.
OSTERLEY GR.
535
BECKWITH DR.
Playing Field
Sports Cen.
ROUNDWOOD GLEN
37
SUMMERBRIDGE
GARTON DRI.
RANELAGH
ROUNDWOOD AVENUE
LEEDS
Playing Fields
Hutton Sch.
CAVENDISH RD.
MALLARD CLOSE
LAMBOURNE AV.
DELIUS AV.
OSTERLEY GR.
HALLWOOD GR.
Round Wood
Sch.
HUTTON T.
STOTT T.
RAVENSCLIFFE
BENBOW AV.
Comm. Cen.
The Oval
ROUNDWOOD AV.
NORBURY
VICTORIA
HALL
3
WESTGATE
Victoria Ind. Est.
CHAPEL ST.
THORPE CT.
HAZELCROFT
BARHAM
BOWNESS AV.
MELTON
WOODHALL GOLF CO.
Ravenscliffe
TUNWELL
HOLDSWORTH SQ.
ELVEY CL.
THACKERAY RD.
DAMON AV.
HAWTHORN
LARWOOD AV.
ROAD
Fagley Beck
Wood
Mill
PULLAN DRI.
Wks.
PULLAN
VICTORIA AV.
Ravenscliffe Sch.
WINSLOW R.
AVENUE
Ravenscliffe Way
P
PULLAN AV.
MOORSIDE GDNS.
329
WHARNCLIFFE GRO.
THACKERAY
FALKLAND R.
LANGDALE RD.
HARROGATE ROAD
Mills
FAGLEY
Club Ho.
FINDON
AVENUE
St. Luke's C of E Sch.
WHARNCLIFFE DR.
Moss House Farm
ROAD
FARLEA DRIVE
Bradford
HARDEN GRO.
SANDACRE CL.
OAKDALE CL.
OAKDALE DRIVE
Leeds Country Way
GREEN
LANE
FAIRWOOD GROVE
Plantation
4
Throstles Nest Farm
BD2
Radfield Quarry
Cherry Tree Farm
Lower Fagley
Woodhall Quarries
Woodhall
Haigh Fold
WHITAKER AV.
WHITAKER CL.
MOORSIDE CL.
LANE
FLINTON GR.
FENCOTE CRES.
FERRIBY CL.
ROAD
WOODHALL
CALVE
HAIGH FOLD
Bradford Industrial Museum
FARLETON DRIVE
Upper Fagley
Pagewood Cottage
BD3
MOORSIDE RD.
MOORSIDE AV.
FLAWITH
GROVE
MUSGRAVE RD.
A
60
B
Fagley First Sch.
FALSGRAVE AV.
FLAXTON
FAGLEY
FOSTON CL.
Wks.
MUSGRAVE DR.
ROAD
St. Clare's
HOLME LANE

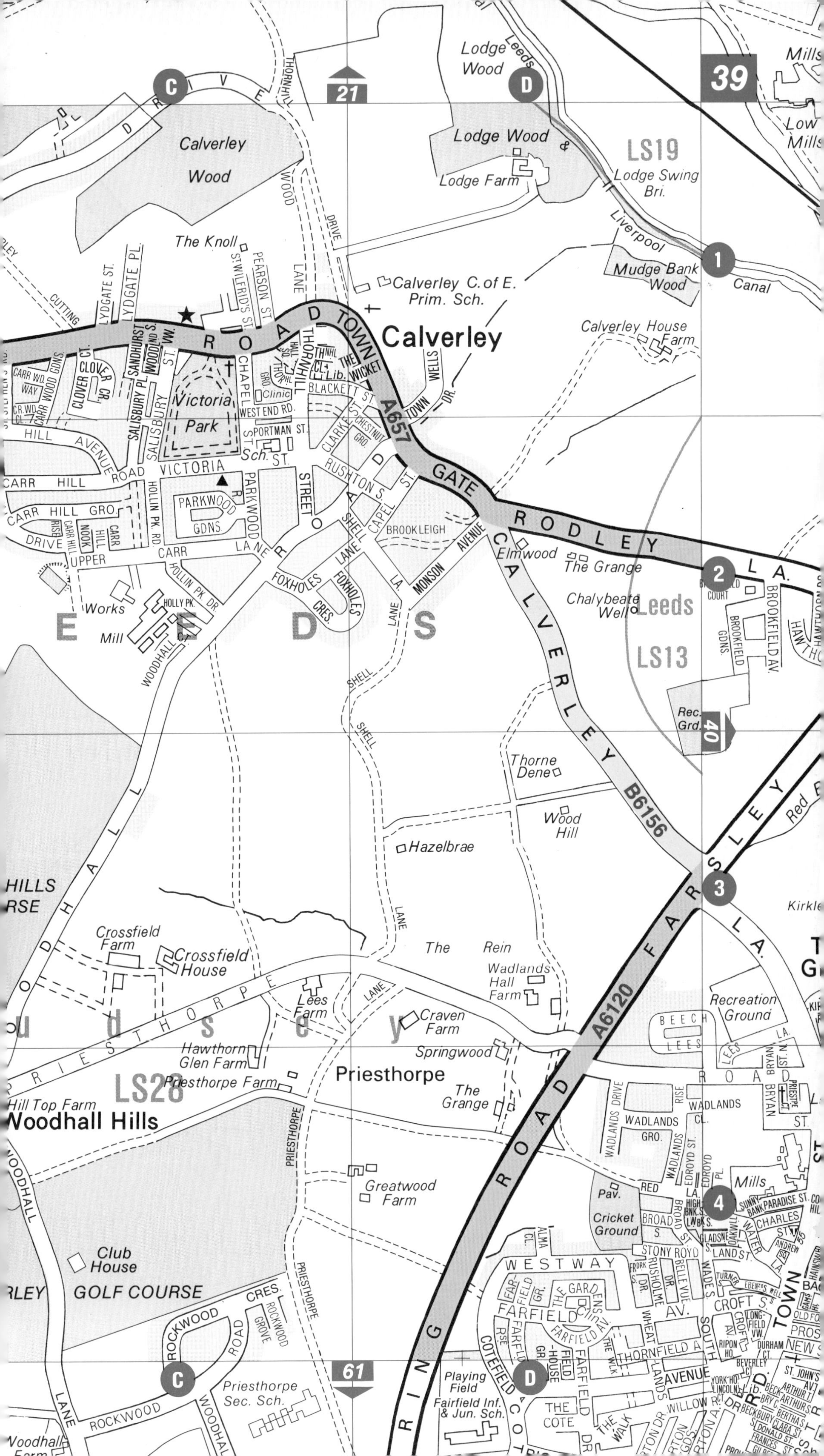
39
21
61
40
Calverley
Calverley Wood
Lodge Wood
Lodge Farm
Lodge Swing Bri.
LS19
Liverpool Canal
Mudge Bank Wood
Calverley C. of E. Prim. Sch.
Calverley House Farm
The Knoll
Victoria Park
TOWN GATE
A657
RODLEY LA.
CALVERLEY LANE
B6156
Elmwood
The Grange
Chalybeate Well
Leeds
LS13
Rec. Grd.
Thorne Dene
Wood Hill
Hazelbrae
The Rein
Wadlands Hall Farm
Craven Farm
Springwood
Lees Farm
Crossfield Farm
Crossfield House
Hawthorn Glen Farm
Priesthorpe Farm
Priesthorpe
The Grange
LS28
Hill Top Farm
Woodhall Hills
Greatwood Farm
Club House
GOLF COURSE
Priesthorpe Sec. Sch.
RING ROAD FARSLEY
A6120
Recreation Ground
Cricket Ground
Pav.
Playing Field
Fairfield Inf. & Jun. Sch.
Mills
Works
Mill
LEEDS
Pudsey
WOODHALL LANE
PRIESTHORPE ROAD
ROCKWOOD ROAD
WESTWAY
FARFIELD AV.
TOWN STREET
Low Mills

22
Mills
Low Mills
Knott La.
Low Fold
Rawdon Rd.
Low Hall
Low Hall Road
Works
Bar La.
Calverley Lane
Sough Wood
A6120
Broadway
Lodge Swing Bri.
LS19
Mudge Wood
Leeds & Liverpool Canal
Works
Pav. Sports Ground
Airedale & Wharfedale College of Further Educat
LS28
Calverley House Farm
Weir
Calverley
Swaine Wood
Mill
Calverley La.
Owl Bridge
River Aire
Calverley Bridge
Rodley Road
A657
Horsforth New Rd.
Lee
Brookfield Court
Brookfield Av.
Hawthorn Dr.
Hawthorn Gro.
Brookfield Gdns.
Rodley Fold
Rodley Bridge (Swing)
Bagley Beck
Farsley Lane
Oaklands
Town Street
Rec. Grd.
39
Prim. Sch.
Cricket Ground
Rodley
Works
Red Beck
Ring Road
A6120
Calverley La.
Oaklands Cl.
Airedale Mount
Mills
Works
Bagley Road
Kirklees Knowl
B6156
Calverley Lane
Poplar Farm
Rodley Rec. Grnd.
The Green
Warehouses
Bagley
Recreation Ground
Coal Hill
Warehouse
Priesthorpe Rd.
Aireview Primary School
Intake
Pudsey
Mills
Farsley
Jun. Sch.
Farsley Beck Bottom
Playing Field
Summerfield Primary Sch.
Cricket Ground
Springbank
Half Mile
LS28
Town St.
Stanningley Park
Stanningley Prim. Sch.
62
Recreation Ground
Ckt Grd.
Football Ground
Milestone Sch.

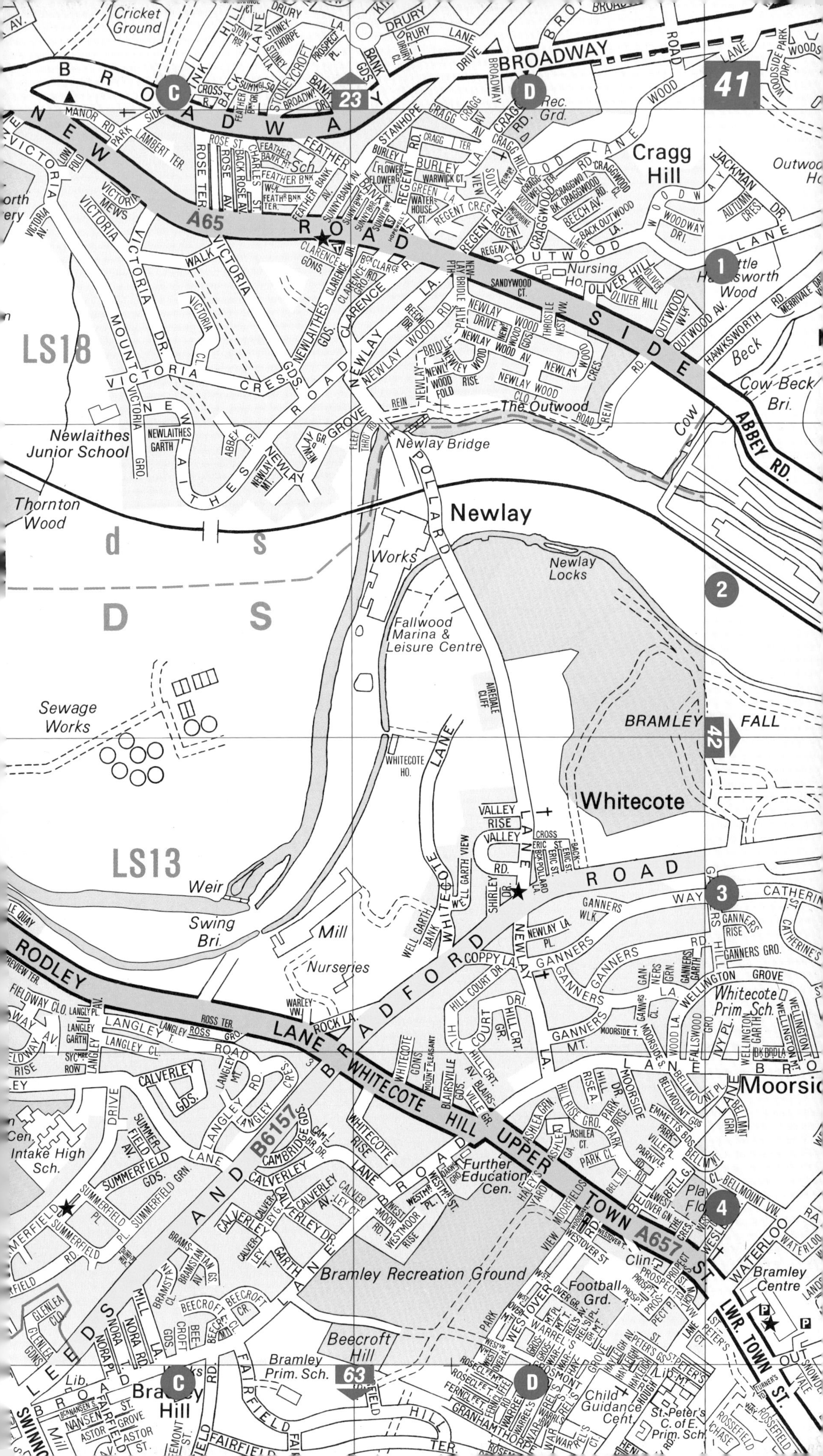
Cricket Ground
BROADWAY
C
D
23
41
Rec. Grd.
Cragg Hill
Outwood
NEW ROAD SIDE
A65
VICTORIA RD.
LS18
Newlaithes Junior School
Thornton Wood
1
Little Hawksworth Wood
Beck
Cow Beck Bri.
ABBEY RD.
The Outwood
Nursing Ho.
Newlay Bridge
Newlay
POLLARD
Newlay Locks
Works
Fallwood Marina & Leisure Centre
2
d
s
D
S
Sewage Works
BRAMLEY
FALL
42
WHITECOTE HO.
Whitecote
LS13
Weir
Swing Bri.
Mill
Nurseries
ROAD
3
BRADFORD
RODLEY LANE
WHITECOTE HILL
UPPER TOWN ST.
A657
B6157
Intake High Sch.
Further Education Cen.
Whitecote Prim. Sch.
Moorside
4
Play Fld.
Bramley Recreation Ground
Football Grd.
Bramley Centre
LWR. TOWN ST.
Beecroft Hill
Bramley Prim. Sch.
63
Bramley Hill
Lib.
Child Guidance Cent.
St. Peter's C. of E. Prim. Sch.
LEEDS AND BRADFORD ROAD

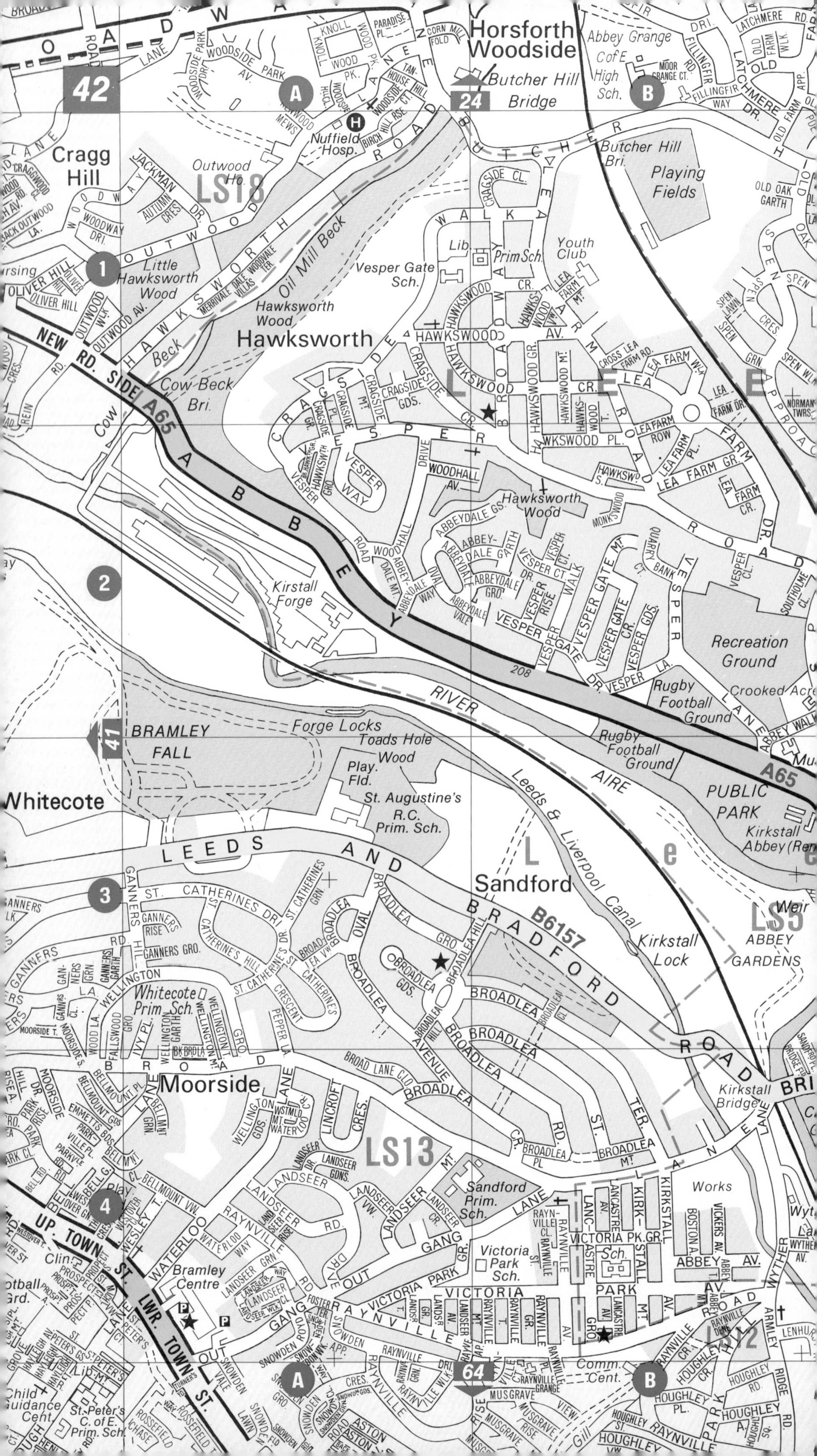

42
24
41
64
A
B
1
2
3
4
Horsforth Woodside
Butcher Hill Bridge
Abbey Grange C of E High Sch.
Nuffield Hosp.
Cragg Hill
Outwood Ho.
LS18
Little Hawksworth Wood
Oil Mill Beck
Vesper Gate Sch.
Hawksworth Wood
Hawksworth
Cow Beck Bri.
Butcher Hill Bri.
Playing Fields
Youth Club
Lib.
Prim Sch.
OUTWOOD LANE
HAWKSWORTH ROAD
NEW RD. SIDE
A65
ABBEY ROAD
VESPER ROAD
LEA FARM ROAD
BUTCHER HILL
Kirstall Forge
Recreation Ground
Rugby Football Ground
Crooked Acre
PUBLIC PARK
Kirkstall Abbey (Ren
RIVER AIRE
Forge Locks
Toads Hole Wood
BRAMLEY FALL
Whitecote
Play. Fld.
St. Augustine's R.C. Prim. Sch.
Leeds & Liverpool Canal
Sandford
LEEDS AND BRADFORD ROAD
B6157
Kirkstall Lock
ABBEY GARDENS
LS5
Weir
Whitecote Prim. Sch.
Moorside
BROAD LANE
LS13
Sandford Prim. Sch.
Victoria Park Sch.
Bramley Centre
Kirkstall Bridge
Works
Comm. Cent.
LS12
UP. TOWN ST.
LWR. TOWN ST.
St. Peter's C. of E. Prim. Sch.
Child Guidance Cent.

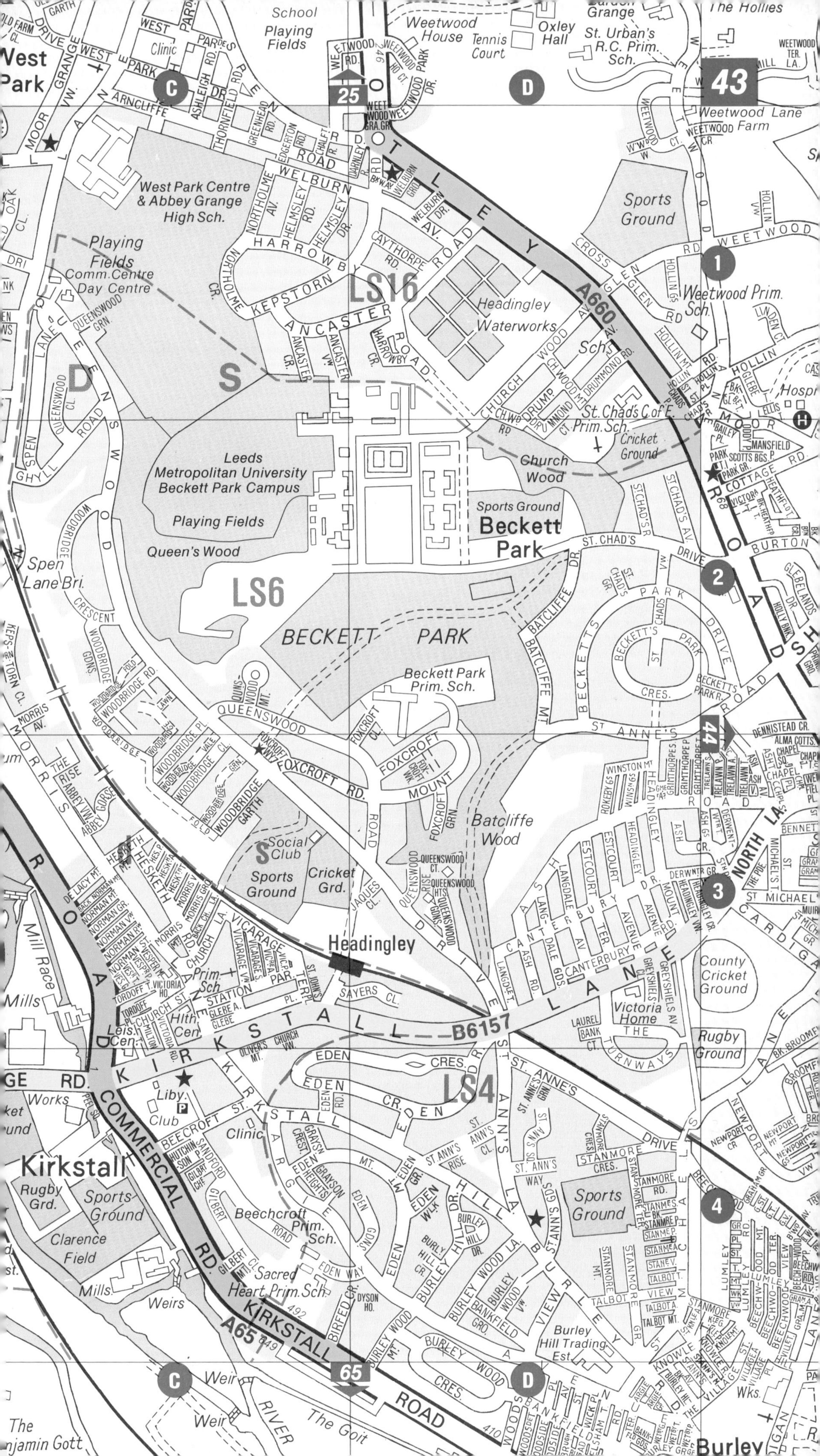

43
West Park
School Playing Fields
Weetwood House
Tennis Court
Oxley Hall
St. Urban's R.C. Prim. Sch.
The Hollies
Weetwood Lane Farm
25
C
D
West Park Centre & Abbey Grange High Sch.
Playing Fields
Comm. Centre
Day Centre
Sports Ground
Weetwood Prim. Sch.
LS16
Headingley Waterworks
A660
OTLEY ROAD
St. Chad's C of E. Prim. Sch.
Cricket Ground
Church Wood
Hospl.
S
D
Leeds Metropolitan University Beckett Park Campus
Playing Fields
Queen's Wood
Sports Ground
Beckett Park
LS6
BECKETT PARK
Beckett Park Prim. Sch.
Spen Lane Bri.
1
2
3
4
44
Batcliffe Wood
Social Club
Sports Ground
Cricket Grd.
Headingley
Mill Race
Mills
Prim. Sch.
Hlth. Cen.
Leis. Cen.
Liby.
Club
Clinic
B6157
KIRKSTALL LANE
LS4
Victoria Home
County Cricket Ground
Rugby Ground
Kirkstall
Rugby Grd.
Sports Ground
Clarence Field
Works
Beechcroft Prim. Sch.
Sacred Heart Prim. Sch.
Sports Ground
Burley Hill Trading Est.
Weirs
A65
COMMERCIAL RD.
KIRKSTALL ROAD
65
C
D
Weir
RIVER
The Goit
Wks.
Burley

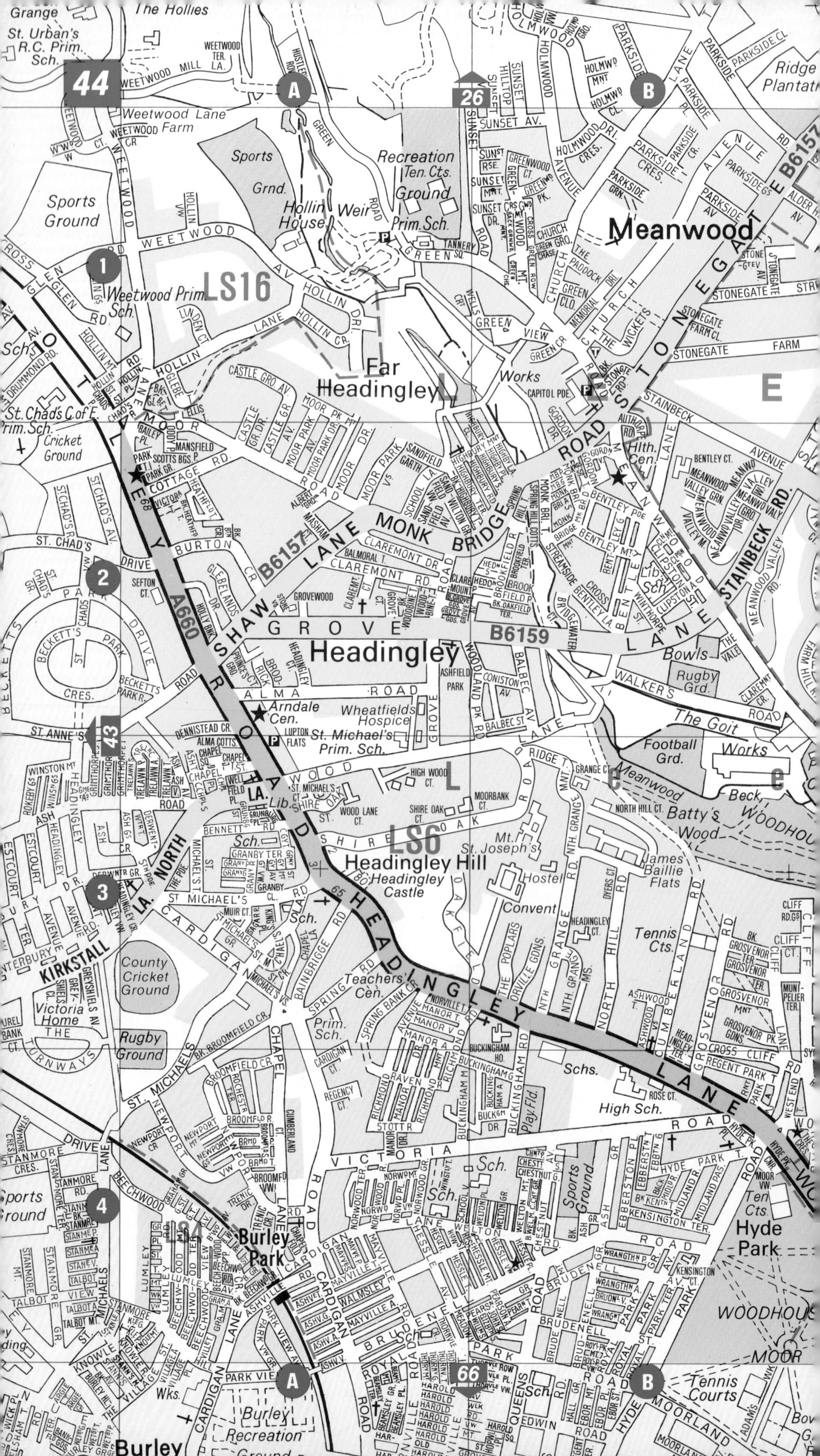
44
26
43
66
A
B
1
2
3
4
E
LS16
LS6
LS4
Meanwood
Far Headingley
Headingley
Headingley Hill
Kirkstall
Burley Park
Burley
Hyde Park
Woodhouse Moor
Grange
St. Urban's R.C. Prim. Sch.
The Hollies
Weetwood Mill La.
Weetwood Lane Farm
Sports Ground
Sports Grnd.
Recreation Ground
Ten. Cts.
Hollin House
Weir
Prim. Sch.
Ridge Plantation
Weetwood Prim. Sch.
St. Chad's C of E. Prim. Sch.
Cricket Ground
Works
Hlth. Cen.
Lib.
Sch.
Bowls
Rugby Grd.
Football Grd.
The Goit
Meanwood Beck
Batty's Wood
James Baillie Flats
Arndale Cen.
Wheatfields Hospice
St. Michael's Prim. Sch.
Mt. St. Joseph's Hostel
Convent
Headingley Castle
Tennis Cts.
County Cricket Ground
Victoria Home
Rugby Ground
Teachers' Cen.
Prim. Sch.
Buckingham Ho.
Play Fld.
High Sch.
Schs.
Sports Ground
Ten Cts.
Wks.
Burley Recreation Ground
Tennis Courts
A660
B6157
B6159
Otley Road
Headingley Lane
Shaw Lane
Monk Bridge Road
Grove Lane
Stonegate Road
Stainbeck Lane
Stainbeck Rd.
Meanwood Road
Walkers Road
Alma Road
Victoria Road
Cardigan Road
North Lane
St. Michael's Road
Kirkstall Lane
Cardigan Lane
Chapel Lane
Burley Road
Hyde Park Road
Woodhouse Lane
Moorland Road
Royal Park Road
Queens Road
Brudenell Road
Weetwood Lane
Hollin Lane
Moor Road
Moor Park Av.
Castle Gro. Av.
Church Lane
Parkside Road
North Hill Rd.
Cumberland Rd.
Grosvenor Rd.
Cliff Road
Beckett's Park Drive
St. Chad's Drive
Stanmore Rd.
Beechwood
Ashville
Park View

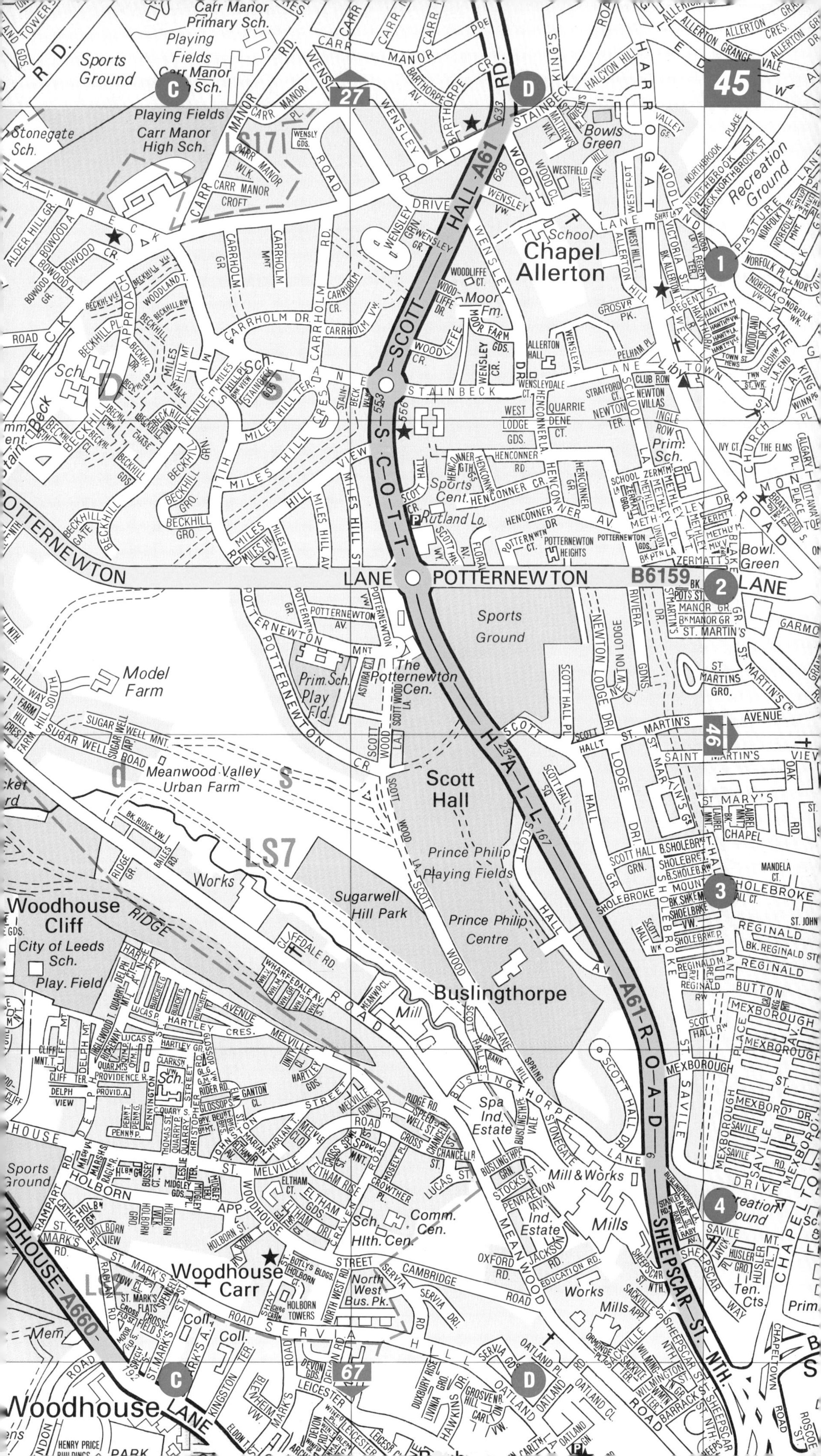
45
27
46
67
C
D
1
2
3
4
Carr Manor Primary Sch.
Playing Fields
Sports Ground
Carr Manor Sch.
Playing Fields
Carr Manor High Sch.
Stonegate Sch.
LS17
Chapel Allerton
School
Bowls Green
Recreation Ground
Moor Fm.
Sports Cent.
Rutland Lo.
Prim. Sch.
Bowl. Green
SCOTT HALL A61
STAINBECK LANE
POTTERNEWTON LANE
B6159
Sports Ground
Model Farm
The Potternewton Cen.
Prim. Sch. Play Fld.
Meanwood Valley Urban Farm
Scott Hall
LS7
Prince Philip Playing Fields
Sugarwell Hill Park
Prince Philip Centre
Works
Woodhouse Cliff
City of Leeds Sch.
Play. Field
WOODHOUSE RIDGE
Buslingthorpe
Mill
Spa Ind. Estate
Mill & Works
Ind. Estate
Mills
Works
Sports Ground
Sch.
Comm. Cen.
Sch. Hlth. Cen.
Woodhouse Carr
North West Bus. Pk.
Coll.
Woodhouse
WOODHOUSE A660
WOODHOUSE LANE
A61 ROAD
SHEEPSCAR ST. NTH.
MEANWOOD ROAD
SERVIA HILL
Recreation Ground
Ten. Cts.
Prim.

46
28
45
68
A
B
1
2
3
4
Chapeltown
Gledhow
Potternewton
Sheepscar
LS7
Recreation Ground
Rugby Football Grd.
Playing Field
Gledhow Prim. Sch.
Hostel
Roundhay (BUPA H
Bracken Hills Wood
Gledhow Park
Gledhow Hall
Spts. Grd.
Weirs
The Lake
Gledhow Valley Woods
Chapel Allerton Hospital
F'ball Grd.
Sports Grd.
Coll.
Bracken Edge Prim. Sch.
POTTERNEWTON PARK
Bowl. Green
Bowls Green
Newton Prim. Sch.
Comm. Cent.
Lib.
Syn.
Sch.
Hosp.
Bankside Prim. Sch.
Recreation Ground
Ten. Cts.
Prim. Sch.
Clinic
Leopold Prim. Sch.
Soc. Services Cen.
Health Cent.
Thomas Danby Coll.
Works
Mills
Liby.
POTTERNEWTON LA.
HAREHILLS LANE
B6159
HAREHILLS ROAD
ROUNDHAY ROAD
A58
A61
SHEEPSCAR ST. NTH.
BARRACK RD.
CHAPELTOWN ROAD
HARROGATE ROAD
GLEDHOW LANE
GLEDHOW VALLEY ROAD
GLEDHOW PARK DRIVE
ALLERTON PARK
LINCOMBE DRIVE
CHANDOS
ROPER GARDENS
LIDGETT AV.
LIDGETT LANE
LIDGETT WALK
MONTREAL AV.
DOMINION AV.
ROXHOLME
MEXBOROUGH
SAVILE DRIVE
LEOPOLD
FRANCIS STREET
COWPER
GRANGE
REGINALD
SHOLEBROKE AV
SCOTT HALL RD.
BAYSWATER
ASHTON
CONWAY
LUXOR
ELFORD GROVE
SPENCER PLACE
SHEPHERDS LANE
HILTON
MARKHAM
ST. MARTIN'S
NEWTON HILL RD.
ST. JAMES'S

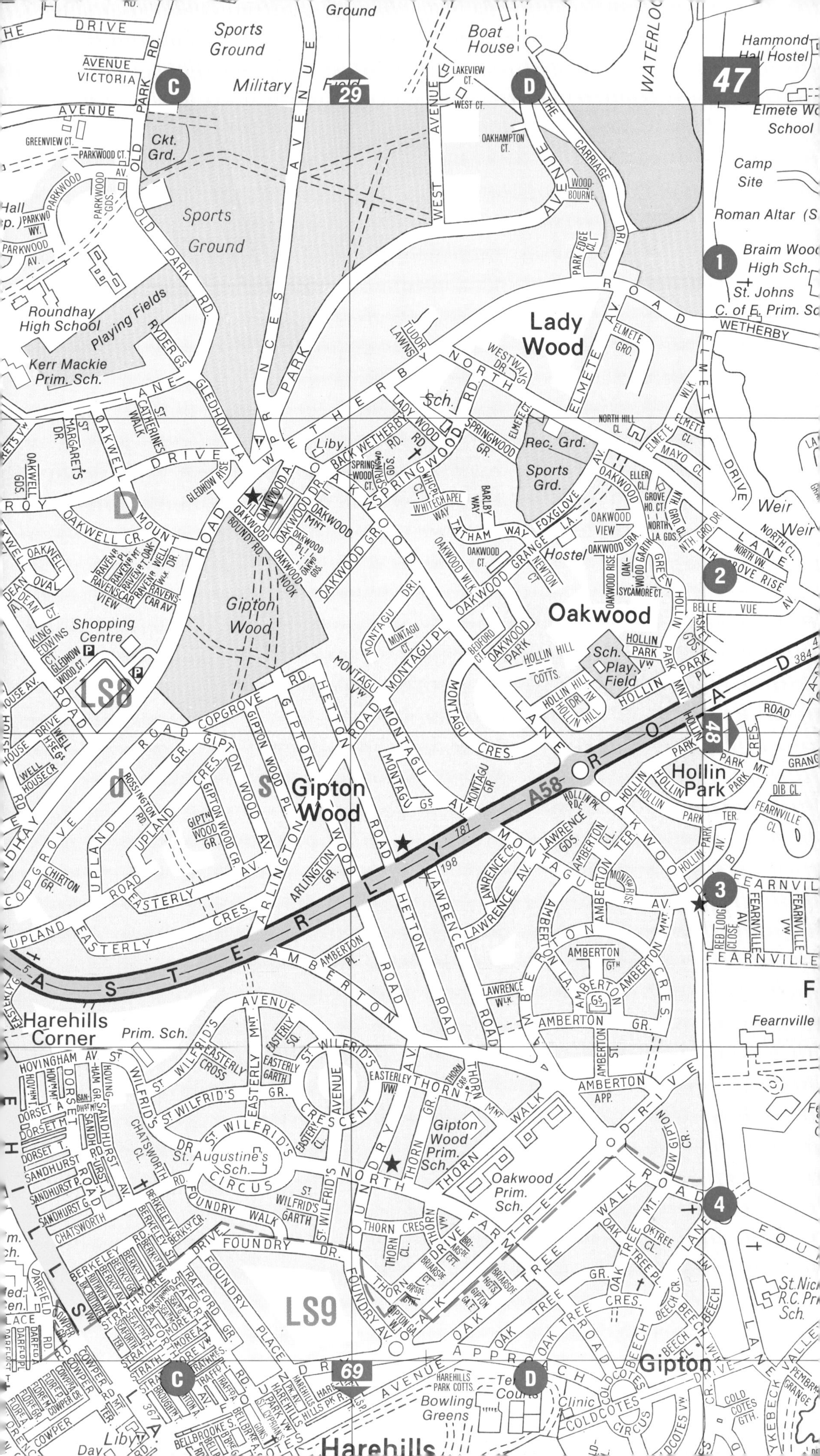

47
29
48
69
C
D
1
2
3
4
Sports Ground
Military Field
Boat House
LAKEVIEW CT.
WEST CT.
WATERLOO
Hammond Hall Hostel
Elmete Wood School
Camp Site
Roman Altar
Braim Wood High Sch.
St. Johns C. of E. Prim. Sch.
THE DRIVE
AVENUE VICTORIA
AVENUE
OLD PARK RD.
GREENVIEW CT.
PARKWOOD CT.
Ckt. Grd.
PARKWOOD GDS.
PARKWOOD WY.
PARKWOOD AV.
PARKWOOD
Sports Ground
Roundhay High School
Playing Fields
Kerr Mackie Prim. Sch.
RYDER GS.
PRINCES AVENUE
PARK AVENUE
WEST AVENUE
OAKHAMPTON CT.
THE CARRIAGE DRI.
AVENUE
WOODBOURNE
PARK EDGE CL.
ROAD
Lady Wood
WETHERBY
NORTH
TUDOR LAWNS
WESTWAY DR.
ELMETE AV.
ELMETE GRO.
ELMETE
ELMETE DRIVE
ELMETE WLK.
ELMETE CL.
MAYO CL.
NORTH HILL CL.
ELMETE CT.
Rec. Grd.
Sports Grd.
Sch.
LADY WOOD RD.
Liby.
BACK WETHERBY RD.
SPRINGWOOD RD.
SPRINGWOOD GR.
SPRINGWOOD GDS.
SPRINGWOOD CT.
WHITECHAPEL WAY
WHITECHAPEL CL.
BARLBY WAY
TATHAM WAY
FOXGLOVE AV.
OAKWOOD AV.
ELLER CL.
GROVE HO. CT.
NTH. GRO. DR.
NORTH HILL GRO.
NORTH LA. GDS.
NORTH LANE
NORTH CL.
NORTH VW.
NORTH GROVE RISE
Weir
OAKWOOD VIEW
OAKWOOD GRA.
OAKWOOD RISE
OAK-WOOD GARTH
SYCAMORE CT.
GREEN
HOLLIN LA.
Hostel
NEWTON CT.
OAKWOOD GRANGE
OAKWOOD CT.
OAKWOOD WLK.
OAKWOOD LANE
BELLE VUE AV.
Oakwood
ASKET GDS.
HOLLIN PARK
HOLLIN PARK VW.
HOLLIN PARK PL.
HOLLIN PARK MNT.
HOLLIN HILL COTTS.
HOLLIN HILL DR.
HOLLIN HILL AV.
Sch. Play. Field
BEDFORD CT.
OAKWOOD PARK
MONTAGU CRES.
OAKWOOD GRO.
OAKWOOD DR.
OAKWOOD MNT.
OAKWOOD PL.
OAKWOOD GDS.
OAKWOOD NOOK
OAKWOOD BOUNDY RD.
OAKWOOD
OAKWELL DRIVE
OAKWELL GDS.
OAKWELL WALK
OAKWELL CR.
OAKWELL OVAL
ST MARGARET'S DR.
ST CATHERINES WALK
GLEDHOW LA.
GLEDHOW RISE
ROAD
ROY
LANE
MOUNT
RAVENSCAR VIEW
RAVENSCAR AV.
RAVENSCAR WLK.
RAVENSCAR WELL DR.
DEAN
DEAN CT.
KING EDWINS CT.
GLEDHOW WOOD CT.
Shopping Centre
LS8
Gipton Wood
COPGROVE RD.
GIPTON WOOD RD.
GIPTON WOOD PL.
GIPTON WOOD AV.
GIPTON WOOD CR.
GIPTON WOOD GR.
HETTON ROAD
MONTAGU DRI.
MONTAGU CT.
MONTAGU PL.
MONTAGU VW.
MONTAGU ROAD
MONTAGU AV.
MONTAGU GR.
MONTAGU GS.
A58
EASTERLY ROAD
D 384
HOLLIN PK. PDE
HOLLIN PK. CRES.
PARK MT.
Hollin Park
DIB CL.
FEARNVILLE CL.
FEARNVILLE TER.
FEARNVILLE AV.
FEARNVILLE VW.
FEARNVILLE
RED LODGE CLOSE
Fearnville
ROSSINGTON RD.
UPLAND RD.
UPLAND CRES.
UPLAND GR.
COPGROVE
CHIRTON GR.
ROUNDHAY
WELL HOUSE CR.
WELL HSE. GS
HOUSE AV.
Gipton Wood
ARLINGTON RD.
ARLINGTON GR.
EASTERLY CRES.
EASTERLY
181
198
HETTON ROAD
LAWRENCE ROAD
LAWRENCE CR.
LAWRENCE AV.
LAWRENCE GDS.
LAWRENCE WLK.
AMBERTON CL.
AMBERTON TER.
AMBERTON RISE
AMBERTON AV.
AMBERTON MNT.
AMBERTON CRES.
AMBERTON GTH
AMBERTON LA.
AMBERTON GS.
AMBERTON GR.
AMBERTON ST.
AMBERTON APP.
AMBERTON PL.
AMBERTON ROAD
EASTERLY ROAD
Harehills Corner
Prim. Sch.
HOVINGHAM AV
HOVINGHAM GR.
DORSET AV.
DORSET MT.
DORSET T.
DORSET ROAD
SANDHURST
SANDHURST P.
SANDHURST G.
SANDHURST RD.
SANDHURST AV.
CHATSWORTH
CHATSWORTH RD.
CHATSWORTH CL.
ST WILFRID'S AVENUE
ST WILFRID'S CROSS
ST WILFRID'S GR.
ST WILFRID'S DR.
ST WILFRID'S CRESCENT
ST WILFRID'S CIRCUS
ST WILFRID'S GARTH
ST WILFRID'S ST.
EASTERLY MNT.
EASTERLY SQ.
EASTERLY GARTH
EASTERLY CROSS
EASTERLY CL.
EASTERLEY VW.
St. Augustine's Sch.
THORN
THORN MNT.
THORN WALK
THORN GR.
THORN CL.
THORN CRES.
THORN DRIVE
THORN VW.
Gipton Wood Prim. Sch.
Oakwood Prim. Sch.
FOUNDRY
FOUNDRY WALK
FOUNDRY DR.
FOUNDRY PLACE
FOUNDRY AV.
NORTH
FARM
OAK TREE
OAK TREE WALK
OAK TREE MT.
OAK TREE CL.
OAK TREE PL.
OAK TREE GR.
OAK TREE CRES.
OAK TREE ROAD
DRIVE
GIPTON CR.
GIPTON APPROACH
BRIARSDE
BEECH
BEECH CR.
BEECH WK.
BEECH CL.
BEECH LANE
St. Nicholas R.C. Prim. Sch.
BERKELEY
BERKELEY AV.
BERKELEY CR.
STRATHMORE
SEAFORTH
SEAFORTH GR.
TRAFFORD
TRAFFORD GR.
DARFIELD
COWPER
COWPER RD.
COWPER CR.
FLORENCE
HAREHILLS
HAREHILLS PK. RD.
HAREHILLS PARK COTTS.
HAREHILLS AVENUE
HAREHILLS LANE
LS9
367
Bowling Greens
Tennis Courts
Clinic
COLDCOTES
COLDCOTES CIRCUS
COLD COTES GTH.
YKEBECK
PEMBROKE GRANGE
Gipton
Harehills
Liby.
BELLBROOKE S.

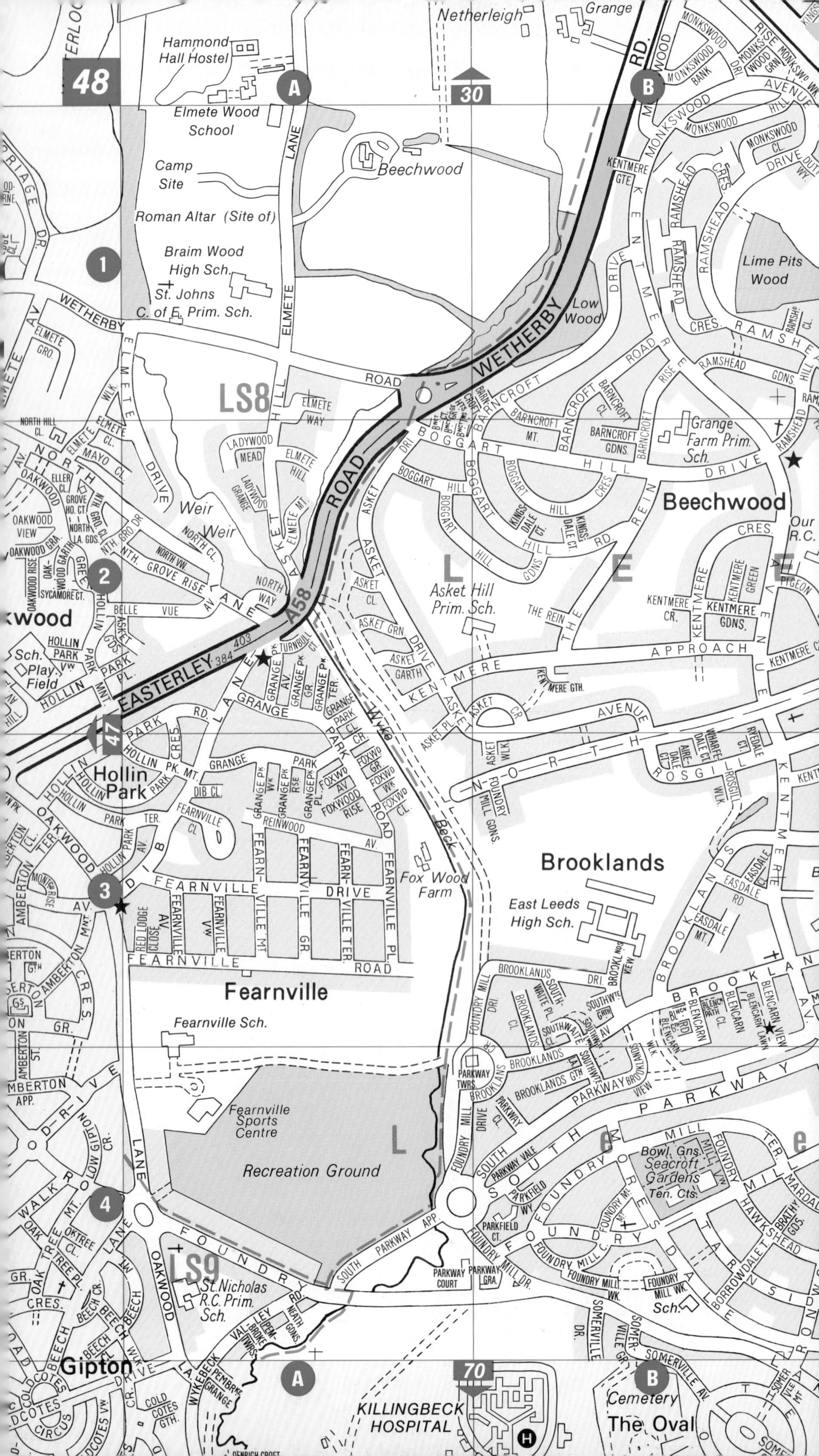
48
30
47
70
LS8
LS9
Netherleigh
Grange
Hammond Hall Hostel
Elmete Wood School
Camp Site
Roman Altar (Site of)
Braim Wood High Sch.
St. Johns C. of E. Prim. Sch.
Beechwood
Low Wood
Lime Pits Wood
Grange Farm Prim. Sch.
Asket Hill Prim. Sch.
Weir
Hollin Park
Fearnville
Fearnville Sch.
Fearnville Sports Centre
Recreation Ground
Fox Wood Farm
Brooklands
East Leeds High Sch.
Seacroft Gardens
Bowl. Gns.
Ten. Cts.
St.Nicholas R.C. Prim. Sch.
Gipton
Killingbeck Hospital
Cemetery
The Oval
WETHERBY ROAD
EASTERLEY ROAD
A58
SOUTH PARKWAY
FOUNDRY LANE
FEARNVILLE ROAD
KENTMERE AVENUE
KENTMERE APPROACH
NORTH PARKWAY
BOGGART HILL DRIVE
RAMSHEAD DRIVE
BARNCROFT DRIVE
OAKWOOD LANE
GRANGE PARK ROAD
BROOKLANDS AV.
FOUNDRY MILL DRIVE
SOUTH PARKWAY APP.
Wyke Beck

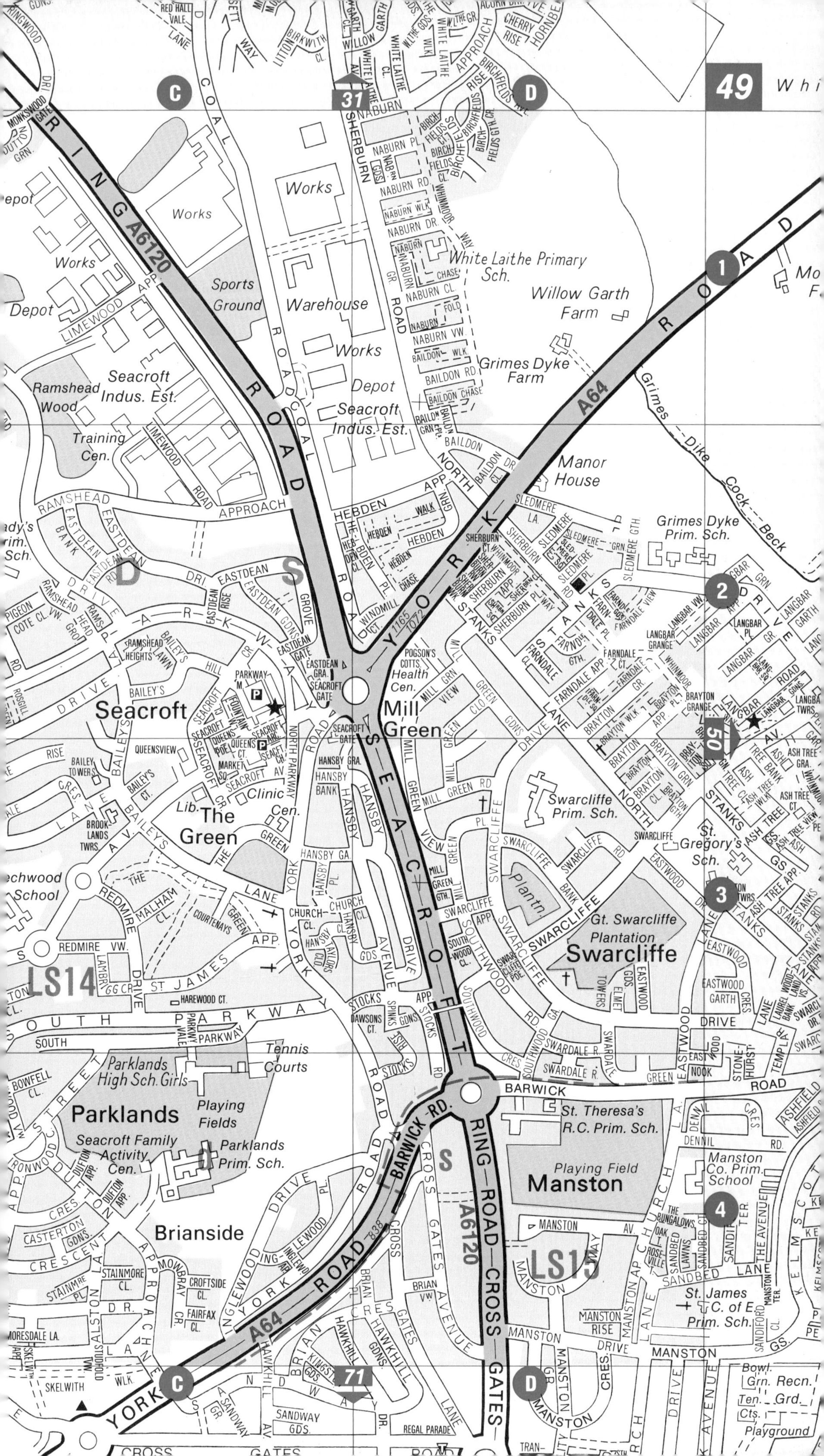
Seacroft
Mill Green
The Green
Swarcliffe
Parklands
Brianside
Manston
LS14
LS15
RING ROAD
YORK ROAD
A64
A6120
SEACROFT
Seacroft Indus. Est.
White Laithe Primary Sch.
Willow Garth Farm
Grimes Dyke Farm
Manor House
Grimes Dyke Prim. Sch.
Swarcliffe Prim. Sch.
St. Gregory's Sch.
Gt. Swarcliffe Plantation
St. Theresa's R.C. Prim. Sch.
Manston Co. Prim. School
St. James C. of E. Prim. Sch.
Parklands High Sch. Girls
Parklands Prim. Sch.
Seacroft Family Activity Cen.
Playing Fields
Tennis Courts
Sports Ground
Ramshead Wood
Training Cen.
Health Cen.
Clinic Cen.
BARWICK ROAD
CROSS GATES
31
50
71

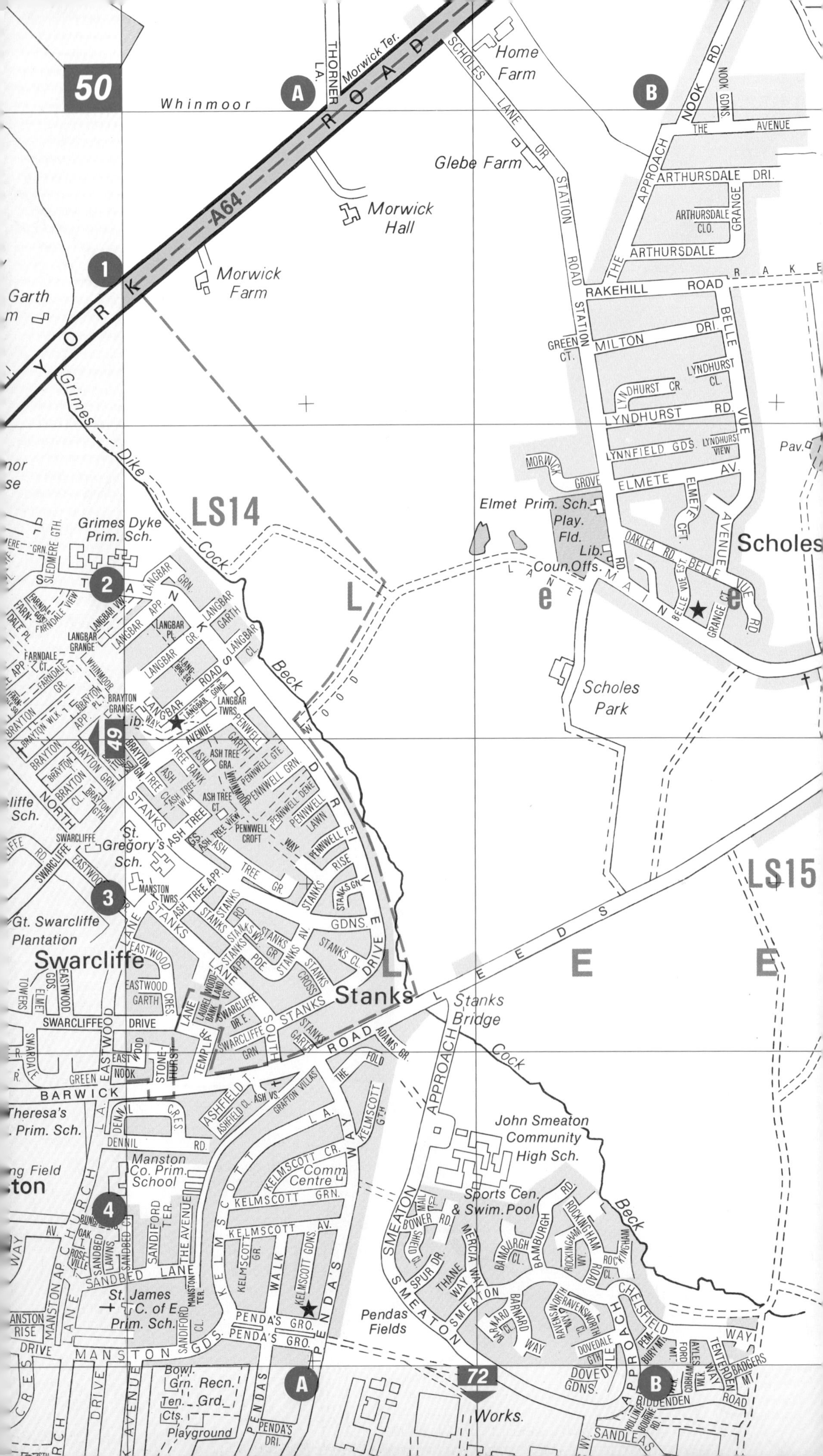

50
49
72
A
B
1
2
3
4
Whinmoor
YORK ROAD
A64
THORNER LA.
Morwick Ter.
Home Farm
Glebe Farm
Morwick Hall
Morwick Farm
SCHOLES LANE OR STATION ROAD
NOOK RD.
NOOK GDNS.
THE AVENUE
THE APPROACH
ARTHURSDALE DRI.
ARTHURSDALE CLO.
ARTHURSDALE GRANGE
RAKEHILL ROAD
BELLE VUE AVENUE
MILTON DRI.
GREEN CT.
LYNDHURST CR.
LYNDHURST CL.
LYNDHURST RD.
LYNNFIELD GDS.
LYNDHURST VIEW
ELMETE AV.
ELMETE CFT.
MORWICK GROVE
Pav.
Elmet Prim. Sch.
Play. Fld.
Lib.
Coun.Offs.
OAKLEA RD.
BELLE VUE EST.
BELLE VUE RD.
GRANGE CT.
MAIN
Scholes
Scholes Park
LS14
LS15
Grimes Dyke
Grimes Dyke Prim. Sch.
Cock Beck
WOOD LANE
Garth
SLEDMERE GTH.
FARNDALE VIEW
FARNDALE CT.
FARNDALE APP.
LANGBAR GRANGE
LANGBAR APP.
LANGBAR GRN.
LANGBAR GARTH
LANGBAR CL.
LANGBAR PL.
LANGBAR GR.
LANGBAR ROAD
LANGBAR GDNS.
LANGBAR TWRS.
LANGBAR WAY
WHINMOOR
BRAYTON GRANGE
BRAYTON APP.
BRAYTON PL.
BRAYTON WLK.
BRAYTON GRN.
BRAYTON CL.
BRAYTON GTH.
NORTH
Lib.
STANKS AVENUE
ASH TREE BANK
ASH TREE GRA.
ASH TREE WLK.
ASH TREE CT.
ASH TREE VIEW
ASH TREE GR.
ASH TREE APP.
PENNWELL GARTH
PENNWELL GTE.
PENNWELL GRN.
PENNWELL DENE
PENNWELL LAWN
PENNWELL CROFT
PENNWELL FLD.
PENNWELL WAY
STANKS RISE
STANKS GN.
STANKS GDNS.
STANKS CL.
STANKS CROSS
STANKS AV.
STANKS DRIVE
STANKS LANE
STANKS WY.
STANKS PDE.
STANKS APP.
STANKS RD.
STANKS GARTH
St. Gregory's Sch.
SWARCLIFFE RD.
EASTWOOD
MANSTON TWRS.
Gt. Swarcliffe Plantation
Swarcliffe
Stanks
EASTWOOD GARTH
EASTWOOD CRES
EASTWOOD GDNS.
ELMET TOWERS
SWARCLIFFE DRIVE
SWARDALE
GREEN
EAST WOOD NOOK
STONE HURST
TEMPLAR LANE
LAUREL BANK
WOODLAND VS.
SWARCLIFFE DR. E.
SWARCLIFFE GRN.
SWARCLIFFE SOUTH
LEEDS ROAD
ADAMS GR.
THE FOLD
Stanks Bridge
APPROACH
BARWICK LA.
ASHFIELD
ASHFIELD CL.
ASH VS.
GRAFTON VILLAS
KELMSCOTT LA.
KELMSCOTT GTH.
KELMSCOTT CR.
KELMSCOTT GRN.
KELMSCOTT AV.
KELMSCOTT GR.
KELMSCOTT WALK
KELMSCOTT GDNS.
WAY
Comm. Centre
Theresa's Prim. Sch.
DENNIL CRES
DENNIL RD.
Manston Co. Prim. School
ston
CHURCH
SANDIFORD TER.
THE AVENUE
BUNGALOWS
OAK VILLE
ROSE VILLE
SANDBED LAWNS
SANDBED CT.
SANDBED LANE
MANSTON AP.
MANSTON LANE
MANSTON RISE
MANSTON DRIVE
MANSTON GDS.
MANSTON TER.
SANDIFORD CL.
St. James C. of E. Prim. Sch.
PENDA'S GRO.
PENDA'S WAY
PENDAS
PENDA'S DRI.
Bowl. Grn.
Recn. Grd.
Ten. Cts.
Playground
CRES
CHURCH
DRIVE
AVENUE
John Smeaton Community High Sch.
Sports Cen. & Swim. Pool
SMEATON APPROACH
BOWER RD.
MAIL CL.
SHIELD CL.
SPUR DR.
MERCIA WAY
THANE WAY
BAMBURGH CL.
BAMBURGH RD.
ROCKINGHAM WY.
ROCKINGHAM ROAD
ROCKINGHAM CL.
ROCKINGHAM
BARNARD CL.
BARNARD WAY
RAVENSWORTH CL.
RAVENSWORTH WAY
DOVEDALE GTH.
DOVEDALE GDNS.
CHELSFIELD WAY
PEMBURY MT.
FORD MT.
AYLESFORD MT.
COBHAM WLK.
TENTERDEN WAY
BADGERS MT.
BIDDENDEN ROAD
HOLLINGBOURNE RD.
SANDLEAS WY.
Pendas Fields
Works

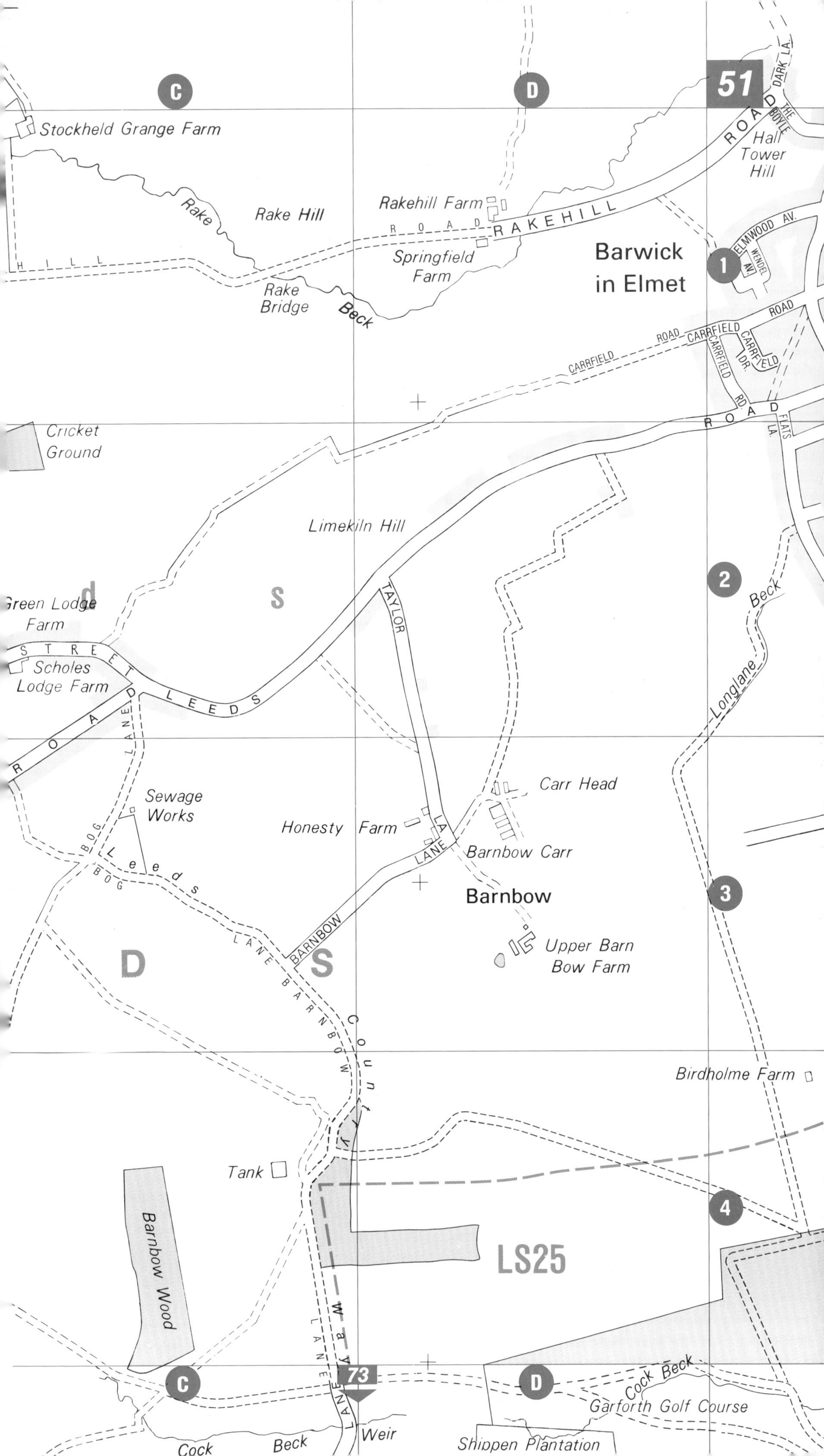

51
C
D
Stockheld Grange Farm
Rake
Rake Hill
Rakehill Farm
RAKEHILL ROAD
HILL
Springfield Farm
Rake Bridge
Beck
Barwick in Elmet
DARK LA.
THE BOYLE
Hall Tower Hill
ELMWOOD AV.
WENDEL AV.
1
CARRFIELD ROAD
CARRFIELD DR.
CARRFIELD RD.
ROAD
FLATS LA.
Cricket Ground
Limekiln Hill
TAYLOR LA
Green Lodge Farm
STREET
Scholes Lodge Farm
LEEDS ROAD
LANE
2
Beck
Longlane
Sewage Works
Honesty Farm
Carr Head
Barnbow Carr
BOG LANE
Leeds
Barnbow
BARNBOW LANE
Upper Barn Bow Farm
3
D
S
LANE BARNBOW
Country
Birdholme Farm
Tank
4
LS25
Barnbow Wood
Way
LANE
73
D
Cock Beck
Garforth Golf Course
Weir
Cock Beck
Shippen Plantation

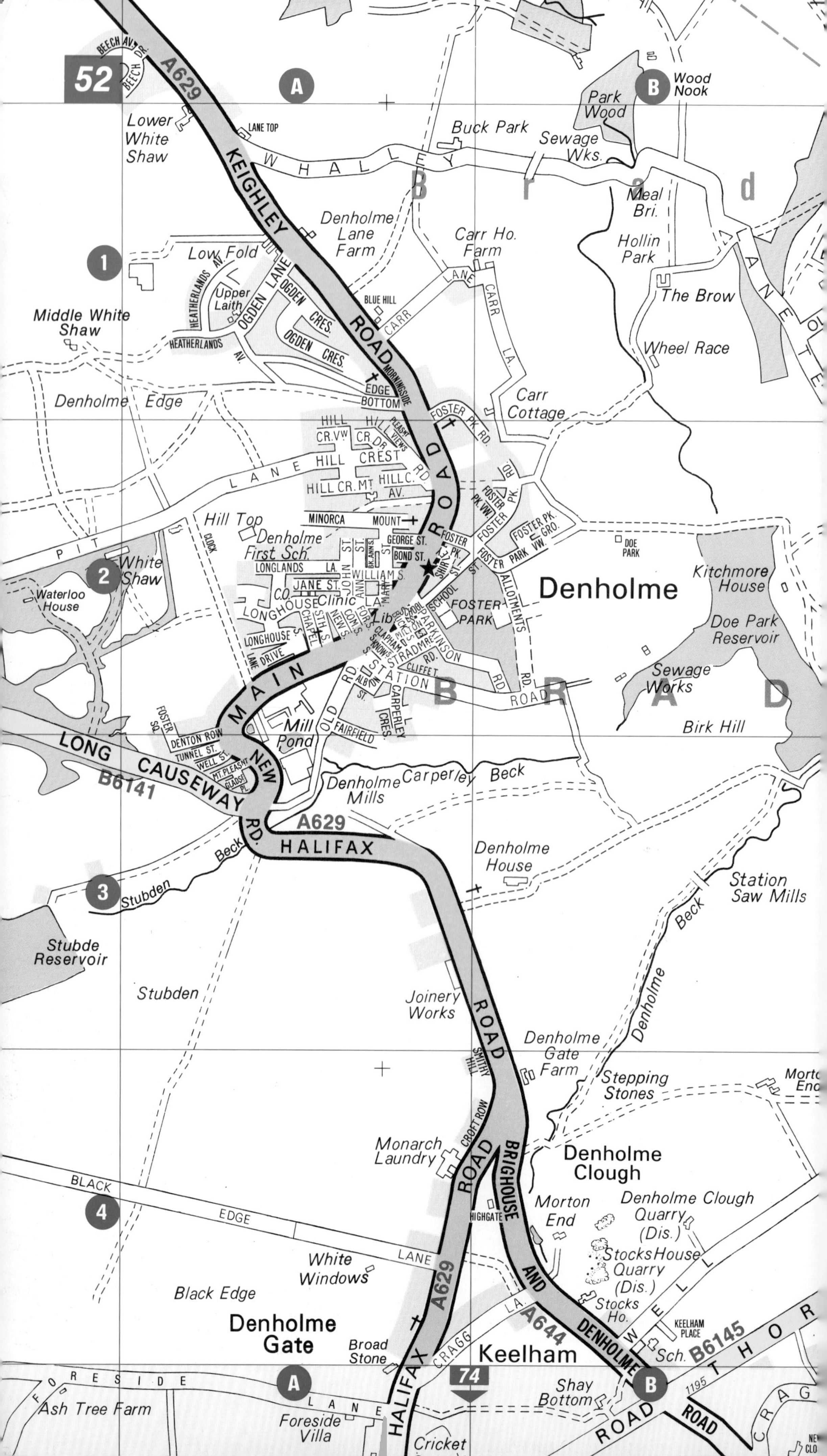
52
A
B
Wood Nook
Park Wood
Lower White Shaw
LANE TOP
Buck Park
Sewage Wks.
WHALLEY
Brad
Meal Bri.
Hollin Park
Denholme Lane Farm
Carr Ho. Farm
1
Low Fold
HEATHERLANDS AV.
Upper Laith
OGDEN LANE
OGDEN CRES.
BLUE HILL
CARR LANE
CARR LA.
The Brow
Middle White Shaw
HEATHERLANDS AV.
ROAD
MORNINGSIDE
Wheel Race
EDGE BOTTOM
Carr Cottage
Denholme Edge
FOSTER PK. RD.
HILL CR. VW
HILL CR. DR.
PLEASANT VIEWS
HILL CREST RD.
LANE HILL
HILL CR. MT
HILL C. AV.
FOSTER PK. VW.
FOSTER PK.
Hill Top
MINORCA MOUNT
Denholme First Sch.
GEORGE ST.
BOND ST.
DOE PARK
FOSTER PARK VW.
FOSTER PK. GRO.
PIT
CLOCK
White Shaw
2
LONGLANDS LA.
JANE ST.
WILLIAM S.
Kitchmore House
Denholme
Waterloo House
CO.
Clinic
LA.
Lib.
SCHOOL ST.
FOSTER PARK
ALLOTMENTS RD.
Doe Park Reservoir
LONGHOUSE
LONGHOUSE DRIVE
CHAPEL
STRADMRE
PARKINSON RD.
CLIFFE ST.
STATION ROAD
Sewage Works
MAIN
BRAD
FOSTER SQ.
DENTON ROW
TUNNEL ST.
WELL ST.
MT. PLEASANT
GLADSTONE PL.
NEW RD.
Mill Pond
OLD RD.
FAIRFIELD
CARPERLEY CRES.
ALBION ST.
Birk Hill
LONG CAUSEWAY
B6141
Denholme Mills
Carperley Beck
A629
HALIFAX
Denholme House
Beck
Stubden
3
Station Saw Mills
Beck
Stubde Reservoir
Stubden
Joinery Works
ROAD
Denholme
Denholme Gate Farm
SMITHY HILL
Stepping Stones
Morton End
CROFT ROW
Monarch Laundry
ROAD
BRIGHOUSE
Denholme Clough
BLACK
4
EDGE
HIGHGATE
Morton End
Denholme Clough Quarry (Dis.)
LANE
White Windows
A629
AND
Stocks House Quarry (Dis.)
WELL
Black Edge
Stocks Ho.
Denholme Gate
Broad Stone
CRAGG LA.
A644
Keelham
KEELHAM PLACE
DENHOLME
Sch.
B6145
THORNTON
FORESIDE LANE
A
74
B
Ash Tree Farm
HALIFAX
Shay Bottom
1195
Foreside Villa
ROAD
ROAD
CRAG
Cricket

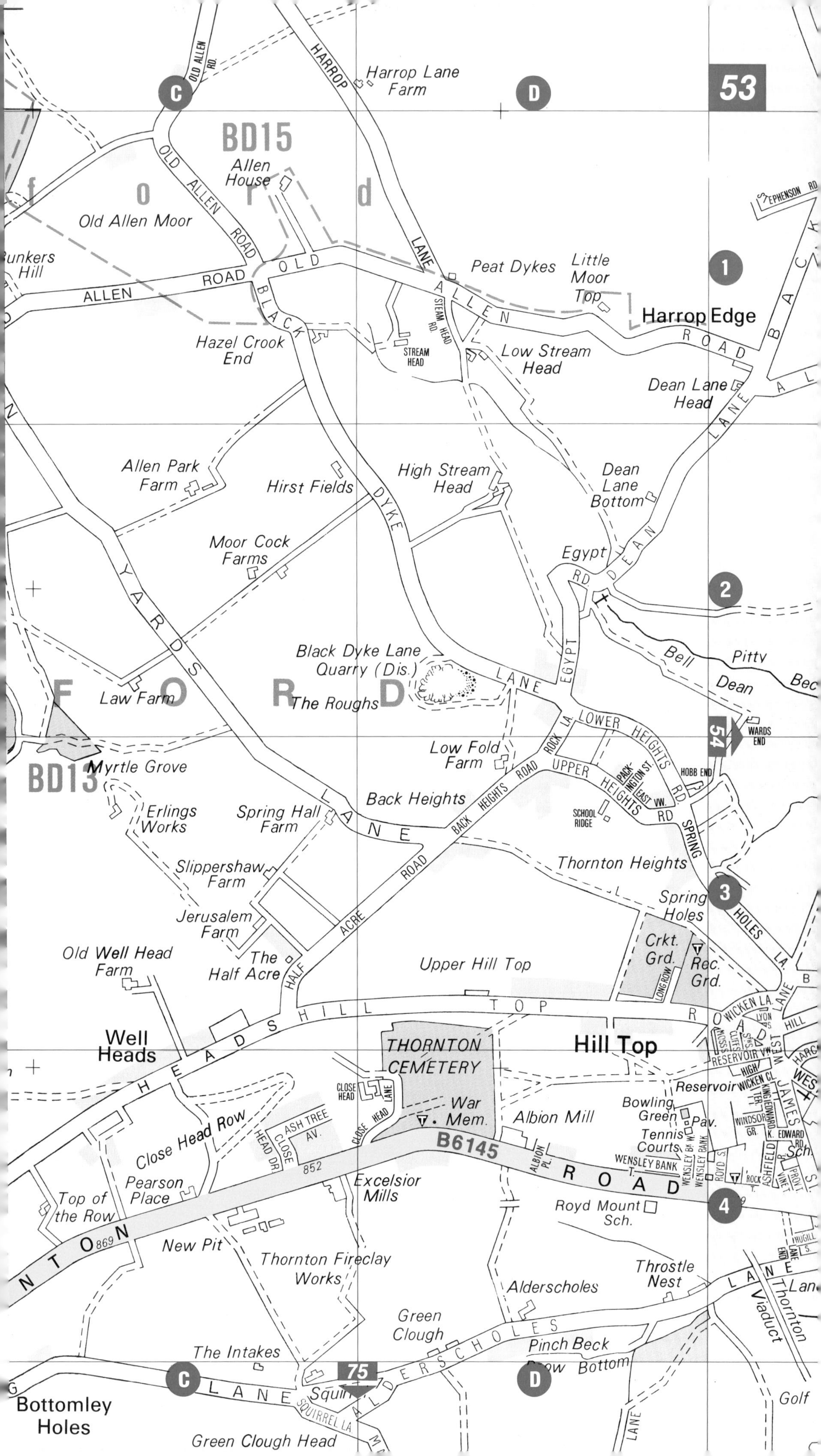
53
C
D
BD15
Harrop Lane Farm
HARROP LANE
OLD ALLEN RD.
OLD ALLEN ROAD
Allen House
Old Allen Moor
Bunkers Hill
ALLEN ROAD
OLD ALLEN ROAD
Peat Dykes
Little Moor Top
Harrop Edge
STEPHENSON RD
Hazel Crook End
STREAM HEAD
STEAM HEAD RD.
Low Stream Head
Dean Lane Head
Allen Park Farm
Hirst Fields
High Stream Head
Dean Lane Bottom
Moor Cock Farms
Egypt
EGYPT RD.
DEAN LANE
BLACK DYKE LANE
YARDS
Black Dyke Lane Quarry (Dis.)
The Roughs
Bell Dean
Pitty Beck
Law Farm
F O R D
BD13
Myrtle Grove
Low Fold Farm
ROCK LA.
LOWER HEIGHTS RD
54
WARDS END
HOBB END
PACKINGTON ST.
EAST VW.
UPPER HEIGHTS RD
SCHOOL RIDGE
Erlings Works
Spring Hall Farm
Back Heights
BACK HEIGHTS ROAD
LANE
Slippershaw Farm
Thornton Heights
SPRING HOLES LA.
Spring Holes
Jerusalem Farm
HALF ACRE ROAD
Old Well Head Farm
The Half Acre
Upper Hill Top
Crkt. Grd.
Rec. Grd.
LONG ROW
WICKEN LA.
HILL TOP ROAD
Well Heads
HEADS
Hill Top
THORNTON CEMETERY
RESERVOIR VW.
HIGH
WICKEN CL.
KING EDWARD TER.
WINDSOR GR.
K. EDWARD RD.
Reservoir
Bowling Green
Pav.
Tennis Courts
CLOSE HEAD
CLOSE HEAD LANE
War Mem.
Albion Mill
ASH TREE AV.
HEAD DR.
CLOSE
Close Head Row
B6145
ALBION PL.
WENSLEY BANK
WENSLEY BANK T.
ROYD S.
ASHFIELD
Sch.
852
ROAD
Pearson Place
Excelsior Mills
Royd Mount Sch.
Top of the Row
THORNTON
869
New Pit
Thornton Fireclay Works
Throstle Nest
Alderscholes
LANE
Viaduct
Thornton
Green Clough
ALDERSCHOLES
Pinch Beck
The Intakes
75
Bottom
LANE
Squirrel
SQUIRREL LA.
Bottomley Holes
Green Clough Head
Golf
1
2
3
4

54
32
A
B
Hall
Lane Bottom
Prune Park Inn
Shay Brow
Beck
Cottingley
PRUNE
Lower Shay Farm
BOB LANE
LANE
STEPHENSON RD.
UPPER SHAY
Rape Fields
PARK
STONY
DALE
GRASLEIGH WY.
Whinny Hill
1
Harrop Edge
OLD ALLEN ROAD
BACK
MUTTON LANE
ALLERTON
Dean Lane Head
LANE
LONG
ROSEDALE
BYLAND GR.
HIGH ASH PARK
Smithfield House
Moor Ho.
Sydale
Moorhouse
Moor
High Ash
Sandal
Mustard Pot
Dean Lane Bottom
DEAN
BD15
2
Upper Pikeley
LANE
BAILEY FOLD
ALLERTON UPPER GREEN
Bell Dean
Pitty Beck
Yew Tree
YEW TREE LANE
UPPER ALLERTON LA.
Old Cote Farm
B R A D
Lower Pikeley
Aldersley
WARDS END
53
HEIGHTS RD.
PACKINGTON ST.
EAST VW.
HOBB END
HEIGHTS RD
Pitty Beck
SPRING HOLES LANE
Salt Pie
Thornton Heights
3
Spring Holes
Crkt. Grd.
Rec. Grd.
LONGROW
Storrs
B r a d
CLIFFE LA.
North Cliffe
Lwr. Ho
UPPER HOYLE ING
BACK LANE
HILL TOP
WICKEN LA.
LYON
Hill Top
CREST
HILL
LEASIDE DR.
Storr Heights Quarries (Dis.)
HILL CROFT
LANE
NTH. CLIFFE GR.
NTH. CLIFFE CL.
NORTH CLIFFE
Grandage Gate
BD13
RESERVOIR VW.
HARCOURT AVE.
ALPINE RISE
WEST LANE
HIGH WICKEN CL.
Reservoir
JAMES
KING EDWARD TER.
WINDSOR GR.
K. EDWARD RD.
Bowling Green
Pav.
Tennis Courts
WENSLEY BANK
ASHFIELD
Sch.
WOLD CL.
HIGH CLIFFE CL.
WEST VILLE
HAVELOCK ST.
SAPGATE
SANDMR. CL.
CORRIE
NORTH CLIFFE DRIVE
MAY AV.
SPRING HEAD RD.
OLD ROAD
WEMBLEY AV.
WATKIN AV.
HOYLE ING RD.
MOUNT R.
GREEN
BRONTE OLD
COACH LA.
ALBERT
HIGH
PEEL S.
FIRTH S.
MARY'S
HENRY'S
GEORGE S.
CHAPEL T.
LADY FIELD
MARKET
Clinic
ST. CORRIE FOLD
354
BRONTE PL.
ROCK
Mount Sch.
4
THORNTON ROAD
B6145
BACK JOHNS
JOHN S.
NUGILL
KIPPING LA.
FOUNTAIN
BRIDGE S.
BALL S.
Lib.
Baths
FRIENDLY ST.
PRIESTLY S.
STH. SQ.
377
STH. CLIFFE
DOLE S.
ENDERLEY RD.
PROSPECT ST.
Grave Yd.
FOSTER
CHURCHILL
Thorton Hall Farm
Ox H
Throstle Nest
LANE
Lane End
Thornton
Viaduct
ALDERSCHOLES
Cemy.
Ashfield House Hosp.
H
LANE
Thornton
Mill Ponds
Pinch Beck
Mill Race
Mill Pond
76
Headley Golf Course
A
B
Mill Pond
GREEN LANE
Green Lane Bottom
Beck
Mill (Dis.)
CORN MILL LA.
Upper Headley
Dye Royd
Carr House
LOW

33
C
D
Dean Beck
Heights
Club House
West Bradford Golf Course
BD9
Hill Cliff
Lake
Wellwood
Lake
Hill Cliff Quarries (Dis.)
Allerton
Recn. Grd.
Throstle Nest
1
2
3
4
CHELLOW LANE
WESTWAY
WHARFEDALE RISE
DENEHILL
MALVERN RD.
HAZELHURST CT.
HAZELHURST BROW
HAZELWOOD RD.
LYNFIELD DRIVE
HATHAWAY AV.
OLLERDALE AV.
GRASLEIGH AV.
GRASLEIGH WAY
DEANWOOD CR.
DALE CROFT
CROFT RISE
LAMPARDS CL.
CRESKELD WY.
RYEDALE WY.
CLIFFE VIEW
IVY LA.
PLEASANT PL.
RUDDING AV.
RUDDING CR.
RIPLEY ST.
PLANETREES S.
GARFIELD
NORTH PAR.
NORTH VW.
CHAPEL T.
LEYSIDE DRI.
GARTHWAITE MNT.
AYNSLEY GR.
MEADOWBANK AV.
BOSWORTH CL.
CANFORD RD.
ALLERTON RD.
ALLERTON ROAD
DENBY LA.
WESTLANDS
ROSSMORE DR.
CANFORD GRO.
LYNDHURST GRO.
DRIVE
MANSCOMBE
SHERWELL RISE
SHERWELL GRO.
WESTLANDS GRO.
WIMBORNE
BRONSHILL GRO.
Works
Mill
NELSON ST.
WELLINGTON ST.
JAMES ST.
WOOD ST.
GRAPE ST.
PROSPECT TER.
COTE LANE
EGERTON GRO.
KILDARE CRES.
HILL BROW CL.
HILL TOP LANE
DOWNSIDE CRES.
LOCHERBIE GRN.
SEVEN OAKS MEAD
SAFFRON
HILL TOP GRO.
WOODFORD CL.
WEYMOUTH AV.
SAVENEL
SAFFRON DRIVE
TOLWORTH FLD.
BROCKLESBY DR.
SONNING RD.
ALLERTON GRANGE DR.
GARFORTH
PRESCOTT TER.
ALLINSON CL.
FRESHFIELDS
COPY S.
COBDEN S.
VILLIER ST.
GRANGE AV.
AVENEL TER.
UPP. GRANGE
THURSTON GDNS.
Schs.
Ley Top First Sch.
Clinic
WANSTEAD CRES.
TOP LANE
LEY TOP
GREENBANK RD.
Lib.
Cricket Ground
RHODESIA A.
GRANGE AV.
CHAPEL LA.
Ladyhill Park Bowling Green
Tennis Court
Chapel Grange Sch.
Rhodesway Sch.
PARK HILL DRIVE
PARK HILL CL.
HILL DRIVE
RHODESWAY
F O R D
ROXBURGH
LEYDEN RISE
GROVE
DRIVE
GRANGE RD.
GRANGE FOLD
ABBEY LEA
LINCOLN S.
GRANGE VIEW
GRANGE WY.
GRANGE DRIVE
OAKS DRIVE
OAKS LANE
56
The Oaks
Dean House
ROAD
MERRIVALE
STRAITHMORE WALK
RAYNER MNT
ORMONDE DRI.
LINDHOLME GDS.
BELL DEAN RD.
Sch.
Allerton Grange
CHEDDINGTON GRO.
WEYHILL DRI.
AVENUE
ESKDALE RISE
CREDITON AVE.
BRACEWELL
MOUNT
CHEVET
OVAL
AYRESOME
BECROFT WK.
CHELWOOD DRIVE
ATHERSTONE RD.
WALLINGFORD MT.
MARMION AVENUE
ARDEN RD.
VIVIEN RD.
VIVIEN ROAD
SWALLOW FOLD
MERLIN G.
RAVEN TERRACE
ARTHUR AV.
RODIN AV.
OAKS
KIRKSTALL GRO.
BD8
Lower Grange
GREENWAY
BELL DRI.
MAITLAND CL.
KIRKLEES RD.
FARNLEY WK.
Leaventhorpe School
SANDPIPER M.
OSPREY CT.
CHAFFINCH RD.
WHIMBREL CL.
BARNBY AV.
FULMAR M.
SHELDRAKE AV.
The Squ.
Health Cen.
BRINDLEY GRO.
ARTHUR
HERSCHEL R.
BEDIVERE
DEAN ROAD
Comm. Cen.
LEAVENTHORPE CL.
LEAVENTHORPE AV.
Pitty Beck Bri.
Broom Hill
Weir
Ford
Pitty Beck
Mill Race
ALLERTON LANE
School Green
B6145
ROAD
THORNTON ROAD
1257
1477
SOUTHLANDS GR.
SOUTHLANDS AV.
LEAVENTHORPE LANE
LEAVENTHORPE AVENUE
LEAVENTHORPE GR.
Sports Centre
Sports Ground
Leventhorp
Mills
SCHOOL GREEN AV.
SCHOOL GREEN
SHORT-WAY
THORPE AV.
THORPE GRO.
THORPE
Leventhorpe Hall
Thornton County Upper School
HEYS CR.
Yew Farm
HUGHENDON DRI.
HUGHENDON WK.
WESTFIELD MEWS
CHAT HILL ROAD
Chat Hill
Mill Race
Beck
Clayton
BD14
DEEP LANE
77
Fall Bottom
LOW
LANE
Town End
Works
BUCKINGHAM CRES.
CRESTVILLE

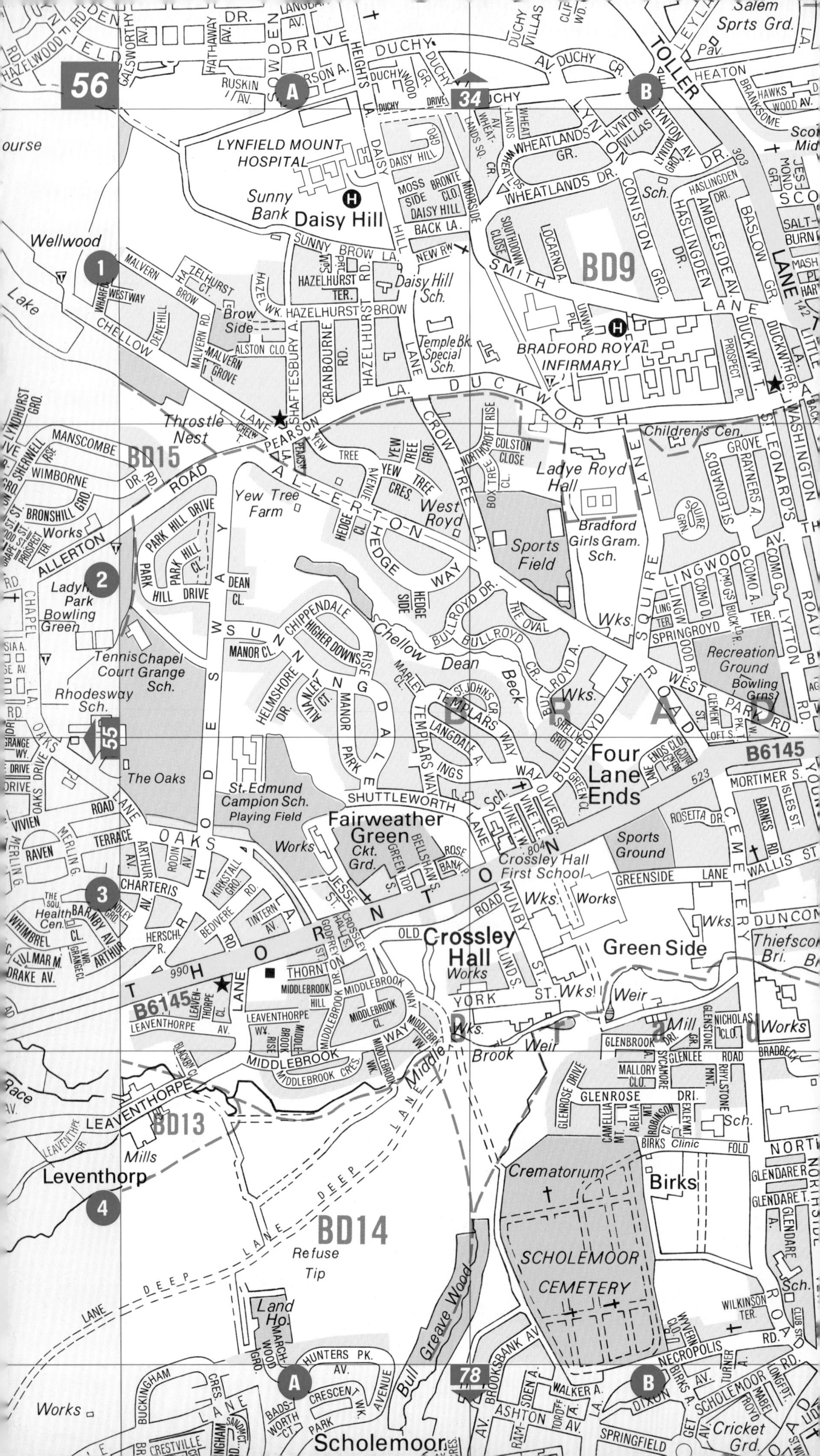

34
55
78
A
B
1
2
3
4
BD9
BD15
BD13
BD14
LYNFIELD MOUNT HOSPITAL
Sunny Bank
Daisy Hill
Daisy Hill Sch.
Wellwood
Lake
CHELLOW LANE
Brow Side
Temple Bk. Special Sch.
BRADFORD ROYAL INFIRMARY
DUCKWORTH LANE
SMITH LANE
WHEATLANDS DR.
TOLLER LANE
Salem Sprts Grd.
Pav.
HEATON
Sch.
Children's Cen.
Throstle Nest
PEARSON LA.
ALLERTON ROAD
Yew Tree Farm
West Royd
Ladye Royd Hall
Bradford Girls Gram. Sch.
Sports Field
Ladyhill Park Bowling Green
Tennis Court
Chapel Grange Sch.
Rhodesway Sch.
The Oaks
HEDGE WAY
Chellow Dean Beck
BULLROYD DR.
THE OVAL
SQUIRE LANE
WEST PARK RD.
Recreation Ground
Bowling Grns.
Wks.
Four Lane Ends
B6145
St. Edmund Campion Sch. Playing Field
Fairweather Green
Ckt. Grd.
SHUTTLEWORTH LANE
Sports Ground
Crossley Hall First School
GREENSIDE LANE
Works
THORNTON ROAD
Crossley Hall
Green Side
Health Cen.
MIDDLEBROOK
Brook
Weir
Mill
YORK ST.
CEMETERY ROAD
Thiefscome Bri.
LEAVENTHORPE
Mills
Leventhorp
Race
DEEP LANE
Refuse Tip
Land Ho.
Bull Greave Wood
Crematorium
Birks
SCHOLEMOOR CEMETERY
Clinic
NECROPOLIS RD.
Scholemoor
Cricket Grd.
ASHTON
SPRINGFIELD

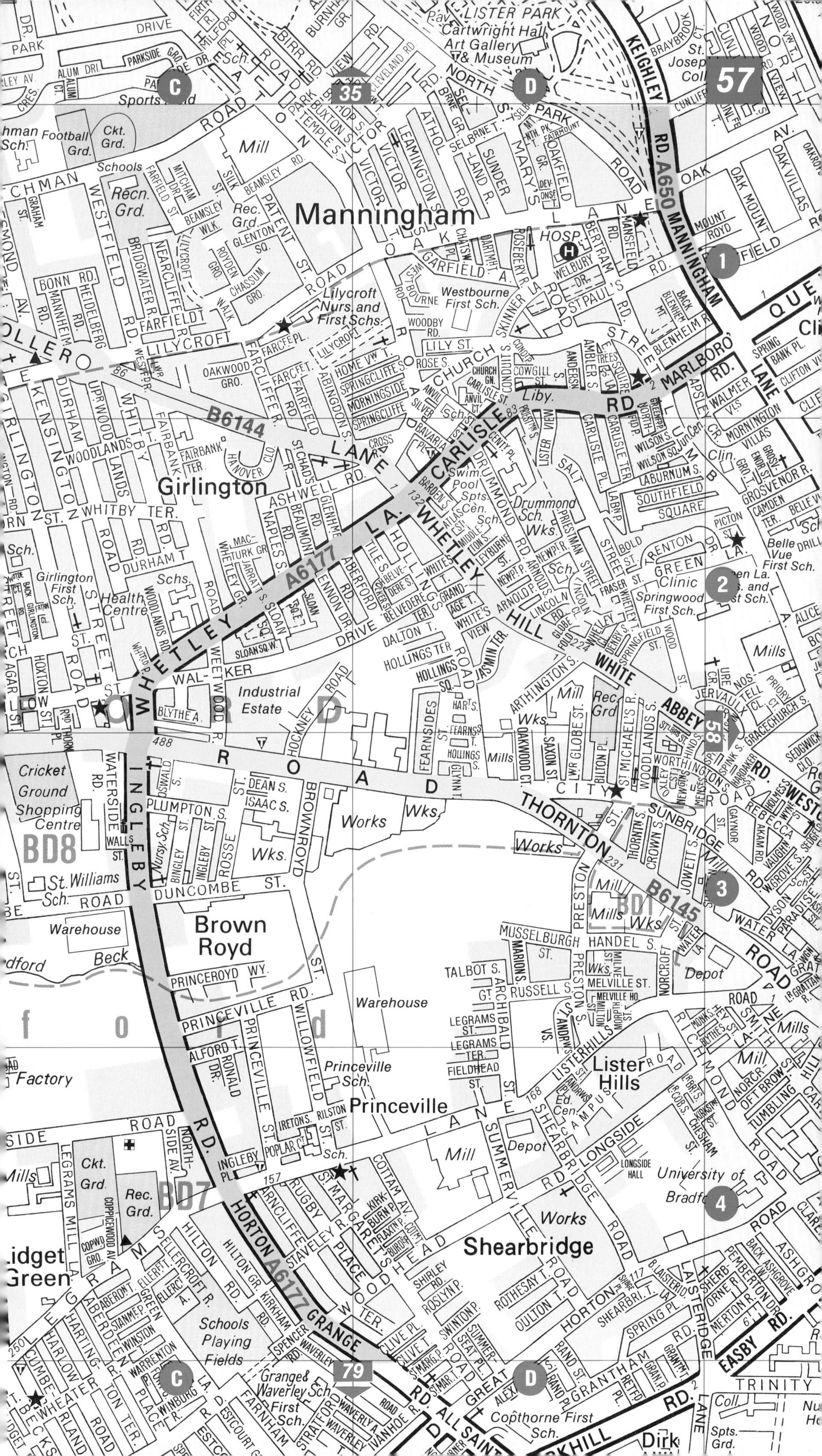

57
35
79
58
C
D
1
2
3
4
Manningham
Girlington
Brown Royd
Princeville
Shearbridge
Lister Hills
Lidget Green
BD8
BD7
BD1
LISTER PARK
Cartwright Hall Art Gallery & Museum
KEIGHLEY RD. A650
MANNINGHAM LANE
OAK LANE
CARLISLE RD
WHETLEY LA. A6177
WHETLEY HILL
B6144
LANE
THORNTON ROAD
B6145
INGLEBY RD.
HORTON A6177
GRANGE RD.
GREAT HORTON RD.
LEGRAMS LANE
Industrial Estate
Cricket Ground Shopping Centre
St. Williams Sch.
Warehouse
Bradford Beck
Factory
Princeville Sch.
Mill
Works
Depot
University of Bradford
Schools Playing Fields
Grange & Waverley Sch.
Copthorne First Sch.
Westbourne First Sch.
Lilycroft Nurs. and First Schs.
Drummond Sch.
Springwood First Sch.
Girlington First Sch.
Health Centre
Swim. Pool Spts. Cen.
Liby.
HOSP.
Football Grd.
Ckt. Grd.
Recn. Grd.
Rec. Grd.
Mills

58
36
57
80
A
B
1
2
3
4
Bolton
BRADFORD
Bradford Business Park
BD1
BD2
BD4
BD5
BD7
BD8
A6177
A6037
A6181
A650
A658
A641
A647
B6144
B6145
1029
65
628
231
117
MANNINGHAM LA.
QUEEN'S RD.
BOLTON RD.
BOLTON LA.
STATION RD.
CANAL RD.
KING'S RD.
VALLEY RD.
MIDLAND RD.
HAMM STRASSE
DREWTON ST.
WESTGATE
GODWIN ST.
SUNBRIDGE RD.
THORNTON RD.
GRATTAN RD.
LISTERHILLS RD.
RICHMOND RD.
GREAT HORTON RD.
MORLEY ST.
EASBY RD.
MANCHESTER RD.
PRINCE'S WAY
SENIOR WAY
CROFT ST.
HALL INGS
BRIDGE ST.
KIRKGATE
CHEAPSIDE
PICCADILLY
DARLEY ST.
PETERGATE
FORSTER SQUARE
SHIPLEY AIREDALE RD.
WAKEFIELD RD.
VICAR LA.
LEEDS RD.
CALEDONIA ST.
TRINITY RD.
DIRKHILL RD.
LITTLE HORTON LA.
WAPPING RD.
CLIFFE RD.
WHITE ABBEY RD.
OAK AV.
OAK LA.
PARKFIELD RD.
MARLBORO RD.
LUMB LA.
SOUTHFIELD SQUARE
SPRINGFIELD ST.
CARLTON ST.
SMITH ST.
LONGSIDE LA.
ASHGROVE
CANAL
Wks.
Depot
Bowling Grns.
Tennis Cts.
Lock (dis.)
St. Georges R.C. Sch.
WADDILOVES HOSPITAL
Clifton Villas
Nursery School
Bradford City F.C.
Green La. Nurs. and First Sch.
Springwood First Sch.
Belle Vue First Sch.
Mills
Syn.
Rec. Grd.
Bradford Forster Sq.
Wapping
JOHN ST. MARKET
KIRKGATE CEN.
Mkt.
Crt.
Subs.
Cath.
City Hall
Police H.Q.
Mag. Court
Crown Court
Cinema
Theatre
Bradford Coll.
Coll.
Interchange
Transport Interchange
Coun. Offs.
Photo Mus.
Liby.
Coach Sta.
Clinic
Sch. of Com.
Art Col.
University of Bradford
LONGSIDE HALL
Lister Hills
Residential Hall
Nurses Home
Spts. Grd.
Med. Cen.
Works
Dirk

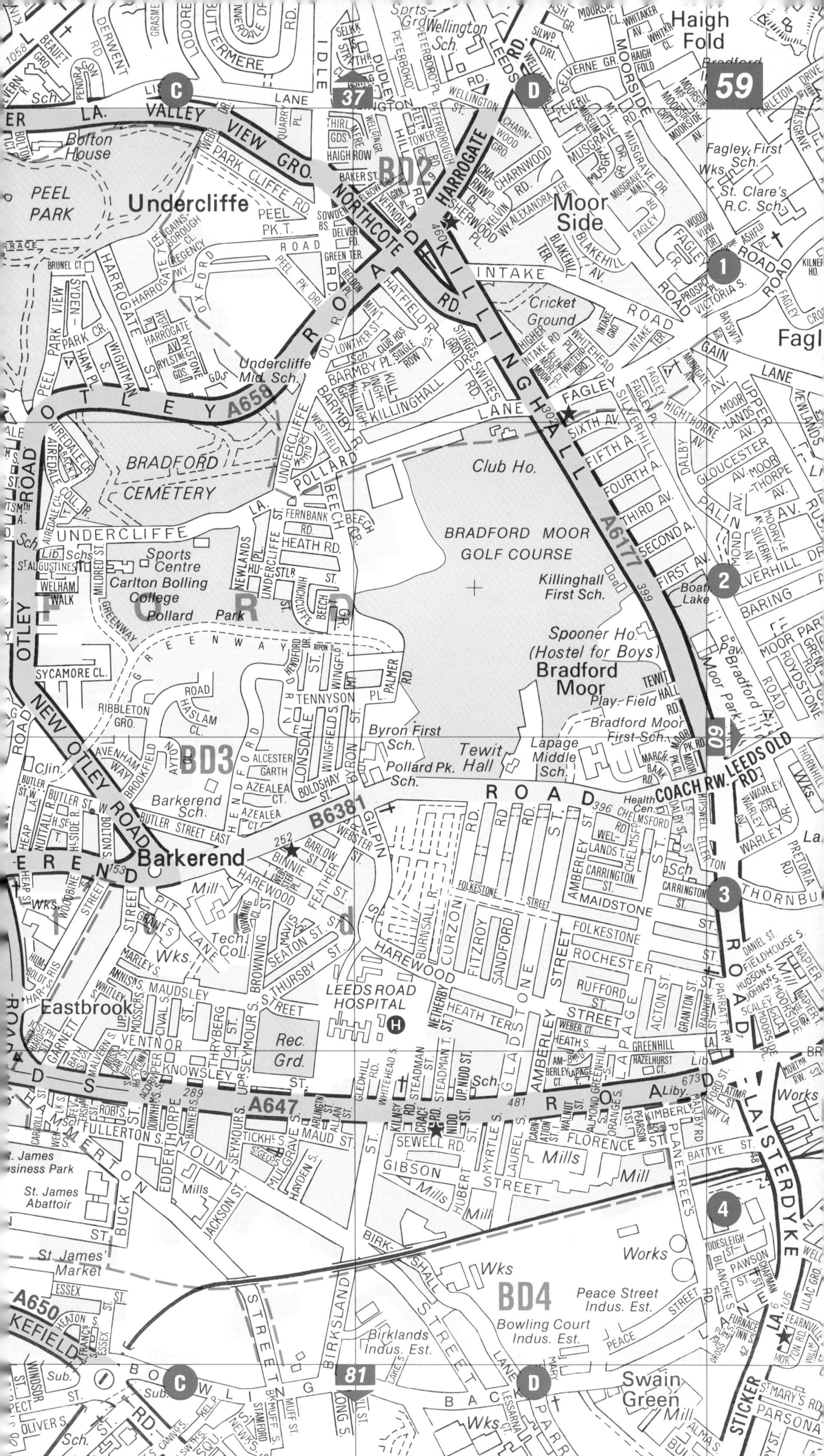
59
37
81
60
C
D
1
2
3
4
Undercliffe
Moor Side
Haigh Fold
Bradford Moor
Barkerend
Eastbrook
Swain Green
BD2
BD3
BD4
PEEL PARK
BRADFORD CEMETERY
BRADFORD MOOR GOLF COURSE
Club Ho.
Bolton House
Undercliffe Mid. Sch.
Carlton Bolling College
Pollard Park
Sports Centre
Killinghall First Sch.
Spooner Ho. (Hostel for Boys)
Bradford Moor First Sch.
Lapage Middle Sch.
Tewit Hall
Byron First Sch.
Pollard Pk. Sch.
Barkerend Sch.
LEEDS ROAD HOSPITAL
Rec. Grd.
Tech. Coll.
St. James Abattoir
St. James' Market
Peace Street Indus. Est.
Bowling Court Indus. Est.
Birklands Indus. Est.
Cricket Ground
Fagley First Sch.
St. Clare's R.C. Sch.
A658
A6177
A647
A650
B6381
OTLEY ROAD
NEW OTLEY ROAD
HARROGATE RD.
NORTHCOTE ROAD
KILLINGHALL ROAD
VALLEY VIEW GRO.
INTAKE ROAD
LEEDS ROAD
LAISTERDYKE
STICKER LANE
BOWLING

Haigh Fold
Bradford Industrial Museum
Upper Fagley
Lower Fagley
Woodhall Quarries
Pagewood Cottage
BD2
Fagley
CALVERLEY HOSPITAL
Energy House
BRADFORD
LEEDS RD.
KILLINGHALL RD.
BD3
Laisterdyke Middle School
Thornbury
Bradford
Golf Course
Tyersal
Laisterdyke
Industrial Estate
BD4
Tyersal
Tyersal Jun. & Inf. Schs.
Swain Green
A647
A6177
B6381
38
59
82

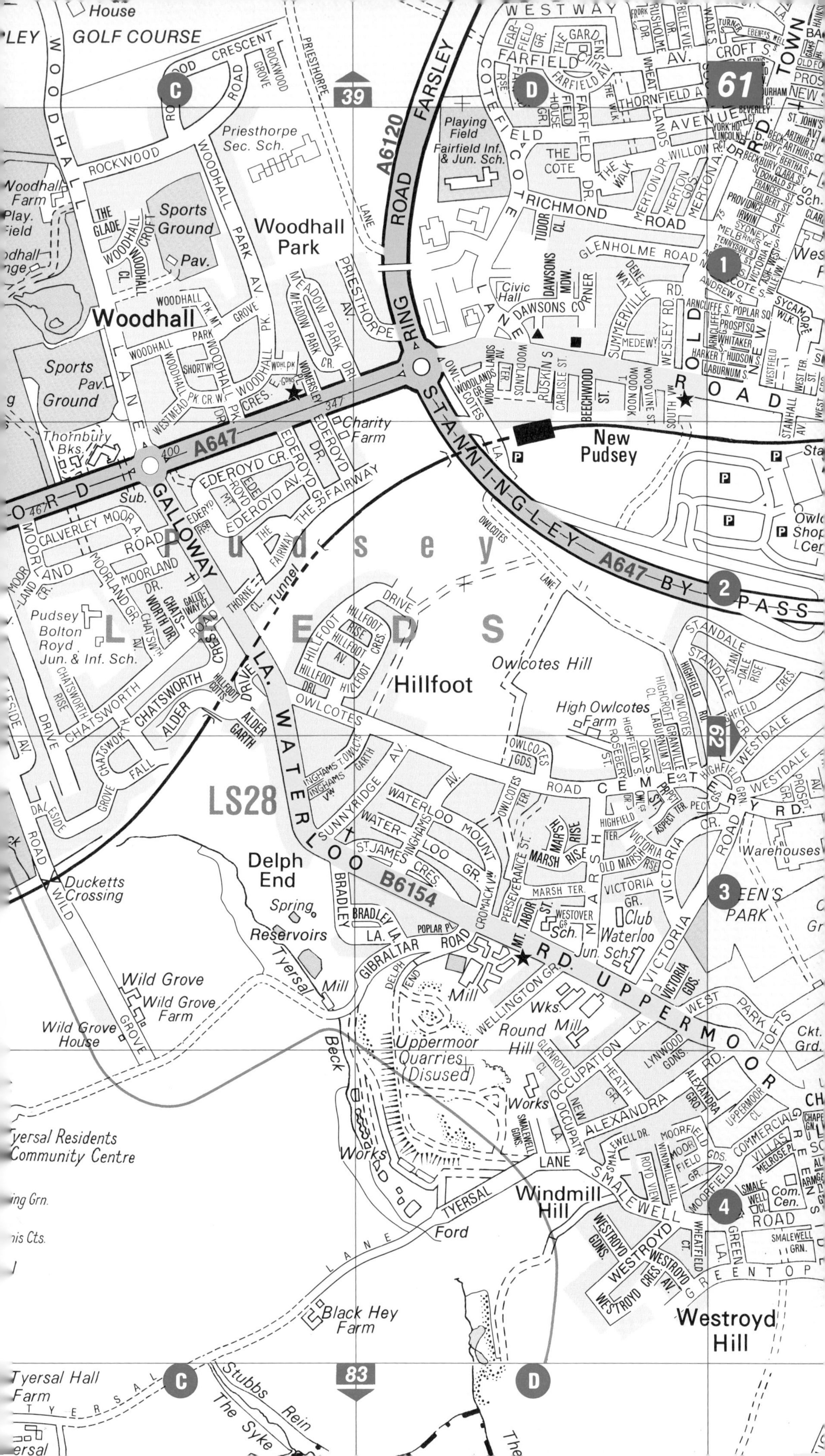
GOLF COURSE
WOODHALL ROAD
CRESCENT
ROCKWOOD
Priesthorpe Sec. Sch.
PRIESTHORPE LANE
39
A6120
FARSLEY
RING ROAD
Playing Field
Fairfield Inf. & Jun. Sch.
WESTWAY
FARFIELD
THORNFIELD AV.
AVENUE
TOWN
Woodhall Farm
Play. Field
Sports Ground
Pav.
THE GLADE
WOODHALL CROFT
WOODHALL CL.
WOODHALL PARK AV.
Woodhall Park
MEADOW PARK CR.
PRIESTHORPE AV.
THE COTE
RICHMOND ROAD
TUDOR CL.
GLENHOLME ROAD
Civic Hall
DAWSONS CORNER
DAWSONS MDW.
SUMMERVILLE RD.
WESLEY RD.
OLD RD.
NEW ROAD
Woodhall
Sports Pav.
Ground
WOODHALL PK. GROVE
A647
347
400
467
Charity Farm
Thornbury Bks.
EDEROYD CR.
EDEROYD AV.
EDEROYD DR.
THE FAIRWAY
STANNINGLEY
WOODLANDS
RUSKIN ST.
CARLISLE ST.
BEECHWOOD ST.
New Pudsey
Owlcotes Shop. Cen.
Pudsey
LEEDS
A647 BY-PASS
CALVERLEY MOOR AV.
MOORLAND ROAD
MOORLAND DR.
GALLOWAY LA.
Pudsey Bolton Royd Jun. & Inf. Sch.
CHATSWORTH
Tunnel
HILLFOOT DRIVE
HILLFOOT RISE
Hillfoot
Owlcotes Hill
High Owlcotes Farm
STANDALE
HIGHFIELD RD.
WESTDALE
62
OWLCOTES ROAD
CEMETERY RD.
ALDER GARTH
LS28
WATERLOO
SUNNYRIDGE AV.
WATERLOO MOUNT
WATERLOO GR.
MARSH RISE
MARSH
VICTORIA RD.
VICTORIA GR.
Warehouses
Delph End
Spring
Reservoirs
BRADLEY LA.
B6154
GIBRALTAR ROAD
POPLAR PL.
Club
Waterloo Jun. Sch.
QUEEN'S PARK
Ducketts Crossing
WILD ROAD
Wild Grove
Wild Grove Farm
Wild Grove House
Tyersal Mill
Beck
Mill
Uppermoor Quarries (Disused)
WELLINGTON GR.
Wks.
Round Hill
Mill
UPPERMOOR
OCCUPATION LA.
ALEXANDRA RD.
Works
Tyersal Residents Community Centre
Works
TYERSAL LANE
Ford
Windmill Hill
SMALEWELL
WESTROYD
Com. Cen.
GREENTOP
Black Hey Farm
Westroyd Hill
Tyersal Hall Farm
83
Stubbs Rein
The Syke

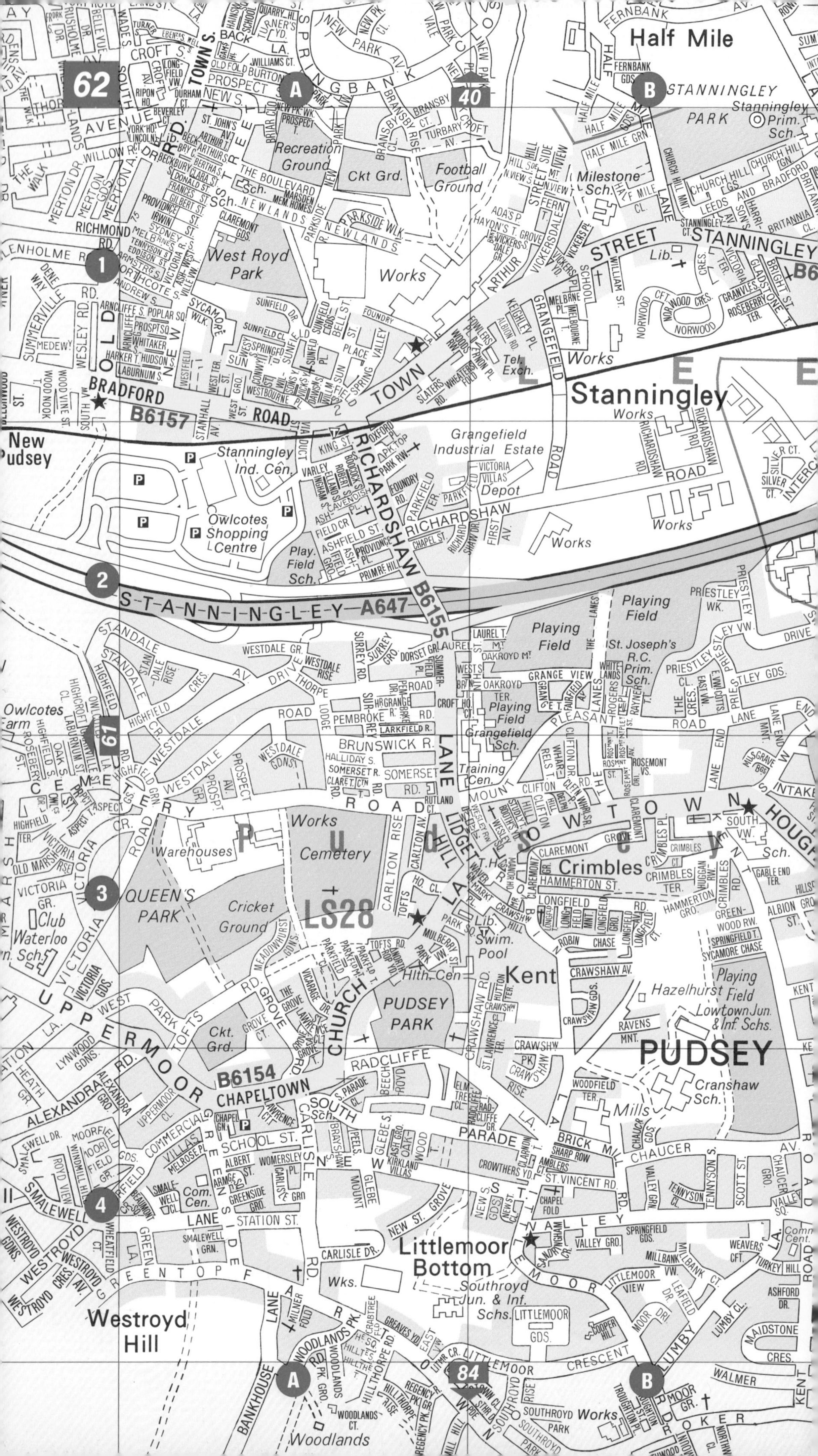

62
40
61
84
A
B
1
2
3
4
Half Mile
STANNINGLEY PARK
Stanningley Prim. Sch.
Recreation Ground
Ckt Grd.
Football Ground
Milestone Sch.
West Royd Park
Works
STANNINGLEY
Stanningley
Tel. Exch.
BRADFORD ROAD
B6157
New Pudsey
Grangefield Industrial Estate
Depot
Stanningley Ind. Cen.
Owlcotes Shopping Centre
Play. Field Sch.
RICHARDSHAW
RICHARDSHAW ROAD
B6155
STANNINGLEY A647
Playing Field
St. Joseph's R.C. Prim. Sch.
Grangefield Sch.
Training Cen.
Owlcotes Farm
LOWTOWN
Crimbles
Warehouses
Cemetery
QUEEN'S PARK
Cricket Ground
LS28
Club
Waterloo Jn. Sch.
Lib.
Swim. Pool
Hlth. Cen.
Kent
PUDSEY PARK
Hazelhurst
Lowtown Jun. & Inf. Schs.
PUDSEY
Cranshaw Sch.
UPPERMOOR
B6154
CHAPELTOWN
Com. Cen.
Mills
Littlemoor Bottom
Southroyd Jun. & Inf. Schs.
Wks.
Westroyd Hill
Woodlands
Works
Comm. Cent.

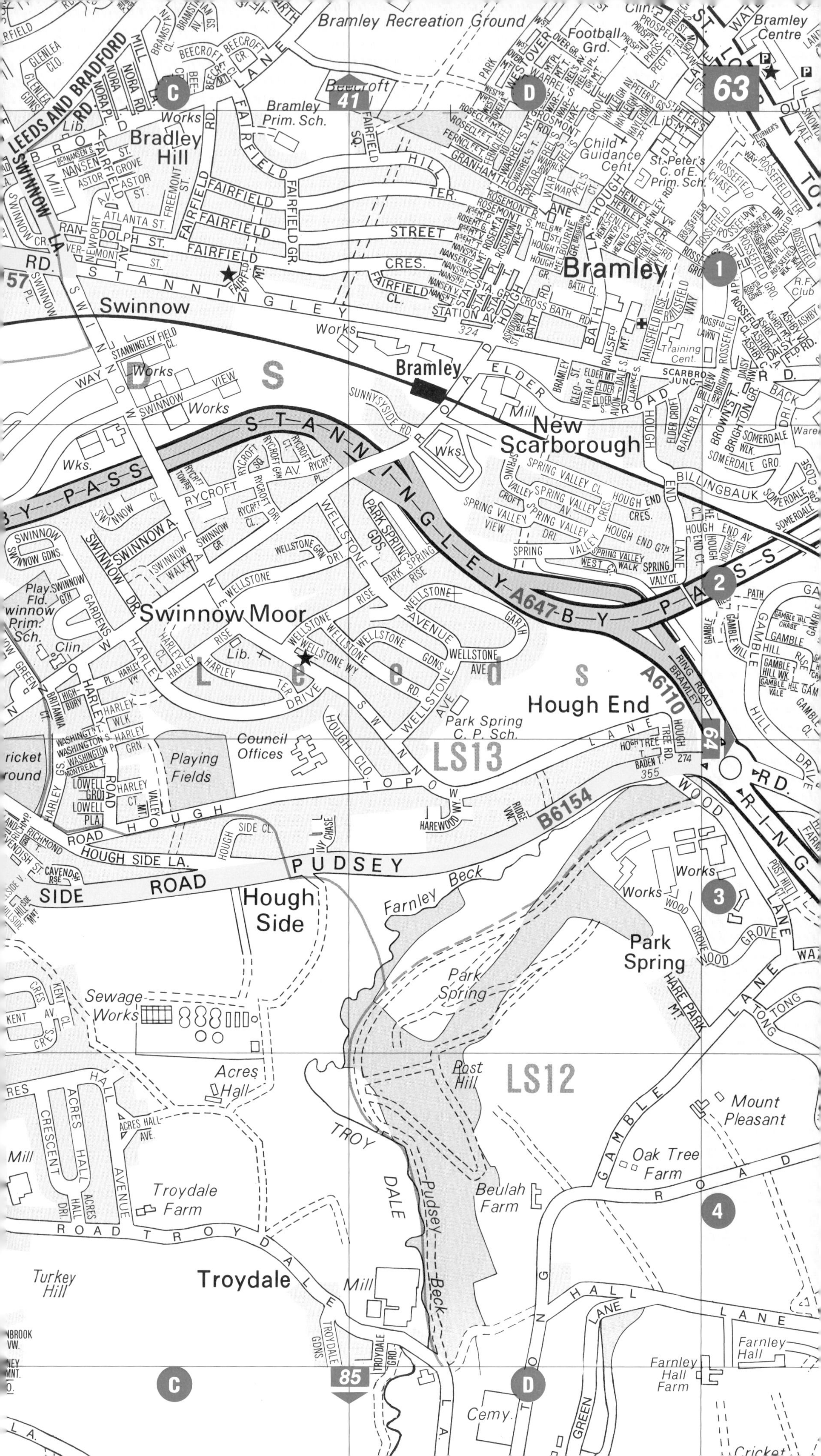

63
41
57
64
85
C
D
1
2
3
4
Bramley Recreation Ground
Football Grd.
Bramley Centre
Beecroft
Bramley Prim. Sch.
Bradley Hill
LEEDS AND BRADFORD RD.
SWINNOW LA.
BROAD LANE
NANSEN ST.
ASTOR ST.
ATLANTA ST.
RANDOLPH ST.
FAIRFIELD
FAIRFIELD HILL
FAIRFIELD TER.
FAIRFIELD STREET
FAIRFIELD CRES.
FAIRFIELD CL.
FAIRFIELD GR.
FAIRFIELD SQ.
STANNINGLEY RD.
Swinnow
Works
Child Guidance Cent.
St. Peter's C. of E. Prim. Sch.
Bramley
R.F. Club
Training Cent.
ROSSEFIELD
ASHBY
DAISY
STATION AV.
CROSS BATH RD.
BATH RD.
SCARBRO JUNC.
ELDER ROAD
New Scarborough
SUNNYSIDE RD.
Wks.
Mill
Ware.
BILLINGBAUK
SOMERDALE
SPRING VALLEY
HOUGH END CRES.
HOUGH END AV.
HOUGH END LANE
STANNINGLEY BY-PASS
A647
RING ROAD
BRAMLEY
A6110
GAMBLE HILL
Wks.
RYCROFT
SWINNOW
WELLSTONE
PARK SPRING
Swinnow Moor
Play. Fld.
Swinnow Prim. Sch.
Clin.
Lib.
HARLEY
Leeds
Hough End
Park Spring C. P. Sch.
LS13
Council Offices
Playing Fields
Cricket Ground
HOUGH CLO.
TOP O' WOOD
HAREWOOD WY.
RIDGE VW.
B6154
HOUGH TREE RD.
274
355
WOOD LANE
RING RD.
HOUGH SIDE LA.
HOUGH SIDE CL.
PUDSEY ROAD
RICHMOND
CAVENDISH RSE
Hough Side
Farnley Beck
Works
WOOD GROVE
Park Spring
HARE PARK MT.
TONG LANE
POST HILL CT.
Sewage Works
KENT
Acres Hall
ACRES HALL AVE.
ACRES HALL CRESCENT
ACRES HALL DRI.
Mill
Post Hill
LS12
Mount Pleasant
Oak Tree Farm
GAMBLE
ROAD
TROY DALE
Beulah Farm
Troydale Farm
TROYDALE ROAD
Turkey Hill
Troydale
Mill
Pudsey Beck
TONG
HALL LANE
GREEN LANE
Farnley Hall
Farnley Hall Farm
TROYDALE GDNS.
TROYDALE GRO.
Cemy.
Cricket

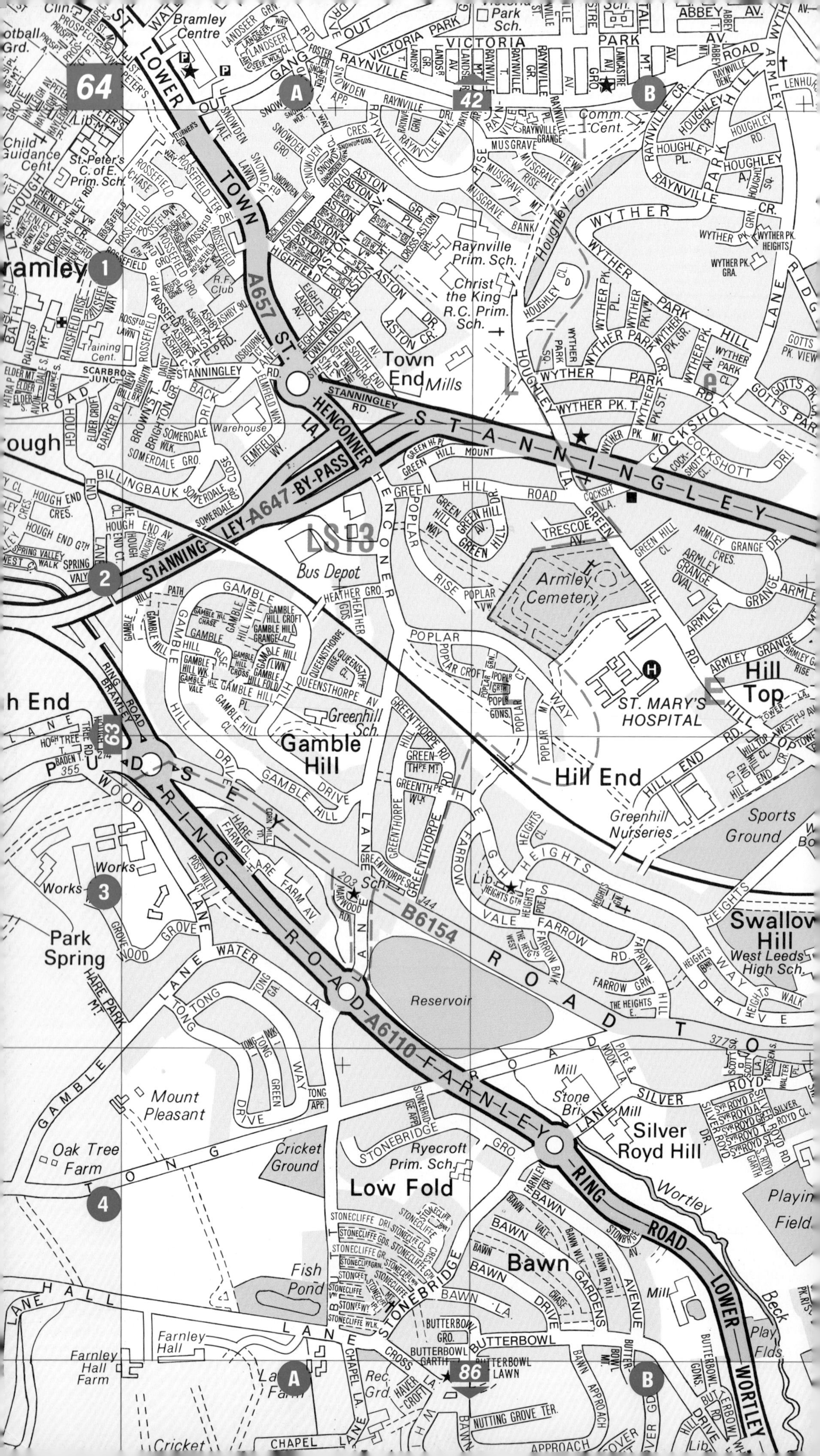

64
42
63
86
A
B
1
2
3
4
Bramley Centre
Victoria Park Sch.
VICTORIA PARK
ABBEY AV.
RAYNVILLE
LOWER TOWN ST.
A657
Child Guidance Cent.
St. Peter's C. of E. Prim. Sch.
Bramley
R.F. Club
Training Cent.
Raynville Prim. Sch.
Christ the King R.C. Prim. Sch.
Comm. Cent.
Houghley Gill
WYTHER PARK HILL
ARMLEY RIDGE
Town End Mills
STANNINGLEY RD.
STANNINGLEY ROAD
HENCONNER LA.
STANNINGLEY BY-PASS
A647
Warehouse
LS13
Bus Depot
GREEN HILL ROAD
Armley Cemetery
ST. MARY'S HOSPITAL
Hill Top
Hill End
Greenhill Nurseries
Sports Ground
GAMBLE HILL
Gamble Hill
Greenhill Sch.
BRAMLEY RING ROAD
PUDSEY ROAD
B6154
Works
Park Spring
Reservoir
Swallow Hill
West Leeds High Sch.
A6110
FARNLEY RING ROAD
Mill
Stone Bri.
Silver Royd Hill
Wortley Beck
Playing Field
Mount Pleasant
Oak Tree Farm
TONG ROAD
Cricket Ground
Ryecroft Prim. Sch.
Low Fold
Bawn
Fish Pond
Farnley Hall
Farnley Hall Farm
Rec. Grd.
LOWER WORTLEY RING ROAD
Play Flds.
Lib.

65
43
87
99
C
D
1
2
3
4
KIRKSTALL ROAD
A65
A647
ARMLEY ROAD
B6154
LS4
LS5
LS12
Burley
Upper Armley
Armley
Gotts Park
Golf Course
Armley Park
Armley Mills Museum
Botany Bay
Moor Top
Far Fold
Carr Crofts
Wiring Field
Moor End
Cabbage Hill
Upper Wortley
Wortley
Lower Wortley
Town End
Western Flatts Park
Wortley West Junc.
Upper & Lower Wortley Cem

66
44
88
65
A
B
1
2
3
4
LS4
LS6
LS3
LS12
LEEDS
Burley
Burley Recreation Ground
Burley Lawns
Armley
New Wortley
Botany Bay
Lower Wortley
Kirkstall Road
Armley Road
Canal St.
Wellington Road
Domestic Road
Whitehall Rd.
Tong Rd.
A65
A647
A58
A62
A643
B6154
Yorkshire Television Studios
Armley Mills Museum
The Kirkstall Centre
Cardigan Trading Est.
Maybrook Indus. Park
H.M Prison
New Wortley Cemy.
Wortley Recreation Ground
Upper & Lower Wortley Cem
Copley Hill Trad. Est.
Leeds Grammer Sch.
Tennis Courts
Woodhouse Moor
River Aire
Leeds and Liverpool Canal
Armley Junc.
Wortley West Junc.
Wortley South Junction
Viaduct
Depot
Holbeck
Oldfield

67
45
89
89
C
D
1
2
3
4
Woodhouse Carr
Woodhouse
Woodhouse Moor
North West Bus. Pk.
Cambridge Rd.
Servia Rd.
Meanwood Rd.
Works
Mills
Sheepscar St. North
Sheepscar Way
Henry Price Buildings
Park
Bagby Fields
LS7
LS2
Leeds University
University Rd.
Blenheim Wlk.
A660
A58(M)
A58
A64(M)
Blenheim Prim. Sch.
Little London
Clay Pit La.
Ring
Inner Ring Rd.
Little Woodhouse
Playhouse Thtre.
Leeds Metropolitan University
Dental Hosp.
General Infirm.
Sch. of Nursing
General Infirmary
Civic Hall
Bowl Alley
Merrion Cen.
The Leylands
Rec. Grd.
New York Rd.
Courts
Law Cts.
Cath.
St. John's Cen.
Grand Thtre.
Mus. Art Gall.
Westgate
The Headrow
Eastgate
The West Yorkshire Playhouse
Pol. H.Q.
Westgate Pool
LS1
Wellington
Aireside Centre
Royal Mail Ho.
Coach Sta.
Works
Kirkgate Mkt.
Boar Lane
City Sq.
Bond St. Shop. Prec.
Corn Ex.
Briggate
The Calls
Leeds
Parcels Depot
School Close
Canal Junc.
Crown Point
Victoria Bri.
Bus Depot
Globe Rd.
Water Lane
Camp Field
Brewery
LS10
Great Wilson St.
Hunslet La.
A61
Victoria Rd.
Meadow Lane
Manor Rd.
LS11
Public Wks. Dept.
Sweet Street West
Holbeck
Athletic Inst.
Welfare Cent.
Nineveh Road
Crown Point Retail Park
A653
M621
M1
Gas Works
Dewsbury Rd.
Kidacre St.
Butterley St.
Black Bull St.
Pottery Field
Apex
Works

Sheepscar
Barrack Rd.
Roundhay Rd.
Thomas Danby Coll.
Leopold Prim. Sch.
Clinic
Soc. Services Cen.
Health Cent.
46
Bayswater Rd.
Harehills Road
Manor St. Ind. Est.
Roseville Rd.
A61
LS7
LS8
St. James's University Hospital
Leeds Corporation Cemetery
Playing Field
Longside Indus. Est.
New Town
Spts. Grd.
Primrose Hill High Sch.
Shakespeare Prim. Sch.
Stoney Rock La.
Sport Ground
LS9
Clay Pit La.
North Street
Sheepscar St. Sth.
Skinner La.
The Leylands
Rec. Grd.
Mabgate
Regent St.
LS2
A64(M)
New York Rd.
Beckett St.
Nippet Lane
Torre Rd.
Rigton App.
Ebor Gardens Prim. Sch.
Haslewood Cl.
Appleton Way
Grand Thtre.
Templar St.
Eastgate
67
The West Yorkshire Playhouse
Quarry Hill
D.S.S. Offs.
York Road
A64
Pontefract La.
Richmond Hill
Kirkgate Mkt.
George St.
Duke St.
Marsh La.
Railway St.
Saxton La.
The Calls
Crown Point
Crown Point Bri.
Leeds Dam
Richmond St.
Kitson Coll. of Eng. & Sci.
Rec. Grd.
Ten. Cts.
Richmond Hill Prim. Sch.
Cavalier Hill
Brewery
Warehouses
New Dock
Wks.
Fearn's Island
LS10
Crown Point Road
Hunslet La.
Black Bull St.
Clarence Road
Low Fold
Cross Green
Knowsthorpe Cr.
Crown Point Retail Park
Warehouse
Carlisle Rd.
Sayner Rd.
Sayner Lane
Works
Hunslet Rd.
A61
Pottery Field
Leathley Rd.
South Accommodation Rd.
Long Causeway
Knowsthorpe La.
90
Cross Green Playing Field

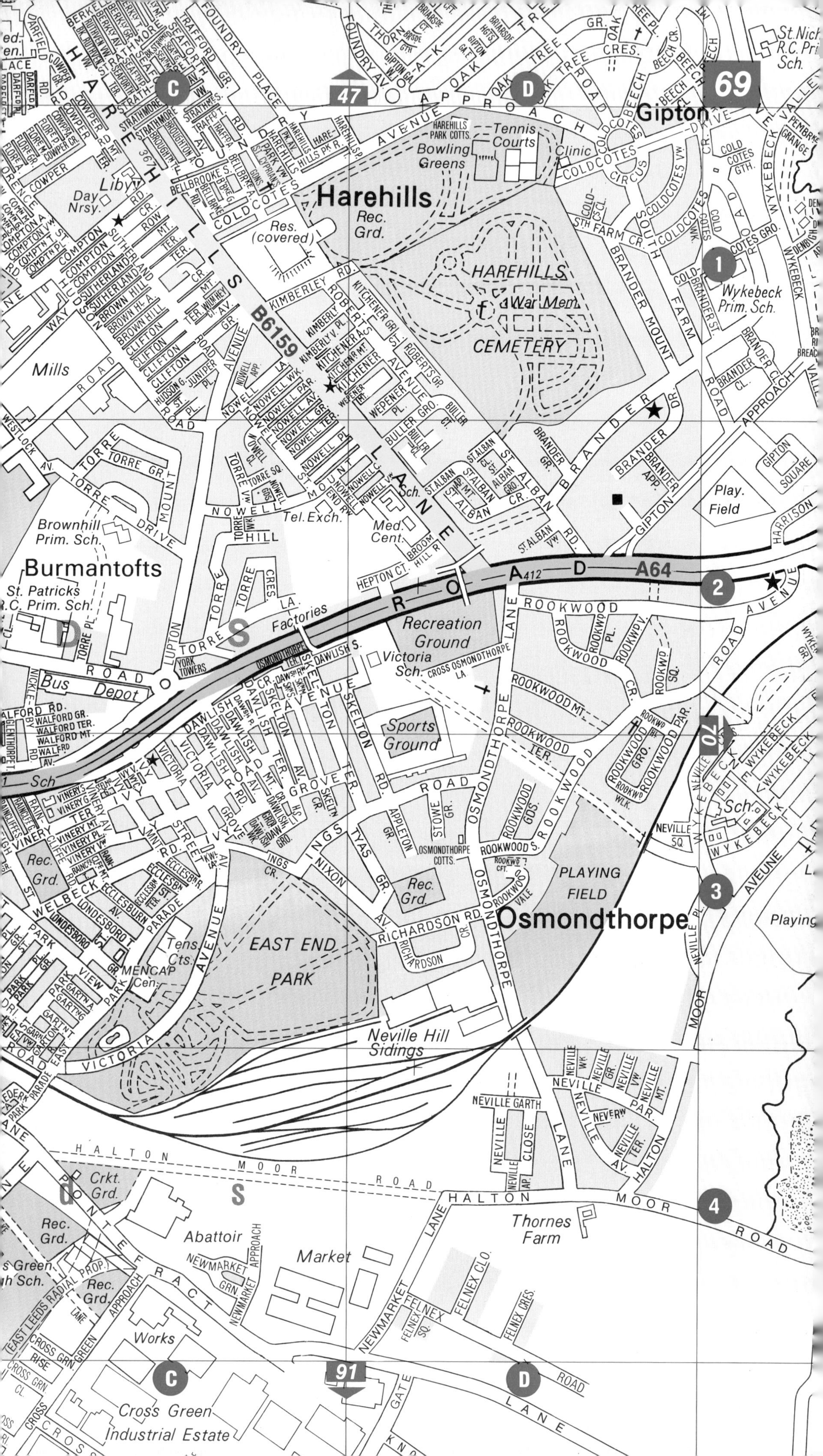

69
47
91
70
C
D
1
2
3
4
Harehills
Rec. Grd.
Gipton
Tennis Courts
Bowling Greens
Clinic
HAREHILLS CEMETERY
War Mem.
Res. (covered)
Liby.
Day Nrsy.
Mills
Wykebeck Prim. Sch.
Play. Field
Brownhill Prim. Sch.
Burmantofts
St. Patricks R.C. Prim. Sch.
Tel. Exch.
Med. Cent.
Sch.
Factories
Recreation Ground
Victoria Sch.
Bus Depot
Sports Ground
Rec. Grd.
PLAYING FIELD
Osmondthorpe
EAST END PARK
Tens. Cts.
MENCAP Cen.
Neville Hill Sidings
Thornes Farm
Crkt. Grd.
Abattoir
Market
Works
Cross Green Industrial Estate
Playing
St. Nich. R.C. Pri. Sch.
HAREHILLS LANE
B6159
YORK ROAD
A64
A412
HALTON MOOR ROAD
TORRE ROAD
ROUNDHAY
FOUNDRY PLACE
OAK TREE
COLDCOTES
BRANDER ROAD
GIPTON APPROACH
ROOKWOOD
OSMONDTHORPE LANE
NEVILLE ROAD
WYKEBECK AVENUE
NEWMARKET LANE
PONTEFRACT LANE
GATE

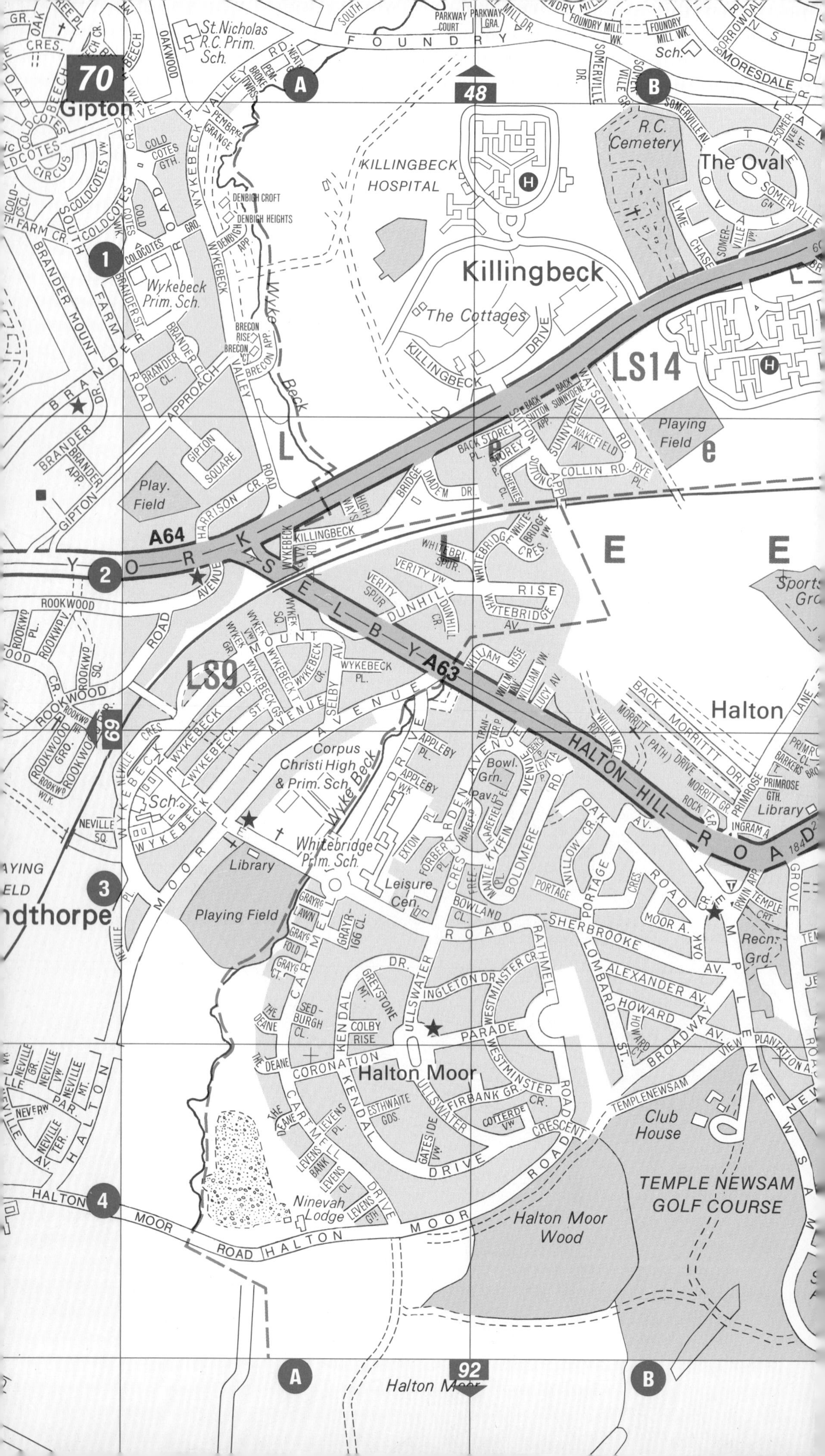

Gipton
St. Nicholas R.C. Prim. Sch.
FOUNDRY
48
A
B
KILLINGBECK HOSPITAL
Killingbeck
The Cottages
R.C. Cemetery
The Oval
LS14
Playing Field
Wykebeck Prim. Sch.
Wyke Beck
Play. Field
A64
YORK ROAD
A63
SELBY ROAD
HALTON HILL ROAD
LS9
E
E
Halton
Corpus Christi High & Prim. Sch.
Whitebridge Prim. Sch.
Library
Playing Field
Leisure Cen.
69
Halton Moor
Club House
TEMPLE NEWSAM GOLF COURSE
Halton Moor Wood
Ninevah Lodge
HALTON MOOR ROAD
92
Halton Moor
1
2
3
4

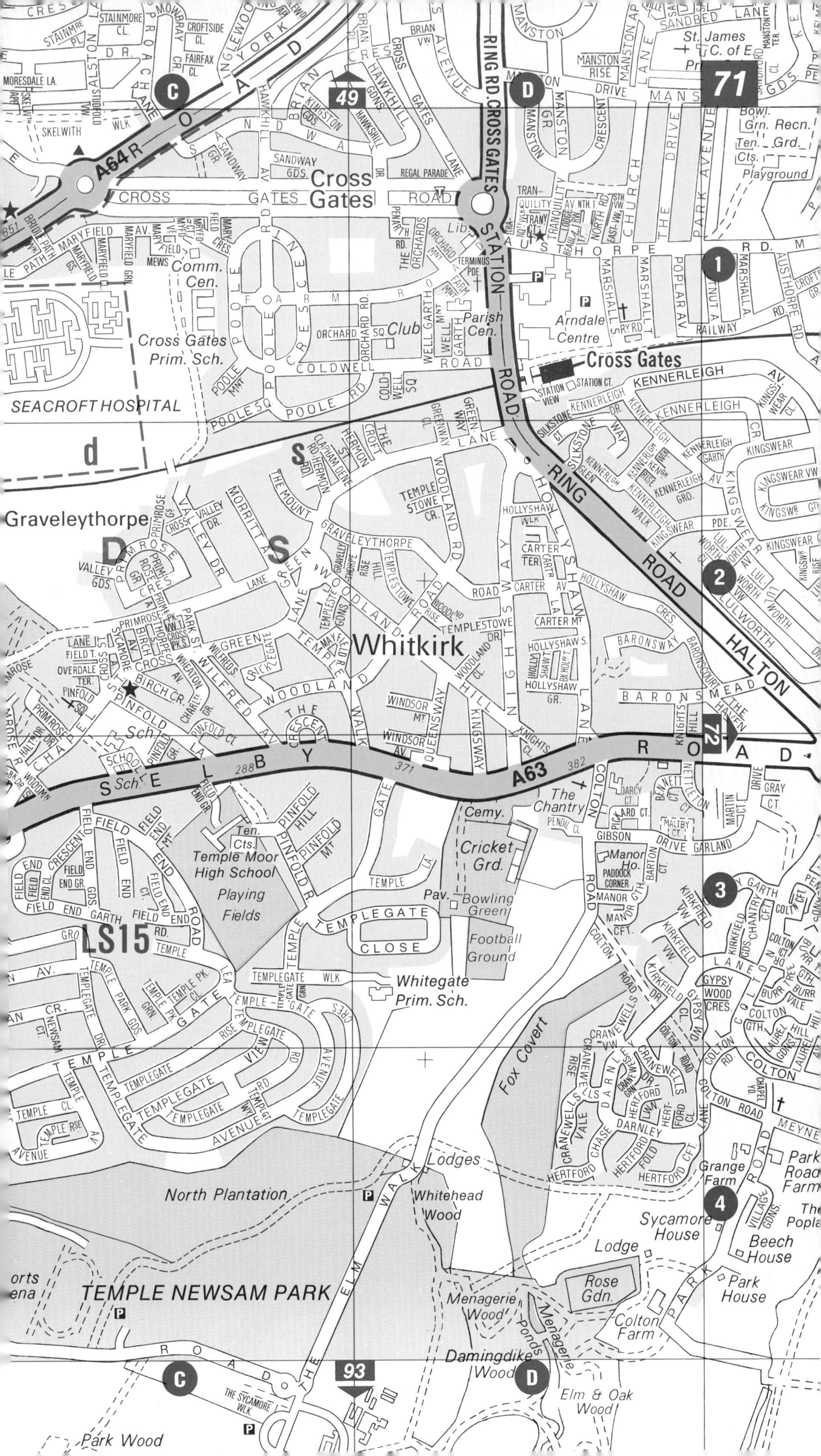

49
93
72
C
D
1
2
3
4
d
Cross Gates
Whitkirk
Graveleythorpe
LS15
A64
A63
YORK ROAD
RING RD. CROSS GATES
STATION ROAD
RING ROAD HALTON
SELBY ROAD
CROSS GATES ROAD
AUSTHORPE RD.
MANSTON DRIVE
MANSTON RISE
MANSTON LANE
SANDBED LANE
St. James C. of E. Prim. Sch.
Bowl. Grn. Recn. Grd.
Ten. Cts.
Playground
PARK AVENUE
CHURCH LANE
CRESCENT
REGAL PARADE
SANDWAY GDS.
SANDWAY GR.
HAWKHILL
CROSS GATES GDNS.
BRIAN VW.
BRIAN PL.
BRIAN CRES.
SKELWITH
MORESDALE LA.
STAINMORE CL.
STAINMORE PL.
CROFTSIDE CL.
FAIRFAX CL.
MOWBRAY CR.
ALSTON DR.
STUDFOLD VW.
BRIDLE PATH
MARYFIELD AV.
MARYFIELD GS.
MARYFIELD CL.
MARYFIELD GRN.
MARYFIELD CRES.
MEWS
Comm. Cen.
SEACROFT HOSPITAL
Cross Gates Prim. Sch.
FARM ROAD
POOLE CRESCENT
POOLE LANE
POOLE RD.
POOLE SQ.
POOLE MT.
COLDWELL ROAD
COLDWELL SQ.
ORCHARD SQ.
ORCHARD RD.
Club
WELL GARTH
WELL GARTH MT.
Parish Cen.
TERMINUS PDE.
Lib.
THE ORCHARDS
PENARTH RD.
TRANQUILITY AV.
Arndale Centre
RAILWAY RD.
MARSHALL ST.
MARSHALL TER.
POPLAR AV.
MARSHALL AV.
AUSTHORPE RD.
Cross Gates
STATION CT.
STATION VIEW
KENNERLEIGH AV.
KENNERLEIGH DR.
KENNERLEIGH WALK
KENNERLEIGH GARTH
KENNERLEIGH GRO.
KENNERLEIGH GLEN
KINGSWEAR
KINGSWEAR PDE.
KINGSWEAR VW.
KINGSWEAR GTH.
KINGSWEAR CRES.
KINGSWEAR CL.
SILKSTONE WAY
SILKSTONE CT.
LULWORTH AV.
LULWORTH VW.
LULWORTH CRES.
GREENWAY
GREEN LANE
HERMON RD.
HERMON ST.
CLAPHAM DENE
THE CROFT
THE MOUNT
TEMPLE STOWE CR.
WOODLAND RD.
HOLLYSHAW WLK.
HOLLYSHAW LANE
HOLLYSHAW CRES.
HOLLYSHAW GR.
HOLLYSHAW ST.
CARTER TER.
CARTER AV.
CARTER MT.
CARTER LA.
KNIGHTSWAY
BARONSWAY
BARONSMEAD
BARONSCOURT
THE HAVEN
KNIGHTS HILL
KNIGHTS CL.
GRAVELEYTHORPE ROAD
TEMPLESTOWE HILL
TEMPLESTOWE DR.
TEMPLESTOWE GDNS.
WOODLAND RISE
WOODLAND DR.
WOODLAND CL.
WOODLAND LANE
TEMPLE HILL
KINGSWAY
QUEENSWAY
WINDSOR MT.
WINDSOR AV.
THE CRESCENT
TEMPLE WALK
MAYFIELD RD.
PRIMROSE DR.
PRIMROSE LANE
PRIMROSE CRES.
PRIMROSE GR.
VALLEY DR.
VALLEY GDS.
MORRITT AV.
PARK ST.
WILFRED ST.
WILFRED AV.
WHEATON AV.
SICKLEGATE
BIRCH CR.
BIRCH AV.
SYCAMORE AV.
CROSS ST.
FIELD TER.
OVERDALE TER.
PINFOLD SQ.
PINFOLD LA.
PINFOLD GR.
PINFOLD CT.
CHAPEL ST.
HALTON DR.
Sch.
SCHOOL
COLTON ROAD
DARCY CT.
BENNETT CT.
NETTLETON CT.
MARTIN CT.
GRAY CT.
PICKARD CT.
MALTBY CT.
GIBSON DRIVE
GARLAND DRIVE
The Chantry
PENDIL CL.
Cemy.
Cricket Grd.
Pav.
Bowling Green
Football Ground
Manor Ho.
PADDOCK CORNER
MANOR GTH.
MANOR CFT.
BARTON CT.
KIRKFIELD VW.
KIRKFIELD DR.
KIRKFIELD GDS.
CHANTRY CFT.
COLTON LANE
GYPSY WOOD CRES.
GYPSY WOOD CL.
BURR TREE GARTH
BURR TREE VALE
COLTON GTH.
LAUREL HILL GDNS.
COLTON RD.
CRANEWELLS VW.
CRANEWELLS RISE
CRANEWELLS DR.
CRANEWELLS GRN.
CRANEWELLS VALE
DARNLEY LANE
HERTFORD CHASE
HERTFORD FOLD
HERTFORD CFT.
HERTFORD LWN.
HERTFORD CL.
Fox Covert
FIELD END CRESCENT
FIELD END GARTH
FIELD END RD.
FIELD END CL.
FIELD END GR.
FIELD END GDS.
FIELD END MT.
Ten. Cts.
Temple Moor High School
Playing Fields
PINFOLD HILL
PINFOLD MT.
PINFOLD RD.
TEMPLE LA.
TEMPLE GATE
TEMPLEGATE CLOSE
TEMPLEGATE WLK.
Whitegate Prim. Sch.
TEMPLE PARK GDS.
TEMPLE PK. CL.
TEMPLE PK. GRN.
TEMPLEGATE RISE
TEMPLEGATE VIEW
TEMPLEGATE RD.
TEMPLEGATE CRES.
TEMPLEGATE AVENUE
TEMPLEGATE DR.
TEMPLEGATE WY.
TEMPLE CL.
TEMPLE RSE.
TEMPLE AV.
NEWSAM CT.
Lodges
North Plantation
Whitehead Wood
THE ELM WALK
TEMPLE NEWSAM PARK
Menagerie Wood
Menagerie Ponds
Rose Gdn.
Lodge
Colton Farm
Damingdike Wood
Elm & Oak Wood
Park Wood
THE SYCAMORE WLK.
ROAD
Grange Farm
Sycamore House
Beech House
Park House
PARK LANE
VILLAGE GDNS.
Park Road Farm
MEYNELL
288
371
382

SANDBED LANE
St. James C. of E. Prim. Sch.
MANSTON RISE
MANSTON TER.
SANDIFORD CL.
KELMSCOTT
PENDA'S GRO.
PENDA'S WALK
PENDA'S WAY
Pendas Fields
SMEATON APP.
THANE WAY
SPUR
BARNARD WAY
BARNARD CL.
RAVENSWORTH WAY
RAVENSWORTH CL.
DOVEDALE GTH.
DOVEDALE GDNS.
CHELSFIELD WAY
TENTERDEN WAY
BADGERS MT.
FORD MT.
AYLESFORD
COBHAM WLK.
KEMSG WLK.
BIDDENDEN ROAD
HOLLINGBOURNE RD.
APPROACH
SANDLEAS WY.
SANDLEAS WAY
Warehouses
Works
Works
Works
50
A
B
CRES
DRIVE
CHURCH
THE DRIVE
PARK AVENUE
Bowl. Grn. Recn.
Ten. Grd.
Cts.
Playground
PENDA'S DRI.
PENDA'S
MANSTON
AUSTHORPE ROAD
1
MARSHALL S.
MARSHALL T.
LAR AV.
CHESTNUT A.
MARSHALL A.
AUSTHORPE RD.
CROFTDALE GR.
RAILWAY RD.
RY RD.
Manston
LANE
Sports Ground
Cross Gates
KENNERLEIGH
KENNERLEIGH DR.
KINGSWEAR CL.
KINGSWEAR CR.
KENNERLEIGH GARTH
KENNERLEIGH AV.
KENNERLEIGH GRO.
KENNERLEIGH WALK
KINGSWEAR
KINGSWEAR VW.
KINGSWR GTH
KINGS WRGLN
KINGSWEAR PDE.
KINGSWEAR GR.
KINGSWR RISE
CRES.
AUSTHORPE
AVENUE
Cricket Grd.
Austhorpe Hall (A.D.1694)
Lazenc
LULWORTH CL.
LULWORTH AV.
LULWORTH VW.
LULWORTH WLK.
LULWORTH GARTH
LULWORTH CRESCENT
LULWORTH DRI.
LULWORTH AV.
CRES
2
RING ROAD
HALTON
A6120
HOLLYSHAW CRES.
BARONSWAY
BARONSCOURT
BARONSMEAD
THE HAVEN
KNIGHTS
71
L E E
Smeaton Farm
Whitkirk Lane End
WHITKIRK LA.
DETROIT AV.
WHITKIRK CL.
Austhorpe Prim. Sch
BARROWBY CRES.
Austhorpe
LANE
Brown Moor Farm
BARROWBY
SELBY
A63
COLTON
DARCY CT.
BENNETT CT.
NETTLETON CT.
PICKARD CT.
MALTBY CT.
MARTIN CT.
DRIVE
GRAY CT.
GIBSON DRIVE
GARLAND
Manor Ho.
PADDOCK CORNER
BARTON CT.
MANOR GTH.
MANOR CFT.
ROAD
3
HIGH BANK
HIGH BNK. CL.
HIGH BANK VW.
HIGH BANK GDS.
HIGH BANK APP.
HIGH BK. PL.
HIGH BK. GATE
HIGH BNK. WAY
PENLANDS CR.
PENLANDS WLK.
AUSTHORPE LANE
AUSTHORPE GRO.
AUSTHORPE AV.
BARROWBY AV.
AUSTHORPE DRIVE
AUSTHORPE GDS.
BARROWBY DR.
AUSTHORPE CT.
BACK BARROWBY VW
BARROWBY RD.
561
ROAD
M1
CHANTRY GARTH
CHANTRY CFT.
KIRKFIELD VW.
KIRKFIELD GDS.
KIRKFIELD DR.
Colton
Football Grd.
Cricket Grd.
LS15
Colton Common
L e e
Colton Mill
621
LANE
GYPSY WOOD CRES.
BURR TREE GTH.
BURR TREE VALE
BURR TREE
COLTON GTH.
LAUREL HILL GDNS.
LAUREL HILL VW.
LAUREL HILL CFT.
LAUREL HILL WAY
LAUREL HILL GRO.
CRANEWELLS VW
CRANEWELLS DR.
CRANEWELLS GRN.
DARNLEY
HERTFORD LWN.
HERTFORD CL.
HERTFORD FOLD
HERTFORD CFT.
CHASE
COLTON RD.
COLTON LANE
COLTON ROAD
CHAPEL YD.
SCHOOL LANE
NEW ROW
Colton Prim. Sch.
COLTON ROAD EAST
A63
MEYNELL RD.
BULLERTHORPE LANE
Grange Farm
ROAD
Park Road Farm
Holly Tree Farm
4
Sycamore House
VILLAGE GDNS.
The Poplars
Beech House
Lodge
Rose Gdn.
PARK
Park House
Colton Farm
& Oak Wood
A
94
B
BULLERTHORPE LA.

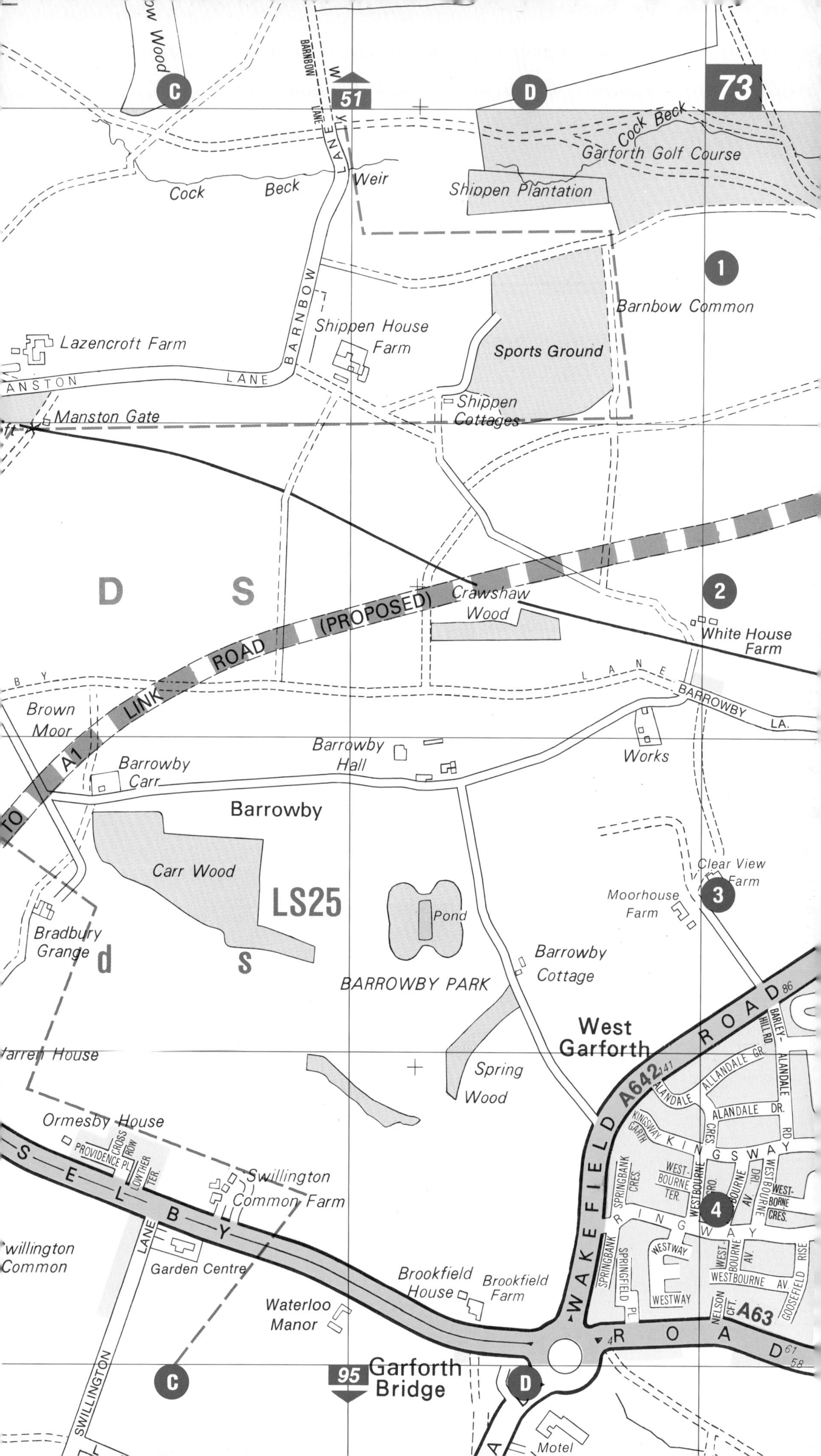
73
51
95
C
D
1
2
3
4
Cock Beck
Garforth Golf Course
Shippen Plantation
Weir
Barnbow Lane
Barnbow Common
Shippen House Farm
Lazencroft Farm
Sports Ground
Manston Lane
Manston Gate
Shippen Cottages
D
S
(Proposed)
A1 Link Road
To A1
Crawshaw Wood
White House Farm
Barrowby Lane
Barrowby La.
Brown Moor
Barrowby Hall
Works
Barrowby Carr
Barrowby
Carr Wood
LS25
Clear View Farm
Moorhouse Farm
Pond
Bradbury Grange
d
s
Barrowby Cottage
Barrowby Park
West Garforth
Warren House
Spring Wood
Ormesby House
Providence Pl.
Cross Row
Lowther Ter.
Swillington Common Farm
Selby Road
A642
Wakefield Road
Alandale
Allandale Gr.
Alandale Dr.
Alandale Rd
Barley Hill Rd
Kingsway Garth
Kingsway
Kingsway Cres.
Springbank Cres.
Westbourne Ter.
Westbourne Gro.
Westbourne Av.
Westbourne Dri.
Westbourne Cres.
Ringway
Westway
West Bourne Av.
Springbank
Springfield Pl.
Goosefield Rise
Nelson Cft.
A63
Swillington Common
Lane
Garden Centre
Brookfield House
Brookfield Farm
Waterloo Manor
Garforth Bridge
Swillington
Motel

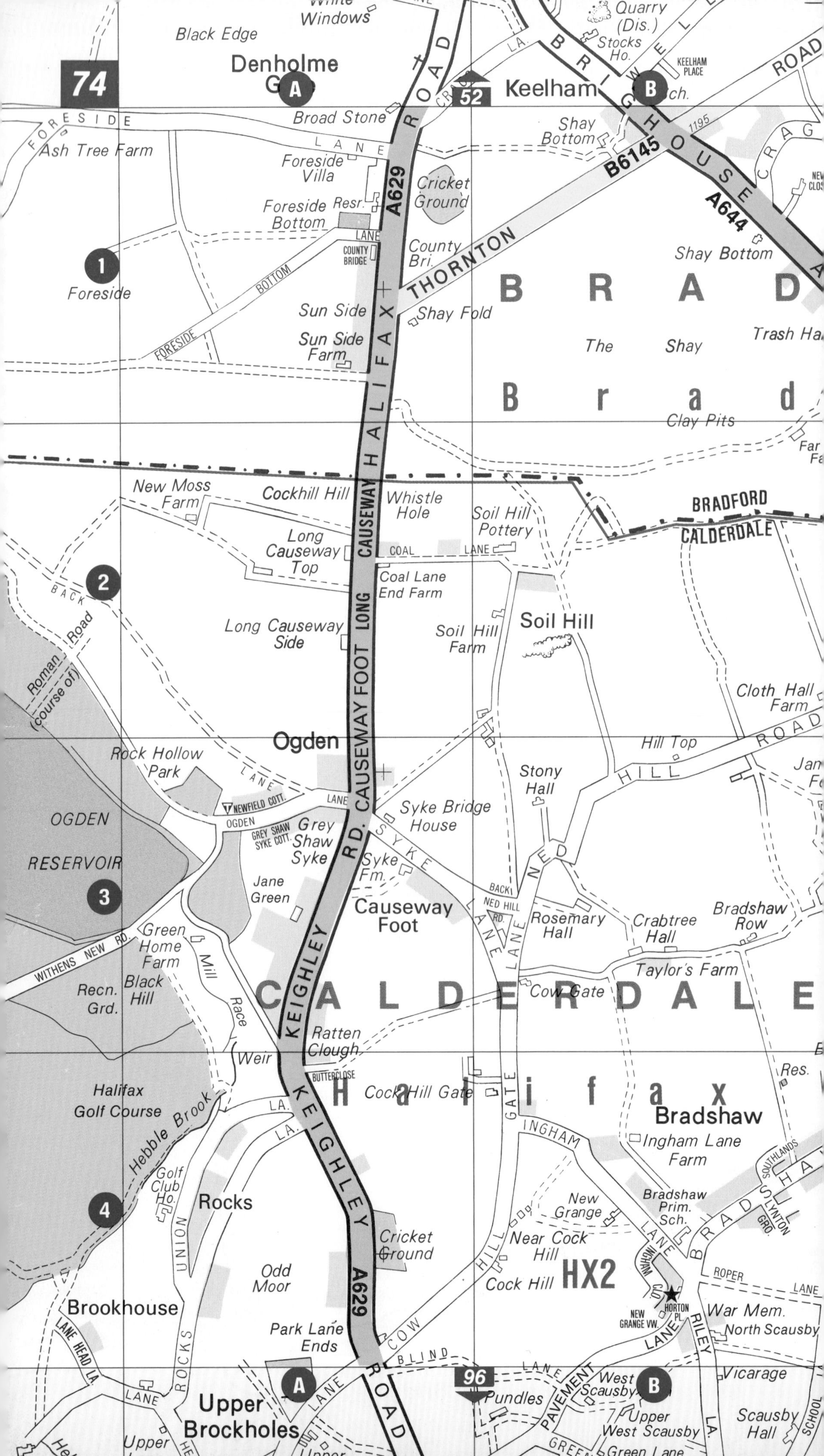

74
White Windows
Black Edge
Denholme Gate
A
Quarry (Dis.)
Stocks Ho.
Keelham Place
Keelham
52
B
Ch.
Brighouse Road
Crag
Broad Stone
Foreside Lane
Ash Tree Farm
Shay Bottom
1195
B6145
A644
Foreside Villa
A629
Cricket Ground
Foreside Bottom
Resr.
Lane
County Bridge
County Bri.
Thornton Road
Shay Bottom
1
Foreside
Bottom
Sun Side
Halifax Road
Shay Fold
B R A D
Sun Side Farm
Foreside
The Shay
Trash Ha
Brad
Clay Pits
Far Fa
New Moss Farm
Cockhill Hill
Whistle Hole
Soil Hill Pottery
Bradford
Calderdale
Long Causeway Top
Coal Lane
Coal Lane End Farm
2
Back Roman Road (course of)
Long Causeway
Soil Hill
Long Causeway Side
Soil Hill Farm
Cloth Hall Farm
Causeway Foot
Ogden
Hill Top
Hill Top Road
Rock Hollow Park
Ogden Lane
Stony Hall
Newfield Cott.
Syke Bridge House
Ogden Reservoir
Grey Shaw Syke Cott.
Grey Shaw Syke
Syke Lane
Syke Fm.
Ned Lane
3
Jane Green
Causeway Foot
Back Ned Hill Rd.
Rosemary Hall
Crabtree Hall
Bradshaw Row
Green Home Farm
Withens New Rd.
Mill Race
Taylor's Farm
Black Hill
Recn. Grd.
Keighley Rd.
Cow Gate
CALDERDALE
Ratten Clough
Weir
Buttercloseᅠ
Res.
Halifax Golf Course
Cock Hill Gate
Halifax
Bradshaw
Hebble Brook
La.
Ingham Lane
Ingham Lane Farm
Golf Club Ho.
Southlands
New Grange
Keighley Road
4
Rocks
Bradshaw Prim. Sch.
Bradshaw Lane
Lynton Gro.
Cricket Ground
Near Cock Hill
Union
Cock Hill
Odd Moor
HX2
Roper Lane
Ingham Cl.
Horton Pl.
War Mem.
Brookhouse
New Grange Vw.
North Scausby
Park Lane Ends
Cow Lane
Riley Lane
Lane Head La.
Blind Lane
96
Vicarage
Rocks Lane
A
West Scausby
B
Pundles
Pavement Lane
Upper Brockholes
Upper West Scausby
Scausby Hall
School
Upper
Green Lane

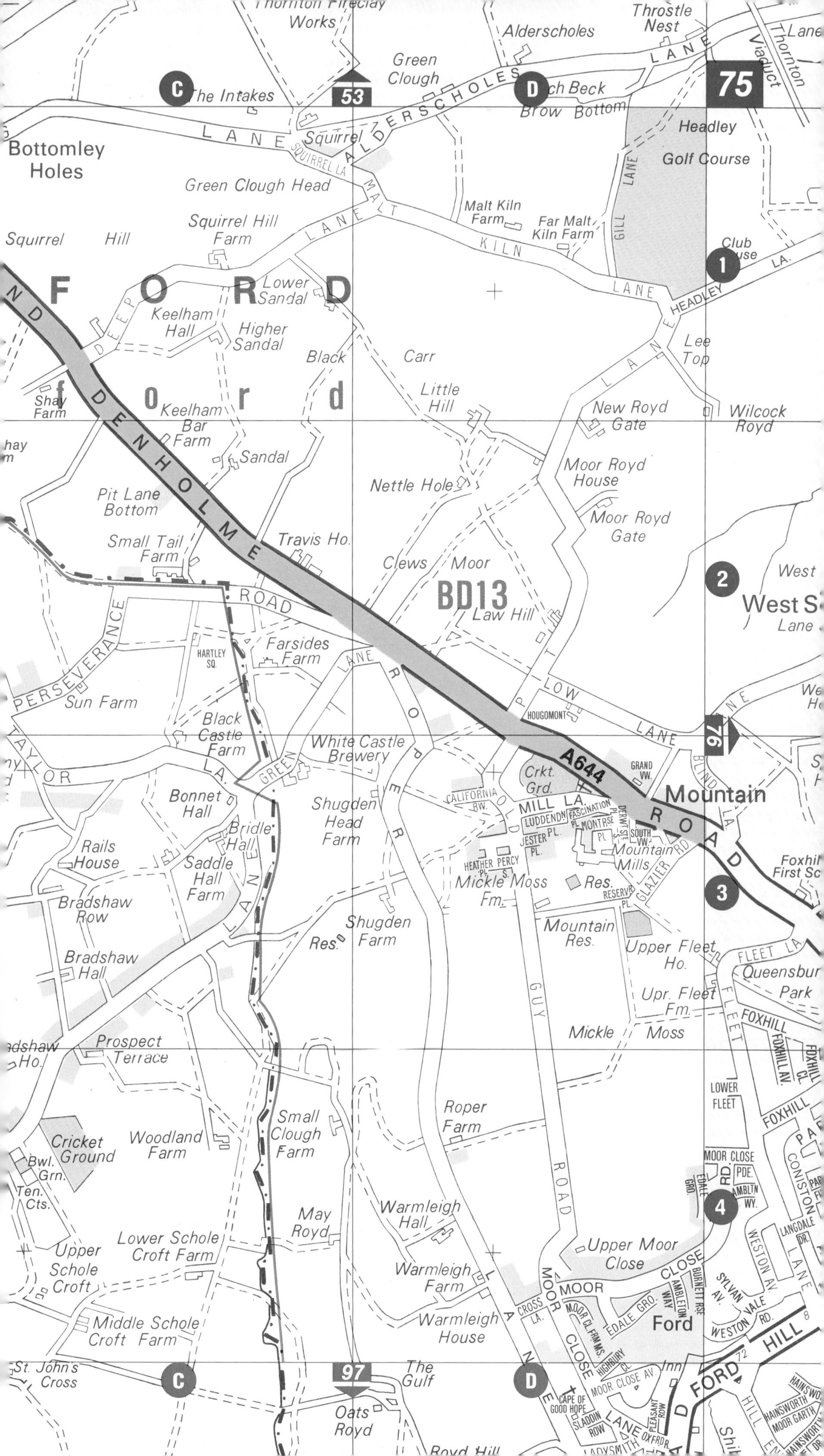
Thornton Fireclay Works
Throstle Nest
Alderscholes
Green Clough
The Intakes
53
ALDERSCHOLES LANE
Brow Bottom
Headley Golf Course
Bottomley Holes
Squirrel
SQUIRREL LA.
Green Clough Head
Squirrel Hill Farm
Squirrel Hill
MALT LANE
Malt Kiln Farm
Far Malt Kiln Farm
KILN LANE
GILL LANE
Club House
HEADLEY LA.
FORD
Bradford
Keelham Hall
Lower Sandal
Higher Sandal
DEEP
Black Carr
Little Hill
Lee Top
Shay Farm
DENHOLME
Keelham Bar Farm
Sandal
New Royd Gate
Wilcock Royd
Moor Royd House
Moor Royd Gate
Nettle Hole
Pit Lane Bottom
Small Tail Farm
Travis Ho.
Clews Moor
BD13
Law Hill
ROAD
West
West S
Lane
PERSEVERANCE
HARTLEY SQ.
Farsides Farm
LANE
Sun Farm
PIT
LOW LANE
HOUGOMONT
TAYLOR LA.
Black Castle Farm
White Castle Brewery
GREEN
ROPER
A644
GRAND VW.
76
BLIND LA.
Mountain
Crkt. Grd.
CALIFORNIA BW.
MILL LA.
LUDDENDN PL.
FASCINATION PL.
MONTRSE PL.
DERWT STE S.
SOUTH VW.
JESTER PL.
Bonnet Hall
Shugden Head Farm
Mountain Mills
RD.
ROAD
Rails House
Bridle Hall
Saddle Hall Farm
HEATHER PL.
PERCY S.
Mickle Moss Fm.
Res.
RESERVR PL.
GLAZIER
Foxhill First Sc
Bradshaw Row
Shugden Farm
Res.
Mountain Res.
Upper Fleet Ho.
FLEET LA.
Queensbury Park
Bradshaw Hall
Upr. Fleet Fm.
GUY
FLEET
FOXHILL
FOXHILL AV.
FOXHILL CL.
Prospect Terrace
Mickle Moss
Bradshaw Ho.
LOWER FLEET
Small Clough Farm
Roper Farm
Cricket Ground
Woodland Farm
Bwl. Grn.
Ten. Cts.
MOOR CLOSE RD.
PDE.
AMBLTN WY.
EDALE GRO.
CONISTON
LANGDALE DR.
WESTON AV.
May Royd
Warmleigh Hall
Upper Schole Croft
Lower Schole Croft Farm
Upper Moor Close
Warmleigh Farm
MOOR CLOSE
BURNETT RSE.
AMBLETON WAY
SYLVAN AV.
Middle Schole Croft Farm
Warmleigh House
CROSS LA.
MOOR CL. FRM. MS.
EDALE GRO.
Ford
WESTON VALE RD.
HILL
St. John's Cross
97
The Gulf
LANE
HIGHBURY CL.
MOOR CLOSE AV.
Inn
FORD
CAPE OF GOOD HOPE
SLADDIN ROW
PLEASANT ROW
OXFORD
Oats Royd
Royd Hill
HAINSWORTH MOOR GARTH

76
54
75
98
Thornton
Throstle Nest
Lane End
Cemy.
Ashfield House Hosp.
Mill Ponds
Pinch Beck
Mill Race
Mill Pond
Headley Golf Course
Upper Headley
Green Lane Bottom
Dye Royd
Carr House
Lower Headley
High Birks
Club House
Headley Lane
Lee Top
Works
Mavis
Hole Bottom
Cressw House
New Royd Gate
Wilcock Royd
Moor Royd Gate
Mitchell Hall
Ashby House
Green Head Farm
Marley Ho.
West Scholes Mills
West Scholes
Lane Side
Yews Green
Hollingwell Hill
Hole Bottom Fm.
The Towers
West Scholes Gate
Wellfield House
Cockin Lane
Brow
Hole Bottom
Spring Head
Lanes Stile
Bridle Stile
Willow Hall Farm
Mountain
Clayton Edge Fm.
Brighouse & Denholme Rd.
Mountain Mills
Harp Bottom
Foxhill First School
Low Fold
Lane Top
Thornton Road
A644
Clayton Edge
Wells Head
Queensbury
Scarlet Heights
Upper Fleet Ho.
Queensbury Park
Hill Top Fm.
Mossy Bank
Airedale View
Greenland
BD13
Res.
Upr. Fleet Fm.
Moss
Albert Road
Swim. Pool & Lib.
Sand Beds
Scarlet
Lower Fleet
Foxhill Drive
Parkway
Chapel Lane
Ashbourne Cres.
High Street
Mills
Brighouse
Naseby
Cheriton Dr.
Park House
Moor Close
West End
Cemy.
A647
Upper Moor Close
West End
Queensbury Upper School
Old Harrowins
Health Centre
Ford
Hill
Deanstones
Upper Dean Stones
Hainsworth Moor
Mid. Sch.
Hunger Hill
Club Ho.
Bradford

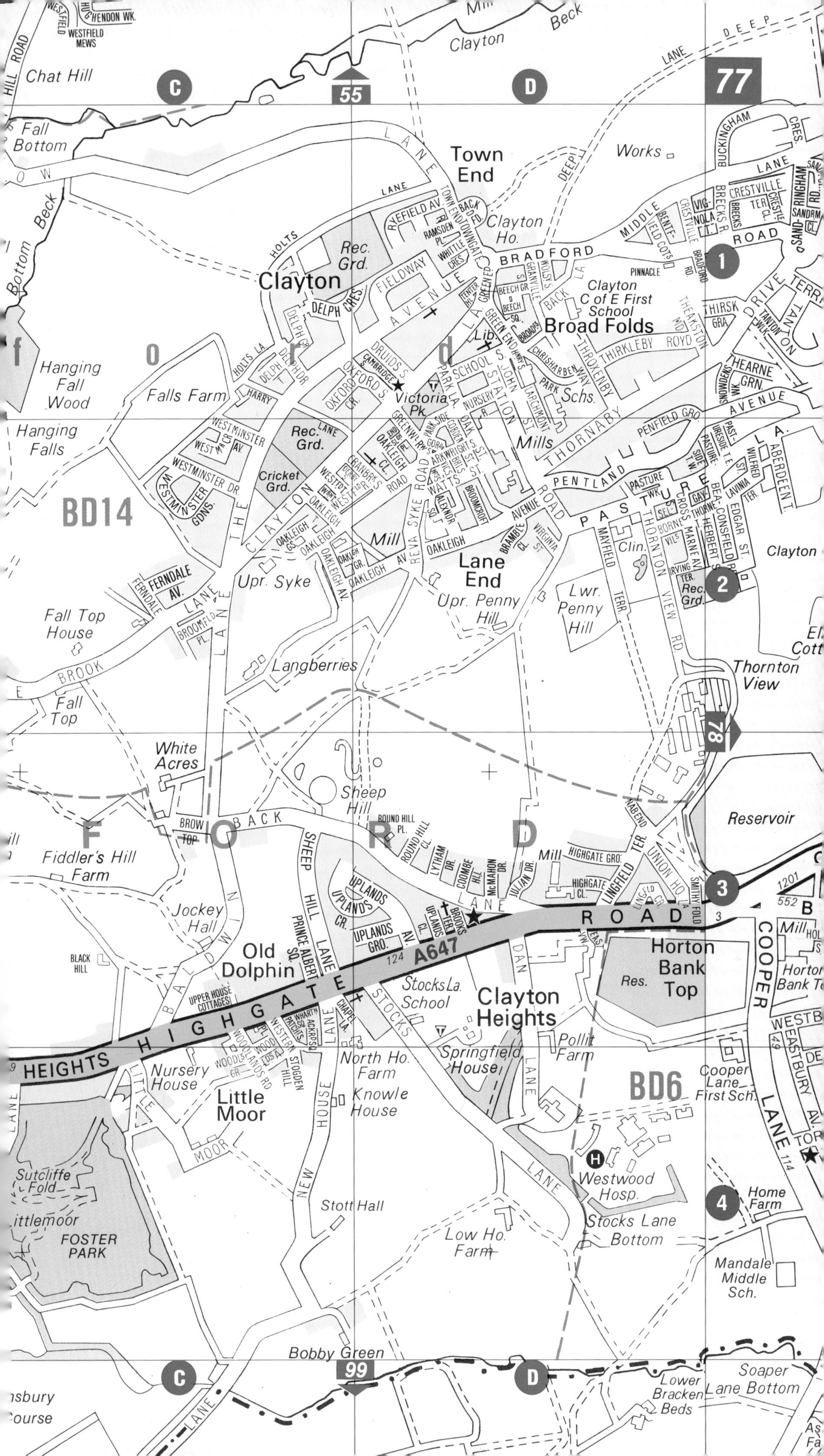
77
55
C
D
Clayton Beck
Chat Hill
HILL ROAD
WESTFIELD
WESTFIELD MEWS
HUGHENDON WK.
DEEP LANE
Fall Bottom
Bottom Beck
Town End
Works
BUCKINGHAM CRES.
LANE
Clayton Ho.
BRADFORD ROAD
MIDDLE LANE
CRESTVILLE TER.
PINNACLE
Clayton C of E First School
Broad Folds
THIRKLEBY ROYD
THEAKSTON MD.
THIRSK GRA.
DRIVE
TANTON
HEARNE GRN.
Rec. Grd.
Clayton
HOLTS LA.
DELPH CRES.
FIELDWAY
AVENUE
RYEFIELD AV.
RAMSDEN PL.
WHITTLE CRES.
TOWN END
GREEN END
Lib.
Victoria Pk.
OXFORD ST.
DRUIDS ST.
SCHOOL ST.
PARK LA.
JOHN ST.
STATION RD.
LARCHMONT
Schs.
Mills
THORNABY
PENFIELD GRO.
AVENUE
Hanging Fall Wood
Falls Farm
Hanging Falls
Cricket Grd.
WESTMINSTER AV.
WESTMINSTER DR.
WESTMINSTER GDNS.
THE LANE
CLAYTON ROAD
OAKLEIGH
Mill
REVA SYKE ROAD
Lane End
PENTLAND AVENUE
PASTURE LANE
ABERDEEN T.
EDGAR ST.
BEACONSFIELD RD.
Clayton
BD14
FERNDALE AV.
Upr. Syke
Upr. Penny Hill
Lwr. Penny Hill
MAYFIELD TERR.
THORNTON VIEW RD.
Clin.
Rec. Grd.
1
2
3
4
Fall Top House
BROOK LANE
BROOMFIELD PL.
Langberries
Thornton View
Fall Top
78
White Acres
Sheep Hill
Reservoir
BROW TOP
BACK LANE
ROUND HILL PL.
ROUND HILL CL.
LYTHAM DR.
COOMBE HILL
McMAHON DR.
JULIAN DR.
HIGHGATE GRO.
HIGHGATE CL.
LINGFIELD TER.
UNION HO. LA.
SMITHY FOLD
NABEND
F O R D
Fiddler's Hill Farm
Jockey Hall
BLACK HILL
SHEEP HILL LANE
UPLANDS CR.
UPLANDS GRO.
PRINCE ALBERT SQ.
Old Dolphin
A647
ROAD
HIGHGATE
HEIGHTS
BALDWIN LANE
UPPER HOUSE COTTAGES
Horton Bank Top
Res.
COOPER LANE
Mill
Horton Bank Top
1201
552
124
Stocks La. School
Clayton Heights
STOCKS LANE
DAN LANE
CHAPEL LA.
Nursery House
Little Moor
North Ho. Farm
Knowle House
Springfield House
Pollit Farm
BD6
Cooper Lane First Sch.
EASTBURY AV.
WESTB
MOOR LANE
NEW HOUSE LANE
Westwood Hosp.
Sutcliffe Fold
Littlemoor
FOSTER PARK
Stott Hall
Low Ho. Farm
Stocks Lane Bottom
Home Farm
Mandale Middle Sch.
114
Bobby Green
99
Lower Bracken Beds
Soaper Lane Bottom

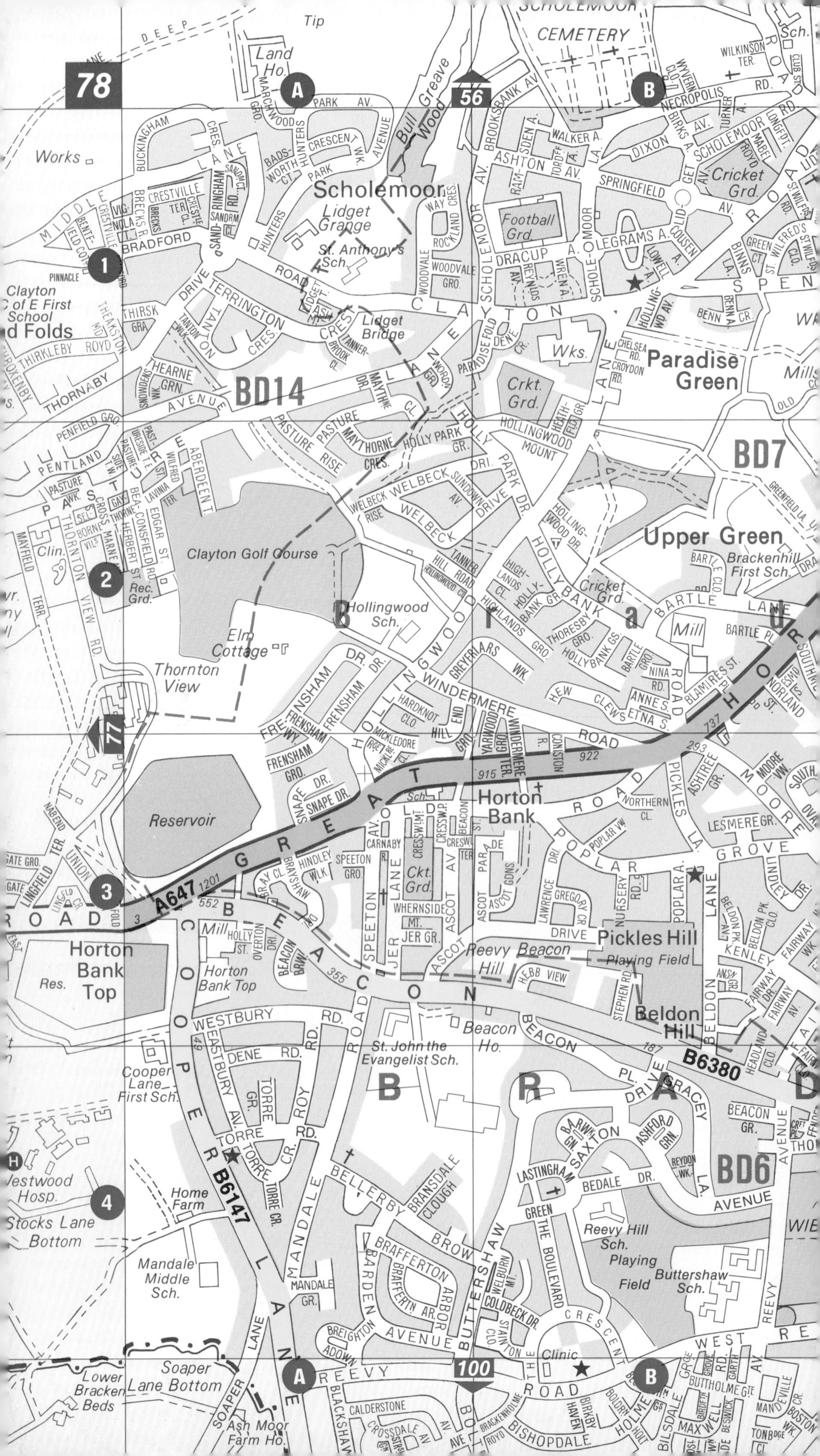

56
77
100
A
B
1
2
3
4
BD14
BD7
BD6
Scholemoor
Lidget Grange
St. Anthony's Sch.
Lidget Bridge
Paradise Green
Upper Green
Brackenhill First Sch.
Clayton Golf Course
Hollingwood Sch.
Elm Cottage
Thornton View
Reservoir
Horton Bank
Horton Bank Top
Pickles Hill
Playing Field
Beldon Hill
Reevy Beacon Hill
St. John the Evangelist Sch.
Beacon Ho.
Cooper Lane First Sch.
Home Farm
Mandale Middle Sch.
Reevy Hill Sch.
Playing Field
Buttershaw Sch.
Clinic
Westwood Hosp.
Stocks Lane Bottom
Lower Bracken Beds
Soaper Lane Bottom
Ash Moor Farm Ho.
Scholemoor Cemetery
Football Grd.
Cricket Grd.
Crkt. Grd.
Ckt. Grd.
Wks.
Works
Tip
Land Ho.
Clayton C of E First School
Rec. Grd.
Clin.
Mill
Res.
A647
B6380
B6147
GREAT HORTON ROAD
CLAYTON LANE
BEACON ROAD
COOPER LANE
REEVY ROAD
WEST AVENUE

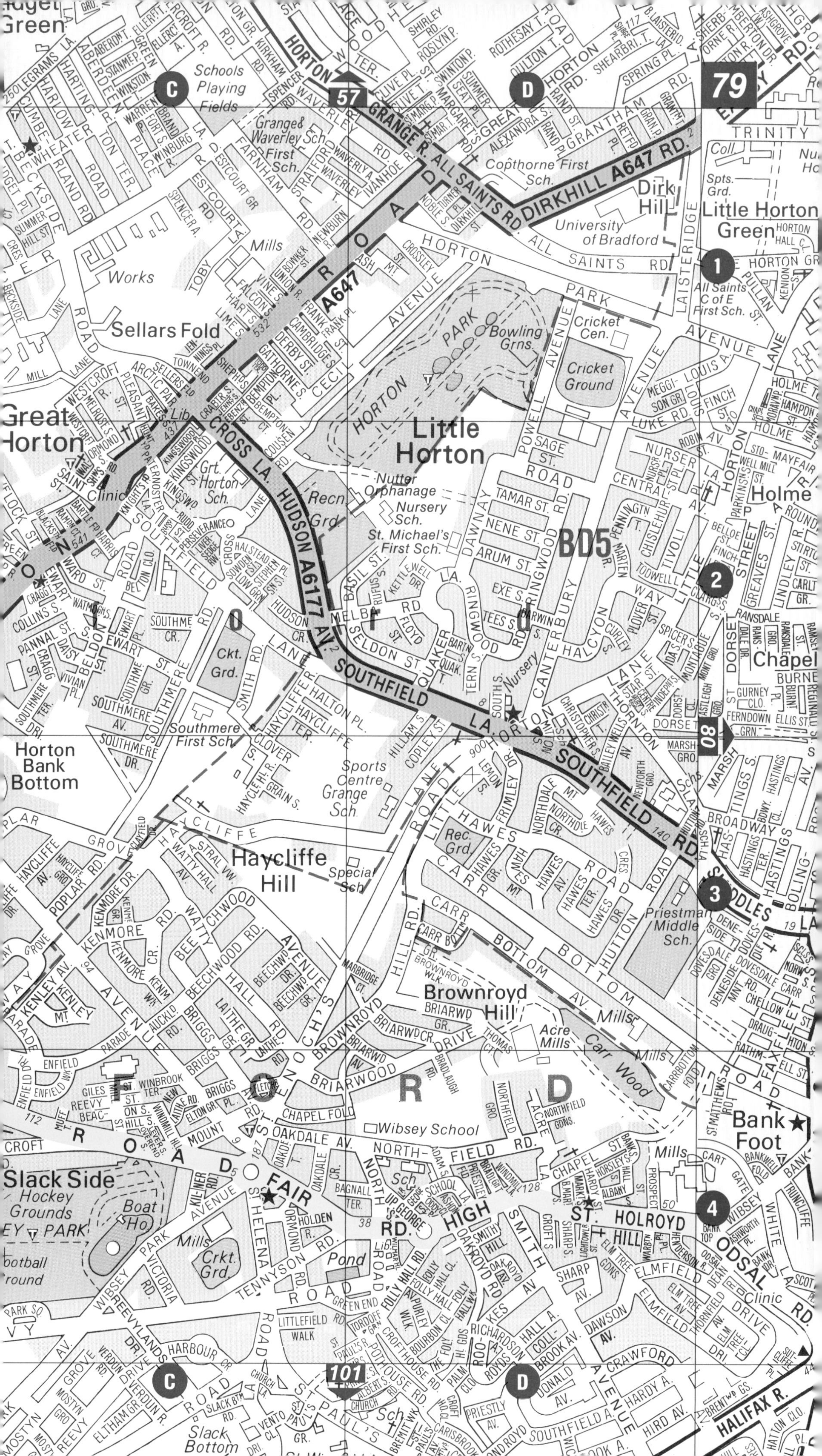

79
57
80
101
C
D
1
2
3
4
BD5
Great Horton
Little Horton
Little Horton Green
Dirk Hill
University of Bradford
Horton Park
Bowling Grns.
Cricket Cen.
Cricket Ground
Holme
Chapel
Sellars Fold
Works
Mills
Schools Playing Fields
Grange& Waverley First Sch.
Copthorne First Sch.
All Saints C of E First Sch.
Grt. Horton Sch.
Clinic
Lib.
Recn. Grd.
Nutter Orphanage
Nursery Sch.
St. Michael's First Sch.
Ckt. Grd.
Southmere First Sch.
Horton Bank Bottom
Sports Centre
Grange Sch.
Haycliffe Hill
Special Sch.
Rec. Grd.
Priestman Middle Sch.
Brownroyd Hill
Acre Mills
Carr Wood
Bank Foot
Wibsey School
Slack Side
Hockey Grounds
Boat Ho.
Crkt. Grd.
Pond
Football Ground
Slack Bottom
GRANGE R.
ALL SAINTS RD.
DIRKHILL A647 RD.
HORTON
A647
ROAD
CROSS LA.
HUDSON A6177 AV.
SOUTHFIELD LA.
SOUTHFIELD RD.
HORTON PARK AVENUE
HAYCLIFFE LA.
CARR BOTTOM AV.
ODSAL RD.
HALIFAX R.
HIGH ST.
HOLROYD HILL

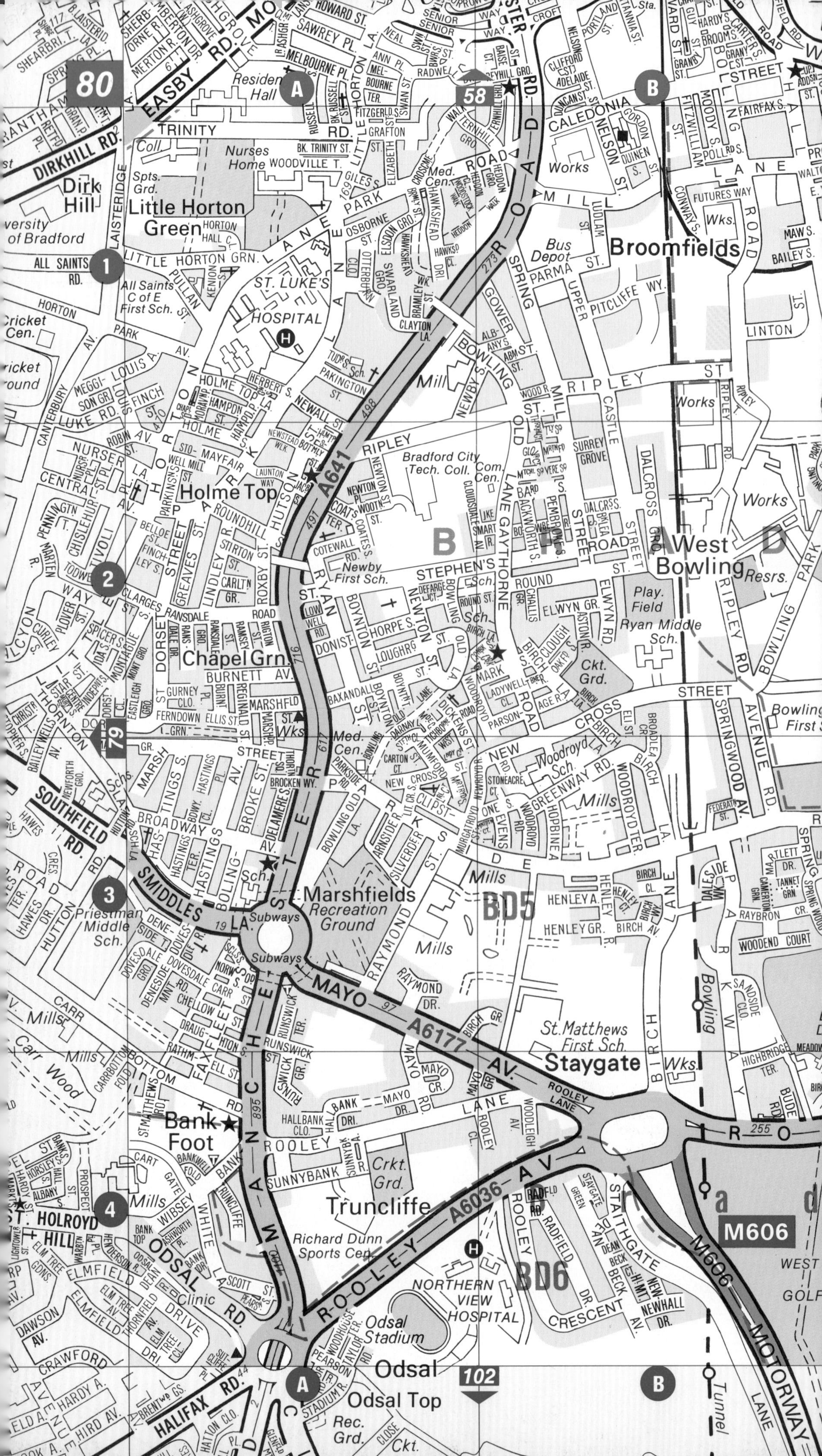

58
79
102
A
B
1
2
3
4
Dirk Hill
Little Horton Green
Holme Top
Chapel Grn.
Marshfields
Marshfields Recreation Ground
Bank Foot
Truncliffe
Odsal
Odsal Top
Odsal Stadium
Staygate
Broomfields
West Bowling
Bowling
B
D
BD5
BD6
St. Luke's Hospital
Northern View Hospital
Bradford City Tech. Coll.
Richard Dunn Sports Cen.
Ryan Middle Sch.
Priestman Middle Sch.
Newby First Sch.
St. Matthews First Sch.
Woodroyd Sch.
All Saints C of E First Sch.
Bus Depot
Nurses Home
Residence Hall
Play Field
Ckt. Grd.
Crkt. Grd.
Rec. Grd.
Cricket Cen.
Works
Mills
A641
A6177
A6036
M606
M606 Motorway
Manchester Rd.
Mayo Av.
Rooley Av.
Rooley Lane
Smiddles La.
Halifax Rd.
Southfield Rd.
Dirkhill Rd.
Easby Rd.
Trinity Rd.
Little Horton La.
Little Horton Grn.
Park Lane
Bowling Old Lane
Ripley St.
Ripley Rd.
Parkway
Bowling Park
Birch Lane
Springwood Av.
Avenue Rd.
Cross Street
Stephen's Road
Spring Mill St.
Upper Parma St.
Pitcliffe Wy.
Caledonia St.
Nelson St.
Odsal Rd.
Staithgate Lane
Crescent Dr.
Subways
Tunnel

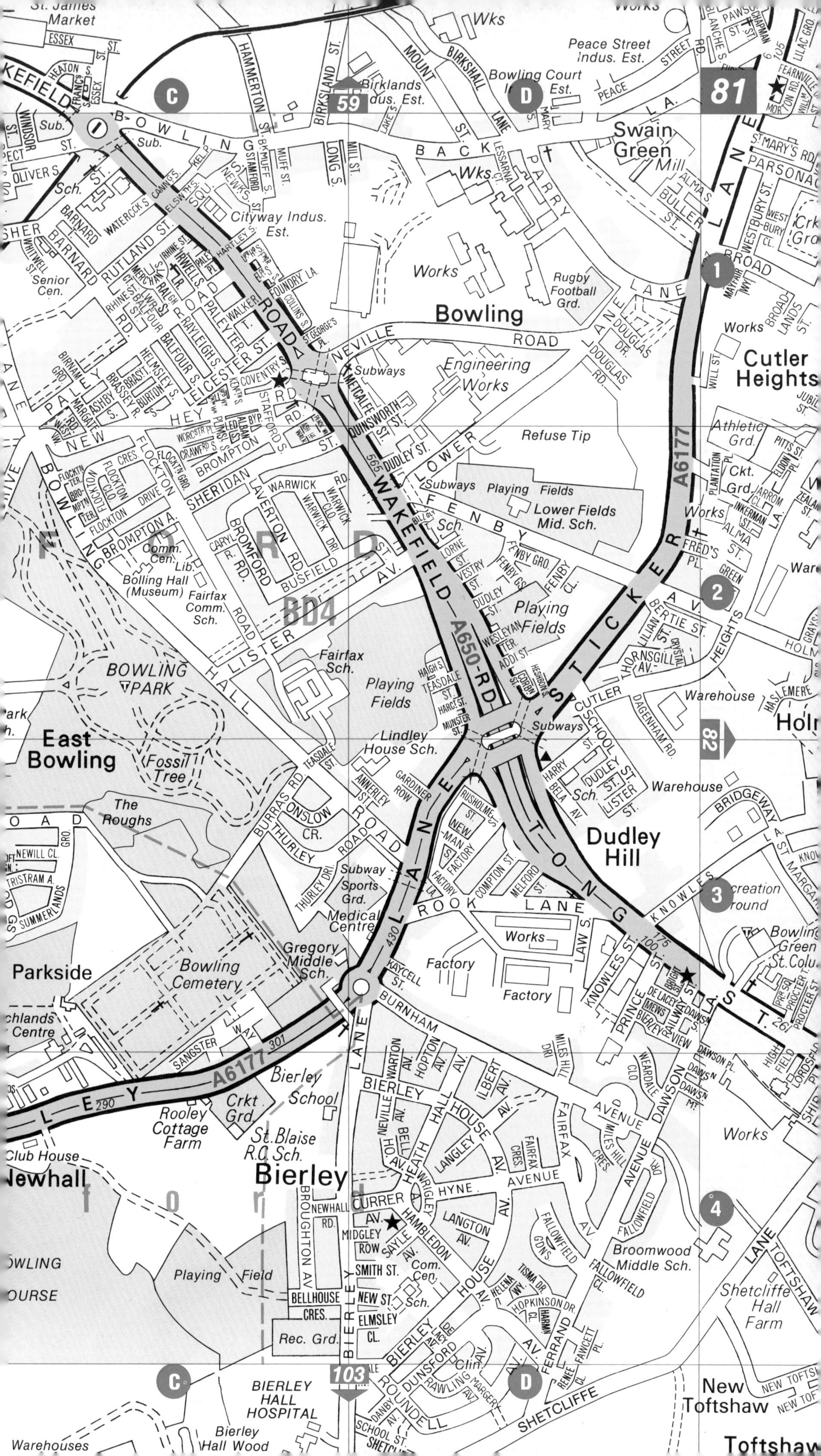

81
C
D
59
82
103
1
2
3
4
St. James Market
Peace Street Indus. Est.
Birklands Indus. Est.
Bowling Court Ind. Est.
Swain Green
Cityway Indus. Est.
Bowling
Cutler Heights
Engineering Works
Refuse Tip
Rugby Football Grd.
Lower Fields Mid. Sch.
Playing Fields
BD4
Bolling Hall (Museum)
Fairfax Comm. Sch.
Fairfax Sch.
BOWLING PARK
East Bowling
Fossil Tree
The Roughs
Lindley House Sch.
Dudley Hill
Bowling Cemetery
Gregory Middle Sch.
Parkside
Bierley School
Rooley Cottage Farm
St. Blaise R.C. Sch.
Bierley
Broomwood Middle Sch.
Shetcliffe Hall Farm
New Toftshaw
Toftshaw
BIERLEY HALL HOSPITAL
Bierley Hall Wood
Newhall
WAKEFIELD ROAD
A650 RD
A6177
STICKER LANE
TONG ST.
ROOKLEY LANE
BOWLING HALL ROAD
LISTER AV.
NEVILLE ROAD
ROOK LANE
BIERLEY LANE
BIERLEY HOUSE AV.
SHETCLIFFE

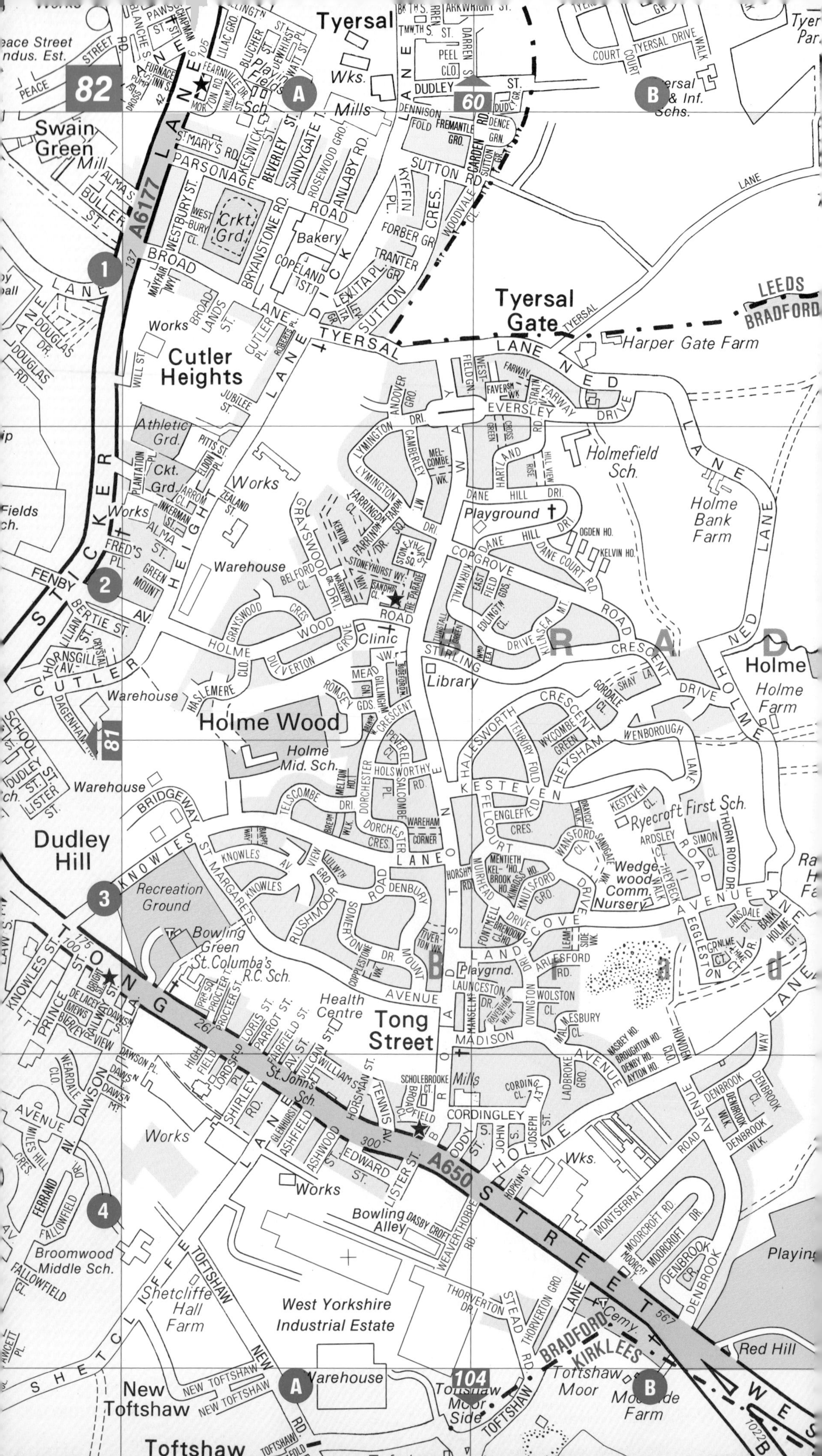

82
60
81
104
A
B
1
2
3
4
Tyersal
Wks.
Mills
Swain Green
Mill
Peace Street
Indus. Est.
A6177
STICKER LANE
PARSONAGE RD.
BROAD LANE
ST. MARY'S RD.
WESTBURY ST.
Crkt. Grd.
BRYANSTONE RD.
BEVERLEY ST.
SANDYGATE TER.
ROSEWOOD GRO.
ANLABY RD.
Bakery
COPELAND ST.
DICK LANE
SUTTON RD.
SUTTON CRES.
KYFFIN PL.
FORBER GR.
TRANTER GR.
WOODVALE CL.
DUDLEY ST.
DENNISON FOLD
FREMANTLE GRO.
PEEL CLO.
DARREN ST.
Tyersal Gate
TYERSAL LANE
LEEDS
BRADFORD
Harper Gate Farm
TYERSAL COURT
TYERSAL DRIVE
TYERSAL WALK
Tyersal Fst. & Inf. Schs.
LANE
Works
Cutler Heights
CUTLER HEIGHTS LANE
JUBILEE ST.
BROADLANDS ST.
Athletic Grd.
Ckt. Grd.
PITTS ST.
ELDON PL.
ZEALAND ST.
INKERMAN ST.
ALMA ST.
FRED'S PL.
GREEN MOUNT
FENBY AV.
BERTIE ST.
CUTLER LANE
DOUGLAS DR.
DOUGLAS RD.
Warehouse
NED LANE
EVERSLEY DRIVE
FARWAY
ANDOVER GRO.
LYMINGTON DRI.
CAMBERLEY MT.
MELCOMBE WK.
HARTLAND RD.
HILL VIEW RISE
DANE HILL DRI.
Playground
Holmefield Sch.
Holme Bank Farm
OGDEN HO.
KELVIN HO.
DANE COURT RD.
COPGROVE ROAD
GRAYSWOOD DRI.
FARRINGTON CL.
STONEYHURST WY.
THE PARADE
Clinic
HOLME WOOD ROAD
GRAYSWOOD CRES.
DULVERTON GROVE
HASLEMERE CLO.
STIRLING CRESCENT
Library
BRADFORD
Holme
Holme Farm
HOLME LANE
Holme Wood
Holme Mid. Sch.
ROMSEY GDS.
MEAD VW.
GILLINGHAM GN.
BIDEFORD AV.
HALESWORTH CRESCENT
TENBURY FOLD
WYCOMBE GREEN
HEYSHAM DRIVE
WENBOROUGH LANE
GORDALE CL.
SHAY LA.
KESTEVEN COURT
KESTEVEN CL.
Ryecroft First Sch.
FELCOURT
ENGLEFIELD CRES.
HOLSWORTHY RD.
SALCOMBE PL.
DORCHESTER CRES.
WAREHAM CORNER
TELSCOMBE DRI.
Warehouse
BRIDGEWAY
Dudley Hill
KNOWLES LANE
ST. MARGARETS RD.
Recreation Ground
Bowling Green
St. Columba's R.C. Sch.
RUSHMOOR ROAD
DENBURY MOUNT
SOMERTONE DR.
Wedgewood Comm. Nursery
WANSFORD CL.
KNUTSFORD GRO.
LANDSCOVE AVENUE
ARLESFORD RD.
WOLSTON CL.
LAUNCESTON DR.
Playgrnd.
Health Centre
Tong Street
MADISON AVENUE
LADBROKE GRO.
Mills
CORDINGLEY ST.
HOLME LANE
HOWDEN CLO.
NASEBY HO.
BROUGHTON HO.
DENBY HO.
AYTON HO.
DENBROOK WAY
DENBROOK WLK.
DENBROOK CL.
DENBROOK CR.
MONTSERRAT RD.
MOORCROFT RD.
MOORCROFT DR.
Wks.
EGGLESTON DR.
SIMON CL.
ARDSLEY CL.
THORN ROYD DRI.
Playing
TONG STREET
A650
St. Johns Sch.
Works
Bowling Alley
EDWARD ST.
LISTER ST.
TENNIS AV.
HORSMAN ST.
WILLIAMSON ST.
VULCAN ST.
PARROT ST.
LORIS ST.
PROCTER ST.
SHIRLEY RD.
LORDSFIELD PL.
HIGHFIELD RD.
DAWSON PL.
DAWSON AV.
DAWSON AVENUE
WEARDALE CLO.
MILES HILL CRES.
FERRAND AV.
FALLOWFIELD DRI.
FALLOWFIELD CL.
Broomwood Middle Sch.
KNOWLES ST.
PRINCE ST.
DE LACEY MEWS
BIERLEY VIEW
RAILWAY ST.
SCHOOL ST.
DUDLEY ST.
LISTER ST.
DAGENHAM RD.
Shetcliffe Hall Farm
SHETCLIFFE LANE
TOFTSHAW LANE
West Yorkshire Industrial Estate
WEAVERTHORPE RD.
THORVERTON DR.
THORVERTON GRO.
STEAD RD.
Cemy.
BRADFORD
KIRKLEES
Red Hill
Toftshaw Moor
Moorside Farm
Toftshaw Moor Side
TOFTSHAW LANE
Warehouse
New Toftshaw
NEW TOFTSHAW
NEW TOFTSHAW
NEW RD.
TOFTSHAW FOLD
Toftshaw

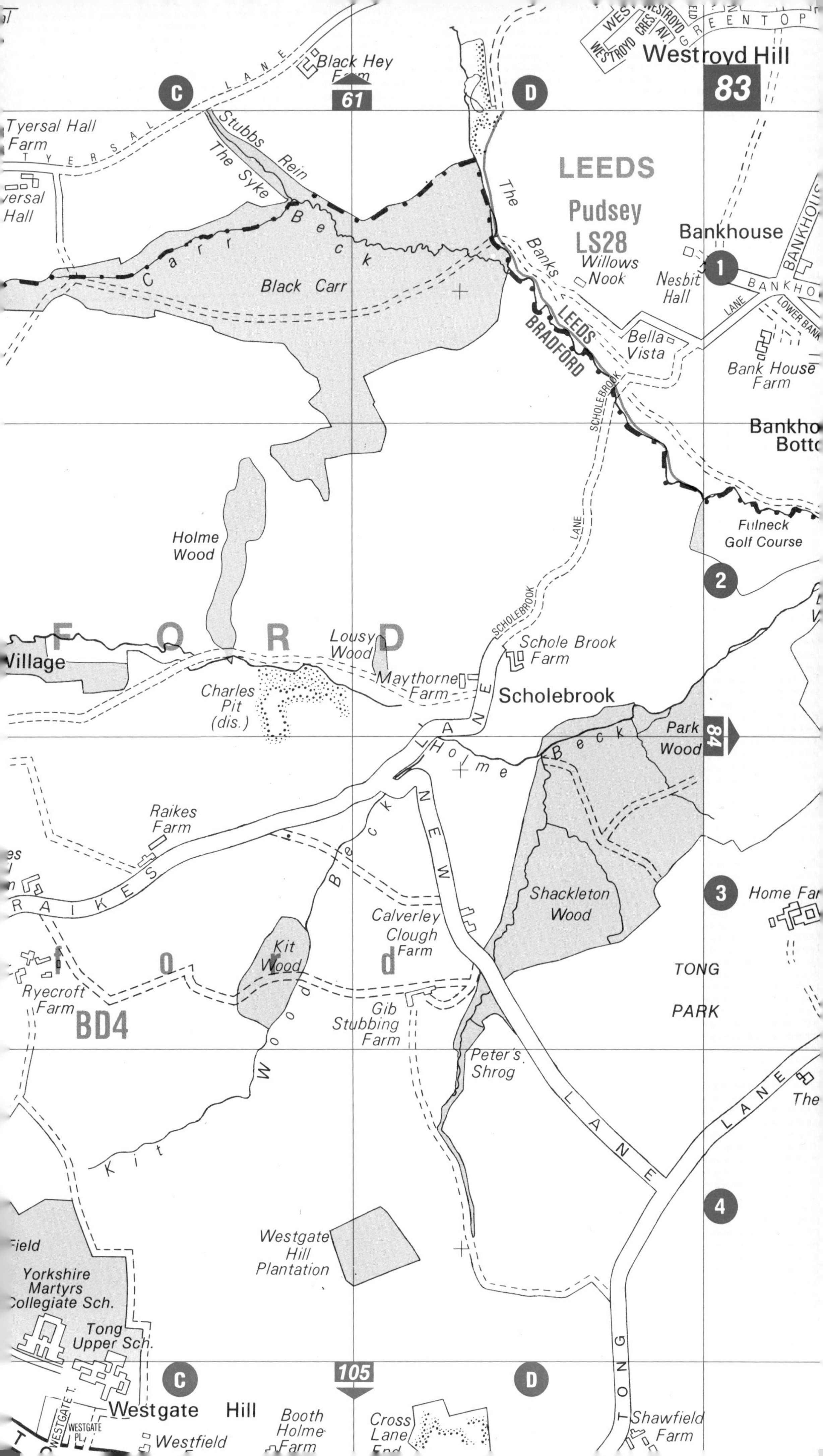

Black Hey Farm
61
C
D
Westroyd Hill
83
Tyersal Hall Farm
TYERSAL LANE
Tyersal Hall
Stubbs Rein
The Syke
Carr Beck
Black Carr
LEEDS
Pudsey
LS28
The Banks
Willows Nook
Bankhouse
Nesbit Hall
1
Bella Vista
LEEDS
BRADFORD
Bank House Farm
Bankho
Botto
SCHOLEBROOK LANE
Fulneck Golf Course
2
Holme Wood
FORD
Village
Lousy Wood
Schole Brook Farm
Maythorne Farm
Charles Pit (dis.)
Scholebrook
Park Wood
84
Holme Beck
Raikes Farm
RAIKES
Beck
NEW LANE
Calverley Clough Farm
Shackleton Wood
3
Home Far
Kit Wood
ford
Ryecroft Farm
BD4
Gib Stubbing Farm
TONG PARK
Peter's Shrog
Wood
Kit
LANE
The
4
Westgate Hill Plantation
Yorkshire Martyrs Collegiate Sch.
Tong Upper Sch.
105
Westgate Hill
Booth Holme Farm
Cross Lane End
TONG
Shawfield Farm
Westfield
WESTGATE PL.

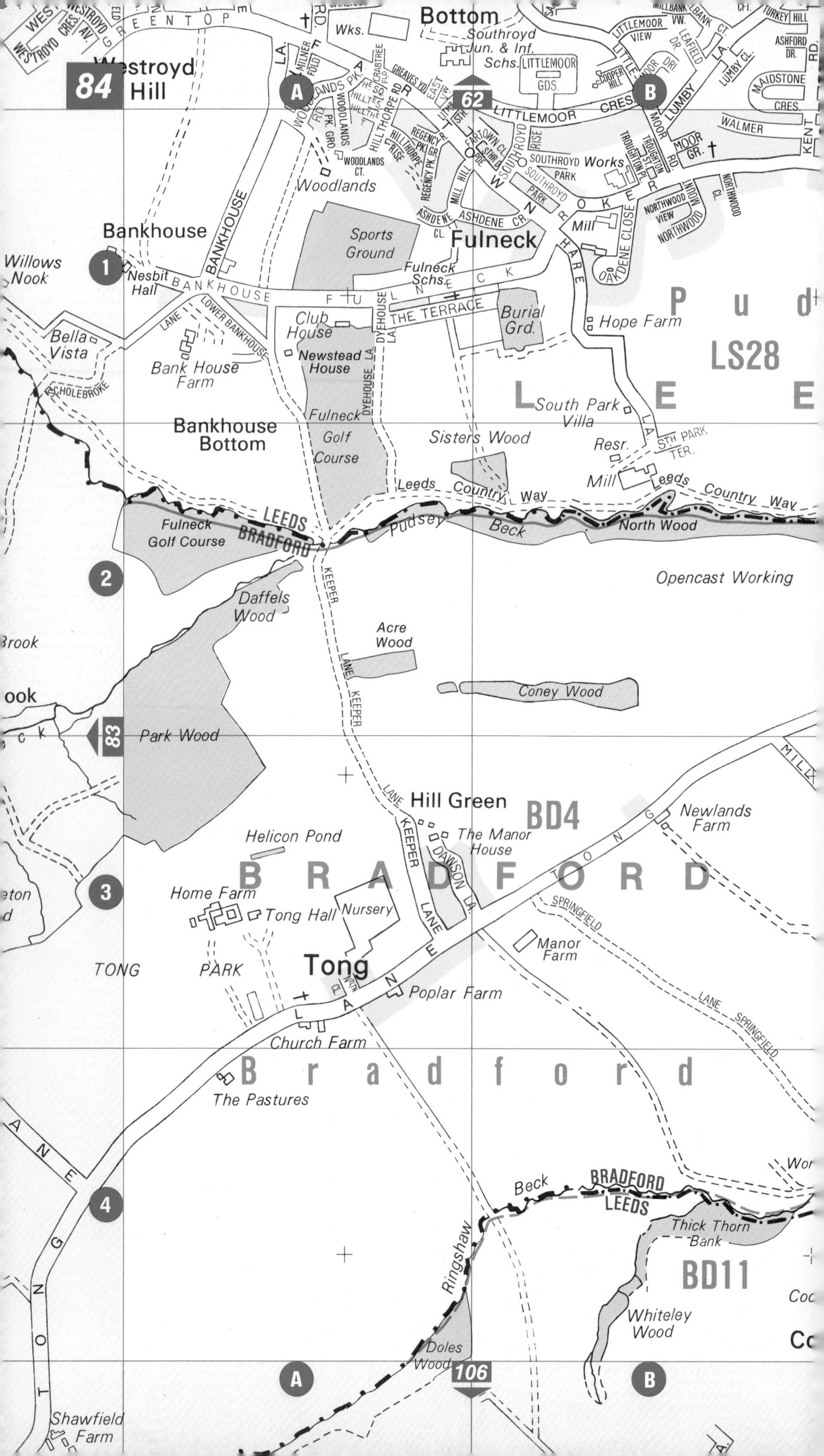

Westroyd Hill
Bottom
Southroyd Jun. & Inf. Schs.
Littlemoor Gds.
Littlemoor Cres.
Woodlands
Bankhouse
Willows Nook
Nesbit Hall
Bankhouse
Sports Ground
Fulneck
Fulneck Schs.
The Terrace
Burial Grd.
Club House
Newstead House
Hope Farm
Pudsey
LS28
LEEDS
Bella Vista
Bank House Farm
South Park Villa
Bankhouse Bottom
Fulneck Golf Course
Sisters Wood
Resr.
Mill
Leeds Country Way
Pudsey Beck
North Wood
Opencast Working
Daffels Wood
Acre Wood
Coney Wood
Keeper Lane
Park Wood
Hill Green
BD4
Newlands Farm
Helicon Pond
The Manor House
BRADFORD
Home Farm
Tong Hall
Nursery
Dawson La.
Springfield Lane
Manor Farm
TONG PARK
Tong
Poplar Farm
Church Farm
Tong Lane
The Pastures
Bradford
Beck
BRADFORD
LEEDS
Thick Thorn Bank
Ringshaw
BD11
Whiteley Wood
Doles Wood
Shawfield Farm

62
83
106

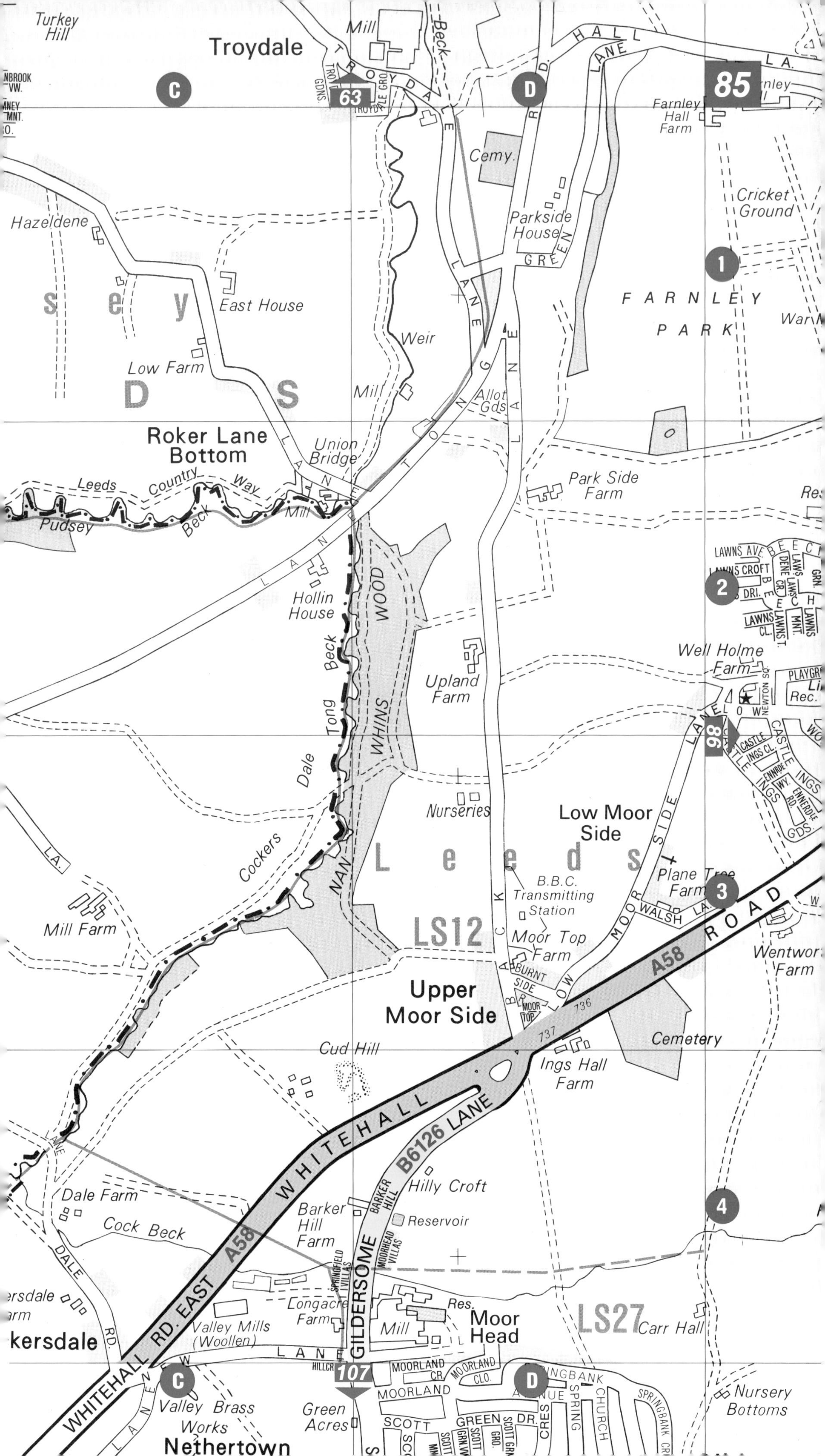

Turkey Hill
Troydale
Mill
Beck
HALL LANE
LA.
85
63
C
D
TROYDALE
Farnley Hall Farm
Cemy.
Cricket Ground
Hazeldene
Parkside House
GREEN
1
East House
FARNLEY PARK
Weir
Low Farm
Mill
Allot Gds
Roker Lane Bottom
Union Bridge
TONG
LANE
Park Side Farm
Leeds Country Way
Mill
Pudsey Beck
LAWNS AVE
LAWNS CROFT
2
Hollin House
WOOD
Well Holme Farm
Upland Farm
Tong Beck
WHINS
Dale
98
Low Moor Side
Nurseries
Leeds
Cockers
NAN
B.B.C. Transmitting Station
Plane Tree Farm
3
Mill Farm
LS12
MOOR SIDE
WALSH LA.
Moor Top Farm
ROAD
A58
Wentworth Farm
BURNT SIDE
MOOR TOP
Upper Moor Side
736
737
Cemetery
Cud Hill
Ings Hall Farm
WHITEHALL
B6126 LANE
Hilly Croft
Dale Farm
Barker Hill Farm
BARKER HILL
Reservoir
4
Cock Beck
A58
SPRINGFIELD VILLAS
GILDERSOME
MOORHEAD VILLAS
DALE RD.
Longacre Farm
Res.
Moor Head
LS27
Carr Hall
WHITEHALL RD. EAST
Valley Mills (Woollen)
Mill
LANE
107
MOORLAND CR.
MOORLAND CLO.
SPRINGBANK
Nursery Bottoms
Valley Brass Works
Green Acres
MOORLAND
AVENUE
SPRING
CHURCH
Nethertown
SCOTT
GREEN
DR.
CRES

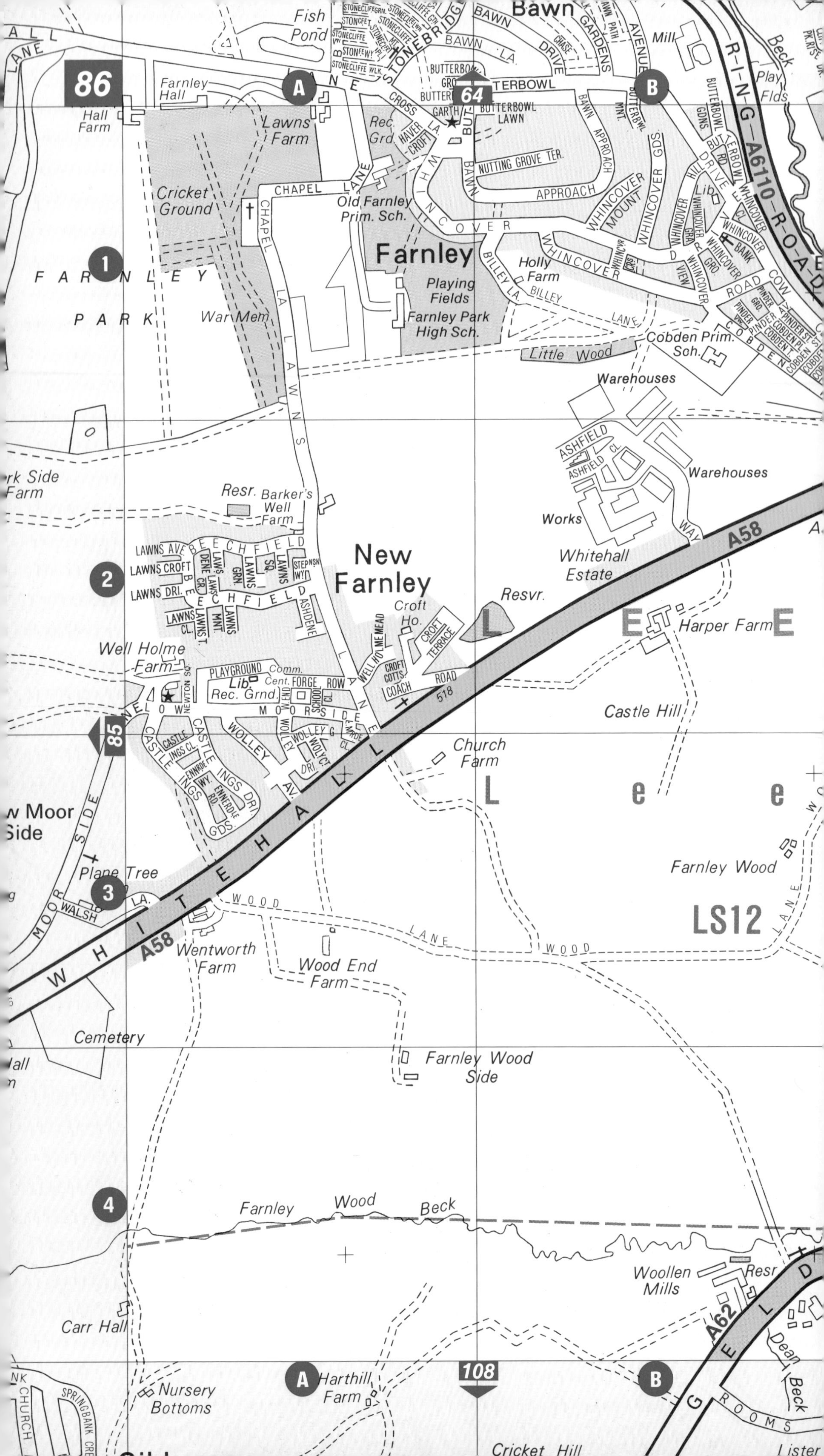

Fish Pond
Bawn
Farnley Hall
Hall Farm
Lawns Farm
Cricket Ground
Rec. Grd.
CHAPEL LANE
Old Farnley Prim. Sch.
Farnley
Playing Fields
Farnley Park High Sch.
Holly Farm
FARNLEY PARK
War Mem.
Little Wood
Cobden Prim. Sch.
Warehouses
Works
Whitehall Estate
RING ROAD
A6110
Resr.
Barker's Well Farm
New Farnley
Croft Ho.
Resvr.
Harper Farm
Castle Hill
Well Holme Farm
Lib.
Rec. Grnd.
Comm. Cent.
Church Farm
Plane Tree
WHITEHALL
A58
Wentworth Farm
Wood End Farm
WOOD LANE
Farnley Wood
LS12
Cemetery
Farnley Wood Side
Farnley Wood Beck
Woollen Mills
Carr Hall
Harthill Farm
Nursery Bottoms
Cricket Hill
A62
Dean Beck
64
85
108

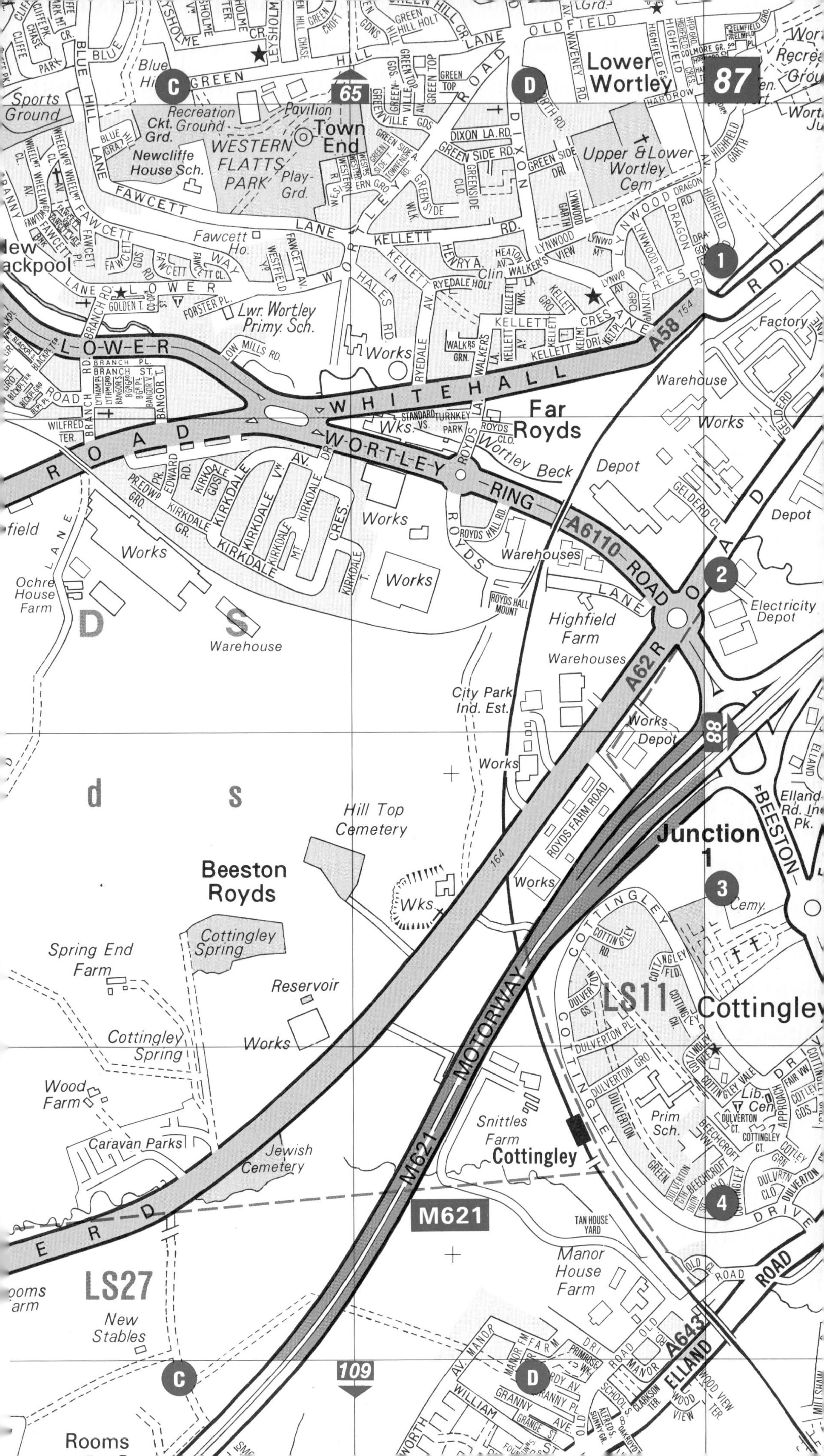
Lower Wortley
Sports Ground
Recreation Ground
Ckt. Grd.
Pavilion
Town End
Newcliffe House Sch.
WESTERN FLATTS PARK
Play-Grd.
Upper & Lower Wortley Cem
FAWCETT LANE
KELLETT RD.
DIXON LA. RD.
GREEN SIDE RD.
BLUE HILL LANE
GREEN HILL LANE
OLDFIELD LANE
Fawcett Ho.
Lwr. Wortley Primy. Sch.
LOWER WORTLEY ROAD
WHITEHALL ROAD
A58
Works
Far Royds
Wortley Beck
WORTLEY RING ROAD
A6110
Factory
Warehouse
Depot
Electricity Depot
Highfield Farm
Warehouses
City Park Ind. Est.
ROYDS FARM ROAD
Royds Hall Rd.
Ochre House Farm
Hill Top Cemetery
Beeston Royds
Cottingley Spring
Spring End Farm
Reservoir
Wood Farm
Caravan Parks
Jewish Cemetery
Snittles Farm
Cottingley
Junction 1
Elland Rd. Ind. Pk.
BEESTON
Cemy.
LS11
Prim Sch.
Lib. Cen
DULVERTON
COTTINGLEY DRIVE
M621 MOTORWAY
A62
Manor House Farm
TAN HOUSE YARD
ELLAND ROAD
A643
LS27
New Stables
Rooms
65
88
109

88
66
87
110
A
B
Lower Wortley
Wortley Recreation Ground
Wortley South Junction
Upper & Lower Wortley Cem
WHITEHALL ROAD
A58
Viaduct
Copley Hill Trad. Est.
GELDERD ROAD
A62
DOMESTIC RD.
A643
Playing Fields
BROWN LANE
Gelderd Trading Est.
Factory
Warehouse
Works
Dairy
LOW FIELDS ROAD
Islington
Matthew Murray Sch.
Depot
LS12
Latchmore Rd. Ind. Est.
M621
LS11
Junction 2
Warehouses
Electricity Depot
Leeds United Football Ground
ELLAND ROAD
Wks.
RING ROAD
A6110
MOTORWAY
Junction 1
Elland Rd. Ind. Pk.
Rec. Grnd.
Windmill Hill
Crow Nest Fm.
Beeston Prim. Sch.
Shop.Cen.
Hugh Gaitskell Prim. Sch.
St. Anthony's Prim. Sch.
Cemy.
Cottingley
Enterprise Pk. Ind. Est.
Playing Field
Beeston
Lib. Cen.
Prim Sch.
COTTINGLEY DRIVE
Factory
Mills
Special Sch.
Mill Shaw
MILLSHAW
BEESTON RING ROAD
A653
Arlington Business Centre

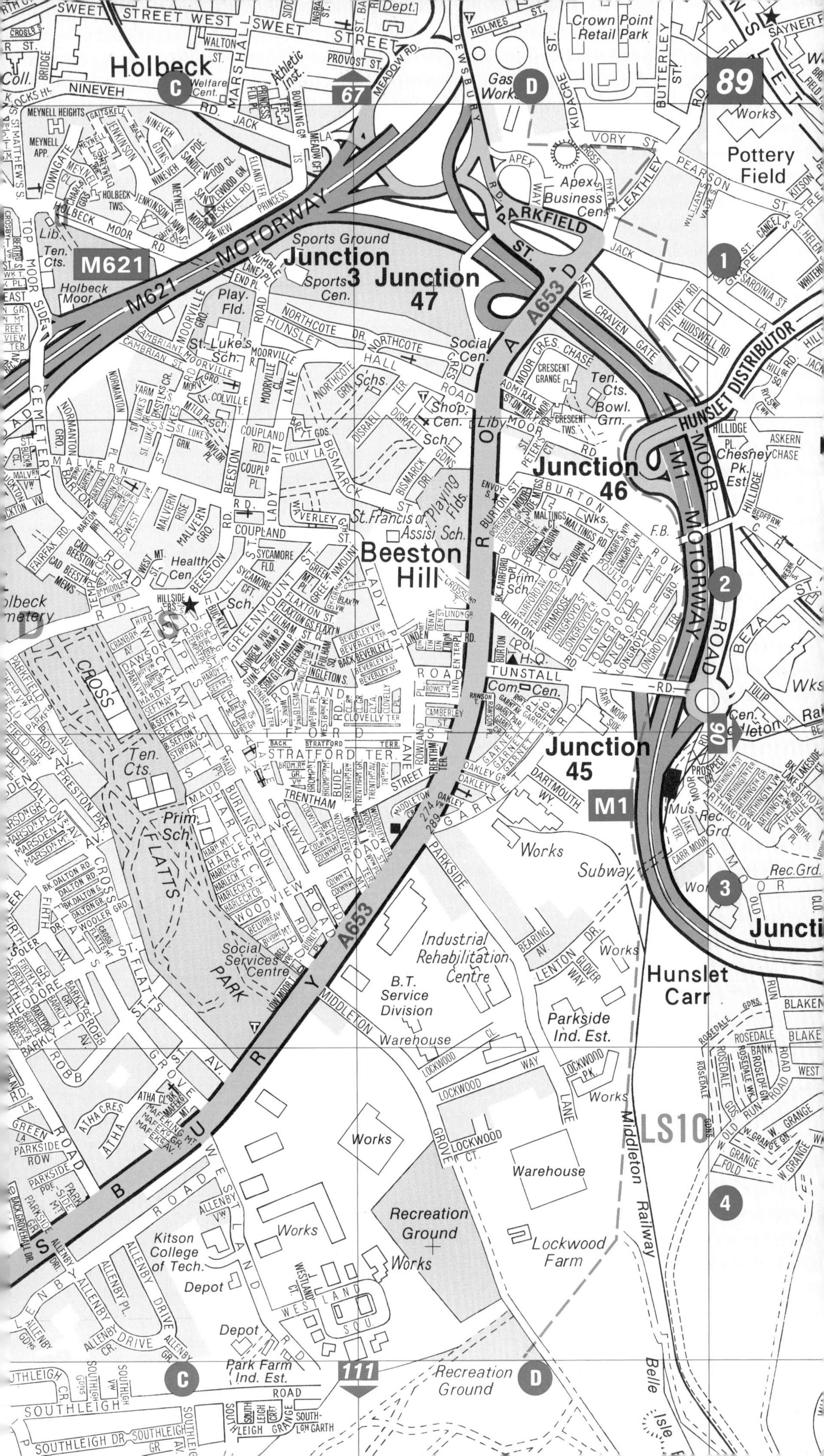

89
Holbeck
Sweet Street West
Sweet Street
Marshall St.
Nineveh Rd.
Jack La.
Athletic Inst.
Welfare Cent.
Provost St.
Meadow Rd.
67
Dewsbury Rd.
Gas Works
Crown Point Retail Park
Holmes St.
Kidacre St.
Butterley St.
Vory St.
Apex Way
Apex Business Cen.
Parkfield St.
Leathley Rd.
Pottery Field
Pearson St.
Jack La.
Sardinia St.
Pottery Rd.
Hudswell Rd.
Hunslet Distributor
Meynell Heights
Meynell App.
Towngate
Holbeck Moor Rd.
Top Moor Side
Lib.
Ten. Cts.
M621
Motorway
Holbeck Moor
Sports Ground
Junction 3
Junction 47
Sports Cen.
Play. Fld.
Northcote Dr.
Hunslet Hall Rd.
Social Cen.
New Craven Gate
Crescent Grange
Ten. Cts.
Bowl. Grn.
Moorville Gro.
St. Luke's Sch.
Cambrian St.
Cemetery Rd.
Normanton Gro.
Beeston Rd.
Lady Pit Lane
Coupland Rd.
Folly La.
Bismarck St.
Disraeli Ter.
Schs.
Shop. Cen.
Liby.
Sch.
Playing Flds.
Junction 46
Burton St.
Maltings Rd.
Moor Road
Hunslet Moor
M1 Motorway
Chesney Pk. Est.
Askern Chase
Hillidge
Malvern Rise
Malvern Gro.
Barton
Fairfax Rd.
Health Cen.
Hillside
St. Francis of Assisi Sch.
Beeston Hill
Prim. Sch.
Longroyd
Poulton Row
A653
Holbeck Cemetery
Hill Sch.
Greenmount St.
Flaxton St.
Beverley Ter.
Tunstall Rd.
Pol. H.Q.
Com. Cen.
Carr Moor Side
Beza St.
Tulip St.
Wks.
Cross Flatts
Dawson
Wickham St.
Ten. Cts.
Rowland Rd.
Stratford Ter.
Trentham St.
Camberley St.
Junction 45
Dartmouth Wy.
Garnet
Oakley Ter.
M1
Prim. Sch.
Flatts
Park
Harlech
Burlington
Colwyn Rd.
Woodview Rd.
Parkside
Works
Subway
Mus.
Rec. Grd.
Arthington
Avenue
Moor Rd.
Junction
Dalton Rd.
Preston Par.
Marsden Av.
Cross Flatts Av.
Theodore St.
Barkly
Robb Av.
Social Services Centre
Industrial Rehabilitation Centre
Bearing Av.
Lenton Dr.
Glover Way
Works
Hunslet Carr
B.T. Service Division
Middleton Rd.
Warehouse
Parkside Ind. Est.
Lockwood Way
Lockwood Pk.
Works
Blakeney
Rosedale Bank
Grove Av.
Atha Cres.
Mafeking
Dewsbury Rd.
Green Rd.
Parkside Row
Works
Lockwood Ct.
LS10
Middleton Railway
W. Grange
4
Westland Rd.
Allenby Rd.
Kitson College of Tech.
Depot
Works
Recreation Ground
Lockwood Farm
Warehouse
Allenby Drive
Allenby Pl.
Depot
Park Farm Ind. Est.
111
Recreation Ground
Belle Isle
Southleigh Cr.
Southleigh Dr.
Southleigh Grange
Road
C
D
1
2
3
90

Crown Point Retail Park
Sayner R.
Carlisle
Sayner Lane
Works
Brookfield St.
A
68
B
Albury R.
Clarence Rd.
Bridgewater Rd.
Knowsthorpe Cr.
Green
Ten. Cts.
Cross Green
Playing Fields
Long Causeway
Knowsthorpe
Vory St.
Leathley
Pearson
Pottery Field
Kitson Rd.
Works
Sth. Accommodation Road
Atkinson St.
Air St.
Donisthorpe St.
Pym
Emsley Pl.
Goodman Street
Yarn St.
Factory
Larchfield Rd.
Forster St.
Myrtle
Williams
Vaux S.
Jack La.
1
Cancel St.
Grape St.
St. Helen's St.
Sardinia St.
Whitehouse St.
Hunslet Distributor A61
Hillidge Rd.
Pottery Rd.
Hudswell Rd.
Craven Gate
Jack La.
Alton Ter.
Prosper St.
Stafford St.
Sports Ground
Swing Bri.
River Aire
Knostrop
Depots
Ten. Cts.
Bowl. Grn.
Hunslet Low Road A61
St. Joseph's Sch.
Joseph St.
Jack La.
Whitfield
Organ Yd.
Mill La.
Atkinson Hill
Hillidge Pl.
Askern Chase
Chesney Pk. Est.
Moor
Junction 46
Hunslet
Hunslet District Shopping Cen.
Waterloo Rd.
Cen.
Lib.
Prim. Sch.
Belinda
Hemingway
Balmoral St.
Severn
Severn Wy.
Thwaite Road
F.B.
2
Church St.
Anchor St.
Lytton St.
Powell St.
Grove Rd.
Hemingway Garth
Prim. Sch.
Balmoral Chase
New Pepper Rd.
Rocheford Close
Rocheford Gro.
Rocheford Walk
Rocheford Gds.
Derbyshire St.
Sch.
Sussex
Longroyd Ter.
Beza St.
Balm Road Ind. Est.
Lupton Street
Works
Midland Clo.
Midland Garth
Rd.
Road
Midland Road
Pepper Road
Sussex Ave.
Gate
Carr Moor Side
Wks.
Tulip
Railway
Beza Rd.
Cen. Middleton
Wks
Recreation Ground
Warehouse
Junction 45
89
Prospect Cr.
Norwich Av.
Flax Mill Rd.
Telford
Playfair Road
Works
LS10
Works
Woodhouse Hill
Arthington
Royal Gro.
Lakeside
Avenue
Mus.
Rec. Grd.
Longley's Yard
Telford St.
Leasowe Cl.
Leasowe Garth
Cricket Grd.
Wakefield Rd.
Subway
Carr Moor St.
Rec. Grd.
Arthington Ct.
Belle Isle Rd.
Leasowe Rd.
Clayton Rd.
3
M1
Moor Rd.
Moor Clo.
Junction 44
Woodhouse Sch.
Sandon Mt.
Montcalm Cr.
Clayton
Queen
Works
M1 Motorway
Hunslet Carr
Ebor T.
Hill
Westbury
F.B.
Run
Blakeney Gro.
Blakeney Rd.
Nursery Mt.
Southfield Mt.
F.B.
Parnaby Rd.
Almshouses
Scotts Road
Cemetery
Cemetery
Rosedale Gdns.
Rosedale Bank
Rosedale Wk.
Road
West Grange Dri.
East Grange Sq.
Grange Dri.
East Grange View
E. Grange Gth.
Junction 43
Works
Middleton Railway
Grange Cl.
W. Grange Gn.
W. Grange Fold
W. Grange Wk.
Avenue
Hill
East Grange Rd.
Rise
East Grange Ct.
Cemetery
4
East View
Grange Road
Winrose
Winrose Cres.
Low Grange
East Grange Cr.
Winrose Grove
Ring Road
Belle Isle Circus
Drive
Grange View
Middleton
Urn Farm
Belle Isle
A
112
B
Winrose Garth
Belle Isle Cl.
Belle Isle Rd.
Low Windmill
Windmill Road
Beam La.
Community Centre
Orion Wk.
Highlands Gro.
Highlands Wlk.
Middleton

Cross Green Industrial Estate
Works
LS9
Knostrop Rifle Range
Sewage Works
Filter Beds
Weir
Mill
Thwaite Gate
Thwaite House
Dandy Row
Football Grd.
Thwaite Cottages
Power Station
Waterside Ind. Pk.
Play. Fld.
Aire & Calder Navigation
RIVER AIRE
Warehouses
Sorting Office
Yorkshire Copper Works
Stourton
Sports Ground
Bison Works
LS26
Cinder Oven Bridge
KNOWSTHORPE LANE
PONTEFRACT LANE
PONTEFRACT ROAD
SKELTON GRANGE COTTAGES
B6481
A61
A639
M1 MOTORWAY
69
92
113

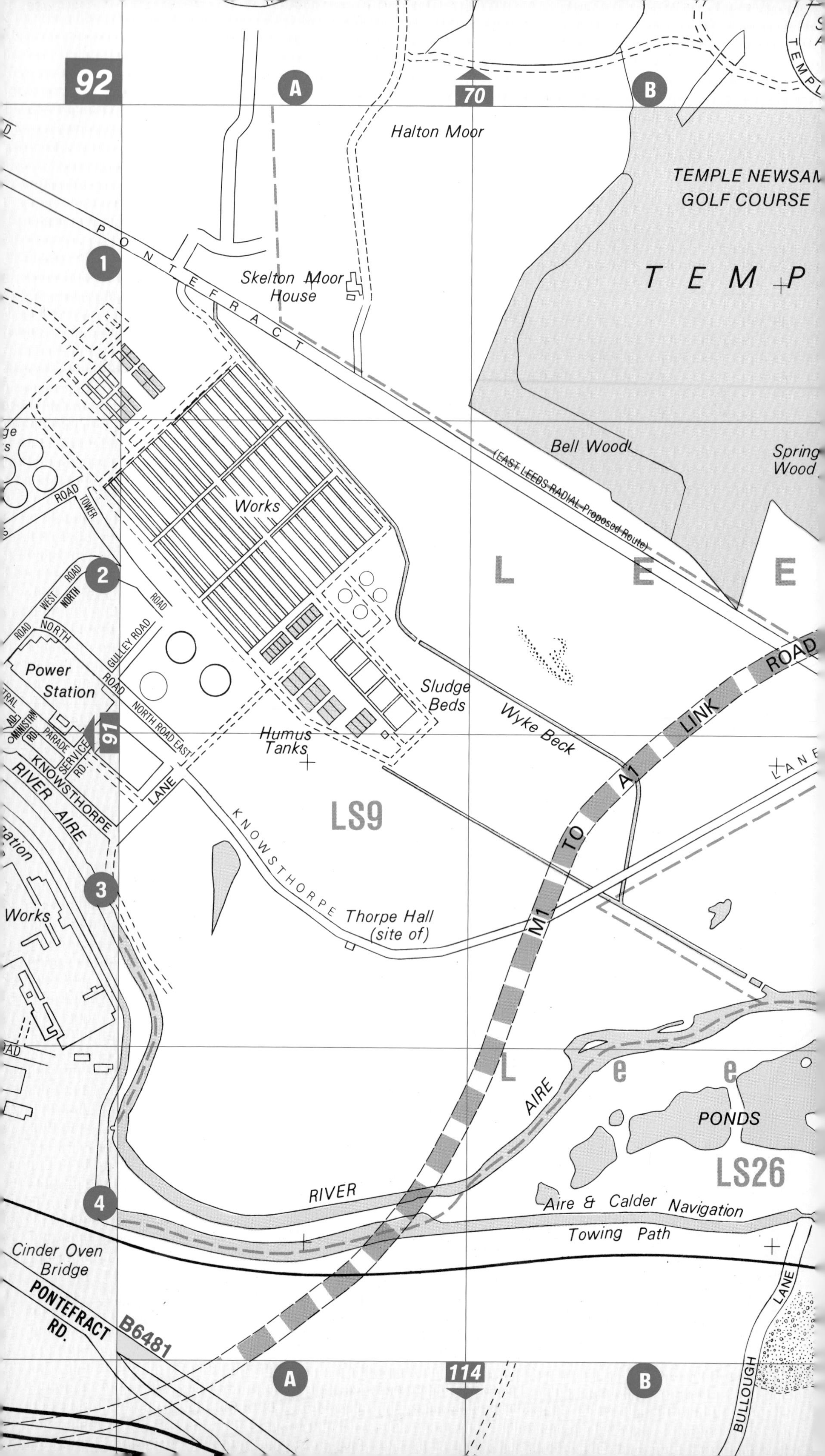
92
A
B
70
Halton Moor
TEMPLE NEWSAM
GOLF COURSE
TEMP
PONTEFRACT
Skelton Moor
House
Works
Bell Wood
Spring
Wood
(EAST LEEDS RADIAL-Proposed Route)
LEE
Power
Station
GULLEY ROAD
NORTH ROAD EAST
TOWER ROAD
Sludge
Beds
Wyke Beck
Humus
Tanks
91
LS9
M1 TO A1 LINK ROAD
KNOWSTHORPE LANE
KNOWSTHORPE
RIVER AIRE
Thorpe Hall
(site of)
Works
Lee
AIRE
PONDS
LS26
RIVER
Aire & Calder Navigation
Towing Path
Cinder Oven
Bridge
PONTEFRACT
RD.
B6481
BULLOUGH LANE
114
1
2
3
4

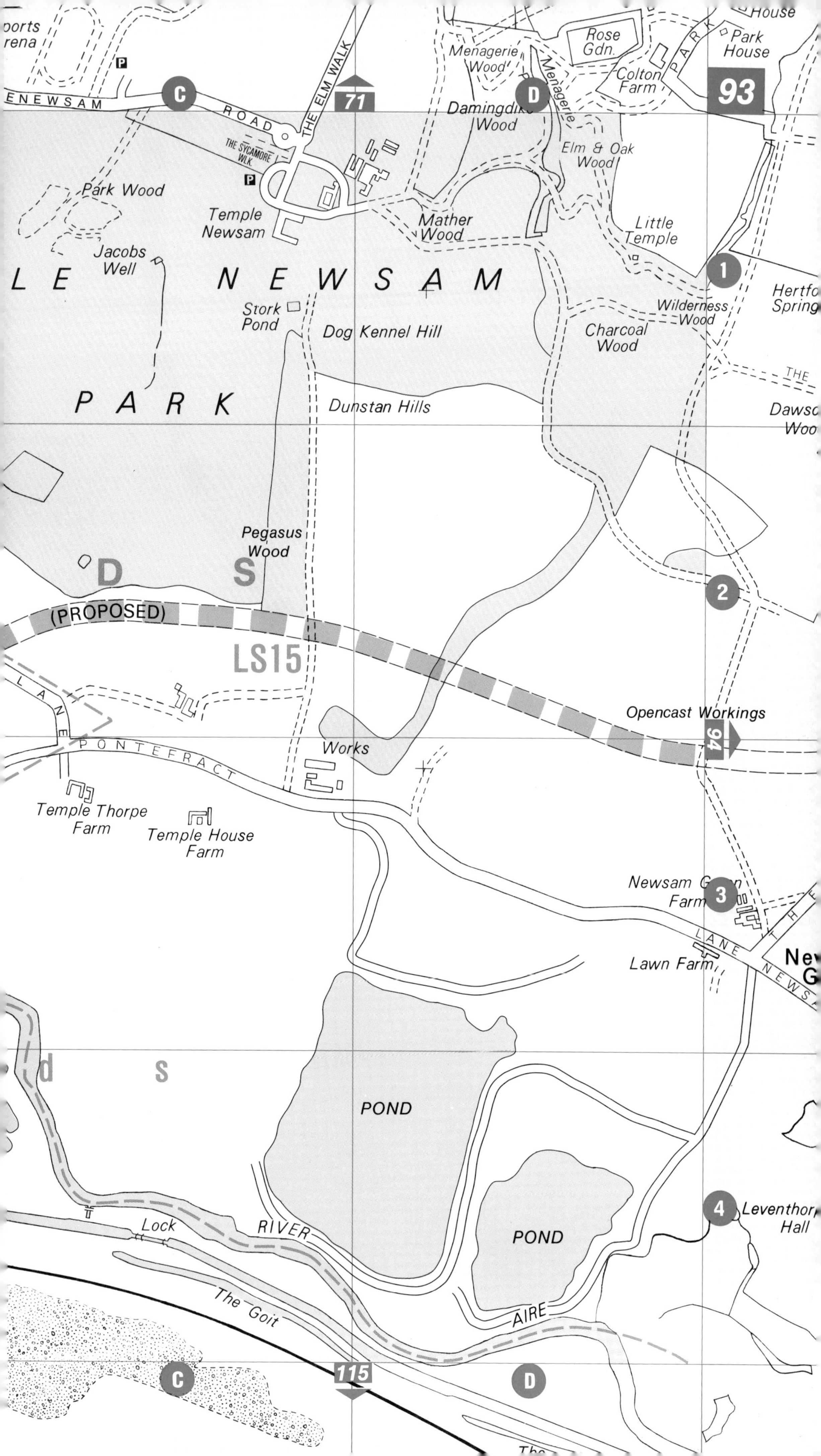

93
71
115
94
C
D
1
2
3
4
Sports Arena
NEWSAM
ROAD
THE ELM WALK
THE SYCAMORE WLK.
Menagerie Wood
Menagerie
Rose Gdn.
Colton Farm
PARK
Park House
House
Damingdike Wood
Elm & Oak Wood
Park Wood
Temple Newsam
Mather Wood
Little Temple
Jacobs Well
TEMPLE NEWSAM PARK
Stork Pond
Dog Kennel Hill
Wilderness Wood
Charcoal Wood
Hertford Spring
THE
Dunstan Hills
Dawson Wood
Pegasus Wood
D
S
(PROPOSED)
LS15
LANE
PONTEFRACT
Opencast Workings
Works
Temple Thorpe Farm
Temple House Farm
Newsam Green Farm
LANE
Lawn Farm
NEWSAM
THE
d
s
POND
POND
Leventhorpe Hall
Lock
RIVER
AIRE
The Goit

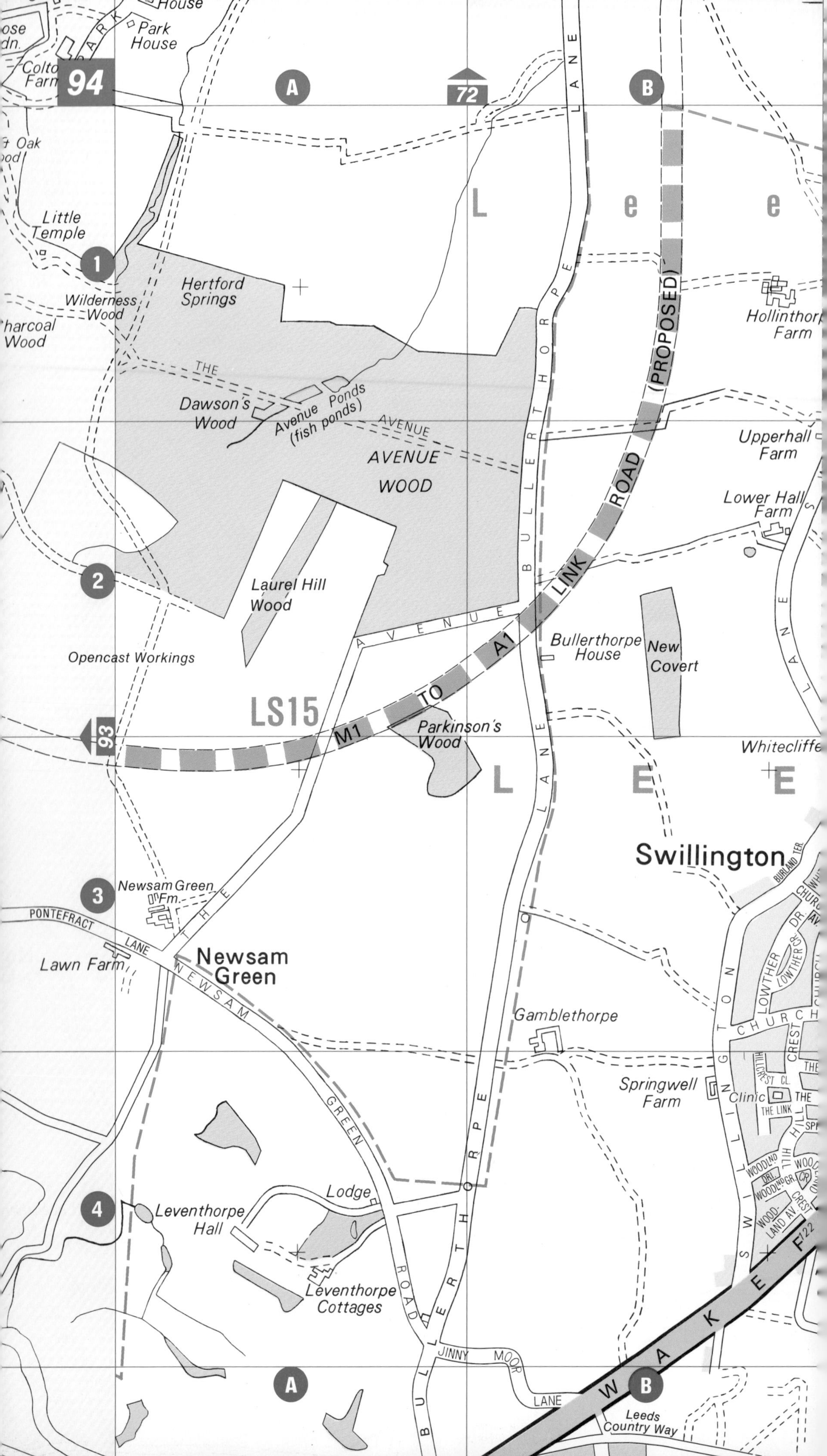

House
Park House
Colton Farm
A
72
B
Oak Wood
Little Temple
1
Hertford Springs
Wilderness Wood
Charcoal Wood
THE
Dawson's Wood
Avenue Ponds (fish ponds)
AVENUE
AVENUE WOOD
(PROPOSED)
ROAD
LINK
A1
TO
M1
Hollinthorpe Farm
Upperhall Farm
Lower Hall Farm
2
Laurel Hill Wood
AVENUE
Opencast Workings
Bullerthorpe House
New Covert
LS15
93
Parkinson's Wood
Whitecliffe
L E E
L e e
BULLERTHORPE LANE
Swillington
BURLAND TER.
3
Newsam Green Fm.
THE
PONTEFRACT LANE
Lawn Farm
Newsam Green
NEWSAM GREEN
Gamblethorpe
CHURCH
LOWTHER
Springwell Farm
Clinic
THE LINK
HILLCREST CL.
CREST
HILL
SWILLINGTON LANE
WOODLAND DRI.
WOODLAND GR.
WOODLAND AV.
4
Lodge
Leventhorpe Hall
Leventhorpe Cottages
ROAD
BULLERTHORPE
JINNY MOOR LANE
A
B
WAKEFIELD
Leeds Country Way

95
73
Garden Centre
Brookfield House
Brookfield Farm
Waterloo Manor
SELBY ROAD
WESTWAY
WESTBOURNE AV.
GOOSEFIELD
Garforth Bridge
LS15
LS25
LEEDS LANE
LEEDS ROAD
Motel
The Beck
Hollinthorpe
Hollinthorpe Low Farm
Syke House Farm
Mount Pleasant Farm
BRECKS LANE
Brecks Cottage
Brecks Farm
Works
WHITEHOUSE LANE
Smeaton House Farm
A642
LS26
WHITECLIFFE
NEVILLE
GROVE
Play. Field
Wks.
Rocol Ho.
Jun.-& Inf. Schs.
Goody Cross
GOODY CROSS VALE
CROSS LANE
GOODY LANE
HALL ROAD
THE GROVE
CHURCH CR.
PRIMROSE AV.
Lib.
CREST
AVENUE
SCOTT CL.
PLEASANCE
ST MARY'S AV.
Little Preston
Hall Farm
PRESTON VIEW
PARK AV.
Little Preston Hall
Comm. Cen.
ASTLEY AV.
Church Plantation
Pav.
Sports Ground
Football Ground
Home Farm
Works
ASTLEY WAY
ASTLEY LANE
Astley Lane Indus. Est.
Peasecroft Wood
C
D
1
2
3
4

Odd Moor
Cock Hill
Brookhouse
Park Lane Ends
74
Upper Brockholes
Upper Lane Head
Lower Brockholes
Stod Fold
Hebble Brook
Upper Brockholes Farm
Upton Ho.
Field Head
Mixenden Crag
Shaking Ho. Farm
Whitegate North
Weir
Offices
Pundles
West Scausby Farm
Upper West Scausby
Green Lane Farm
War Mem.
North Scausby
Vicarage
Scausby Hall
Illingworth Moor
Sports Grnd.
Recn. Grd.
Whitehill Jun. & Inf. Sch.
Play. Fld.
Ckt. Grd Vic.
North Halifax High Sch
Springfield Ho.
Goose Gate Farm
Threap Croft
Hydraulic Ram
Rye Croft
Library
Abbey Pk. Prim. Sch.
Fold Farm
Cobble Bank Farm
Mixenden
Edge End
Illingworth
Wrigley Hill
White Hill Farm
HX2
Tar Hill
Tar Hill Plantation
Play. Field
Bowl. Grn.
Pav.
Lodge
Playground
Playgrd.
Moss Coft.
Ten. Cts.
Bowl. Grn.
Pav.
Sports Grd.
Field Head
Lib.
Recn. Grd.
Ovenden Park
School
Play. Fld.
Bowl. Gn.
Forest Row
Calderdale Business Pk.
School
Forest Bank Sch.
Rake Bank
Sketton Bdgs.
Upper Brown Hirst
Lower Brown Hirst
Walt Royd
St. Malachys R.C. Sch.
Deanfield Jun. & Inf. Schs.
Play. Flds.
Comm. Cen.
Grey Stones
Green Hall
Riding
Mill
Box Trees
116
Playing Field
Page Hill
KEIGHLEY ROAD
A629
WHITEHILL ROAD
MIXENDEN ROAD
MILL LANE
OCCUPATION LA.
MOOR BOTTOM LA.
BEECHWOOD RD.
RIDING LANE

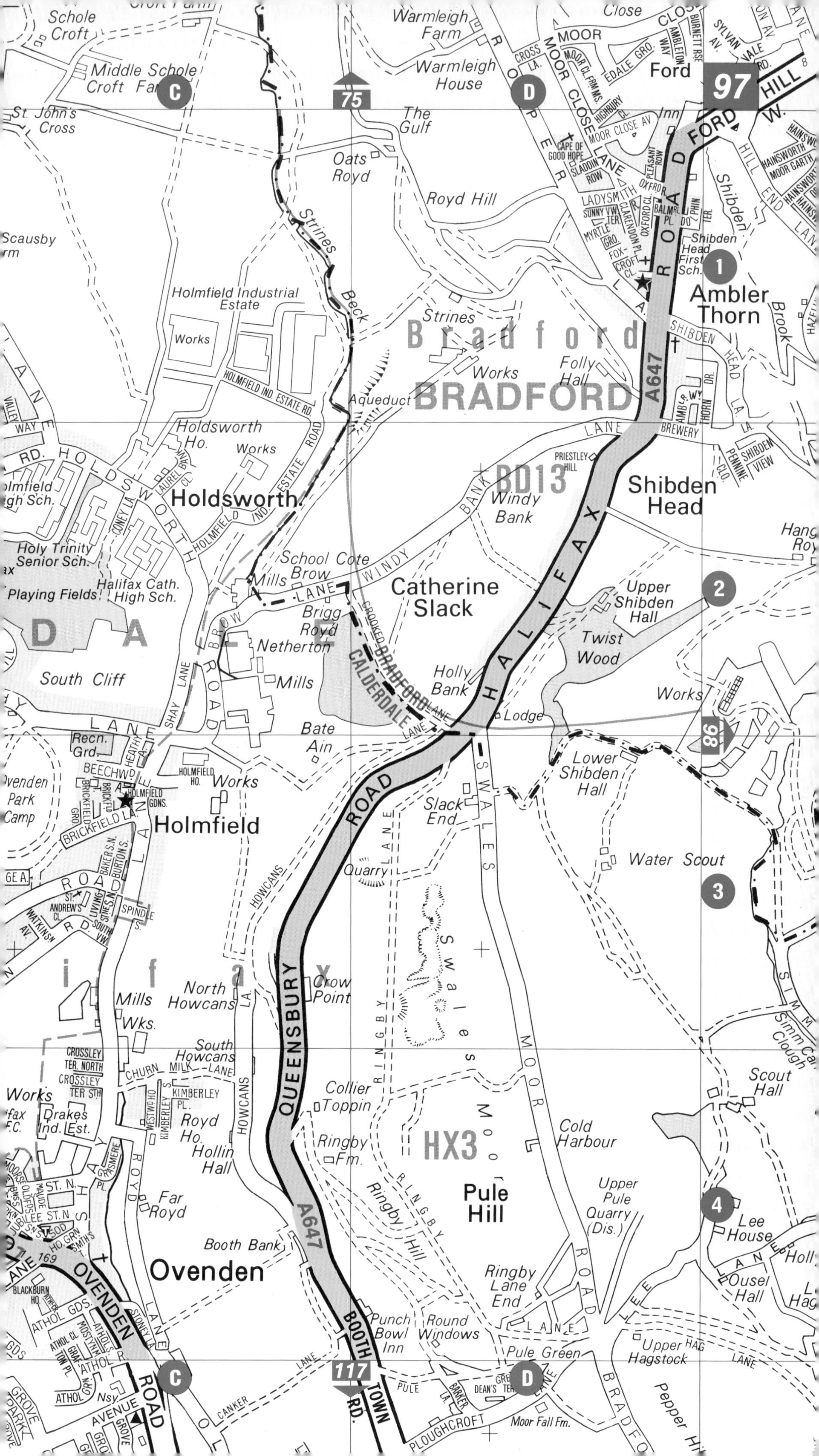
97
75
117
86
Schole Croft
Middle Schole Croft Farm
St. John's Cross
Scausby Farm
Warmleigh Farm
Warmleigh House
The Gulf
Oats Royd
Royd Hill
Strines Beck
Strines
Holmfield Industrial Estate
Works
HOLMFIELD IND. ESTATE RD.
Aqueduct
Bradford
BRADFORD
Folly Hall
Ford
MOOR CLOSE LANE
MOOR CLOSE AV.
CAPE OF GOOD HOPE
SLADDIN ROW
LADYSMITH
Inn
FORD HILL
Shibden Head First Sch.
Ambler Thorn
SHIBDEN HEAD LA.
Shibden Brook
A647
BREWERY LANE
PRIESTLEY HILL
BD13
Windy Bank
Shibden Head
WINDY BANK LANE
Holdsworth Ho.
Holdsworth
HOLDSWORTH RD.
Holmfield High Sch.
Holy Trinity Senior Sch.
Halifax Cath. High Sch.
Playing Fields
School Cote Brow
Mills
Brigg Royd
Netherton
Catherine Slack
Upper Shibden Hall
Twist Wood
Hang Royd
CROOKED LANE
BRADFORD
CALDERDALE
Holly Bank
Lodge
HALIFAX ROAD
South Cliff
SHAY LANE
BROW ROAD
Bate Ain
Recn. Grd.
Ovenden Park Camp
HOLMFIELD HO.
Works
Holmfield
BRICKFIELD LA.
Lower Shibden Hall
Slack End
SWALES MOOR ROAD
Quarry
Water Scout
HOWCANS LA.
QUEENSBURY ROAD
Crow Point
North Howcans
Mills Wks.
South Howcans
CHURN MILK LANE
Swales Moor
RINGBY LANE
Collier Toppin
Ringby Fm.
HX3
Cold Harbour
Simm Carr Clough
Scout Hall
Royd Ho.
Hollin Hall
Drakes Ind. Est.
Far Royd
Ringby Hill
Pule Hill
Upper Pule Quarry (Dis.)
Lee House
Booth Bank
Ovenden
OVENDEN ROAD
Ringby Lane End
Ouzel Hall
Punch Bowl Inn
Round Windows
Pule Green
Upper Hagstock
HAG LANE
Pepper Hill
BOOTH TOWN RD.
CANKER LANE
PLOUGHCROFT
Moor Fall Fm.
AVENUE
Halifax
D
A
L
E
C
D
1
2
3
4

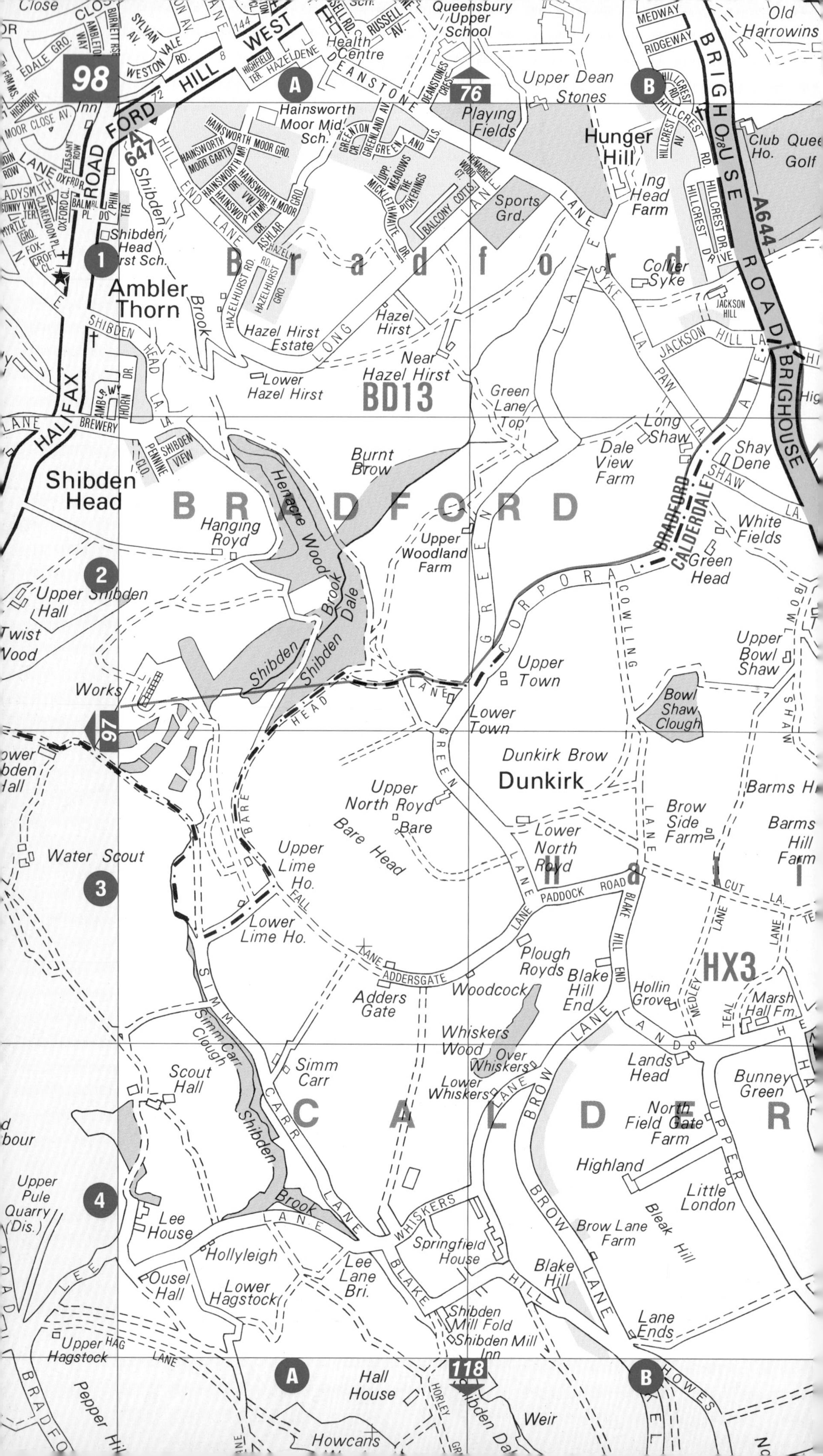

76
97
118
A
B
1
2
3
4
Queensbury Upper School
Health Centre
Old Harrowins
Upper Dean Stones
Playing Fields
Hunger Hill
Club House
Queens Golf
Hainsworth Moor Mid. Sch.
Sports Grd.
Ing Head Farm
Shibden Head Frst Sch.
Ambler Thorn
Bradford
Collier Syke
Jackson Hill
Hazel Hirst Estate
Hazel Hirst
Near Hazel Hirst
Lower Hazel Hirst
BD13
Green Lane Top
Long Shaw
Dale View Farm
Shay Dene
Burnt Brow
Shibden Head
BRADFORD
Hanging Royd
Henacre Wood
Upper Woodland Farm
White Fields
Green Head
Upper Shibden Hall
Twist Wood
Shibden Dale
Upper Town
Upper Bowl Shaw
Works
Lower Town
Bowl Shaw Clough
Dunkirk Brow
Dunkirk
Barms Hill Farm
Upper North Royd
Bare
Bare Head
Brow Side Farm
Water Scout
Upper Lime Ho.
Lower North Royd
Halifax
Lower Lime Ho.
Plough Royds
Blake Hill End
Hollin Grove
HX3
Marsh Hall Fm.
Adders Gate
Woodcock
Whiskers Wood
Over Whiskers
Lower Whiskers
Lands Head
Bunney Green
Simm Carr
Simm Carr Clough
Scout Hall
CALDER
North Field Gate Farm
Highland
Little London
Upper Pule Quarry (Dis.)
Lee House
Springfield House
Brow Lane Farm
Bleak Hill
Hollyleigh
Lee Lane Bri.
Blake Hill
Ousel Hall
Lower Hagstock
Shibden Mill Fold
Shibden Mill Inn
Lane Ends
Upper Hagstock
Hall House
Weir
Howcans
Pepper Hill
A647
A644
HALIFAX ROAD
BRIGHOUSE ROAD
HILL END LANE
LONG LANE
GREEN LANE
CORPORAL LANE
SHIBDEN HEAD LANE
BREWERY LANE
PADDOCK ROAD
ADDERSGATE
BLAKE HILL END
SIMM CARR LANE
LEE LANE
WHISKERS LANE
BROW LANE
BLAKE HILL
COWLING LANE
JACKSON HILL LA.
SHAW LA.
CUT LA.
MEDLEY LANE
LANDS
UPPER
BRADFORD CALDERDALE

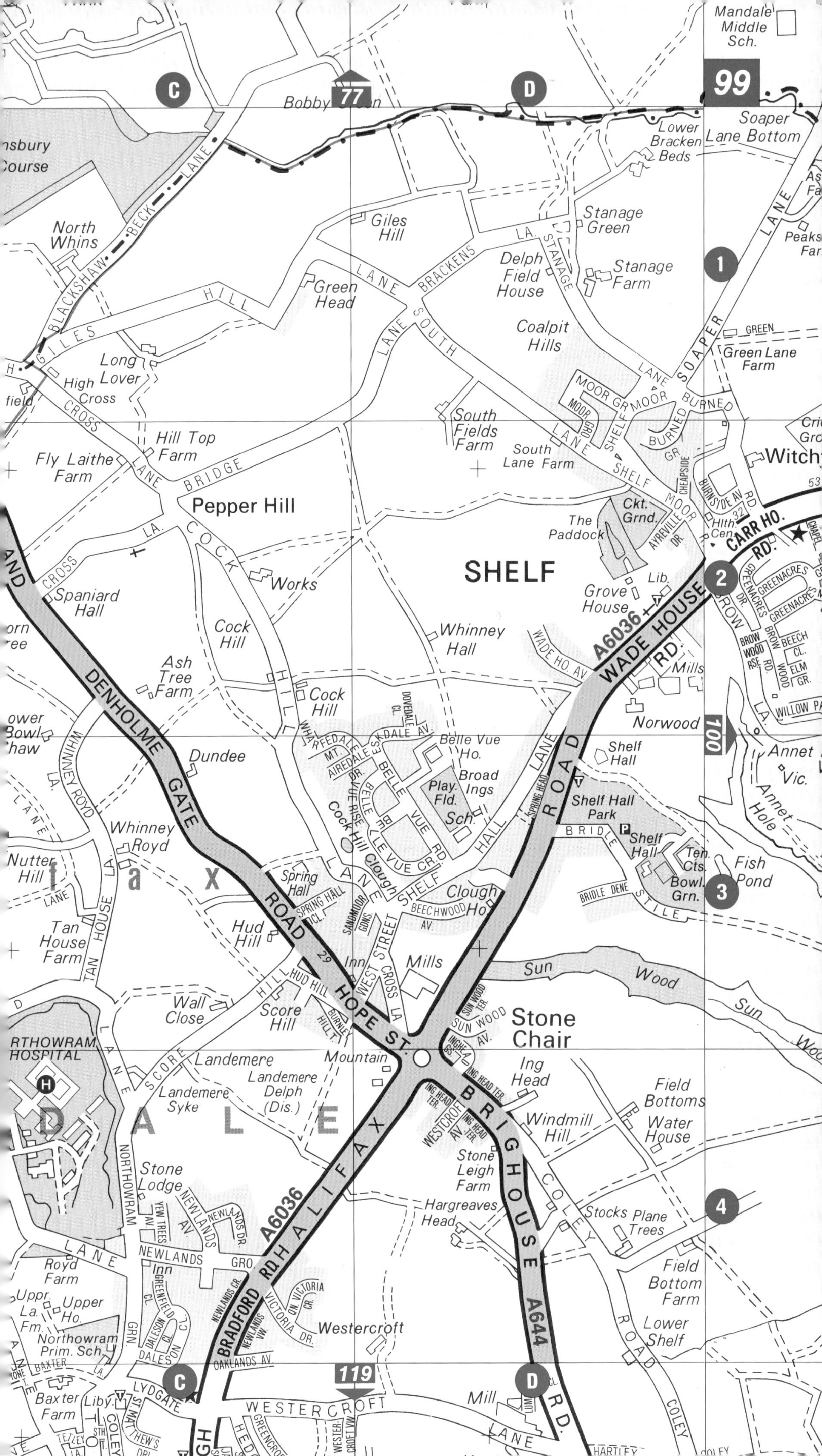
99
77
119
100
C
D
1
2
3
4
Mandale Middle Sch.
Bobby Green
Soaper Lane Bottom
Lower Bracken Beds
North Whins
Blackshaw Beck Lane
Giles Hill
Stanage Green
Stanage Farm
Delph Field House
Green Head
Brackens Lane
South Lane
Coalpit Hills
Green Lane Farm
Long Lover
High Cross
Hill Top Farm
Fly Laithe Farm
South Fields Farm
South Lane Farm
Moor Gro.
Shelf Moor Rd.
Burned Gr.
Cheapside
Burnside Av.
Hlth. Cen.
Carr Ho. Rd.
Witch
Pepper Hill
Bridge Lane
Cock Hill
Ckt. Grnd.
The Paddock
Ayreville Dr.
SHELF
Grove House
Lib.
Greenacres
Brow Wood Rse.
Beech Cl.
Elm Gr.
Willow Pk.
Spaniard Hall
Works
Whinney Hall
Wade Ho. Av.
A6036
Wade House Rd.
Mills
Norwood
Shelf Hall
Annet Vic.
Annet Hole
Ash Tree Farm
Denholme Gate Road
Dundee
Dovedale Cl.
Eskdale Av.
Wharfedale Mt.
Airedale Dr.
Belle Vue Ho.
Broad Ings
Play. Fld.
Sch.
Belle Vue Rise
Belle Vue Rd.
Belle Vue Cr.
Spring Head Lane
Hall Lane
Shelf Hall Park
Bridle Stile
Bridle Dene
Ten. Cts.
Bowl. Grn.
Fish Pond
Whinney Royd
Nutter Hill
Spring Hall
Spring Hall Cl.
Cock Hill Clough
Shelf Clough Ho.
Beechwood Av.
Sandmoor Gdns.
West Street
Cross La.
Tan House Farm
Tan House La.
Hud Hill
Inn
Mills
Sun Wood
Wall Close
Score Hill
Hud Hill
Burney Hill
Hope St.
Sun Wood Ter.
Sun Wood Av.
Stone Chair
Northowram Hospital
Landemere
Landemere Delph (Dis.)
Landemere Syke
Score Lane
Mountain
Ingfield Gs.
Ing Head Ter.
Ing Head
Field Bottoms
Water House
Windmill Hill
Westcroft Av.
Brighouse Road
Stone Leigh Farm
Coley Road
Stone Lodge
Northowram Lane
Newlands Av.
Yew Trees Av.
Newlands Dr.
Hargreaves Head
Stocks Plane Trees
Halifax Rd.
A6036
Newlands Gro.
Royd Farm
Greenfield Cl.
Daleson Cl.
Newlands Cr.
On. Victoria Cr.
Victoria Dr.
Field Bottom Farm
Uppr. La. Fm.
Upper Ho.
Northowram Prim. Sch.
Westercroft
Lower Shelf
A644
Bradford
Newlands Vw.
Oaklands Av.
Baxter La.
Baxter Farm
Liby.
Lydgate
St. Matthew's
Coley
Westercroft
Mill Lane
Hartley
Halifax
Dale

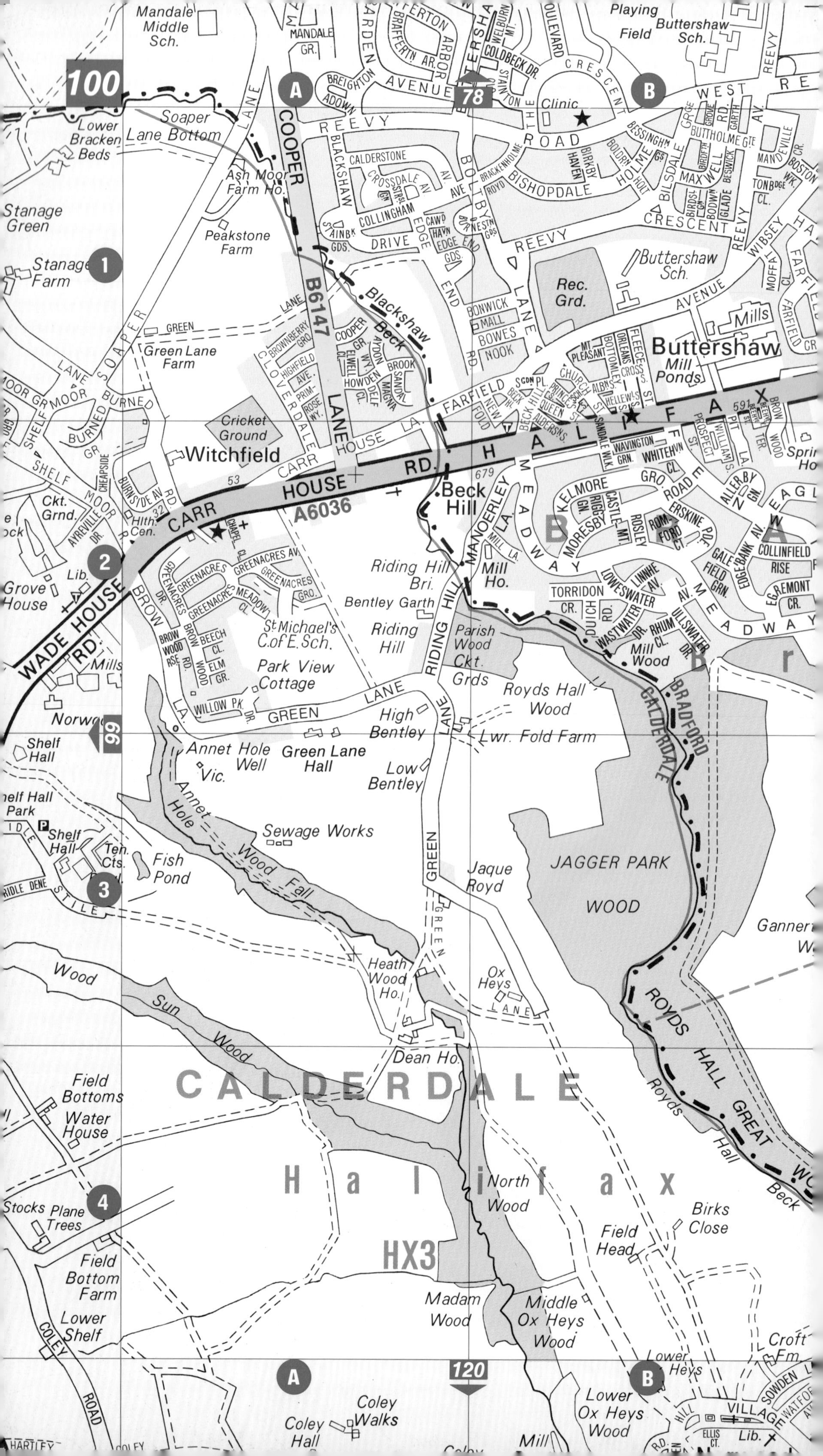
Mandale Middle Sch.
MANDALE GR.
BREIGHTON
ADOWN
AVENUE
BRAFFERTON ARBOR
COLDBECK DR.
WELBURN MT.
STAINTON
BOULEVARD
CRESCENT
Playing Field
Buttershaw Sch.
REEVY
A
B
78
Clinic
WEST
Lower Bracken Beds
Soaper Lane Bottom
LANE
COOPER
REEVY
ROAD
BLACKSHAW
CALDERSTONE
CROSSDALE AV.
COLLINGHAM
DRIVE
EDGE
EDGE END
BOLTBY
BRACKENHOLME
BISHOPDALE
BIRKBY HAVEN
BESSINGHM
HOLME
BILSDALE
MAXWELL
BUTTHOLME GTE.
MANDEVILLE
BOSTON WK.
TONBDGE CL.
CRESCENT
REEVY
WIBSEY
Ash Moor Farm Ho.
Stanage Green
Peakstone Farm
1
Stanage Farm
B6147
Blackshaw Beck
Rec. Grd.
Buttershaw Sch.
AVENUE
Mills
FARFIELD
SOAPER
GREEN
Green Lane Farm
LANE
BROWNBERRY GRO.
HIGHFIELD
CLOVERDALE
COOPER
BONWICK MALL
BOWES NOOK
MT. PLEASANT
Buttershaw
Mill Ponds
MOOR GR.
MOOR
BURNED
SHELF
LANE
FARFIELD
CHURCH
QUEEN
HALIFAX
591
Cricket Ground
Witchfield
CARR HOUSE LA.
CARR HOUSE RD.
WAVINGTON GRN.
WHITEHVN CL.
PROSPECT
SHELF MOOR
CHEAPSIDE
BURNSIDE AV.
53
679
Beck Hill
KELMORE
MEADWAY
ERSKINE
ALLERBY GN.
Ckt. Grnd.
AYREVILLE DR.
Hlth. Cen.
32
CARR
A6036
MANOERLEY
MILL LA.
Mill Ho.
MORESBY
CASTLE MT.
ROSLEY
ROMFORD CT.
GALEFIELD GRN.
EDGEBANK AV.
COLLINFIELD RISE
REMONT CR.
2
Lib.
Grove House
GREENACRES
GREENACRES AV.
Riding Hill Bri.
Bentley Garth
TORRIDON CR.
LOWESWATER
LINNHE AV.
WADE HOUSE RD.
BROW
St. Michael's C. of E. Sch.
Riding Hill
Parish Wood Ckt. Grds
Mill Wood
RHUM CL.
ULLSWATER DR.
MEADWAY
Mills
BROW WOOD RD.
BEECH CL.
ELM GR.
Park View Cottage
RIDING HILL
Royds Hall Wood
CALDERDALE
BRADFORD
Norwood
99
WILLOW PK. DR.
GREEN LANE
High Bentley
Lwr. Fold Farm
Shelf Hall
Annet Hole Well
Green Lane Hall
Vic.
Low Bentley
Shelf Hall Park
Annet Hole Wood Fall
Sewage Works
Shelf Hall
Ten. Cts.
Fish Pond
GREEN LANE
Jaque Royd
JAGGER PARK WOOD
3
STILE
Gannerthorpe
Wood
Heath Wood Ho.
Ox Heys LANE
ROYDS HALL GREAT WOOD
Sun Wood
Dean Ho.
Royds Hall Beck
CALDERDALE
Field Bottoms
Water House
Halifax
North Wood
4
Stocks
Plane Trees
Birks Close
Field Head
HX3
Field Bottom Farm
Lower Shelf
COLEY ROAD
Madam Wood
Middle Ox Heys Wood
Croft Fm.
Lower Heys
A
120
B
Coley Walks
Coley Hall
Lower Ox Heys Wood
Mill
VILLAGE
SOWDEN
ELLIS CT.
Lib.

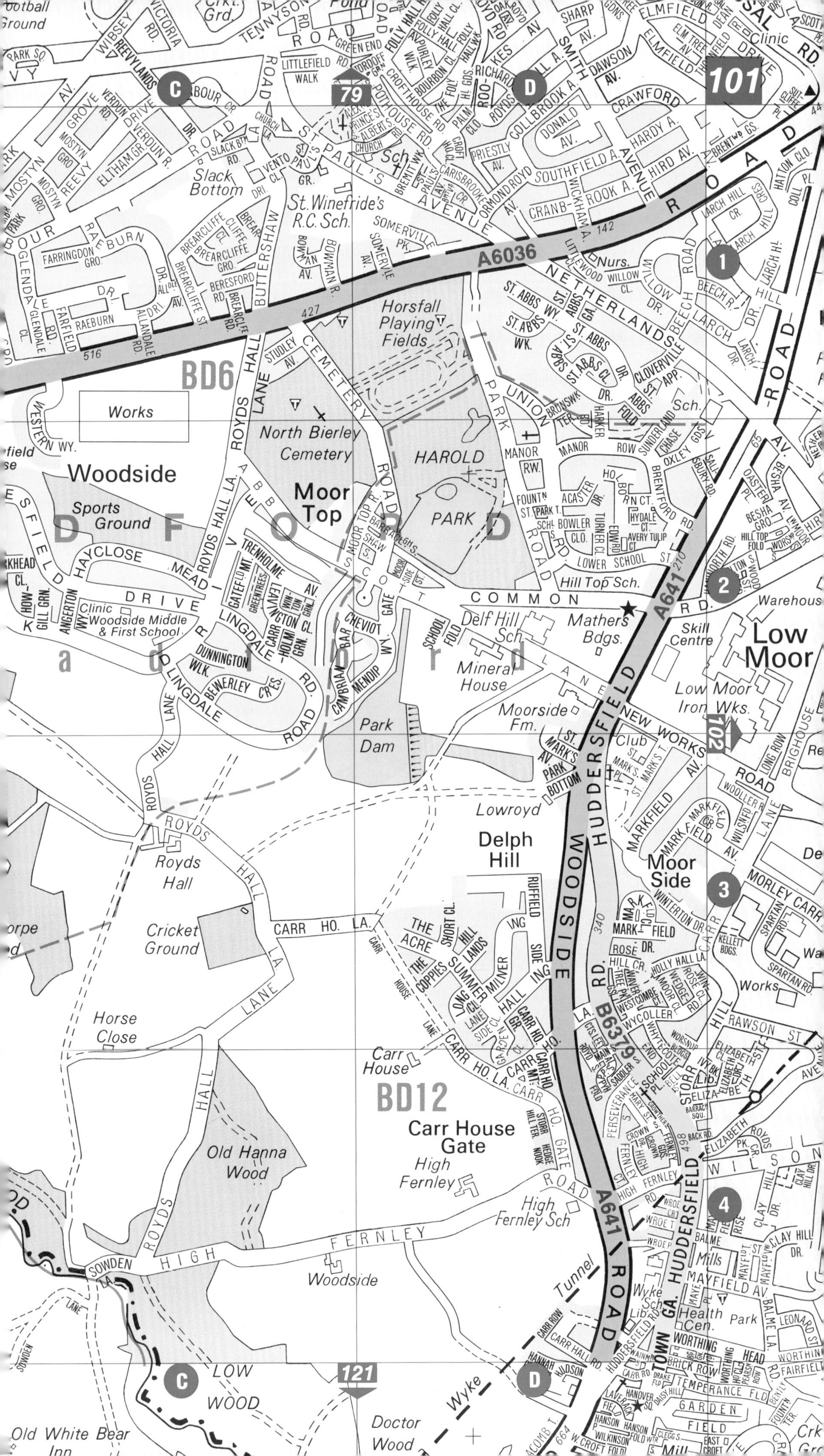
101
79
121
102
BD6
BD12
A6036
A641
B6379
Woodside
Moor Top
Low Moor
Moor Side
Delph Hill
Royds Hall
Carr House Gate
North Bierley Cemetery
Harold Park
Horsfall Playing Fields
Park Dam
Old Hanna Wood
Cricket Ground
Horse Close
Slack Bottom
St. Winefride's R.C. Sch.
Woodside Middle & First School
Hill Top Sch.
Delf Hill Sch.
Mineral House
Moorside Fm.
Lowroyd
Carr House
High Fernley
High Fernley Sch
Low Moor Iron Wks.
Skill Centre
Mathers Bdgs.
Old White Bear Inn
Doctor Wood
Low Wood
Wyke
Tunnel
Health Cen.
Works
Sports Ground

102
80
101
122
A
B
BD6
BD12
M606
A6036
A641
A638
Odsal
Odsal Top
Odsal Stadium
NORTHERN VIEW HOSPITAL
Odsal Wood
Dean Beck
Tunnel
STAITHGATE
SOUTH BRADFORD GOLF COURSE
Club House
Rec. Grd.
Ckt. Grd.
Coll Place
Playing Fields
Hardy Fold
Upper Park House
Park Ho.
Dean Ho. Farm
Wire Mills
Wesley Place
Low Moor
Low Moor Iron Wks.
Skill Centre
Warehouses
Resr.
Works
Depot
Morley Carr
Moor Side
New Biggin Bridge
Raw Nook
Res.
VICTORIA
Oakenshaw
PARK
New Road Side
Fearnley Farm
Mt. of Olives Fm
Theaklands Farm
Farm
Upper Common
Wyke Manor Upper School
Playing Fields
Croft House
Worthinghead First Sch.
Wyke Chem Works
Elm Cottage
BRADFORD
KIRKLEES
HALIFAX RD.
HUDDERSFIELD RD.
CLECKHEATON RD.
PARK HOUSE ROAD
COMMON ROAD
WORKS ROAD
NEW WORKS RD.
CHAPEL RD.
WILSON ROAD
WYKE LANE
GATE ROAD
B R A D F O R D

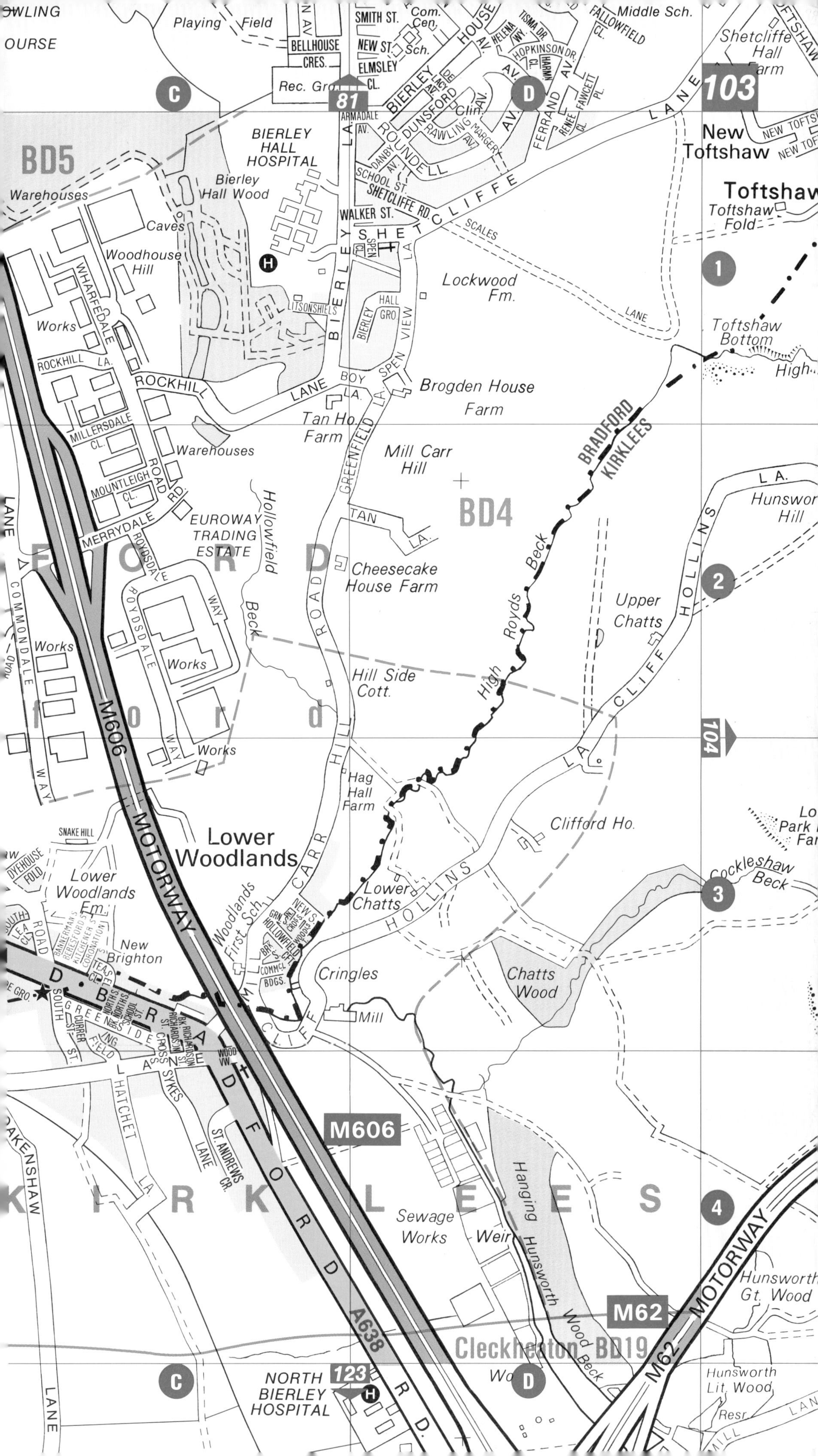

81
103
104
123
BD5
BD4
Cleckheaton BD19
BIERLEY HALL HOSPITAL
Bierley Hall Wood
Woodhouse Hill
Warehouses
Works
Caves
Lockwood Fm.
Toftshaw
New Toftshaw
Toftshaw Fold
Toftshaw Bottom
Shetcliffe Hall Farm
Brogden House Farm
Tan Ho. Farm
Mill Carr Hill
EUROWAY TRADING ESTATE
Cheesecake House Farm
Upper Chatts
Hill Side Cott.
Hag Hall Farm
Clifford Ho.
Lower Woodlands
Lower Woodlands Fm.
New Brighton
Woodlands First Sch.
Lower Chatts
Cringles
Mill
Chatts Wood
Sewage Works
Weir
Hanging Hunsworth Wood Beck
Hunsworth Gt. Wood
Hunsworth Lit. Wood
Hunsworth Hill
NORTH BIERLEY HOSPITAL
BRADFORD
KIRKLEES
M606 MOTORWAY
M62 MOTORWAY
M606
M62
A638
High Royds Beck
Hollowfield Beck
Cockleshaw Beck
SHETCLIFFE LANE
HOLLINS LA.
CLIFF HOLLINS LA.
MILL CARR HILL ROAD
GREENFIELD LA.
ROCKHILL LANE
BIERLEY LA.
BRADFORD RD.

104
82
103
Middle Sch.
Shetcliffe Hall Farm
West Yorkshire Industrial Estate
Warehouse
New Toftshaw
Toftshaw
Toftshaw Fold
BRADFORD
Toftshaw Moor Side
Toftshaw Moor
Moorside Farm
Red Hill
Toftshaw Nurseries
Model Farm
BRADFORD
KIRKLEES
Toftshaw Bottom
High Royds Beck
East Bierley Golf Course
East Bierley
BD4
RAIKES LANE
TOFTSHAW LANE
HOLLINS LANE
Hunsworth Hill
Upper Chatts
CLIFF
Crkt. Grd.
Rec. Grd.
Cross Ho.
Crosses Wks.
War Mem.
Sch.
Football Grd.
VERITY ST.
SOUTH VIEW RD.
HUNSWORTH LANE
WINFIELD DR.
LADYROYD DRI.
Upper Park House Farm
Hunsworth Upper Lane
Beck
Copley House Farm
Lower Park House Farm
LOWER LA.
Copley Springs Fm.
Cockleshaw Beck
Upper Lodge Range
Beck
Bluehills Farm
M62 MOTORWAY
M62
Cleckheaton
A58
WHITEHALL ROAD
A651
A650
Hunsworth Gt. Wood
Hunsworth Lit. Wood
Resr.
Hunsworth Lodge
Lower Lodge Range
Fieldhead House Farm
BD19
Canary Hall
Stonelands Farm
PLANE TREES CL.
SAVILE PARK
MILL LANE
Hunsworth
Rec. Grd.
Drub
A
B
1
2
3
4

Yorkshire Martyrs Collegiate Sch.
Tong Upper Sch.
Plantation
83
C
D
Westgate Hill
Booth Holme Farm
Cross Lane End
BRADFORD
Shawfield Farm
Westfield Farm
WESTGATE HILL A650
Tong Lane End
BRADFORD & WAKEFIELD RD.
B6135
BRADFORD RD.
ST.
Westgate Hill First Sch.
THORNDENE WY.
New Green Cott.
Leeming Ho.
Tong Moor
BRADFORD KIRKLEES
Moorland Nurseries
MOORSIDE AV.
MOORLANDS RD
Inmoor Dyke
DRIGHLINGTON
BRADFORD LEEDS
Manor Ho.
MOORVILLE DRI.
BROWN HILL CL.
BROWN HILL DRIVE
Tong Moor
CROSS LANE
HODGSON LANE
LEEDS
MOORLAND DR.
SOUTH CROFT GATE
SOUTH CROFT AV.
Swallow Farm
A650
Sch.
SOUTHFIELD TER.
SHERBURN GRO.
SHERBURN CLO.
Springfield Farm
LEEDS KIRKLEES
MILL
HAZEL CLO.
Beck
Ambulance Service H.Q.
THREELANDS GRANGE
Birkenshaw
Brown Hill Farm
Hill Top Farm
BY PASS
WHITEHALL ROAD
FURNACE LA.
BD11
TOWN ST.
Hlth. Cen.
CROFT ST.
RUSSELL GRO.
STATION LANE
WELLINGTON CT.
Kittle Point Wood
106
Works
BYWATER ROW
LEEDS
ALLEN CROFT
BROOKFIELD
AMBLER THORNE
Playground
Bowling Grn.
Community Centre
Swinroyd
PARK VIEW
Hall
VICARAGE GDNS.
Vic.
ST. PAUL'S RD.
ST. PAUL'S AV.
WOODLANDS FOLD
PROSPECT LA.
EMMET CL.
ROYDS AV.
OLD LANE
Birk Hill Farm
BIRKHILL CRES.
A58 EAST ROAD
Kittle
Point Beck
Upper Sunny Bank
Wormalds Drain
Beck
Burnt Royd
WHITEHALL GRO.
GHYLLROYD AV.
LYNWOOD CLO.
BIRKENSHAW LANE
MARSH LANE
OAKROYD CL.
OAKROYD DR.
Lodge
A651
Football Ground
OAKWOOD AV.
KINGSLEY CLO.
KINGSLEY DRIVE
WEST WHITEHALL
Wks.
Rec. Grd.
ALBERT DRIVE
ALBERT CR.
ALBERT WY.
Oakwell
Fire Service H.Q.
TETLEY
Tennis Courts
Wks.
Birkenshaw Bottoms
Birkenshaw Mid. Sch.
Playing Field
CRESCENT
BOTTOMS LANE
WEST VIEW
NORWOOD GRO.
OAKWAY DRIVE
CHELLOW
BEECH WLK.
NORWOOD AV.
NORWOOD DR.
MOOR LA.
Moorfield
Beck
SWINCLIFFE CL.
SWINCLIFFE CRES.
OAKWAY
ELM CT.
NORWOOD CR.
Swincliffe
BIRKSLAND MOOR
MOOR
Birksland Moor
MILFORD GRO.
MANOR GDNS.
PARK
Rifle and Pistol Club
M62
Field Head Farm
M62 MOTORWAY
OXFORD ROAD
Factory
DEWSBURY RD.
A652
Wheatleys Farm
Brecks Farm
The Wheatleys
Thorn Hill Knowls
LANE
Holme House
KNOWLES LA
Moor Lane Ho.

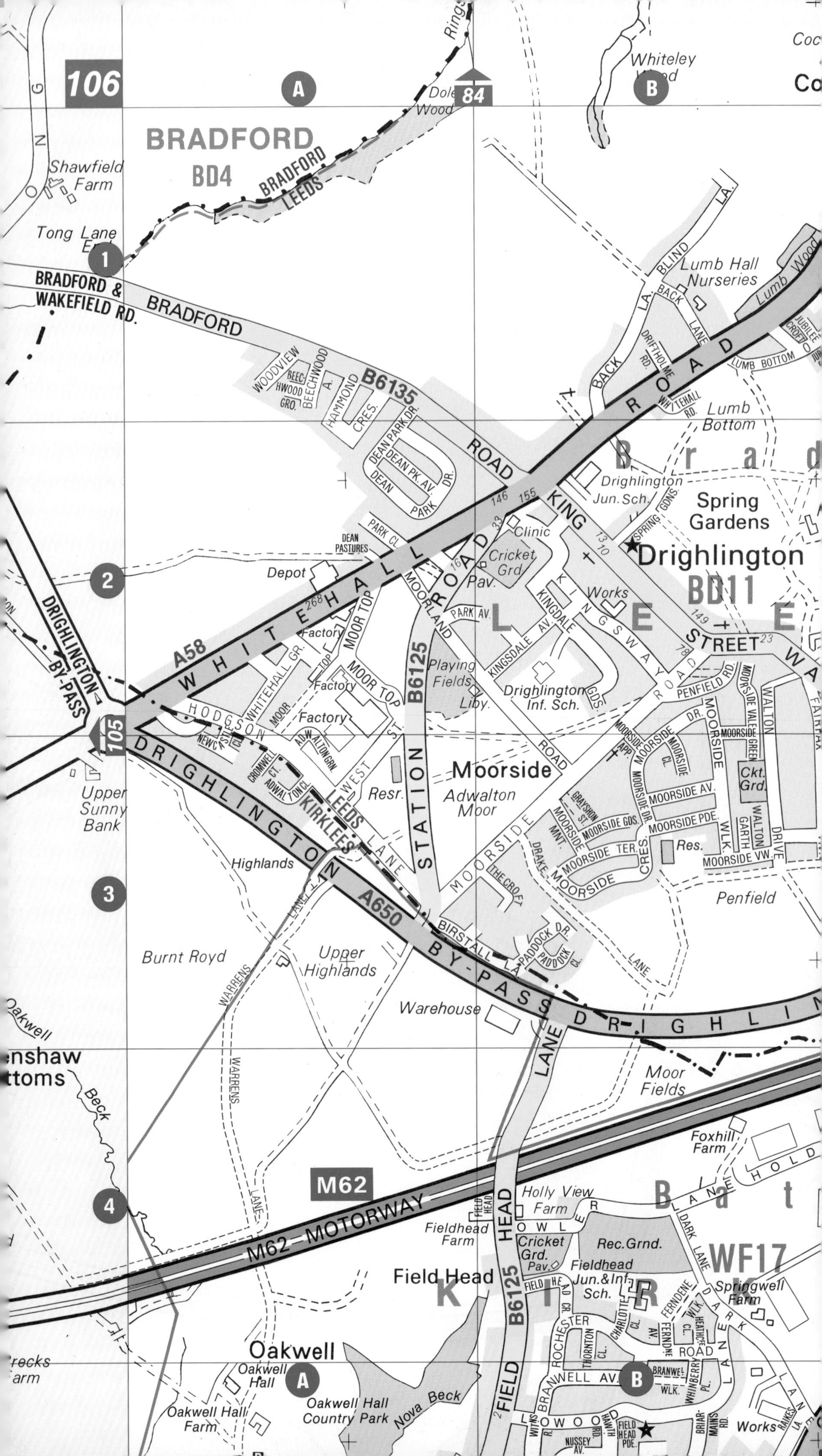

106
A
B
84
BRADFORD
BD4
BRADFORD
LEEDS
Whiteley Wood
Dole Wood
Shawfield Farm
Tong Lane End
BRADFORD & WAKEFIELD RD.
BRADFORD ROAD
B6135
Lumb Hall Nurseries
Lumb Bottom
Drighlington Jun. Sch.
Spring Gardens
Drighlington
BD11
Depot
Factory
Clinic
Cricket Grd.
Pav.
Works
A58
WHITEHALL ROAD
KING STREET
B6125
Playing Fields
Liby.
Drighlington Inf. Sch.
DRIGHLINGTON BY-PASS
105
Upper Sunny Bank
Moorside
Adwalton Moor
Resr.
STATION ROAD
Ckt. Grd.
Res.
Penfield
Highlands
A650
Burnt Royd
Upper Highlands
Warehouse
Moor Fields
Foxhill Farm
M62
M62 MOTORWAY
Holly View Farm
Fieldhead Farm
Field Head
Rec.Grnd.
Fieldhead Jun.&Inf. Sch.
WF17
Springwell Farm
Oakwell
Oakwell Hall
Oakwell Hall Country Park
Oakwell Hall Farm
Nova Beck
FIELD HEAD LANE
Works

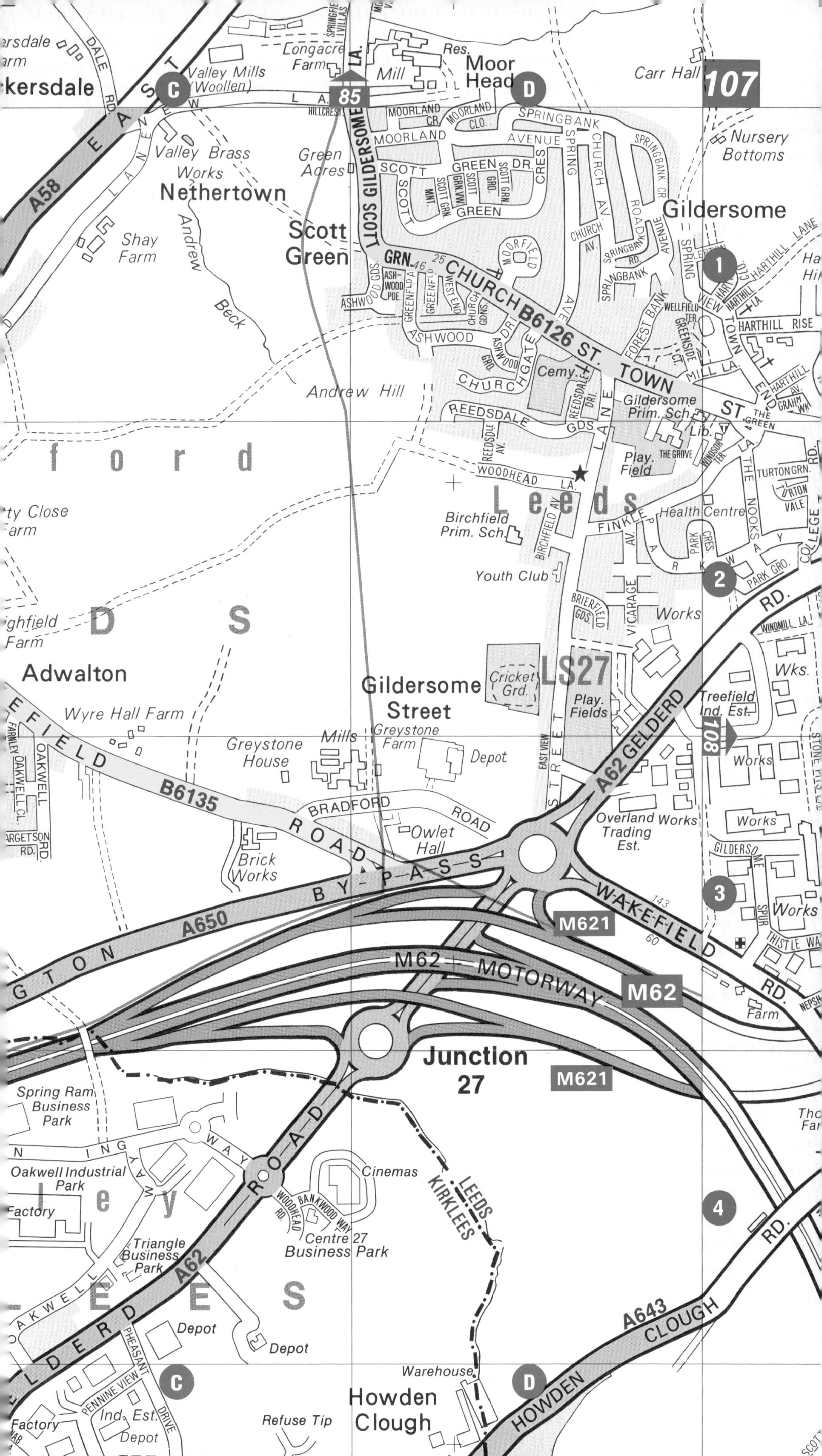
107
Moor Head
Carr Hall
Longacre Farm
Mill
Res.
Valley Mills (Woollen)
Valley Brass Works
Nethertown
Shay Farm
Andrew Beck
Scott Green
Green Acres
Gildersome
Nursery Bottoms
MOORLAND AVENUE
SPRINGBANK AVENUE
CHURCH AV.
SPRINGBANK RD.
SCOTT GREEN
B6126 CHURCH ST. TOWN ST.
A58
85
Andrew Hill
Cemy.
Gildersome Prim. Sch.
Lib.
Play. Field
REEDSDALE GDS.
WOODHEAD LA.
Leeds
Birchfield Prim. Sch.
Youth Club
FINKLE LA.
Health Centre
HARTHILL RISE
TURTON GRN.
TURTON VALE
PARK GRO.
WINDMILL LA.
Works
Wks.
Treefield Ind. Est.
108
Adwalton
Wyre Hall Farm
Greystone House
Mills
Greystone Farm
Depot
Gildersome Street
Cricket Grd.
LS27
Play. Fields
B6135 BRADFORD ROAD
Owlet Hall
Brick Works
Overland Works
Trading Est.
A62 GELDERD RD.
A650 BY-PASS
WAKEFIELD RD.
M621
M62 MOTORWAY
M62
Junction 27
Spring Ram Business Park
Oakwell Industrial Park
Factory
Triangle Business Park
Cinemas
Centre 27 Business Park
LEEDS
KIRKLEES
Depot
A643 HOWDEN CLOUGH RD.
Warehouse
Howden Clough
Refuse Tip
Ind. Est.
Farm
Gildersome Spur
Thistle Way

A
B
86
107
Woollen Mills
Resr
Dean Beck
Rooms
Nursery Bottoms
Harthill Farm
Gildersome
Cricket Hill
Cricket Hill Cottages
Lister Farm Cottages
Hart Hill
Gilead House Farm
Bell Royd Farm
Gelderd Road County Prim. Sch.
Woodlands
Gildersome Prim. Sch.
Lib.
Play. Field
Health Centre
Deanhurst Ind. Cen.
Woollen Mills
Depot
Clubbed Oaks
Dene Ridge
Mills
Dean Wood
Dean Beck
Farm
Mill
Wks.
Treefield Ind. Est.
Works
Overland Trading Est.
Victoria Prim. Sch.
M621
Rec. Grnd.
Morley Hole
The Seven Hills Leisure Village Res.
Highcliffe Ind. Est.
Warehouse
Leeds Business Park
Playing Fields
Sch.
Farm
Hellewell Farm
Bruntcliffe La. Cemetery
LS27
Thorn Farm
High Sch.
Pav.
Birk La. Resr.
Bowl. Grns.
Cricket Grd.
F'ball Grd.
Mills
Playing Fields
Batley
Bruntcliffe Playing Fields
Works
Dartmouth Park
Ten. Cts.
M62
Warehouse
WF17
Cross Hall Sch.
L E E D S
A62 GELDERD ROAD
B6126 TOWN STREET
BRANCH ROAD
ASQUITH AVENUE
B6126
M621 MOTORWAY
A650 WAKEFIELD ROAD
BRUNTCLIFFE ROAD
BRUNTCLIFFE LANE
A650 BRUNTCLIFFE ROAD
A643 CLOUGH RD.
HODWEN
M62 MOTORWAY
NORTH NEPSHAW LANE
SOUTH NEPSHAW LANE
NEPSHAW LANE
CORPORATION STREET
FOUNTAIN STREET
HARTHILL LANE
HARTHILL RISE
HARTHILL
HIGHFIELD DRI.
HIGHFIELD VW.
HIGHFIELD CL.
HIGHFIELD GDS.
KENILWORTH AV.
DEANHURST GS.
TURTON GRN.
TURTON VALE
THE NOOKS
COLLEGE RD.
PARKWAY
PARK GRO.
PARK CRES.
FINKLE LANE
VICARAGE AV.
WINDMILL LA.
STONE PITS LANE
GILDERSOME SPUR
THISTLE WAY
NEPSHAW LA. STH.
SPRINGBANK CRES.
SPRINGBANK RD.
SPRINGBANK AVENUE
CHURCH AV.
FOREST BANK
WELLFIELD TER.
GREENSIDE CT.
MILL LA.
TOWN END
LEPTON PL.
THE GROVE
WINDSOR TER.
THE GREEN
BELLE VUE TER.
HORSFALL ST.
WOODLANDS DR.
INGLE AVE.
SPRINGFIELD
DEANFIELD AV.
FARM HILL RD.
FARM HILL M.
DEANSWAY
ASQUITH CL.
ASQUITH DRI.
BUTTERFIELD'S BUILDINGS
MORRIS PL.
FOSTER CR.
BRIGHTON AV.
WYNYARD DR.
BRUNTCLIFFE WY.
BRUNTCLIFFE AVENUE
BRUNTCLIFFE DR.
BIRK LA.
HIGHCLIFFE RD.
DEAN CL.
GERARD AV.
SCATCHERD GRO.
THE ROUNDWAY
EAST PARK
PARK AV.
SCATCHERD PARK
WORRALL STREET
QUEENS RD.
MARINA CR.
NEW PARK ST.
PARK PARADE
ST. ANDREW'S AV.
PAWSON ST.
VICKERS ST.
WATSON ST.
FRENSHAM AVE.
HOWDEN WAY
CLIFFE VW.
PROVIDENCE PL.
WEST END APP.
VICTORIA TER.
CHAPEL ST.
PARKLAND AV.
LEWISHAM ST.
SCOTT LANE
143
60
43

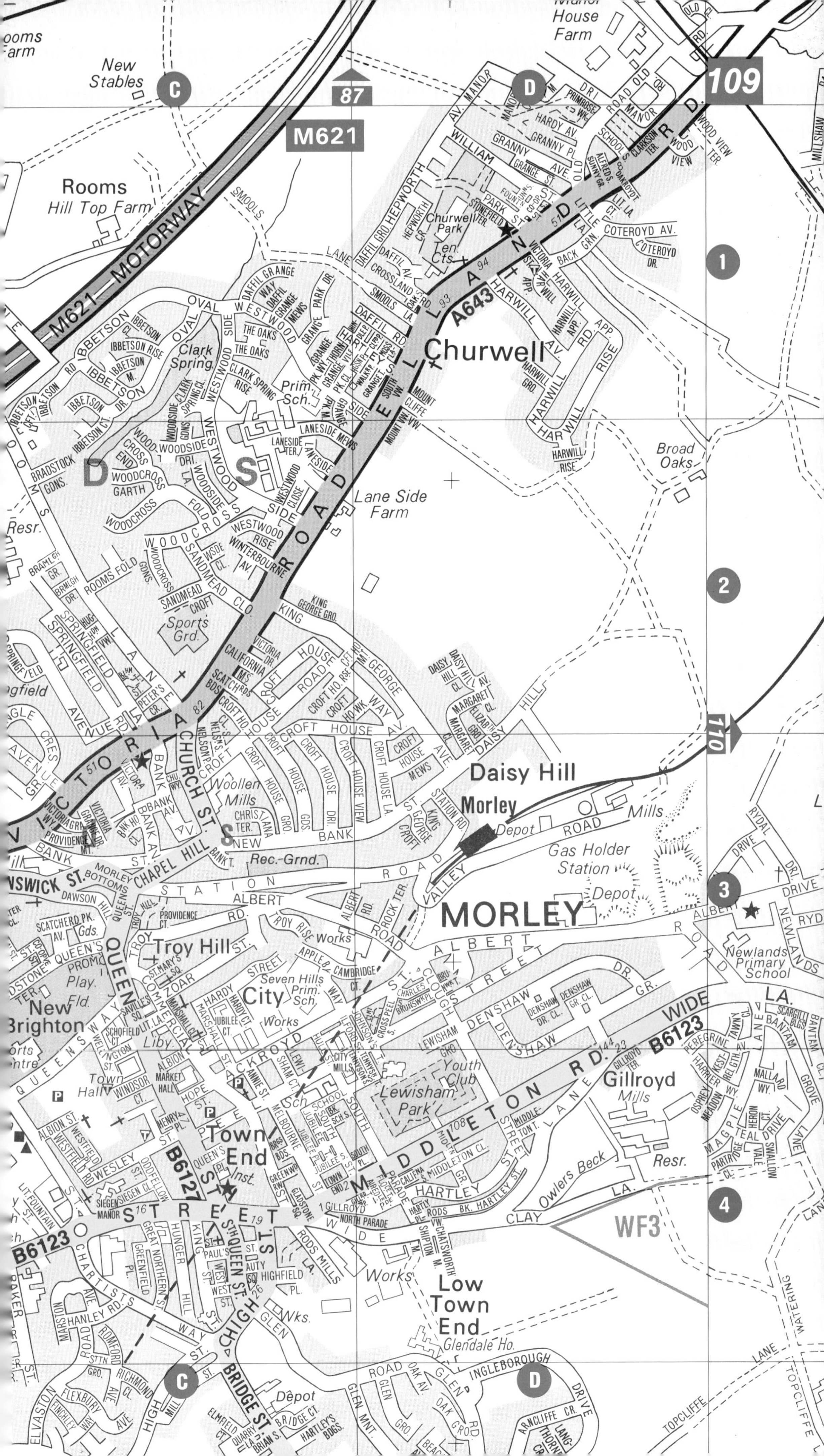
109
87
M621
M621 MOTORWAY
110
A643
B6123
B6127
WF3
Rooms Farm
New Stables
Manor House Farm
Rooms Hill Top Farm
Churwell
Churwell Park
Ten. Cts.
Prim. Sch.
Clark Spring
Broad Oaks
Lane Side Farm
Sports Grd.
Daisy Hill
Morley
Depot
Gas Holder Station
Woollen Mills
Rec.-Grnd.
MORLEY
Newlands Primary School
Troy Hill
City
Seven Hills Prim. Sch.
Works
New Brighton
Play. Fld.
Liby.
Town Hall
Youth Club
Lewisham Park
Gillroyd Mills
Town End
Inst.
Owlers Beck
Resr.
Low Town End
Glendale Ho.
Wks.
ELLAND ROAD
VICTORIA ROAD
CHURCH ST.
STATION ROAD
VALLEY ROAD
ALBERT ROAD
QUEEN ST.
QUEENSWAY
COMMERCIAL ST.
MIDDLETON RD.
WIDE LA.
CLAY LANE
HIGH ST.
BRIDGE ST.
SOUTH ST.
CROFT HOUSE AV.
CHAPEL HILL
BANK
STREET
DENSHAW DR.
INGLEBOROUGH DRIVE
TOPCLIFFE LANE
WATERING LANE

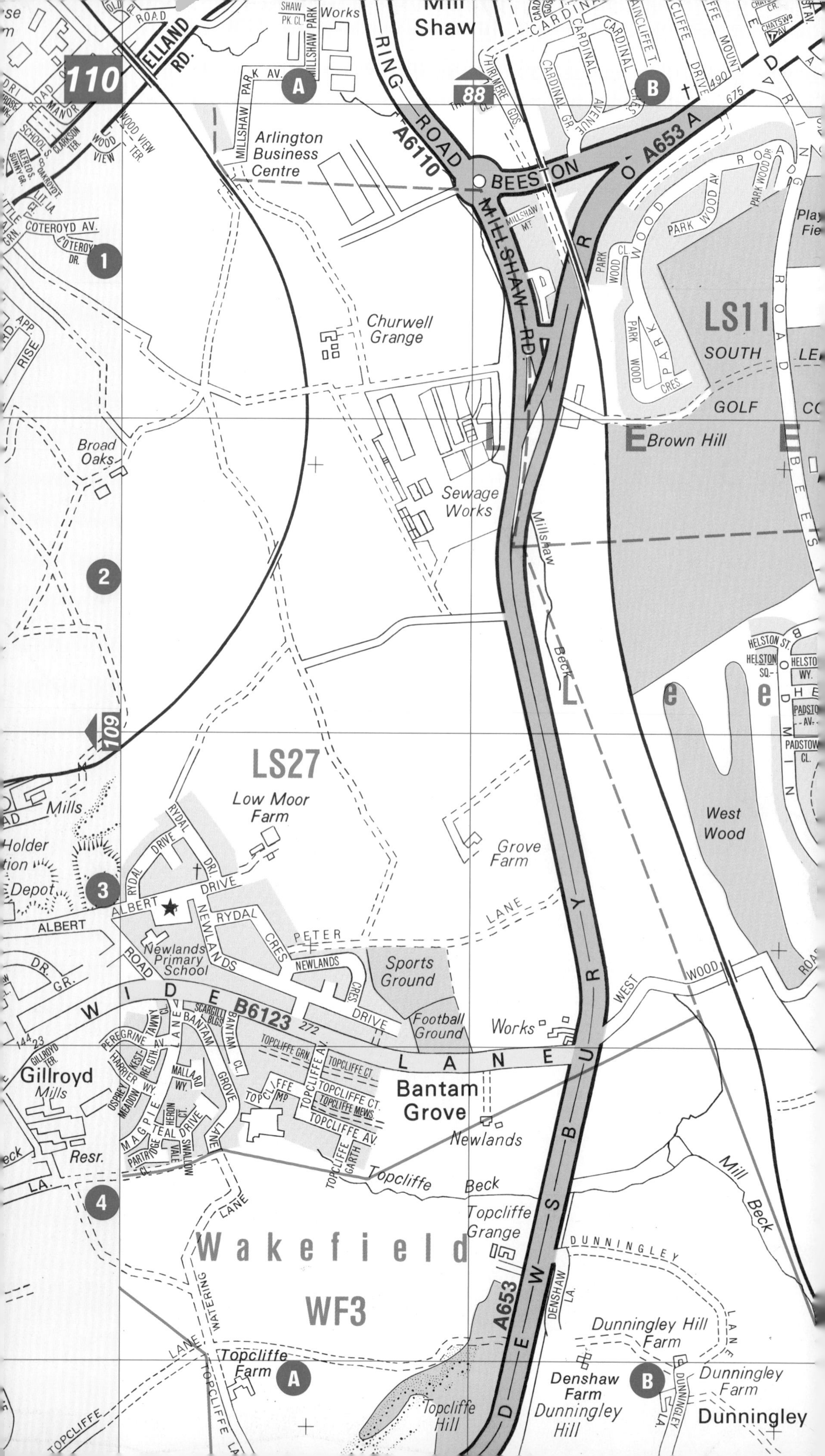
Mill Shaw
Works
SHAW PK. CL.
MILLSHAW PARK
MILLSHAW PARK AV.
ELLAND RD.
ROAD
RING ROAD
A6110
88
CARDINAL
CARDINAL AVENUE
CARDINAL GR.
THIRLMERE GDS.
CLIFFE DRIVE
CLIFFE MOUNT
BEESTON
A653
RING ROAD
Arlington Business Centre
MILLSHAW
MILLSHAW RD.
MILLSHAW MT.
PARK WOOD CL.
PARK WOOD AV.
PARK WOOD DR.
PARK WOOD CRES.
LS11
SOUTH LEEDS GOLF COURSE
Brown Hill
Churwell Grange
COTEROYD AV.
COTEROYD DR.
MANOR
SCHOOL
CLARKSON TER.
WOOD VIEW
WOOD VIEW TER.
ALFREDS
SUNNY GR.
OAKROYD
LIT. LA.
RISE
APP
Broad Oaks
Sewage Works
Millshaw Beck
HELSTON ST.
HELSTON SQ.
HELSTON WY.
PADSTOW AV.
PADSTOW CL.
BODMIN
109
LS27
Low Moor Farm
Grove Farm
West Wood
Mills
Holder
Depot
RYDAL DRIVE
RYDAL DRI.
ALBERT DRIVE
ALBERT
RYDAL CRES
NEWLANDS
NEWLANDS DRIVE
NEWLANDS CRES
PETER LANE
Newlands Primary School
Sports Ground
Football Ground
Works
WEST WOOD
WIDE LANE
B6123
272
144
23
ROAD
DR.
GR.
GILLROYD TER.
Gillroyd Mills
PEREGRINE
HARRIER
KESTREL
TAWNY CL.
BANTAM GROVE LANE
BANTAM CL.
SCARGILL BLGS
MALLARD WY.
OSPREY MEADOW
HERON CT.
MAGPIE
TEAL DRIVE
SWALLOW VALE
PARTRIDGE CL.
TOPCLIFFE GRN.
TOPCLIFFE AV.
TOPCLIFFE CT.
TOPCLIFFE MEWS
TOPCLIFFE MT.
TOPCLIFFE GARTH
Bantam Grove
Newlands
Resr.
LA.
Topcliffe Beck
Mill Beck
Topcliffe Grange
DUNNINGLEY LANE
DENSHAW LA.
WATERING LANE
Wakefield
WF3
A653
DEWSBURY RD.
Dunningley Hill Farm
Dunningley Farm
Denshaw Farm
Dunningley Hill
Dunningley
DUNNINGLEY LA.
Topcliffe Farm
Topcliffe Hill
TOPCLIFFE
TOPCLIFFE LA.
A
B
1
2
3
4

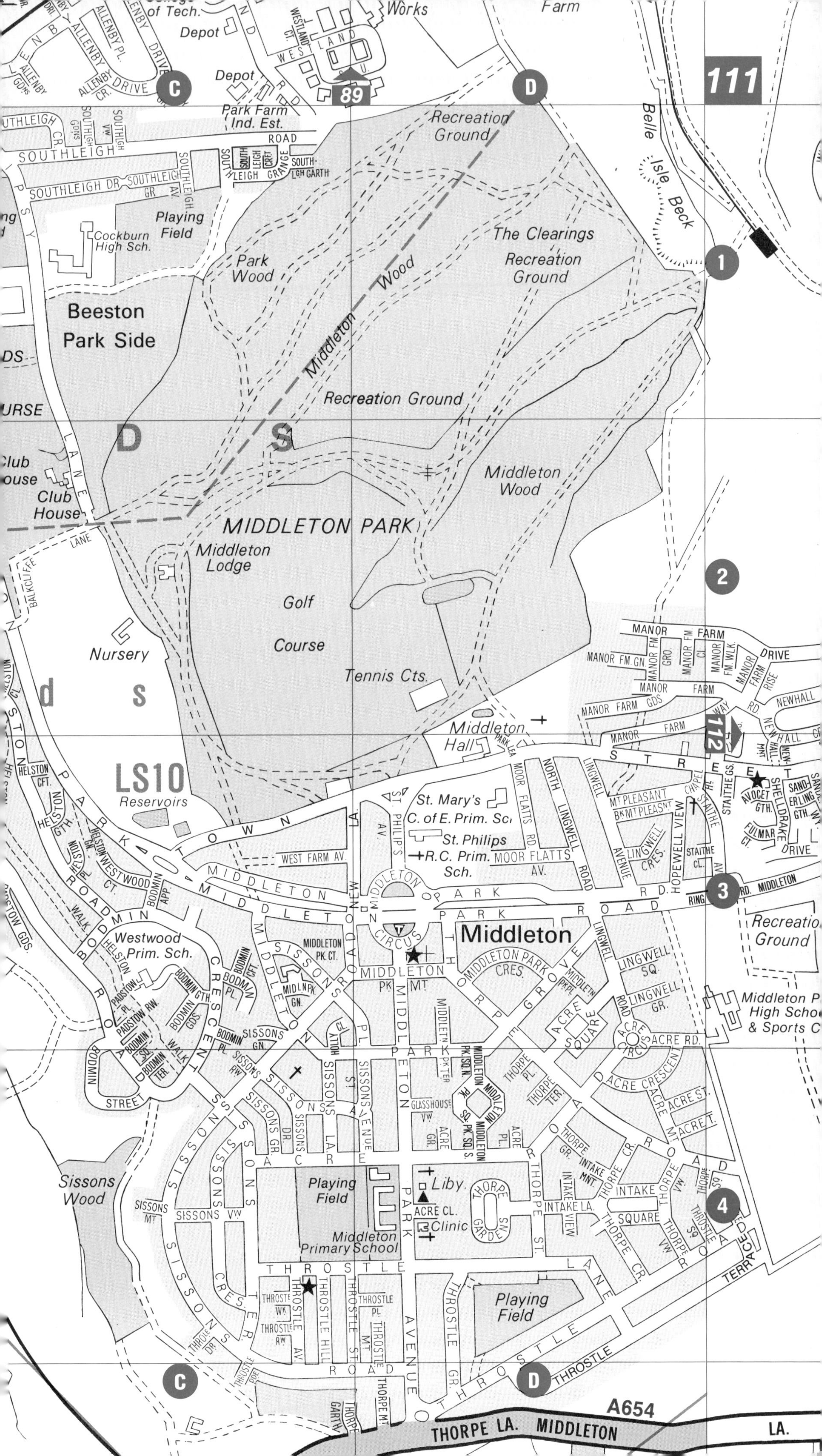

Depot
Works
Farm
Park Farm Ind. Est.
Recreation Ground
Belle Isle Beck
Playing Field
Cockburn High Sch.
Park Wood
Middleton Wood
The Clearings
Recreation Ground
Beeston Park Side
Recreation Ground
Club House
MIDDLETON PARK
Middleton Wood
Middleton Lodge
Golf Course
Nursery
Tennis Cts.
Middleton Hall
LS10
Reservoirs
St. Mary's C. of E. Prim. Sch.
St. Philips R.C. Prim. Sch.
Middleton
Westwood Prim. Sch.
Recreation Ground
Middleton Park High School & Sports C
Sissons Wood
Playing Field
Liby.
Clinic
Middleton Primary School
Playing Field
A654
THORPE LA.
MIDDLETON LA.

89
112

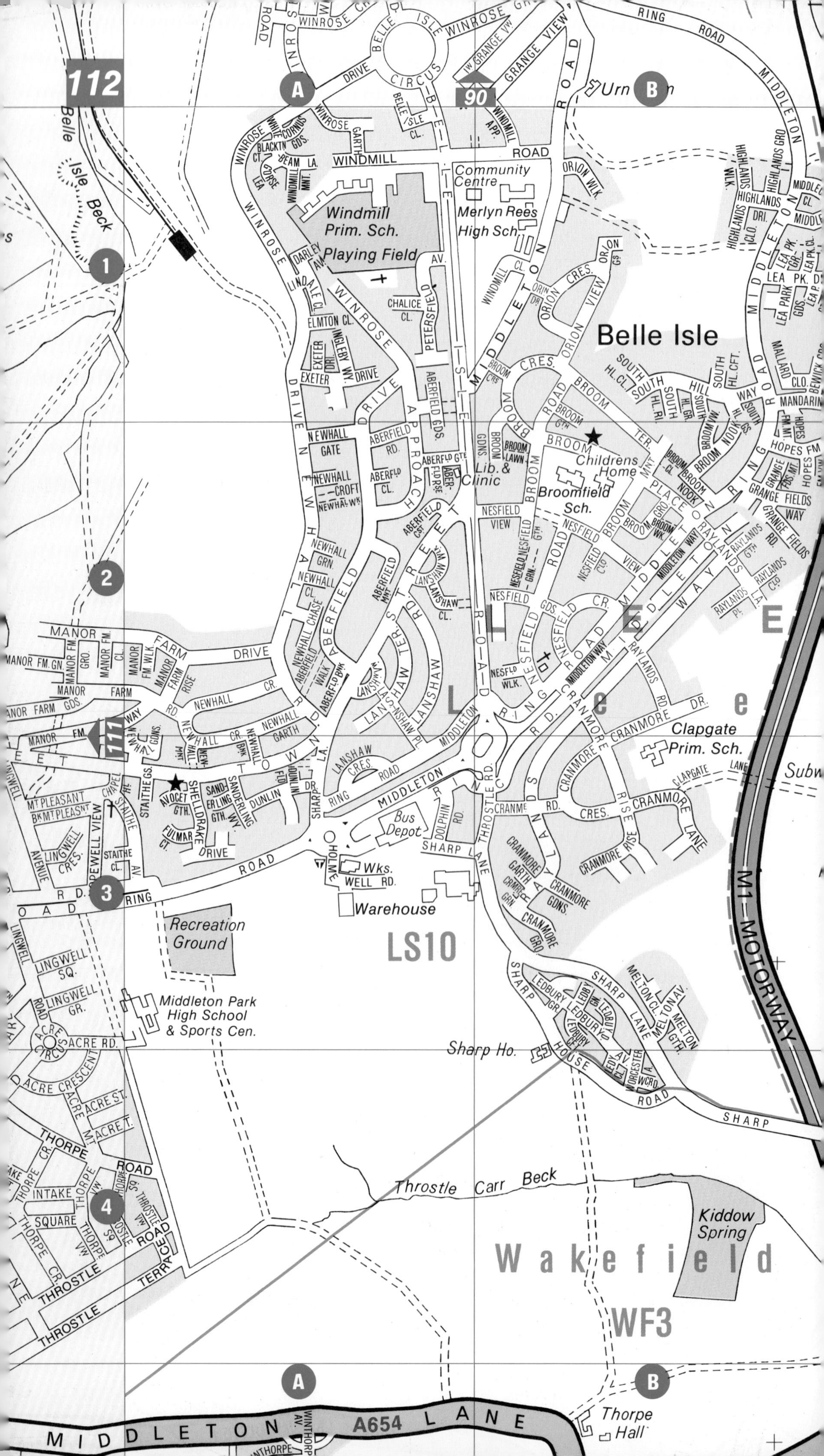

112
90
111
A
B
1
2
3
4
Belle Isle
Lee
LS10
Wakefield
WF3
Ring Road
Middleton Road
Belle Isle Circus
Winrose Drive
Winrose Grove
Winrose Garth
Winrose Approach
Belle Isle Road
Grange View
Windmill Road
Windmill App.
Community Centre
Merlyn Rees High Sch.
Windmill Prim. Sch.
Playing Field
Urn Farm
Orion Wlk.
Orion Cres.
Orion View
Orion Gs.
Orion Dr.
Highlands Wlk.
Highlands Gro
Highlands Dri.
Highlands Clo.
Highlands Cl.
Lea Park Gdns.
Lea Pk. Dr.
Broom Cres.
Broom Road
Broom Ter.
Broom Mnt.
Broom Place
Broom Nook
Broom View
Broom Lawn
Broom Gdns.
Broom Gth.
Childrens Home
Broomfield Sch.
Lib. & Clinic
Nesfield View
Nesfield Road
Nesfield Gds.
Nesfield Cr.
Nesfield Wlk.
Nesfield Grn.
Nesfield Gth.
Nesfield Clo.
South Hill Cft.
South Hl. Cl.
South Hl. Ri.
South Hl. Gr.
Hill South
Mallard Clo.
Mandarin
Hopes Fm.
Grange Fields Way
Grange Fields Rd.
Raylands Way
Raylands Gth.
Raylands Clo.
Raylands Pl.
Raylands Rd.
Raylands
Middleton Way
Aberfield Drive
Aberfield Rd.
Aberfield Cl.
Aberfield Gds.
Aberfield Cst.
Aberfield Mnt.
Aberfield Walk
Aberfield Bnk.
Aberfield Gte
Petersfield Av.
Chalice Cl.
Darley Av.
Lindale Cl.
Elmton Cl.
Exeter Drive
Exeter Dri.
Inglebry Wy.
Newhall Gate
Newhall Croft
Newhall Wk.
Newhall Grn.
Newhall Cl.
Newhall Chase
Newhall Drive
Newhall Cr.
Newhall Garth
Newhall Rd.
Newhall Mnt.
Newhall Bnk.
Town Street
Lanshaw Ter.
Lanshaw Rd.
Lanshaw Cl.
Lanshaw Cres.
Lanshaw Pl.
Lanshaw Wk.
Manor Farm Drive
Manor Farm Rise
Manor Farm Gds.
Manor Fm. Gn.
Manor Fm. Gro.
Manor Fm. Cl.
Manor Fm. Wlk.
Manor Fm. Way
Mt. Pleasant
Bk. Mt. Pleasant
Lingwell Avenue
Lingwell Cres.
Lingwell Sq.
Lingwell Gr.
Moor Well View
Chapel St.
Staithe Av.
Staithe Cl.
Staithe Gs.
Avocet Gth.
Shelldrake Drive
Sanderling Gth.
Sanderling Wy.
Fulmar Ct.
Dunlin
Sharp La.
Middleton Ring Road
Bus Depot
Dolphin Rd.
Throstle Rd.
Sharp Lane
Holme Well Rd.
Wks.
Warehouse
Recreation Ground
Middleton Park High School & Sports Cen.
Acre Circus
Acre Rd.
Acre Crescent
Acre St.
Acre Mt.
Acre Ter.
Thorpe Road
Thorpe Cr.
Thorpe Vw.
Thorpe Sq.
Intake Square
Throstle Road
Throstle Terrace
Throstle Sq.
Cranmore Dr.
Cranmore Rd.
Cranmore Cres.
Cranmore Rise
Cranmore Lane
Cranmore Garth
Cranmore Gdns.
Cranmore Gro
Cranmore Grn.
Clapgate Prim. Sch.
Clapgate Lane
Subway
M1 Motorway
Ledbury Gr.
Ledbury Grn.
Ledbury Dr.
Ledbury Ct.
Ledbury Av.
Ledbury Cl.
Worcester Av.
Wcr.
Melton Cl.
Melton Av.
Melton Gth.
Sharp Ho.
Sharp House Road
Throstle Carr Beck
Kiddow Spring
Belle Isle Beck
Middleton Lane
A654
Winthorpe Av.
Thorpe Hall

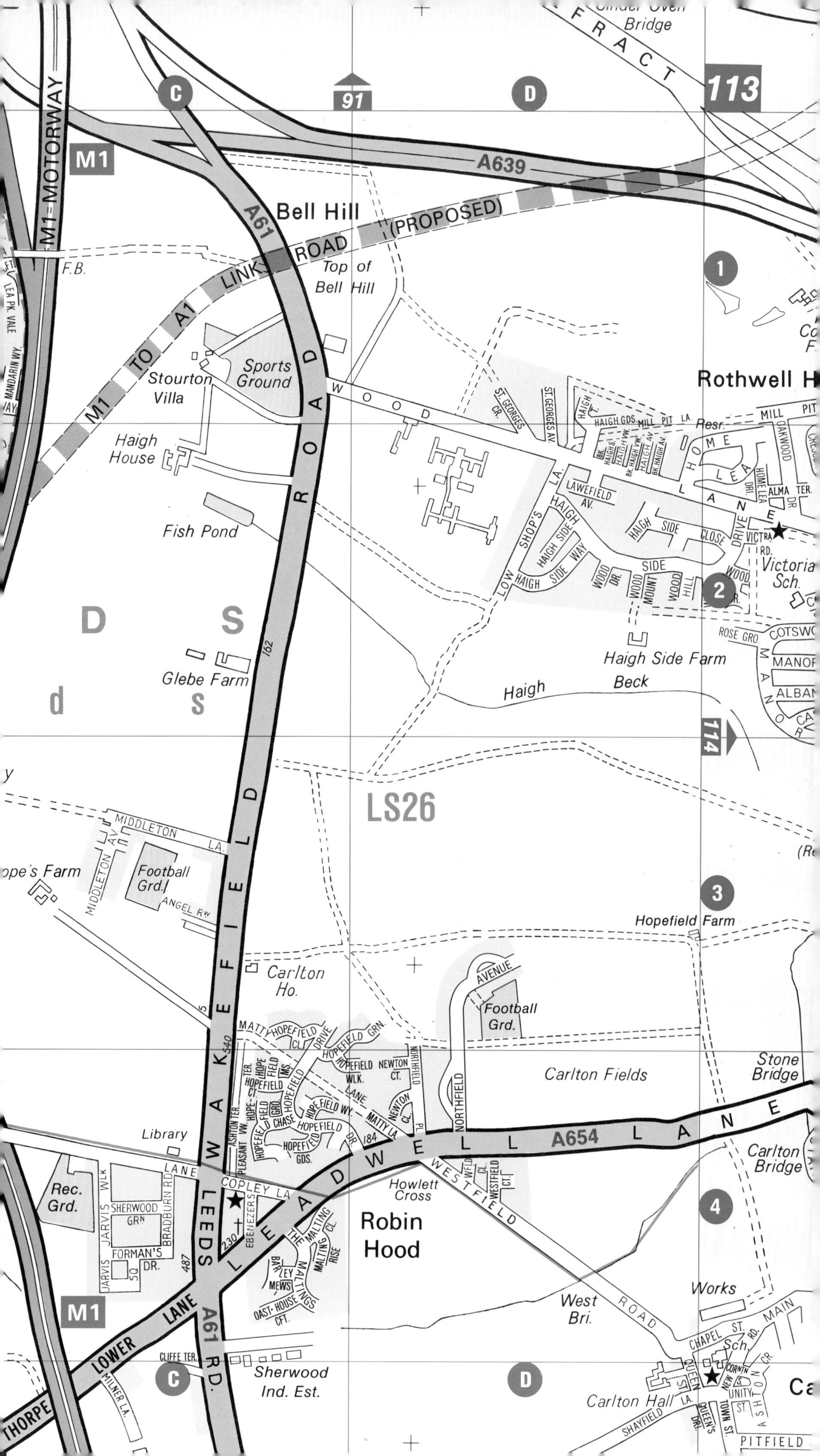

113
91
114
C
D
1
2
3
4
M1
M1-MOTORWAY
A639
A61
Bell Hill
Top of Bell Hill
M1 TO A1 LINK ROAD (PROPOSED)
F.B.
Stourton Villa
Sports Ground
Haigh House
Fish Pond
WOOD LANE
ROAD
Rothwell H
Glebe Farm
Haigh Beck
Haigh Side Farm
Victoria Sch.
LS26
MIDDLETON LA.
MIDDLETON AV.
Pope's Farm
Football Grd.
ANGEL RW
Carlton Ho.
Hopefield Farm
Carlton Fields
Stone Bridge
Carlton Bridge
WAKEFIELD ROAD
A654
LEADWELL LANE
Library
Rec. Grd.
Robin Hood
Howlett Cross
WESTFIELD ROAD
West Bri.
Works
Sherwood Ind. Est.
Carlton Hall
LOWER LANE
THORPE
LEEDS RD.
CLIFFE TER.
MILNER LA.

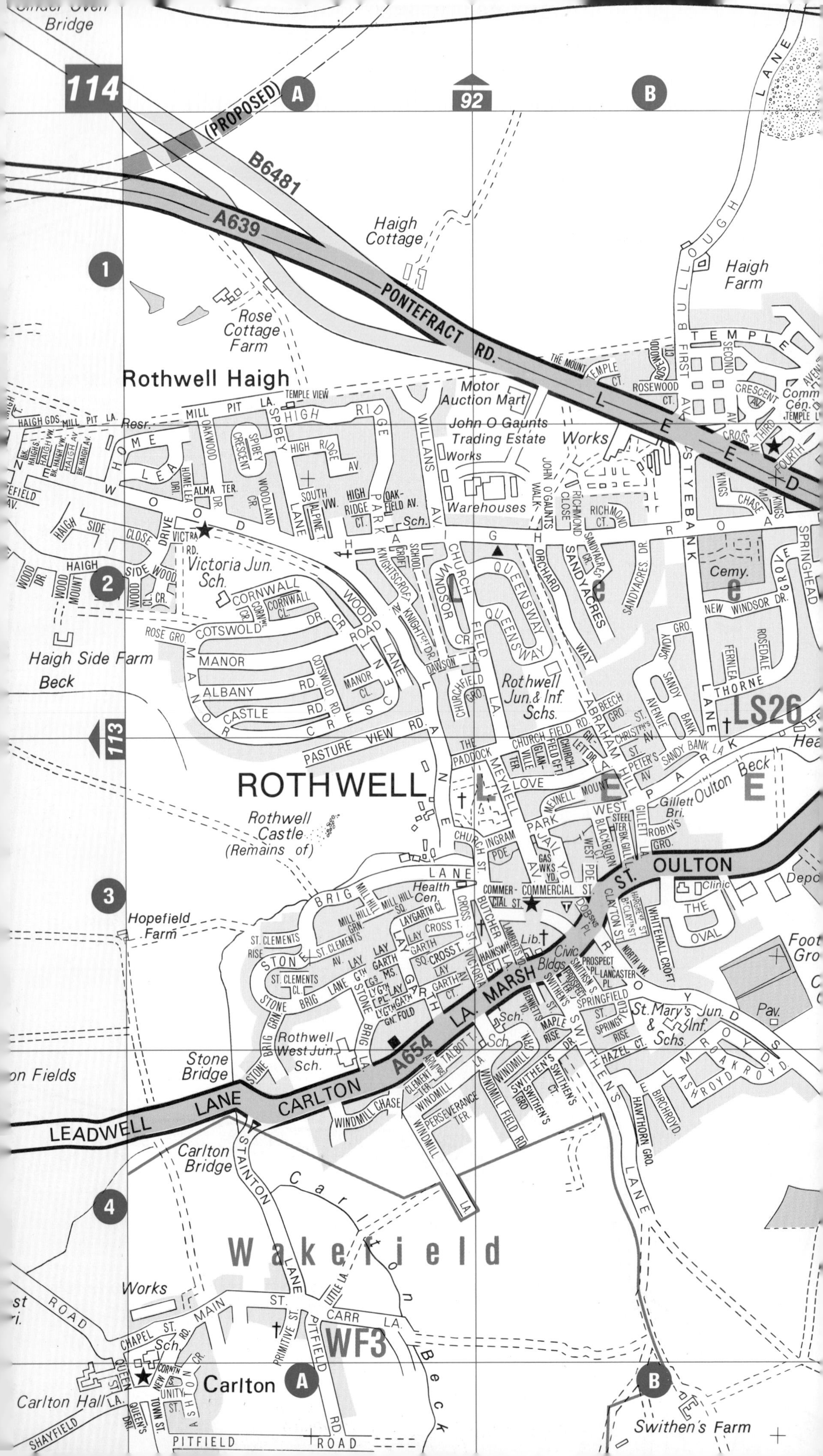

ROTHWELL
Rothwell Haigh
Carlton
Wakefield
LS26
WF3
A639
B6481
A654
PONTEFRACT RD.
LEEDS ROAD
OULTON ST.
LEADWELL LANE
CARLTON LANE
MARSH LA.
Haigh Cottage
Rose Cottage Farm
Haigh Farm
Motor Auction Mart
John O Gaunts Trading Estate
Works
Warehouses
Victoria Jun. Sch.
Haigh Side Farm
Beck
Rothwell Jun.& Inf. Schs.
Rothwell Castle (Remains of)
Hopefield Farm
Health Cen.
Civic Bldgs
Lib.
Rothwell West Jun. Sch.
St. Mary's Jun. & Inf. Schs.
Stone Bridge
Carlton Bridge
Carlton Hall
Swithen's Farm
Oulton Beck
Gillett Bri.
Cemy.
Clinic
THE OVAL
Pav.
Carlton Beck
(PROPOSED)

92
113

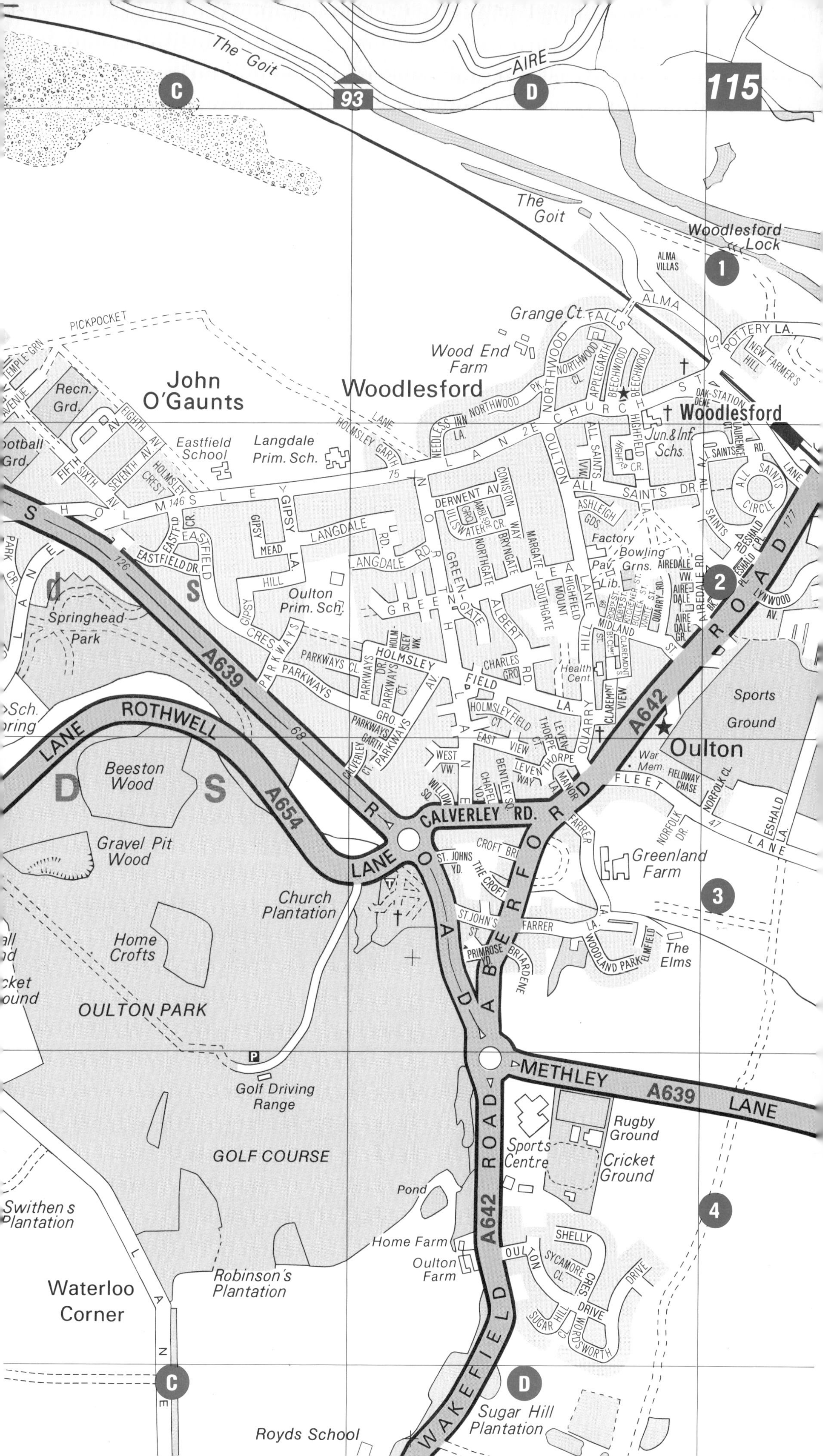

The Goit
93
AIRE
C
D
Woodlesford Lock
1
ALMA VILLAS
ALMA
POTTERY LA.
NEW FARMER'S HILL
Grange Ct.
FALLS
Wood End Farm
Woodlesford
John O'Gaunts
PICKPOCKET
Recn. Grd.
Football Grd.
Eastfield School
Langdale Prim. Sch.
HOLMSLEY GARTH
NORTHWOOD
Woodlesford
Jun.& Inf. Schs.
ALL SAINTS DR.
ALL SAINTS CIRCLE
CHURCH ST
HOLMSLEY LANE
DERWENT AV
CONISTON WAY
ULLSWATER CR.
NORTHGATE
BRYNGATE
MARGATE
SOUTHGATE
ASHLEIGH GDS.
Factory
Bowling Grns.
Pav.
Lib.
AIREDALE
2
LYNWOOD AV.
EASTFIELD DR.
LANGDALE RD.
GIPSY LA.
GIPSY MEAD
Oulton Prim. Sch.
Springhead Park
GREENGATE
ALBERT RD.
MIDLAND
Health Cent.
PARKWAYS
PARKWAYS CL.
HOLMSLEY FIELD LA.
CHARLES GRO
Sports Ground
A639
ROTHWELL LANE
A654
A642
Oulton
War Mem.
FIELDWAY CHASE
NORFOLK CL.
ESHALD LA.
FLEET LANE
Beeston Wood
CALVERLEY RD.
ABERFORD ROAD
Gravel Pit Wood
Church Plantation
CROFT BR.
ST. JOHNS YD.
THE CROFT
Greenland Farm
3
FARRER LA.
WOODLAND PARK
ELMFIELD
The Elms
Home Crofts
OULTON PARK
PRIMROSE YD.
BRIARDENE
METHLEY LANE
Golf Driving Range
GOLF COURSE
Sports Centre
Rugby Ground
Cricket Ground
Pond
4
Swithen's Plantation
Home Farm
Oulton Farm
SHELLY CRES.
SYCAMORE CL.
OULTON DRIVE
Robinson's Plantation
Waterloo Corner
SUGAR HILL CL.
WORDSWORTH DRIVE
WAKEFIELD ROAD
Sugar Hill Plantation
Royds School

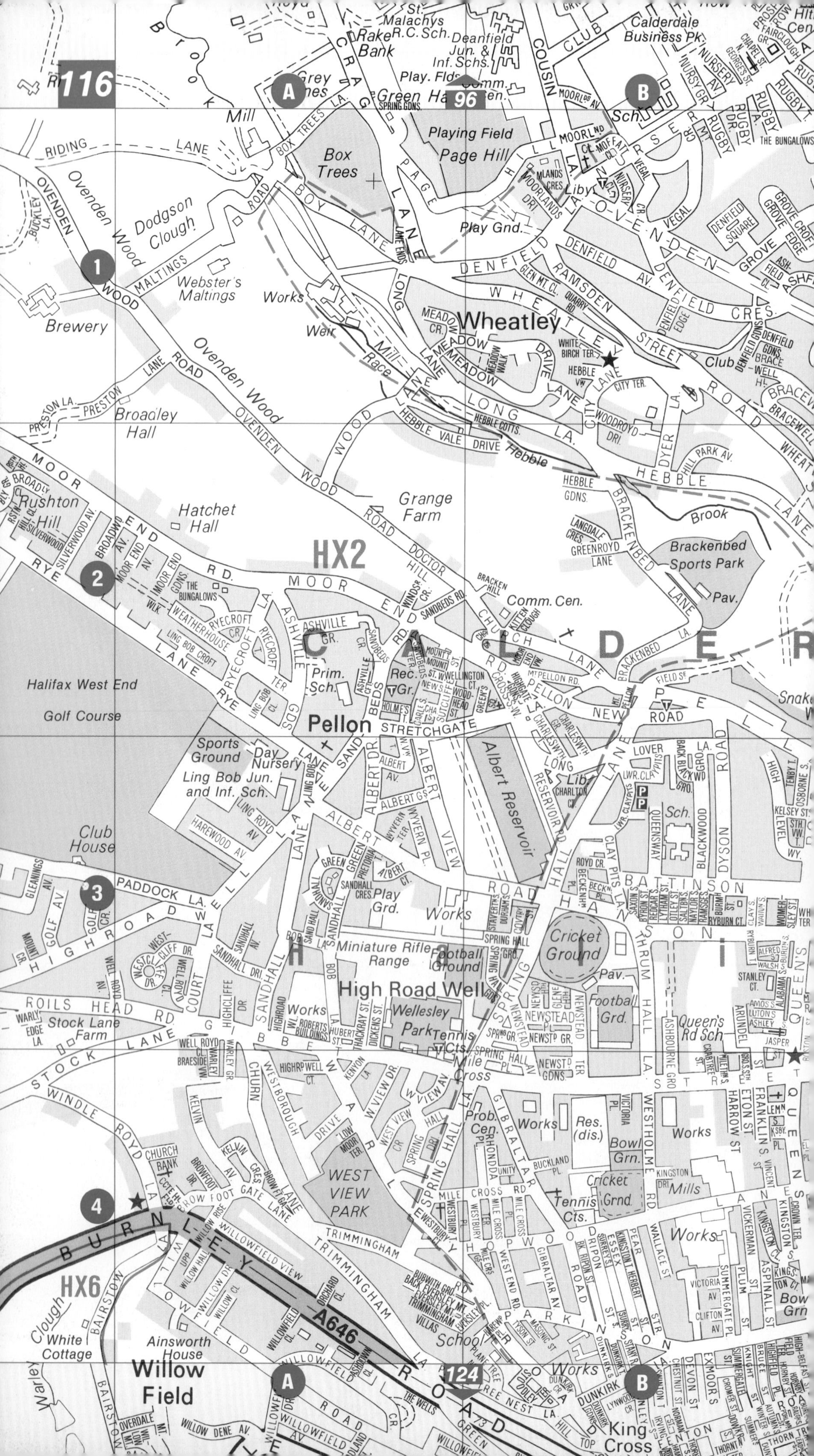
116
A
B
96
124
1
2
3
4
HX2
HX6
CALDER
Rake Bank
Grey Stones
Green Hall
St. Malachys R.C. Sch.
Deanfield Jun. & Inf. Schs.
Play. Flds
Comm. Cen.
Calderdale Business Pk.
Sch.
Box Trees
Playing Field
Page Hill
Play Gnd.
Liby.
Riding Lane
Ovenden Wood
Dodgson Clough
Webster's Maltings
Maltings
Brewery
Works
Weir
Mill Race
Wheatley
Club
Broadley Hall
Preston La.
Hebble
Brook
Grange Farm
Hatchet Hall
Rushton Hill
Brackenbed Sports Park
Pav.
Comm. Cen.
Pellon
Prim. Sch.
Rec. Gr.
Halifax West End Golf Course
Sports Ground
Day Nursery
Ling Bob Jun. and Inf. Sch.
Albert Reservoir
Lib.
Club House
Paddock La.
Highroad Well
Miniature Rifle Range
Football Ground
High Road Well
Cricket Ground
Football Grd.
Wellesley Park
Tennis Cts.
Mile Cross
Queen's Rd Sch.
Stock Lane Farm
Roils Head Rd.
Stock Lane
Windle Royd La.
Burnley Road
A646
West View Park
Prob. Cen.
Res. (dis.)
Bowl Grn.
Cricket Grnd.
Tennis Cts.
Mills
Works
School
White Cottage
Ainsworth House
Willow Field
King Cross
Ovenden Road
Moor End Rd.
Spring Hall La.
Gibbet St.
Hopwood La.
Parkinson La.
Queens Rd.
Spring Hall La.
Hanson La.
Battinson Road
Pellon Lane
Pellon New Road
Wheatley Lane
Long Lane
Moor End Rd.
Rye Lane
Ling Bob Croft
Albert Road
Trimmingham
Willowfield Road
Gibraltar Rd.
Westbury

Ovenden
Ringby Lane End
Ousel Hall
Punch Bowl Inn
Round Windows
97
117
Upper Hagstock
Pepper Hill
OVENDEN ROAD A629
BOOTH TOWN ROAD A647
Moor Fall Fm.
Mills
Works
High Royd
Booth Town
Football Grd.
Woodlands
Lee Mount
SHROGGS PARK
DALE
HX3
Akroydon
AKROYD PARK
Mus. & Lib.
Cem.
Sports Ground
HALIFAX
Woodside
Claremont
118
NEW BANK
CHARLESTOWN
Playground
Beech Hill Jun. & Inf. Sch.
Ind. Est.
North Br. Cent.
Bus Sta.
Town Hall
Victoria Park
Fish & Fruit Market
Health Cen.
HX1
Bowl. Grn.
Central Lib.
Belle Vue Park
Mosque
Percival Whitley College
PEOPLE'S PARK
Swimming Baths
Princess Mary High Sch.
Playing Fields
BURDOCK WAY
A58
KING CROSS RD.
KING CROSS ST.
SKIRCOAT RD.
Mus. Piece Hall
Swimming Pool
Halifax T. F.C.
The Shay Football Ground
Museum
Drill Hall
125

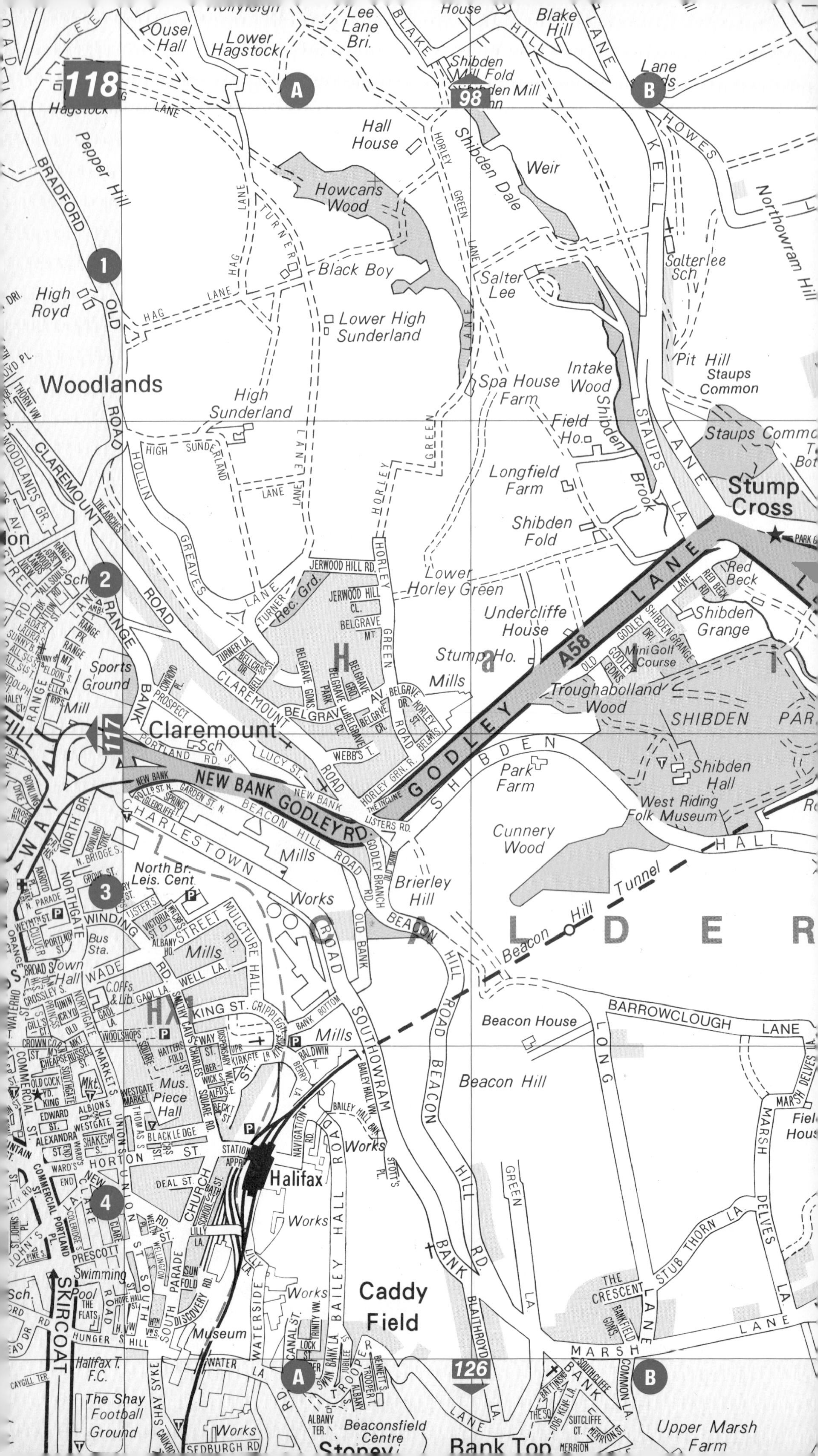

118
98
117
126
A
B
1
2
3
4
Ousel Hall
Lower Hagstock
Lee Lane Bri.
Blake Hill
Shibden Mill Fold
Lane Ends
Hagstock
Pepper Hill
BRADFORD
Hall House
Howcans Wood
Weir
Shibden Dale
Northowram Hill
Black Boy
Salter Lee
Salterlee Sch
High Royd
Lower High Sunderland
Pit Hill
Staups Common
Woodlands
High Sunderland
Spa House Farm
Intake Wood
Field Ho.
Staups Common
Stump Cross
Longfield Farm
Shibden Fold
Lower Horley Green
Red Beck
Shibden Grange
Undercliffe House
Stump Ho.
Mills
Mini Golf Course
Troughabolland Wood
SHIBDEN PARK
Sports Ground
Claremount
GODLEY LANE
A58
NEW BANK GODLEY RD.
Park Farm
Shibden Hall
West Riding Folk Museum
Cunnery Wood
North Br. Leis. Cent.
Works
Brierley Hill
Beacon Hill Tunnel
CALDER
Bus Sta.
Town Hall
HX1
BARROWCLOUGH LANE
Beacon House
Beacon Hill
Mus. Piece Hall
Halifax
Caddy Field
Museum
Swimming Pool
Halifax T. F.C.
The Shay Football Ground
Beaconsfield Centre
Bank Top
Upper Marsh Farm
SKIRCOAT

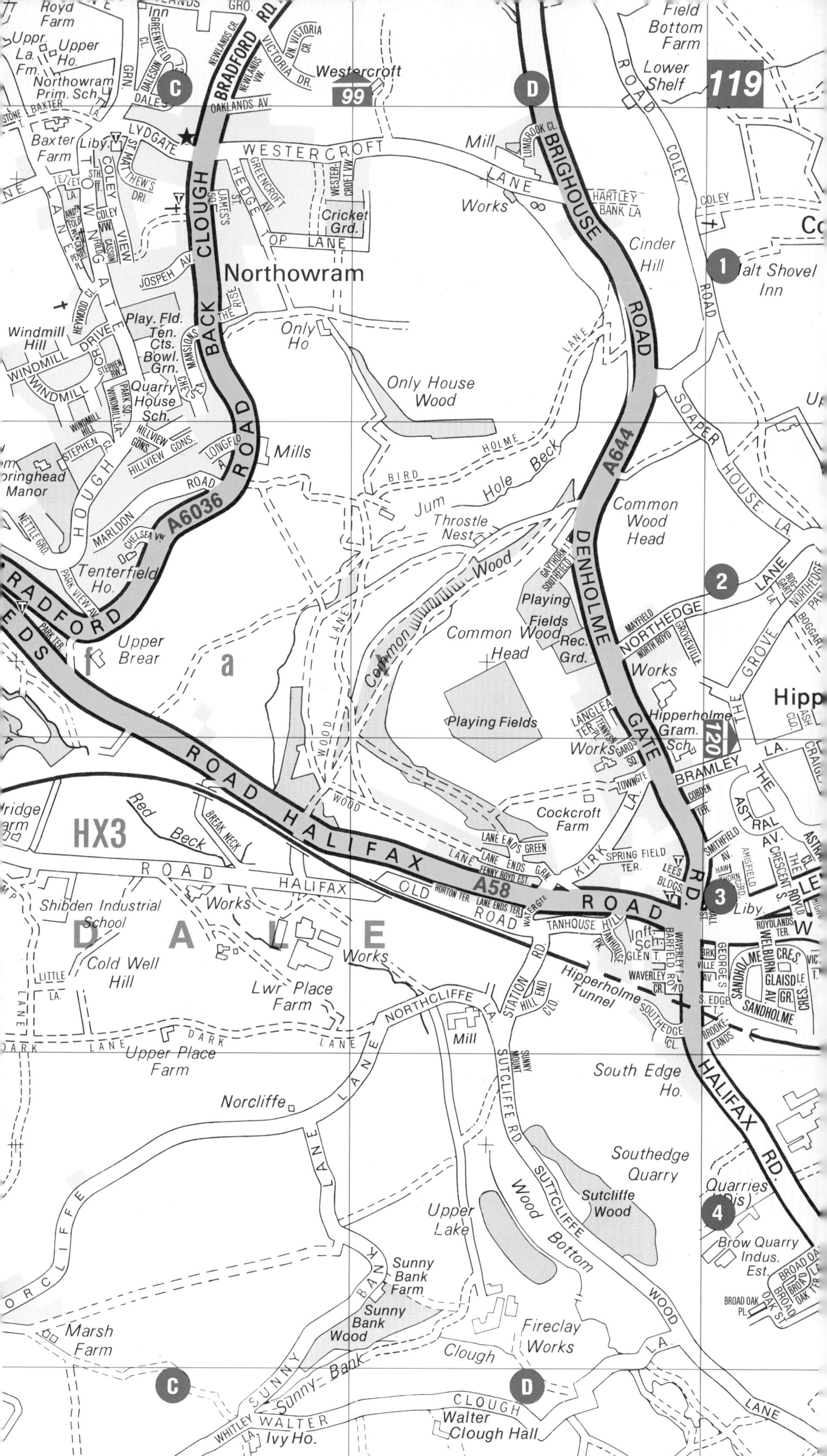
Royd Farm
Uppr. La. Fm.
Upper Ho.
Northowram Prim. Sch.
Inn
GREENFIELD CL.
DALESON CL.
GRN.
DALES
NEWLANDS GR.
BRADFORD RD.
NEWLANDS VW.
VICTORIA DR.
QN. VICTORIA CR.
Westercroft
99
OAKLANDS AV.
C
D
Field Bottom Farm
Lower Shelf
ROAD
119
BAXTER
LA.
Baxter Farm
Liby.
LYDGATE
WESTERCROFT
Mill
LUMBROOK CL.
BRIGHOUSE
COLEY
TOWN GATE
COLEY VIEW
ST. MATTHEW'S DRI.
CLOUGH
ST. JAMES'S
HEDGE
GREENCROFT AV.
WESTER-CROFT VW
LANE
Works
HARTLEY BANK LA
COLEY
Co
TETLEY
COLEY VW
CASSON
FOLD
PENROSE PL.
Cricket Grd.
OP LANE
Cinder Hill
1
Halt Shovel Inn
JOSPEH AV.
Northowram
ROAD
HEYWOOD CL.
Play. Fld.
Ten. Cts.
Bowl. Grn.
BACK
THE RISE
Only Ho.
LANE
Windmill Hill
WINDMILL DRIVE
CR.
STEPHEN RW.
MANSIONS
Only House Wood
WINDMILL
PARK SQ.
WINDMILL LA.
Quarry House Sch.
CHELSEA
SOAPER
Up
WINDMILL HILL
STEPHEN CL.
HILLVIEW GDNS.
HILLVIEW GDNS.
LONGFIELD
ROAD
Mills
HOLME
A644
Springhead Manor
HOUGH
ROAD
BIRD
Hole Beck
HOUSE LA.
Jum
Throstle Nest
Common Wood Head
NETTLE GRO.
MARLDON
CHELSEA VW.
A6036
Wood
DENHOLME
PARK VIEW AV.
Tenterfield Ho.
GAYTHORN
SOUTHFIELD
Playing Fields
2
LANE
NORTHEDGE
BRADFORD
LANE
MAYFIELD
NORTHEDGE
BOG. GART.
PARK TER.
Upper Brear
Common
Common Wood Head
Rec. Grd.
NORTH ROYD
GROVEVILLE
GROVE
BOGGART
EDS
a
Works
Hipp
WOOD
Playing Fields
LANGLEA TER.
TENNYSON PL.
GATE
THE
Hipperholme Gram. Sch.
ASH CLO.
120
ROAD
GARDS SQ.
Works
BRAMLEY
LA.
CRAIG
TOWNGTE
COBDEN
THE ASTRAL AV.
Bridge Farm
WOOD
Cockcroft Farm
TPR.
HX3
Red
BREAK NECK
LA.
HALIFAX
Beck
LANE ENDS GREEN
KIRK
SPRING FIELD TER.
SMITHFIELD AV.
AMISFIELD
ROAD
LANE ENDS GRN.
FENNY ROYD EST.
HAWTHORN GRD.
CRESCENT
THE ROYD
LEES BLDGS.
RD.
3
HALIFAX
OLD
HORTON TER.
A58
Liby.
Shibden Industrial School
Works
LANE ENDS TER.
ROAD
ROYDLANDS TER.
ROAD
WATERGTE
TANHOUSE HILL
Inft. Sch.
D A L E
TANHOUSE PK.
GLEN T.
BARFIELD ROAD
WAVERLEY T.
GEORGE S.
VILLE AV.
BRK.
SANDHOLME
WELBURN CRES.
GLAISDLE
GR.
Cold Well Hill
Works
RD.
Hipperholme Tunnel
WAVERLEY CR.
LITTLE LA.
Lwr Place Farm
STATION
HILL END CLO.
S. EDGE T.
AV.
SANDHOLME
CRES.
NORTHCLIFFE LA.
SOUTHEDGE CL.
BROOKE LANDS
DARK LANE
DARK
LANE
Mill
Upper Place Farm
SUNNY MOUNT
South Edge Ho.
LANE
Norcliffe
SUTCLIFFE RD.
HALIFAX RD.
Southedge Quarry
NORCLIFFE
LANE
Sutcliffe Wood
Quarries (Dis)
Upper Lake
Wood Bottom
SUTCLIFFE
4
Brow Quarry Indus. Est.
BANK
Sunny Bank Farm
WOOD
BROAD OAK
BROAD OAK PL.
OAK ST.
Sunny Bank Wood
Fireclay Works
Marsh Farm
Clough
LA.
SUNNY
Sunny Bank
C
D
CLOUGH
LANE
WHITLEY LA.
WALTER
Walter Clough Hall
Ivy Ho.

120
100
119
A
B
1
2
3
4
Field Bottom Farm
Madam Wood
Middle Ox Heys Wood
Lower Ox Heys
Lower Ox Heys Wood
Croft Fm.
Coley Walks
Coley Hall
Coley
Coley Chase
Mill Pond
Norwood Green
Lib.
Stockhill Bri.
Treetops
Cinder Hill
Malt Shovel Inn
Coley Croft
Mill (dis.)
Coley Beck
H a l i f a x
Coley Brow
Coley Ho.
Upper Winter Edge
Priestley Green
Ashfield Ho.
Holroyd Ho.
Common Wood Head
Sewage Wks.
Lwr. Winter Edge
HX3
Syke Wells
Helliwell Syke
Works
Hipperholme
Hipperholme Gram. Sch.
Bottom Viaduct
Lightcliffe Golf Course
C A L D E R
Club Ho.
Fernside
Cricket Grd.
The Grange
Lightcliffe
Prim. Sch.
Liby.
Inft. Sch.
Hipperholme Tunnel
Crow Nest Cotts.
UPPER PARK
South Edge Ho.
Lydgate
Works
Hill Top
CROW NEST PARK
Hipperholme & Lightcliffe High Sch.
Cliffe Hill
Southedge Quarry
Quarries (Dis)
Works
Rough Heys Quarry
Cliffe Hall
Cliffe Hill Jun. School
Sutcliffe Wood
Brow Quarry Indus. Est.
Yew Tree Quarry
Harley Head Fm.
Brighouse
Hove Edge
Giles House
Crowhurst
Rec. Grd.
HD6
Wks.
A58
A649
A644
COLEY ROAD
HARTLEY BANK LA.
COLEY HALL LANE
SHUTTS LANE
NORWOOD GREEN
QUEEN'S RD.
ELLIS CT.
VILLAGE
SOWDEN
DENHOLME GATE RD.
SOAPER LANE
SPRING HOUSE LA.
SYKE LANE
LEES LANE
NORTHEDGE LA.
NORTHEDGE PARK
BOGGART LANE
MAYFIELD
NORTH ROYD
GROVEVILLE
THE GROVE
ASH CLO.
BRAMLEY LANE
FLOWERLANDS
BRAMLEY VIEW
MOUNT FIELDS
CRESSWELL TER.
WHITEHALL ROAD
KNOWLE TOP RD.
CECIL
KNOWLE TOP DRI.
TOWNGATE
COBDEN TER.
THE ASTRAL AV.
ASTRAL DRIVE
CRAIGLANDS
THE AVENUE
HOLLY BANK DR.
BRAMLEY FOLD
LEYBURN AV.
SUTHERLAND RD.
UPPER SUTHERLAND
SPRING FIELD TER.
SMITHFIELD AV.
LEEDS ROAD
ROCK TER.
THE STRAY
LYDGATE PK.
OAK MOUNT RD.
WAKEFIELD ROAD
ROYDLANDS TER.
SANDHOLME CRES.
WELBURN AV.
GLAISDALE
SANDHOLME
VICTORIA
WESTFIELD AV.
OSBORNE GRO.
PARK TER.
PARK CLO.
WESTFIELD
DRIVE
ST. GILES CT.
SOUTHEDGE CL.
WAVERLEY CR.
WAVERLEY T.
BARFIELD RD.
GLEN T.
BROOKLANDS
COACH ROAD
SUNNY SIDE
CRIMBLE CL.
ST. GILES ROAD
IVY CR.
HALIFAX ROAD
SUTCLIFFE WOOD LANE
BROAD OAK LA.
BROAD OAK TER.
BROAD OAK PL.
SPOUT HOUSE LA.
BOLEHILL PK.
POND TER.
FARM DR.
CHAPEL
PARK
WARREN PK. CL.
ST. GILES CL.
WELL GREEN LANE
NEWTON PARK
LWR. FINKIL ST.
CATHERINE
SEFTON DR.
COACH RD.
LOW PARK

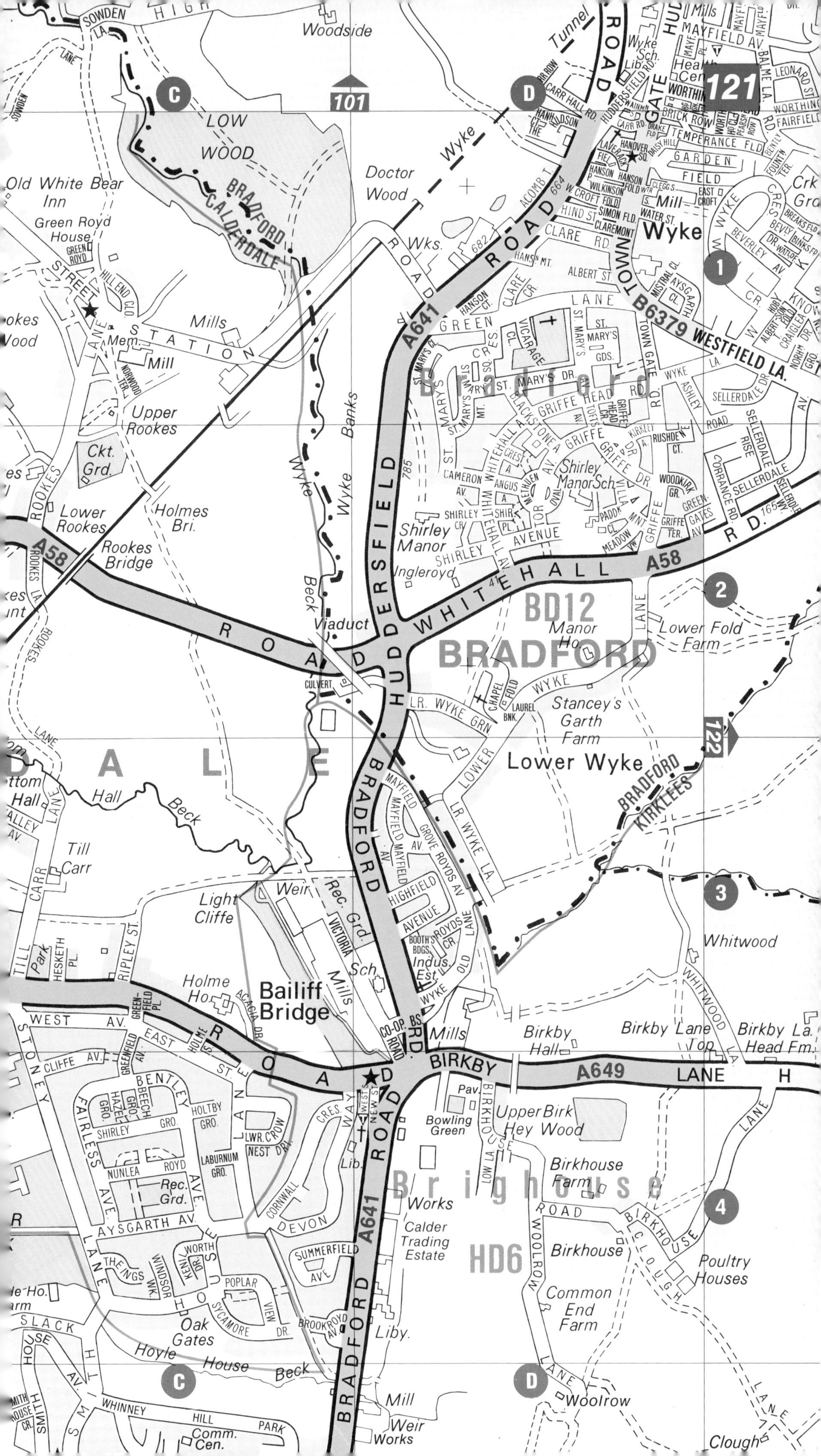

121
101
122
Woodside
Low Wood
Doctor Wood
Old White Bear Inn
Green Royd House
Wyke Tunnel
Wyke
Bradford
BD12
BRADFORD
Shirley Manor
Ingleroyd
Shirley Manor Sch.
Manor Ho.
Lower Fold Farm
Stancey's Garth Farm
Lower Wyke
Upper Rookes
Lower Rookes
Rookes Bridge
Holmes Bri.
Wyke Banks
Wyke Beck
Viaduct
Culvert
Hall Beck
Till Carr
Light Cliffe
Holme Ho.
Bailiff Bridge
Whitwood
Birkby Hall
Birkby Lane Top
Birkby La. Head Fm.
Upper Birk Hey Wood
Bowling Green
Birkhouse Farm
Brighouse
HD6
Works
Calder Trading Estate
Birkhouse
Poultry Houses
Common End Farm
Oak Gates
Hoyle House Beck
Woolrow
Clough
Weir Works
Mill
Comm. Cen.
Liby.
A641
A58
A649
B6379
HUDDERSFIELD ROAD
BRADFORD ROAD
WHITEHALL ROAD
BIRKBY LANE
WESTFIELD LA.
TOWN GATE
STATION LANE
BRADFORD CALDERDALE
BRADFORD KIRKLEES

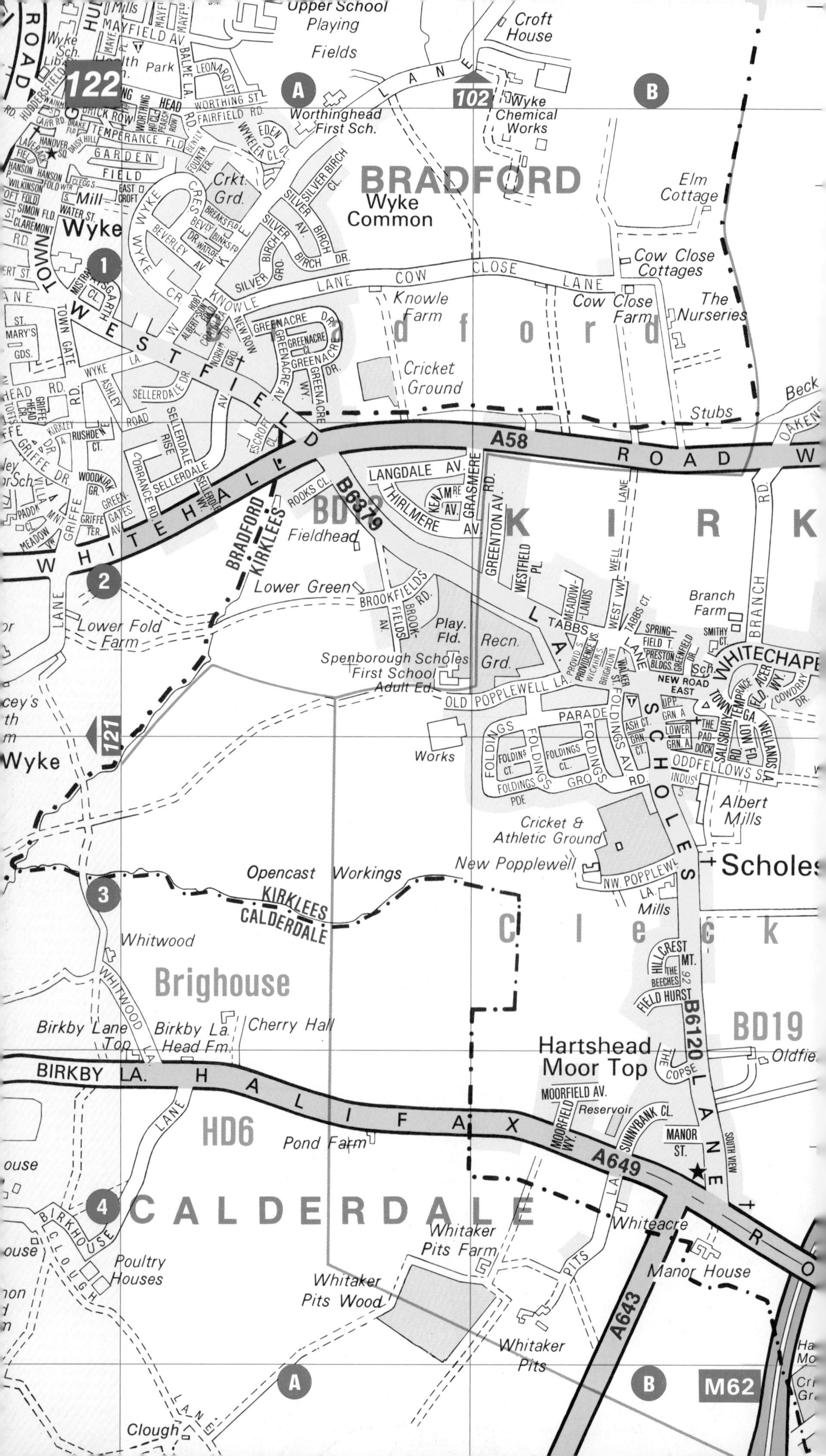
122
Upper School
Playing
Fields
Croft
House
A
B
102
Wyke
Chemical
Works
Worthinghead
First Sch.
MAYFIELD AV.
BALME LA.
LEONARD ST.
WORTHING ST.
WORTHING HEAD RD.
FAIRFIELD RD.
BRICK ROW
TEMPERANCE FLD.
GARDEN
FIELD
EDEN CL.
WYKELEA CL.
Crkt.
Grd.
BRADFORD
Wyke
Common
Elm
Cottage
SILVER BIRCH CL.
SILVER BIRCH AV.
SILVER BIRCH GRO.
BIRCH DR.
Mill
Wyke
TOWN
Cow Close
Cottages
COW CLOSE LANE
KNOWLE LANE
Knowle
Farm
Cow Close
Farm
The
Nurseries
WESTFIELD LA.
WYKE CRES.
BEVERLEY AV.
GREENACRE DR.
GREENACRE AV.
GREENACRE WY.
NEW ROW
Cricket
Ground
Bradford
Stubs
Beck
TOWN GATE
ST. MARY'S GDS.
SELLERDALE DR.
SELLERDALE RISE
SELLERDALE AV.
ASHLEY ROAD
RUSHDEN CT.
ESCROFT CL.
A58
ROAD
WHITEHALL ROAD
LANGDALE AV.
THIRLMERE AV.
KENTMERE AV.
GRASMERE RD.
GREENTON AV.
ROOKS CL.
B6379
BD12
Fieldhead
KIRKLEES
BRADFORD
KIRK
WESTFIELD PL.
WELL LANE
GRIFFE DR.
CORRANCE RD.
Lower Green
BROOKFIELDS RD.
BROOKFIELDS AV.
MEADOWLANDS
WEST VW.
TABBS CT.
Branch
Farm
BRANCH RD.
Lower Fold
Farm
Play.
Fld.
Recn.
Grd.
TABBS LA.
SPRING FIELD T.
PRESTON BLDGS.
SMITHY CT.
WHITECHAPEL
Spenborough Scholes
First School
Adult Ed.
OLD POPPLEWELL LA.
NEW ROAD EAST
Sch.
PARADE
FOLDINGS AV.
FOLDINGS CT.
FOLDINGS CL.
FOLDINGS GRO.
FOLDINGS PDE
FOLDINGS RD.
ASH CT.
SCHOLES
ODDFELLOWS ST.
SALISBURY RD.
WELLANDS LA.
121
Wyke
Works
Albert
Mills
Cricket &
Athletic Ground
New Popplewell
NW. POPPLEWELL LA.
Scholes
Opencast Workings
KIRKLEES
CALDERDALE
LA.
Mills
3
Whitwood
Cleck
HILLCREST MT.
THE BEECHES
FIELD HURST
92
Brighouse
BD19
B6120
WHITWOOD LA.
Birkby Lane
Top
Birkby La.
Head Fm.
Cherry Hall
Hartshead
Moor Top
THE COPSE
Oldfield
BIRKBY LA.
HALIFAX ROAD
MOORFIELD AV.
Reservoir
SUNNYBANK CL.
MOORFIELD WY.
HD6
Pond Farm
A649
MANOR ST.
SOUTH VIEW
LANE
4
CALDERDALE
BIRKHOUSE
Whiteacre
Whitaker
Pits Farm
Manor House
CLOUGH
Poultry
Houses
Whitaker
Pits Wood
PITS LA.
A643
Whitaker
Pits
A
B
M62
Clough
LANE
1
2

123
103
NORTH BIERLEY HOSPITAL
BRADFORD ROAD
A638
M606 MOTORWAY
M606
Works
Hunsworth Beck
Wood
Hunsworth Gt. Wood
Hunsworth Lit. Wood
Resr.
MILL LANE
Mills
Club Ho.
Junction 26
Sugden Beck
CLECKHEATON GOLF COURSE
OAKENSHAW LANE
A58
ROAD
Football Ground
Bowling Greens
Crkt. Grd.
Ten. Cts.
WHITEHALL ROAD
Whitehall Bri.
M62
M62 MOTORWAY
SNELSINS LANE
Fieldhead
Snelsins
Works
Sch.
ROAD
HUNSWORTH LA.
EXCHANGE ST.
Rec. Grd.
Gas Wks.
Playing Fields
Whitechapel Mid. Sch.
Cemetery
WHITECHAPEL GRO.
Chairbarrows Farm
The Royds
B6120
ROAD
Playing Fields
WHITECHAPEL ROAD
TURNSTEADS AV.
KENMORE AV.
KENMORE DR.
KENMORE WY.
Turnsteads
WHITCLIFFE RD.
Playing Fields
Sports Cent.
Whitcliffe Mnt. Sch. & Ed. Cen.
West End
West End Park
Bowl. Grns.
CLECKHEATON
Moorbottom
WESTGATE
MOORBOTTOM
Lark Hill
HIGHFIELD RD.
PARADE
HEATON
PROSPECT
Mill-Hall
BLACUP MOOR VW.
QUAKER LA.
Works
Mills
ASHBOURNE DR.
Lower Blacup
A643
MOORSIDE
Hartshead Moor Side
Brier Hill
HALIFAX ROAD
Hightown Heights
Works
Upper Blacup
Upper Blacup Farm
Mills
HIGHMOOR LA.
HIGHTOWN
Sch.

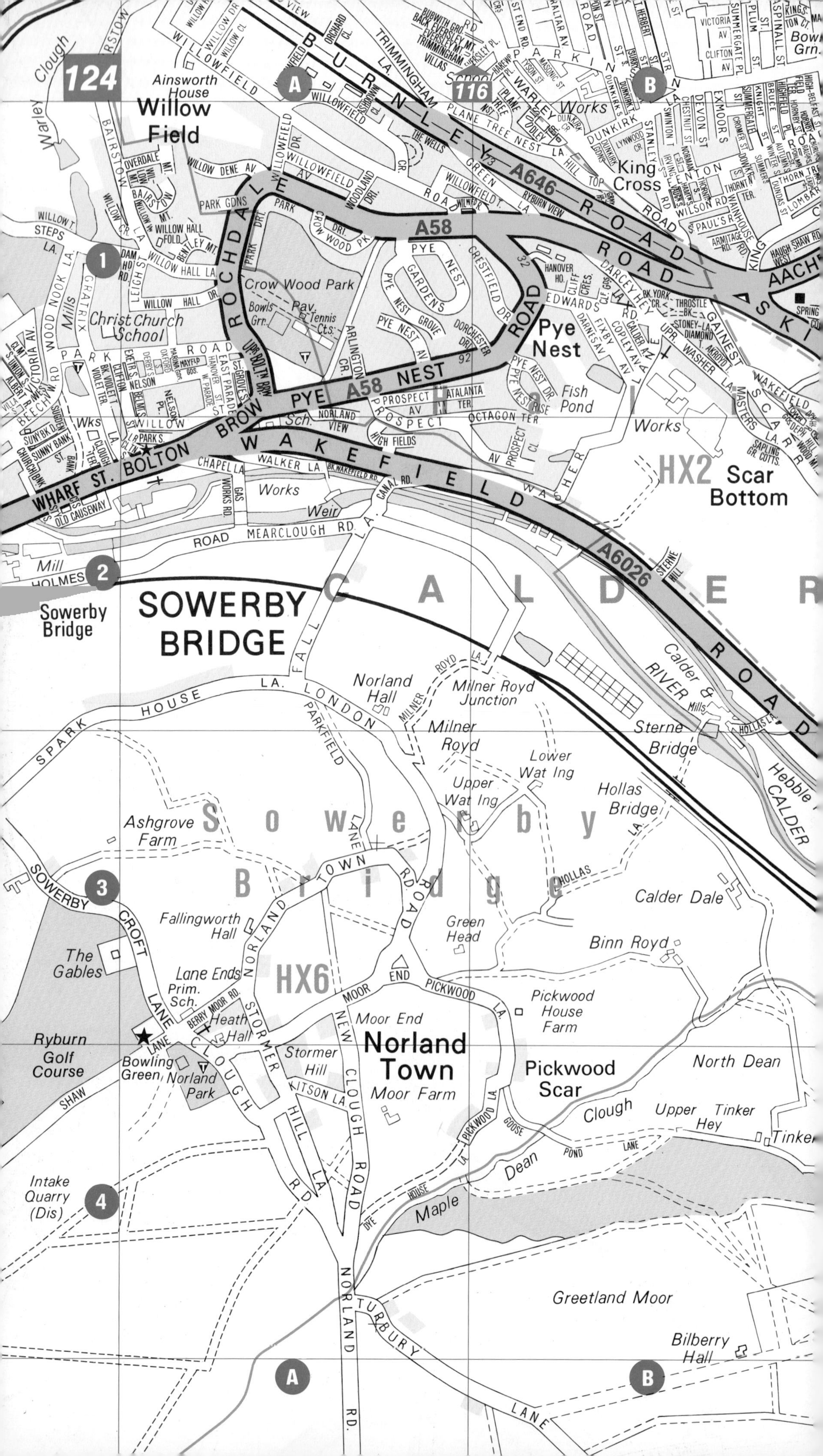

124
116
A
B
1
2
3
4
Willow Field
Ainsworth House
Warley Clough
BURNLEY ROAD
A646
TRIMMINGHAM LA.
WILLOWFIELD
ROCHDALE ROAD
A58
Crow Wood Park
Bowls Grn.
Pav.
Tennis Cts.
PYE NEST GARDENS
PYE NEST ROAD
King Cross
Pye Nest
Fish Pond
Christ Church School
WHARF ST.
BOLTON BROW
WAKEFIELD ROAD
A6026
Works
Weir
MEARCLOUGH RD.
HOLMES
Mill
Sowerby Bridge
SOWERBY BRIDGE
CALDER
HX2
Scar Bottom
Norland Hall
Milner Royd Junction
Milner Royd
Lower Wat Ing
Upper Wat Ing
Sterne Bridge
Hollas Bridge
RIVER CALDER
Calder & Hebble
Ashgrove Farm
Sowerby Bridge
SPARK HOUSE LA.
LONDON ROAD
FALL LA.
PARKFIELD LANE
NORLAND TOWN RD.
Fallingworth Hall
The Gables
Lane Ends Prim. Sch.
HX6
Heath Hall
Ryburn Golf Course
Bowling Green
Norland Park
CROFT LANE
SOWERBY
SHAW LANE
CLOUGH
STORMER HILL
Stormer Hill
Moor End
MOOR END
Norland Town
Moor Farm
NEW CLOUGH ROAD
KITSON LA.
HILL LA.
Green Head
Calder Dale
Binn Royd
Pickwood House Farm
Pickwood Scar
PICKWOOD LA.
North Dean
Upper Tinker Hey
Tinker
Clough
Dean
Maple
Intake Quarry (Dis)
Greetland Moor
Bilberry Hall
NORLAND RD.
TURBURY LANE

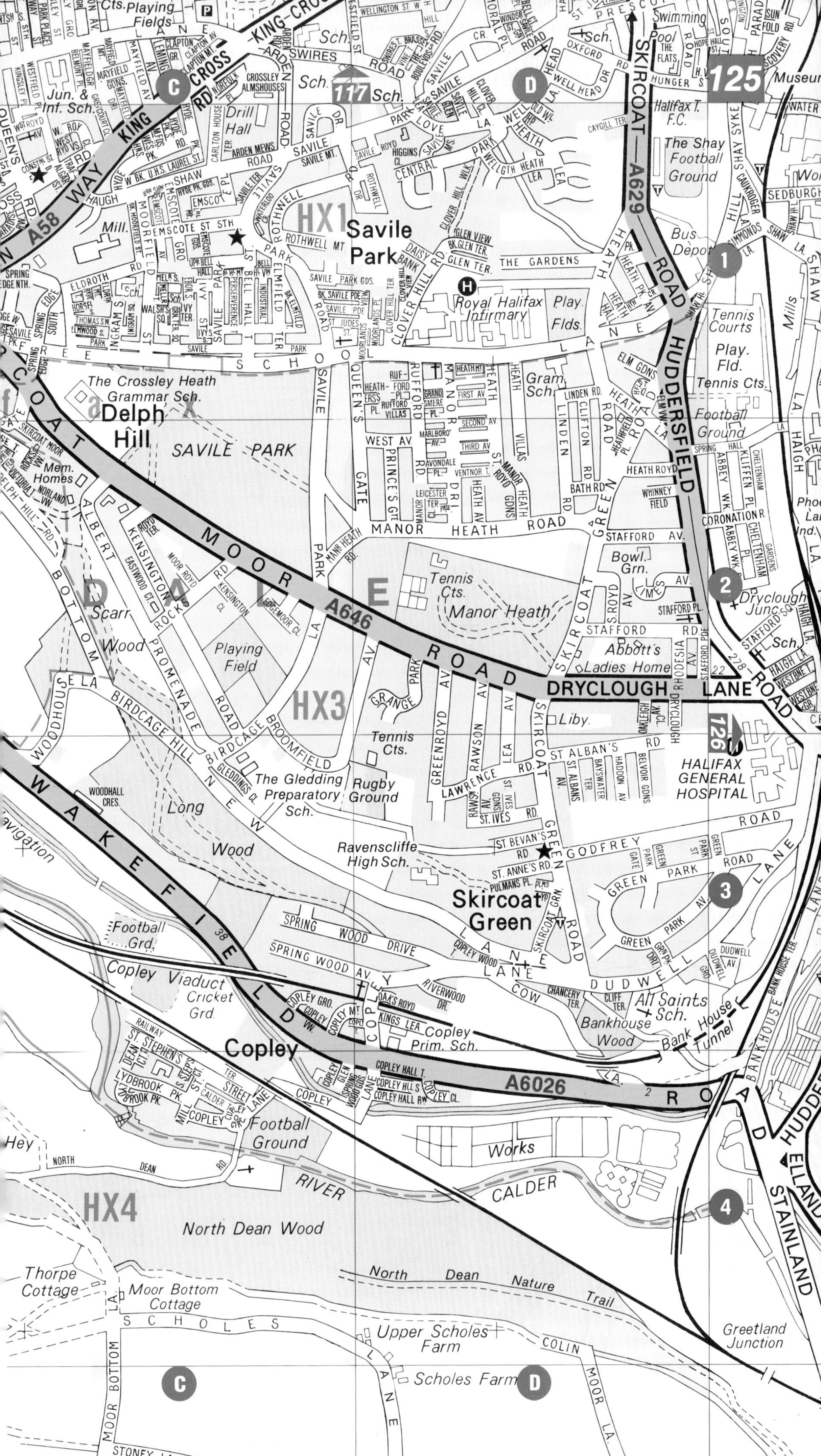
125
C
D
Cts. Playing Fields
KING CROSS
Sch.
117
SWIRES ROAD
ARDEN ROAD
SAVILE ROAD
WELLINGTON ST. W.
Swimming Pool
THE FLATS
HOPE HALL ST.
HUNGER ST.
Museum
OXFORD RD
WELL HEAD DR.
WELL HEAD LA.
Jun. & Inf. Sch.
QUEEN'S RD.
A58
KING CROSS RD.
WAY
CROSSLEY ALMSHOUSES
Drill Hall
ARDEN MEWS
CARLTON HOUSE TER.
SAVILE DR.
SAVILE MT.
HIGGINS CL.
CENTRAL PARK
LOVE LA.
HEATH LA.
CLOVER HILL CL.
CLOVER HILL RD.
CLOVER HILL WLK.
CAYGILL TER.
Halifax T. F.C.
The Shay Football Ground
SKIRCOAT
A629
SHAY SYKE
CAULKRODGER
SEDBURGH
WATER
HAUGH SHAW
HYDE PK. GDS.
EMSCOTE
EMSCOTE ST STH.
SAVILE TER.
WATERLOO CL.
ROTHWELL RD.
ROTHWELL MT.
HX1
Savile Park
GLEN VIEW
BK. GLEN TER.
GLEN TER.
THE GARDENS
HEATH PK. AV.
Bus Depot
1
SIMMONDS LA.
SHAW LA.
Mill.
MOORFIELD ST.
GRO.
BELL HALL TER.
ELMFIELD TER.
BK. ELMFIELD TER.
INDUSTRIAL TER.
PERSEVERANCE
ELDROTH RD.
HORSFALL ST.
THOMAS ST. W.
ELMWOOD ST.
INGRAM ST.
INGRAM SQ.
WALSH'S SQ.
IVY TER.
SAVILE PARK GDS.
BK. SAVILE PDE.
SAVILE PDE.
ST. JUDES ST.
MOORLANDS PL.
DAISY BANK
Royal Halifax Infirmary
Play. Flds.
SHAW HILL
Tennis Courts
Play. Fld.
Tennis Cts.
Mills
SPRING EDGE NTH.
SPRING EDGE SOUTH
FREE SCHOOL LANE
PARK
SAVILE
The Crossley Heath Grammar Sch.
Delph Hill
SAVILE PARK
SKIRCOAT MOOR RD.
Mem. Homes
NORLAND VW.
DELPH HILL RD.
SAVILE PARK
QUEEN'S RD.
HEATH-ERSS PL.
RUFFORD PL.
RUFFORD VILLAS
RUFFORD RD.
GRAND SMERE PL.
HEATH MT.
FIRST AV.
SECOND AV.
THIRD AV.
MANOR DRI.
WEST AV.
PRINCE'S GATE
MARLBORO' AV.
AVONDALE PL.
VENTNOR T.
LEICESTER TER.
HEATH AV.
MANOR HEATH RD.
HEATH ST.
ROYD ST.
HEATH VILLAS
MANOR HEATH GDNS.
Gram. Sch.
LINDEN RD.
CLIFTON RD.
BATH RD.
HEATH RD.
HEATH ROYD
WHINNEY FIELD
ELM GDNS.
HEATHFIELD PL.
HUDDERSFIELD ROAD
SPRING HALL LA.
Football Ground
ABBEY WK.
KLIFFEN PL.
CHELTENHAM
CORONATION R.
ABBEY WK.
GARDENS
HAIGH LA.
Phoe
Ind.
MANOR HEATH ROAD
STAFFORD AV.
Bowl. Grn.
LIMES AV.
2
Dryclough Junc.
STAFFORD SQ.
Sch.
HAIGH LA.
WESTBNE.
ALBERT PROMENADE
KENSINGTON RD.
ROYD TER.
EASTWOOD CL.
MOOR ROYD
ROCKS RD.
KENSINGTON CL.
EDGEMOOR CL.
MANOR HEATH RD.
D A L E
Scarr Wood
Playing Field
MOOR
A646
Tennis Cts.
Manor Heath
SKIRCOAT GREEN
S. ROYD AV.
STAFFORD PL.
STAFFORD RD.
Abbott's Ladies Home
RHODESIA AV.
STAFFORD PDE.
22
278
ROAD
DRYCLOUGH LANE
WOODHOUSE LA.
BOTTOM
BIRDCAGE HILL
BROOMFIELD RD.
GRANGE PARK
GREENROYD AV.
RAWSON AV.
LEA AV.
HX3
Liby.
OAKLEIGH AV.
DRYCLOUGH CL.
126
HALIFAX GENERAL HOSPITAL
ST. ALBAN'S RD.
ST. ALBANS AV.
BAYSWATER TER.
HADDON AV.
BELVOIR GDNS.
BIRDCAGE LA.
NEW
GLEDDINGS CL.
The Gledding Preparatory Sch.
Rugby Ground
Tennis Cts.
LAWRENCE RD.
ST. IVES RD.
WOODHALL CRES.
Long Wood
Ravenscliffe High Sch.
ST. BEVAN'S RD.
ST. ANNE'S RD.
PULMANS PL.
GODFREY ROAD
GREEN PARK
3
Skircoat Green
SKIRCOAT GRN.
Navigation
WAKEFIELD
38
Football Grd.
SPRING WOOD DRIVE
SPRING WOOD AV.
COPLEY WOOD T.
GREEN PARK AV.
DUDWELL AV.
DUDWELL LANE
COW LANE
CHANCERY TER.
CLIFF TER.
All Saints Sch.
Bankhouse Wood
Bank House Tunnel
BANKHOUSE
Copley Viaduct
Cricket Grd.
COPLEY GRO.
COPLEY VW.
COPLEY MT.
OAKS ROYD
RIVERWOOD DR.
KINGS LEA
Copley Prim. Sch.
Copley
RAILWAY ST.
ST. STEPHEN'S ST.
LYDBROOK PK.
CALDER
STREET
COPLEY LANE
COPLEY HALL T.
COPLEY HALL RW.
COPLEY CL.
A6026
2
ROAD
HUDDERSFIELD
Football Ground
Hey
NORTH DEAN RD.
Works
RIVER CALDER
HX4
North Dean Wood
4
ELLAND
STAINLAND
Thorpe Cottage
Moor Bottom Cottage
SCHOLES LANE
North Dean Nature Trail
Upper Scholes Farm
COLIN MOOR LA.
Greetland Junction
MOOR BOTTOM
C
Scholes Farm
D
STONEY LA.

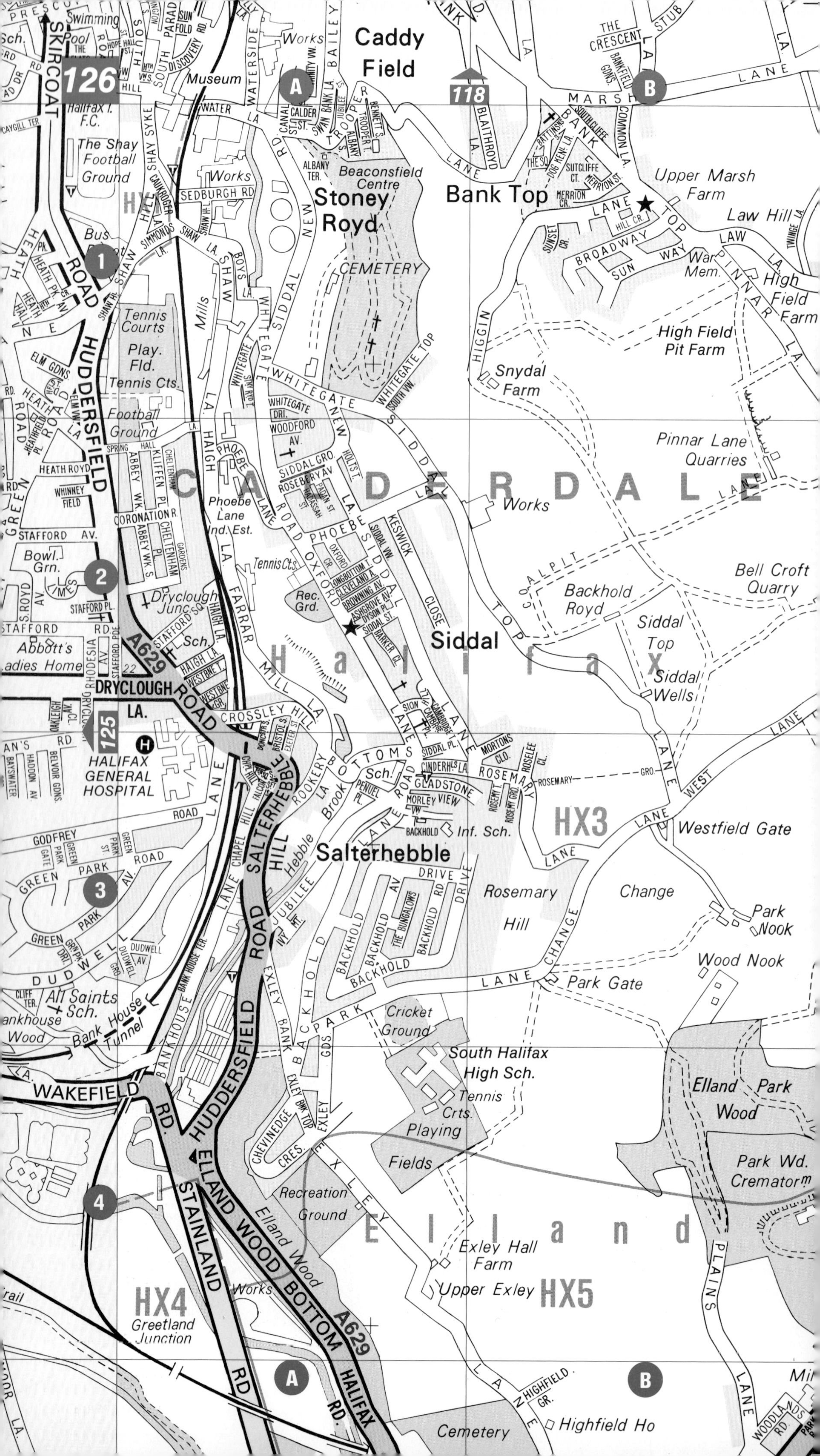
126
118
125
A
B
1
2
3
4
Caddy Field
Stoney Royd
Bank Top
Upper Marsh Farm
Law Hill
High Field Farm
High Field Pit Farm
Snydal Farm
Pinnar Lane Quarries
CALDERDALE
Halifax
Works
Bell Croft Quarry
Backhold Royd
Siddal Top
Siddal Wells
Siddal
Westfield Gate
HX3
Salterhebble
Rosemary Hill
Change
Park Nook
Wood Nook
Park Gate
South Halifax High Sch.
Elland Park Wood
Park Wd. Crematorm
Elland
Exley Hall Farm
Upper Exley
HX5
HX4
Greetland Junction
Cemetery
Highfield Ho
Museum
The Shay Football Ground
Halifax T. F.C.
Beaconsfield Centre
CEMETERY
Tennis Courts
Play. Fld.
Football Ground
Phoebe Lane Ind. Est.
Dryclough Junc.
Abbott's Ladies Home
HALIFAX GENERAL HOSPITAL
All Saints Sch.
Bank House Tunnel
Recreation Ground
Cricket Ground
Playing Fields
Elland Wood
A629
SKIRCOAT ROAD
HUDDERSFIELD ROAD
DRYCLOUGH LA.
SALTERHEBBLE HILL
WAKEFIELD RD.
STAINLAND RD
ELLAND WOOD BOTTOM
HALIFAX RD.
WHITEGATE
SIDDAL LANE
MARSH LANE
PINNAR LA.
CHANGE LANE
PLAINS LANE

Index to Places & Areas

Names in this index shown in CAPITAL LETTERS, followed by their Postcode District(s), are Postal addresses.

lel East Moor. -2A 26
)EL. (LS16) -1D 25
el Mill. -4D 11
walton. -2B 106
roydon. -2D 117
LERTON. (BD15) -2D 55
WOODLEY. (LS17) -4D 13
woodley Park. -4C 13
nbler Thorn. -1D 97
PERLEY BRIDGE. (BD10) -4B 20
RMLEY. (LS12) -3D 65
kinson Hill. -2B 90
sthorpe. -3A 72

gby Fields. -1D 67
gley. -3A 40
ILDON. (BD17) -1A 18
ildon Green. -3C 17
ildon Holmes. -4D 17
ildon Wood Bottom. -3D 17
iley Hills. -2B 14
LIFF BRIDGE. (HD6) -4D 121
nk Foot. -4A 80
nkhouse. -1A 84
nkhouse Bottom. -1A 84
nk Top. -2D 37
Bradford)
nk Top. -1B 126
Halifax)
ntam Grove. -3A 110
rkerend. -3C 59
rnbow. -3D 51
rrowby. -3C 73
wn. -4B 64
ckett Park. -2D 43
ck Foot. -3B 14
ck Hill. -2B 100
echwood. -2C 23
Horsforth)
echwood. -2B 48
Seacroft)
eston Hill. -2C 89
ESTON. (LS11 & LS12) -3B 88
eston Park Side. -1C 111
eston Royds. -3C 87
ldon Hill. -3B 78
lle Isle. -2A 112
l Hill. -1C 113
rley. -4D 81
NGLEY. (BD16) -2B 14
RKENSHAW. (BD11) -2C 105
kenshaw Bottoms. -4D 105
ks. -4B 56
kshead. -3A 32
ckmoor. -1C 27
lton. -4B 36
lton Outlanes. -4C 37
lton Woods. -3A 36
oth Town. (HX3) -2D 117
tany Bay. -2A 66
ttomley Holes. -1B 74
ADFORD. (BD1 to BD19) -3B 58
adford Moor. -3A 60
adley Hill. -1C 63
ADSHAW. (HX2) -4B 74
AMHOPE. (LS16) -1B 10
AMLEY. (LS13) -1D 63
anside. -4C 49
oad Folds. -1D 77
ook Hill. -2A 18
ookhouse. -4A 74
ooklands. -3B 48
oomfields. -1B 80
own Royd. -3C 57
ownroyd Hill. -3D 79
intcliffe. -4A 108
rley. -1D 65
rley Lawns. -1A 66
rmantofts. -2B 68
rnwells. -3C 19
slingthorpe. -4D 45
TTERSHAW. (BD6) -1B 100

bbage Hill. -4C 65
ddy Field. -4A 118
verley Bridge. -2B 40
LVERLEY. (LS28) -1C 39
mp Field. -4C 67
lton. -4A 114
r Crofts. -3D 65
r House Gate. -4D 101
therine Slack. -2D 97
USEWAY FOOT. (HX2) -3B 74
valier Hill. -4A 68
APEL ALLERTON. (LS7) -1D 45
apel Green. -2A 80
apeltown. -1A 46
ARLESTOWN. (BD17) -3A 18
URWELL. (LS27) -1D 109
y. -4C 109
remount. -2A 118
AYTON. (BD14) -1D 77
yton Heights. -3D 77
ECKHEATON. (BD19) -3D 123
ton Villas. -1A 58
ckersdale. -4C 85
LEY. (HX3) -1A 120
l Place. -1A 102
LTON. (LS15) -4A 72
OKRIDGE. (LS16) -4A 10
PLEY. (HX3) -4C 125
tingley. -4A 88
TTINGLEY. (BD16) -2D 33

Cragg Hill. -1D 41
Crag Hill. -3A 10
Crimbles. -3B 62
Cross Gates. -2A 14
(Bingley)
Cross Gates. -1D 71
(Leeds)
CROSS GREEN. (LS9) -4B 68
Crossley Hall. -3A 56
Crow Nest. -2A 15
Crown Point. -3A 68
CUTLER HEIGHTS. (BD4) -1A 82

Daisy Hill. -3D 109
DAISY HILL. (BD9) -1A 56
Dean Head. -2C 9
Delph End. -3C 61
Delph Hill. -3D 101
(Bradford)
Delph Hill. -2C 125
(Halifax)
DENHOLME. (BD13) -2A 52
Denholme Clough. -4B 52
Denholme Gate. -4A 52
Dirk Hill. -1D 79
Dowley Gap. -3D 15
DRIGHLINGTON. (BD11) -2B 106
Drub. -4B 104
Dudley Hill. -4D 81
Dunkirk. -3B 98
Dunningley. -4B 110

EAST BIERLEY. (BD4) -1B 104
East Bowling. -3C 81
Eastbrook. -4B 58
East Moor. -1A 26
ECCLESHILL. (BD2 & BD10) -3D 37
ECCUP. (LS16) -1B 12
ELDWICK. (BD16) -1D 15
ESHOLT. (BD17) -1D 19

FAGLEY. (BD2) -1A 60
Fairweather Green. -3A 56
Far Fold. -3D 65
Far Headingley. -2A 44
FARNLEY. (LS12) -1A 86
Far Royds. -1D 87
Farsley Beck Bottom. -4B 40
FARSLEY. (LS28) -4A 40
Fearn's Island. -4A 68
Fearnville. -3A 48
FERNCLIFFE. (BD16) -2C 15
Field Head. -4B 106
FIVE LANE ENDS. (BD2) -2C 37
Ford. -4A 76
Fourlands. -1D 37
FOUR LANE ENDS. (BD8) -3B 56
FRIZINGHALL. (BD9) -3D 35
Fulneck. -1A 84

Gaisby. -2A 36
Gamble Hill. -3A 64
Garforth Bridge. -4D 73
GILDERSOME. (LS27) -1A 108
Gildersome Street. -3D 107
Gillroyd. -4D 109
GILSTEAD. (BD16) -2D 15
Gipton. -1D 69
Gipton Wood. -3D 47
Girlington. -2C 57
Gledhow. -1B 46
Goody Cross. -3D 95
Goose Hill. -3D 81
Graveleythorpe. -2C 71
GREAT HORTON. (BD7) -2C 79
GREENGATES. (BD10) -1A 38
Green Side. -3B 56
GUISELEY. (LS20) -1B 6

Haigh Fold. -4D 37
Half Mile. -4B 40
HALIFAX. (HX1 to HX4) -4D 117
Halton. -3B 70
Halton Moor. -3A 70
Harehills. -1C 69
Harehills Corner. -3B 46
Harrop Edge. -1A 54
Hartshead Moor Side. -4C 123
Hartshead Moor Top. -4B 122
Hawkesworth. -1A 42
Hawksworth. -2B 4
Headingley Hill. -3A 44
HEADINGLEY. (LS6) -3A 44
HEATON. (BD9) -4C 35
Heaton Grove. -3C 35
Heaton Royds. -3B 34
Heaton Shay. -3B 34
Henshaw. -4C 7
High Road Well. -3A 116
Hightown Heights. -4C 123
Hill End. -3B 64
Hillfoot. -2C 61
Hill Green. -3A 84
Hill Top. -2B 64
(Armley)
Hill Top. -3D 53
(Bradford)
Hill Top. -4B 26
(Meanwood)
HIPPERHOLME. (HX3) -3A 120

HOLBECK. (LS11) -1C 89
Holdsworth. -2C 97
Hollin Park. -3D 47
Holme Top. -1A 80
Holme Village. -2B 82
HOLME WOOD. (BD4) -2A 82
HOLMFIELD. (HX2 & HX3) -3C 97
Holt Park. -1B 24
HORSFORTH. (LS18) -4D 23
Horsforth Woodside. -4A 24
Horton Bank. -3B 78
Horton Bank Bottom. -3B 78
Horton Bank Top. -3A 78
Hough End. -2D 63
Hough Side. -3C 63
HOVE EDGE. (HD6) -4A 120
Hunger Hill. -1B 98
Hunslet Carr. -3A 90
HUNSLET. (LS10) -2A 90
HUNSWORTH. (BD19) -4A 104
HYDE PARK. (LS6) -4B 44

IDLE. (BD10) -4D 19
IDLE MOOR. (BD10) -1B 36
ILLINGWORTH. (HX2) -3A 96
Illingworth Moor. -1B 96
Intake. -4B 40
Ireland Wood. -2C 24
Islington. -1B 88

John O' Gaunts. -2B 114

Keelham. -4B 52
Killingbeck. -1B 70
KIRKSTALL. (LS5) -4C 43
Knowsthorpe. -1B 90

Lady Wood. -1D 47
LAISTERDYKE. (BD4) -4A 60
Lane End. -2D 77
Lawnswood. -3C 25
Leeds & Bradford Airport. -3B 8
LEEDS. (LS1 to LS20 & -2D 67
Lee Mount. -2C 117
Leventhorp. -4D 55
LIDGET GREEN. (BD7) -4C 57
Lidgett Park. -4C 29
LIGHTCLIFFE. (HX3) -3B 120
Lister Hills. -4D 57
Little Horton. -2A 80
Little Horton Green. -1A 80
Little London. -1D 67
(Leeds)
Little London. -2C 21
(Yeadon)
Little Moor. -4C 77
Littlemoor Bottom. -4B 62
Little Preston. -4C 95
Little Woodhouse. -1B 66
Low Baildon. -2A 18
LOWER FAGLEY. (BD2) -4B 38
Lower Grange. -3D 55
Lower Woodlands. -3C 103
LOWER WORTLEY. (LS12) -4D 65
LOWER WYKE. (BD12) -2D 121
Low Farm. -1B 24
Low Fold. -4A 64
(Farnley)
Low Fold. -4B 22
(Horsforth)
Low Green. -2D 21
LOW MOOR. (BD12) -2A 102
Low Moor Side. -3D 85
Low Town End. -4D 109
Lydgate. -3A 120

Mabgate. -2A 68
MANNINGHAM. (BD8) -1D 57
Manston. -4D 49
Marshfields. -3A 80
Meanwood Grove. -4A 26
MEANWOOD. (LS6 & LS16) -1B 44
MIDDLETON. (LS10) -3D 111
Mill Shaw. -4A 88
Moor Allerton. -3B 28
Moorbottom. -4D 123
Moor End. -2C 37
(Bradford)
Moor End. -3C 65
(Leeds)
Moor Head. -4D 85
Moorside. -3B 106
(Drighlington)
Moor Side. -1D 59
(Fagley)
Moorside. -4A 42
(Leeds)
Moor Side. -3D 101
(Low Moor)
Moor Top. -2D 101
(Bradford)
Moor Top. -3C 65
(Leeds)
MOORTOWN. (LS17) -2A 28
Morley Carr. -3A 102
Morley Hole. -3B 108
MOUNTAIN. (BD13) -3D 75

Nab Wood. -1A 34

Nethertown. -1C 107
Nether Yeadon. -1C 21
New Blackpool. -1C 87
New Brighton. -3B 108
NEW BRIGHTON. (BD16) -2D 33
NEW FARNLEY. (LS12) -2A 86
Newhall. -4C 81
Newlay. -2D 41
New Road Side. -4D 101
Newsam Green. -3A 94
New Scarborough. -1D 63
(Bramley)
New Scarborough. -3B 6
(Guiseley)
New Toftshaw. -1A 104
New Town. -1B 68
NEW WORTLEY. (LS12) -3B 66
Noon Nick. -3D 33
Norland Town. -3A 124
Norr. -2A 32
NORTHOWRAM. (HX3) -1C 119
NORWOOD GREEN. (HX3) -1B 120

OAKENSHAW. (BD12) -3B 102
Oakwell. -4A 106
Oakwood. -2D 47
Odsal. -1A 102
Odsal Top. -1A 102
OGDEN. (HX2) -3A 74
Old Dolphin. -3C 77
Osmonthorpe. -3D 69
OULTON. (LS26) -3D 115
OVENDEN. (HX2 & HX3) -4C 97
Owlet. -2A 36

Paradise Green. -1B 78
Park. -1B 18
Parklands. -4C 49
Parkside. -3B 81
Park Spring. -3A 64
Park Villas. -3C 29
PELLON. (HX1 & HX2) -2B 116
Pepper Hill. -2C 99
Pickles Hill. -3B 78
Pickwood Scar. -4B 124
POTTERNEWTON. (LS7) -3A 46
Priesthorpe. -3C 39
Priestley Green. -2A 120
Priestthorpe. -1C 15
Princeville. -4C 57
PUDSEY. (LS28) -4B 62
Pule Hill. -4D 97
Pye Nest. -1B 124

Quarry Hill. -3A 68
QUEENSBURY. (BD13) -4B 76

Ravencliffe. -3A 38
RAWDON. (LS19) -1D 21
Raw Nook. -3B 102
Richmond Hill. -3B 68
ROBIN HOOD. (WF3) -4C 113
Rocks. -4A 74
RODLEY. (LS13) -2B 40
Roker Lane Bottom. -2C 85
Rooms. -1C 109
Rothwell Haigh. -1A 114
ROTHWELL. (LS26) -3B 114
ROUNDHAY. (LS8) -4C 29
Rufford Park. -4C 7

St James Place. -2B 18
Saltaire. -4B 16
SALTERHEBBLE. (HX3) -3A 126
Sandford. -3B 42
Sandy Lane. -4C 33
Savile Park. -1C 125
Scar Bottom. -2B 124
Scarlet Heights. -4B 76
Scholebrook. -2D 83
Scholemoor. -1B 78
SCHOLES. (BD19) -2B 122
SCHOLES. (LS15) -2B 50
School Close. -3D 67
School Green. -4C 55
Scotland. -4C 9
Scott Green. -1D 107
Scott Hall. -3D 45
SEACROFT. (LS14) -2C 49
Sellars Fold. -1C 79
SHADWELL. (LS17) -1A 30
Shay Brow. -4C 33
Shearbridge. -4D 57
Sheepscar. -1A 68
SHELF. (HX3) -2D 99
Shibden Head. -2D 97
SHIPLEY. (BD17 & BD18) -1D 35
SIDDAL. (HX3) -2A 126
Silver Royd Hill. -4B 64
Simpson Green. -4D 19
SKIRCOAT GREEN. (HX3) -3D 125
Slack Side. -4C 79
Slaid Hill. -1D 29
Soil Hill. -2B 74
SOWERBY BRIDGE. (HX6) -2A 124
Springfield. -2C 37
Spring Gardens. -2B 106
Stanks. -4A 50
STANNINGLEY. (LS28) -1A 62
Staygate. -4B 80

Stone Chair. -3D 99
Stoney Royd. -1A 126
Stourton. -3C 91
STUMP CROSS. (HX3) -2B 118
Swain Green. -4A 60
Swain House. -3C 37
Swain Royd Lane Bottom. -4B 32
Swallow Hill. -3B 64
Swarcliffe. -3D 49
SWILLINGTON. (HX7) -4C 95
Swincliffe. -4C 105
Swinnow. -1C 63
Swinnow Moor. -2C 63

Tarn. -2B 18
THACKLEY. (BD10) -3C 19
Thackley End. -3C 19
The Green. -3C 49
(Leeds)
The Green. -4A 40
(Pudsey)
The Leylands. -2D 67
The Oval. -1C 71
THORNBURY. (BD3) -3A 60
THORNTON. (BD13) -4A 54
Thorpe. -1D 37
Thorpe Edge. -1D 37
Thwaite Gate. -2C 91
Tinshill. -1B 24
Tinshill Moor. -1B 24
Toftshaw. -1A 104
TONG. (BD4) -3A 84
Tong Park. -1B 18
Tong Street. -4A 82
Town End. -1D 77
(Bradford)
Town End. -1A 64
(Bramley)
Town End. -1D 87
(Lower Wortley)
Town End. -4C 109
(Morley)
Tranmere Park. -2D 5
Troy. -3D 23
Troydale. -4C 63
Troy Hill. -3C 109
Truncliffe. -4A 80
TYERSAL. (BD4) -4A 60
Tyersal Gate. -1B 82

Undercliffe. -1D 59
Upper Armley. -2C 65
Upper Brockholes. -1A 96
Upper Common. -4A 102
Upper Fagley. -4A 38
Upper Green. -2C 79
Upper Moor Side. -3D 85
Upper Wortley. -4C 65

Waterloo Corner. -4C 115
WEETWOOD. (LS16) -4D 25
Well Heads. -4C 53
Wellington Hill. -4B 30
Wesley Place. -2A 102
WEST BOWLING. (BD5) -2B 80
West End. -4A 76
(Bradford)
West End. -3D 123
(Cleckheaton)
West End. -3B 22
(Leeds)
Westfield. -4B 6
Westgate Hill. -1C 105
WEST PARK. (LS16) -4C 25
West Royd. -4A 18
Westroyd Hill. -4D 61
WEST SCHOLES. (BD13) -2A 76
WHEATLEY. (HX2 & HX3) -1B 116
WHINMOOR. (LS15) -4D 31
Whitecote. -3D 41
White Cross. -1D 5
Whitkirk. -3D 71
Whitkirk Lane End. -2A 72
WIBSEY. (BD6) -4D 79
WILSDEN. (BD15) -3A 32
WINDHILL. (BD18) -1D 35
Windmill Hill. -4D 61
Wiring Field. -3D 65
Witchfield. -2A 100
Wood Bottom. -4A 22
Woodend. -4A 18
Woodhall. -1C 61
Woodhall Hills. -4C 39
Woodhall Park. -1C 61
Woodhouse. -1C 67
Woodhouse Carr. -4C 45
Woodhouse Cliff. -3B 44
Woodhouse Hill. -3A 90
Woodlands. -2D 117
WOODLESFORD. (LS26) -1D 115
Woodside. -2B 100
(Bradford)
Woodside. -2D 117
(Halifax)
Wortley. -4D 65
WROSE. (BD18) -1A 36
WYKE. (BD12) -1D 121
Wyke Common. -1A 122

YEADON. (LS19) -3C 7
Yews Green. -2B 76

POSTCODE MAP

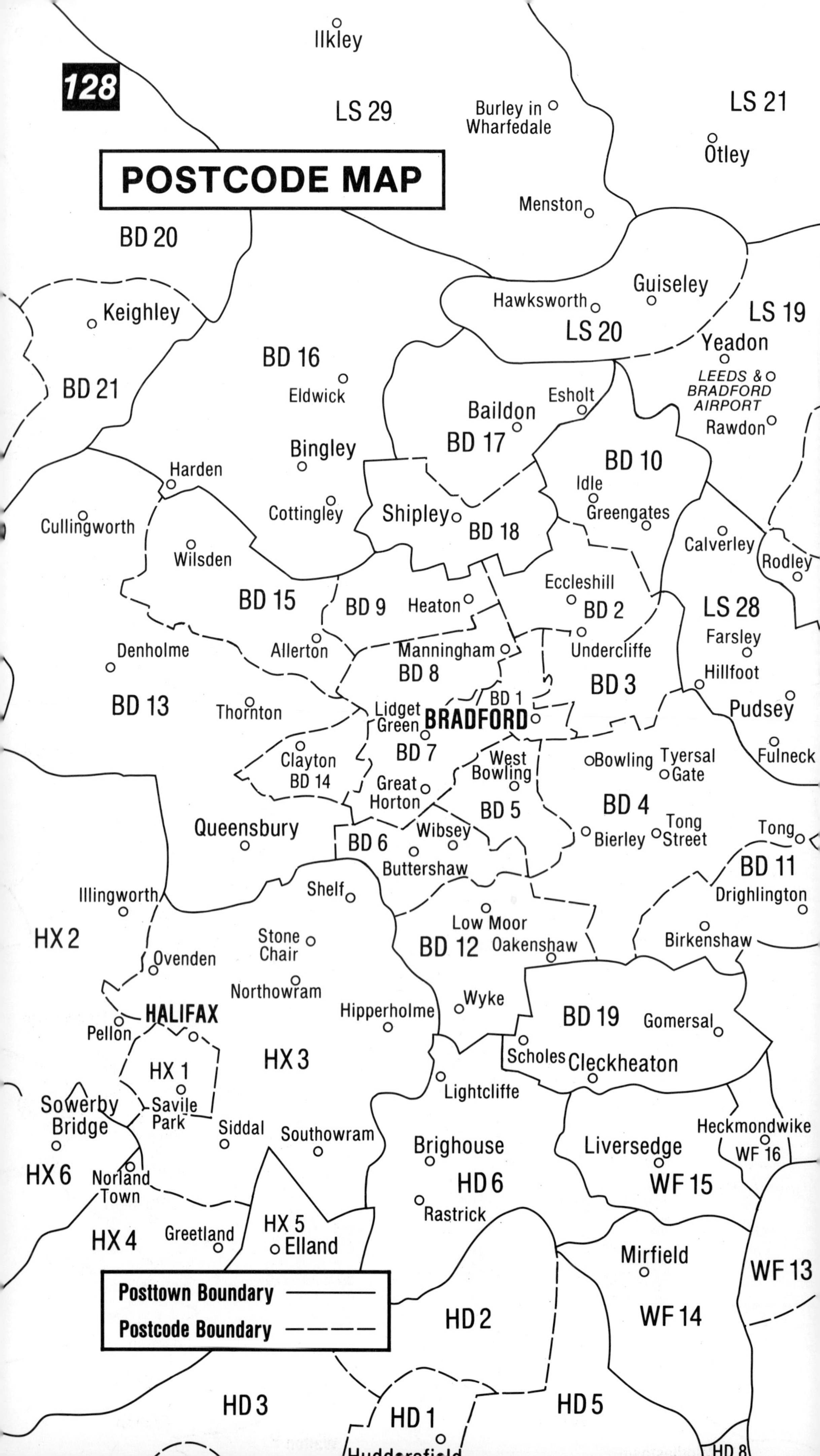

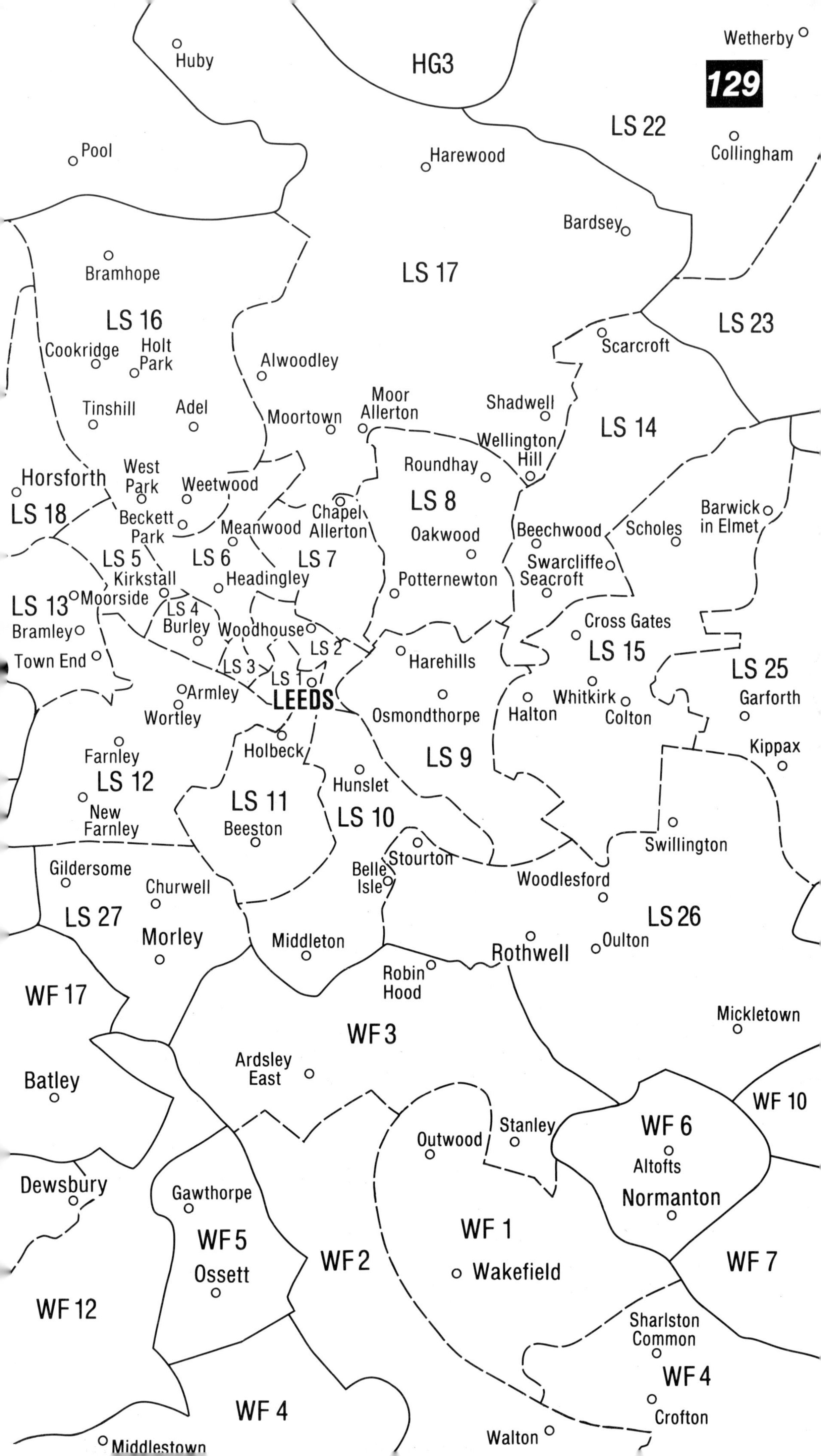
Wetherby
Huby
HG3
LS 22
Pool
Harewood
Collingham
Bardsey
Bramhope
LS 17
LS 16
LS 23
Cookridge
Holt Park
Scarcroft
Alwoodley
Tinshill
Adel
Moortown
Moor Allerton
Shadwell
LS 14
Wellington Hill
Horsforth
West Park
Roundhay
LS 18
Weetwood
LS 8
Barwick in Elmet
Beckett Park
Meanwood
Chapel Allerton
Beechwood
Scholes
Oakwood
LS 5
LS 6
LS 7
Swarcliffe
Kirkstall
Headingley
Potternewton
Seacroft
LS 13
Moorside
LS 4
Burley
Cross Gates
Bramley
Woodhouse
LS 15
LS 2
Harehills
Town End
LS 3
LS 25
LS 1
Armley
Whitkirk
Garforth
LEEDS
Halton
Colton
Wortley
Osmondthorpe
Farnley
Holbeck
LS 9
Kippax
LS 12
Hunslet
LS 11
New Farnley
LS 10
Beeston
Swillington
Gildersome
Stourton
Belle Isle
Woodlesford
Churwell
LS 27
LS 26
Morley
Middleton
Rothwell
Oulton
WF 17
Robin Hood
Mickletown
WF 3
Ardsley East
Batley
WF 10
Stanley
WF 6
Outwood
Altofts
Dewsbury
Normanton
Gawthorpe
WF 1
WF 5
WF 2
WF 7
Ossett
Wakefield
WF 12
Sharlston Common
WF 4
WF 4
Crofton
Walton
Middlestown

INDEX TO STREETS

HOW TO USE THIS INDEX

1. Each street name is followed by its Postal District and then by its map reference; e.g. Abbey Av. LS5-4B 42 is in the Leeds 5 Postal District and it is to be found in square 4B on page 42. However, with the now general usage of Postal Coding, it is not recommended that this index should be used as a means of addressing mail.

2. A strict alphabetical order is followed in which Av., Rd., St. etc. (even though abbreviated) are read in full and as part of the street name; e.g. Ash Clo. appears after Ashby View. but before Ash Ct.

3. Streets & Subsidiary names not shown on the Maps, appear in the Index in *Italics* with the thoroughfare to which it is connected shown in brackets; e.g. *Akroyd Ct. BD13-2D 117 (off Randolph St.)*

4. The Postcode for any Town or locality used in Postal address can be found in the Index to Places on page 127

GENERAL ABBREVIATIONS

Al : Alley
App : Approach
Arc : Arcade
Av : Avenue
Bk : Back
Boulevd : Boulevard
Bri : Bridge
B'way : Broadway
Bldgs : Buildings
Bus : Business
Cen : Centre
Chu : Church
Chyd : Churchyard
Circ : Circle
Cir : Circus
Clo : Close
Comn : Common
Cotts : Cottages
Ct : Court
Cres : Crescent
Dri : Drive
E : East
Embkmt : Embankment
Est : Estate
Gdns : Gardens
Ga : Gate
Gt : Great
Grn : Green
Gro : Grove
Ho : House
Ind : Industrial
Junct : Junction
La : Lane
Lit : Little
Lwr : Lower
Mnr : Manor
Mans : Mansions
Mkt : Market
M : Mews
Mt : Mount
N : North
Pal : Palace
Pde : Parade
Pk : Park
Pas : Passage
Pl : Place
Rd : Road
S : South
Sq : Square
Sta : Station
St : Street
Ter : Terrace
Up : Upper
Vs : Villas
Wlk : Walk
W : West
Yd : Yard

Aachen Way. HX1-1B 124
Abbey Av. LS5-4B 42
Abbey Ct. LS18-2C 41
Abbeydale Gdns. LS5-2A 42
Abbeydale Garth. LS5-2B 42
Abbeydale Gro. LS5-3B 42
Abbeydale Mt. LS5-2A 42
Abbeydale Oval. LS5-2A 42
Abbeydale Vale. LS5-2A 42
Abbeydale Way. LS5-2A 42
Abbey Gorse. LS5-3C 43
Abbey Lea. BD15-2D 55
Abbey Mt. LS5-4B 42
Abbey Rd. LS5-2A 42
Abbey St. LS3-2B 66
Abbey Ter. LS5-4B 42
Abbey View. LS5-3C 43
Abbey Wlk. HX3-2A 126
Abbey Wlk. LS5-3B 42
Abbey Wlk. S. HX3-2A 126
Abbotside Clo. BD10-2D 37
Abbott Ct. LS12-3A 66
Abbott Rd. LS12-3A 66
Abbotts Ter. HX1-4C 117
Abbott View. LS12-3A 66
Abb Scott La. BD6 & BD12-2C 101
Abelia Mt. BD7-4B 56
Abel St. BD12-4D 101
Aberdeen Dri. LS12-3C 65
Aberdeen Gro. LS12-3C 65
Aberdeen Pl. BD7-4C 57
Aberdeen Rd. LS12-3C 65
Aberdeen Ter. BD7-4C 57
Aberdeen Ter. BD14-2A 78
Aberdeen Wlk. LS12-3C 65
Aberfield Bank. LS10-2A 112
Aberfield Clo. LS10-2A 112
Aberfield Cres. LS10-2A 112
Aberfield Dri. LS10-2A 112
Aberfield Gdns. LS10-1A 112
Aberfield Ga. LS10-2A 112
Aberfield Mt. LS10-2A 112
Aberfield Rise. LS10-2A 112
Aberfield Rd. LS10-2A 112
Aberfield Wlk. LS10-2A 112
Aberford Rd. BD8-2D 57
Aberford Rd. LS26-3D 115
Abingdon St. BD8-1C 57
Abraham Hill. LS26-2B 114
Abram St. BD5-1B 80
Acacia Dri. BD15-3B 32
Acacia Dri. HX3-3C 121
Acacia Pk. Cres. BD10-3B 20
Acacia Pk. Dri. BD10-3B 20
Acacia Pk. Ter. BD10-3C 21
Acaster Dri. BD12-2D 101
Accommodation Rd. LS9-2B 6
Acer Way. BD19-2B 122
Ackroyd Ct. BD13-4A 54
Ackroyd Pl. BD13-4A 76
Ackroyd Sq. BD13-3C 77
Ackroyd St. LS27-4C 109
Ackworth Av. LS19-4D 7
Ackworth Cres. LS19-4D 7
Ackworth Dri. LS19-4D 7
Ackworth St. BD5-2B 80
Acomb Ter. BD12-1D 121
Acorn Dri. LS14-4D 31
Acorn Pk. BD17-3A 18
Acorn St. BD3-4C 59
Acorn St. HX1-3C 117
Acre Av. BD2-2C 37 & 3D 37
Acre Cir. LS10-3D 111
Acre Clo. BD2-3D 37
Acre Clo. LS10-4D 111
Acre Cres. BD2-3D 37
Acre Cres. LS10-4D 111
Acre Dri. BD2-3D 37
Acre Gro. BD2-3C 37
Acre Gro. LS10-4D 111
Acrehowe Rise. BD17-1A 18
Acre La. BD2-3D 37
Acre La. BD6-4D 79
Acre Mt. LS10-4D 111
Acre Pl. LS10-4D 111
Acre Rise. BD17-1D 17
Acre Rd. LS10-4C 111
Acres Hall Av. LS28-4C 63
Acres Hall Cres. LS28-4C 63
Acres Hall Dri. LS28-4C 63
Acre Sq. LS10-3D 111
Acre St. LS10-4D 111
Acre Ter. LS10-4D 111
Acre, The. BD12-3D 101
Acton St. BD3-3D 59
Adams Gro. LS15-3A 50
Adam St. BD6-4D 79
Adam's Wlk. LS6-1B 66
Ada's Pl. LS28-1B 62
Ada St. BD13-4A 76
Ada St. BD18-4B 16
Ada St. HX3-2D 117
Addersgate La. HX3-3A 98
Addingham Gdns. LS12-3C 65
Addison Av. BD3-2A 60
Addi St. BD4-2D 81
Adelaide Ho. BD16-3C 15
Adelaide Rise. BD17-3D 17
Adelaide St. BD5-4B 58
Adelaide St. HX1-3C 117
Adel Garth. LS16-1A 26
Adel Grange Clo. LS16-2D 25
Adel Grange M. LS16-2D 24
Adel Grn. LS16-1A 26
Adel La. LS16-1D 25
Adel Mead. LS16-1A 26
Adel Pk. Clo. LS16-2D 25
Adel Pk. Ct. LS16-2D 25
Adel Pk. Croft. LS16-2D 25
Adel Pk. Dri. LS16-2D 25
Adel Pk. Gdns. LS16-2D 25
Adel Pasture. LS16-2D 25
Adel Towers Clo. LS16-2A 26
Adel Towers Ct. LS16-2A 26
Adel Vale. LS16-1A 26
Adel Wood Clo. LS16-2A 26
Adel Wood Dri. LS16-2A 26
Adel Wood Gdns. LS16-2A 26
Adel Wood Gro. LS16-2A 26
Adel Wood Pl. LS16-2A 26
Adel Wood Rd. LS16-2A 26
Administration Rd. LS9-2D 91
Admiral St. LS11-1D 89
Adolphus St. BD1-4B 58
Adwalton Clo. BD11-3A 106
Adwalton Grn. BD11-3A 106
Adwalton Gro. BD13-4B 76
Adwick Pl. LS4-1D 65
Agar St. BD8-2C 57
Agar Ter. BD8-2B 56
Ainsbury Av. BD10-3C 19
Airebank. BD16-2B 14
Aire Clo. BD17-4D 17
Airedale Av. BD16-1C 33
Airedale Cliff. LS13-2D 41
Airedale College Rd. BD3-2C 59
Airedale College Ter. BD3-2C 59
Airedale Ct. LS14-3B 48
Airedale Cres. BD3-2C 59
Airedale Croft. LS13-3B 40
Airedale Dri. HX3-3D 99
Airedale Dri. LS18-4B 22
Airedale Gdns. LS13-3B 40
Airedale Gro. LS18-4B 22
Airedale Gro. LS26-2D 115
Airedale Mt. LS13-3B 40
Airedale Pl. BD17-3A 18
Airedale Quay. LS13-3C 41
Airedale Rd. BD3-2B 58
Airedale Rd. LS26-2D 115
Airedale St. BD2-4D 37
Airedale St. BD16-2B 14
Airedale Ter. BD17-3A 18
Airedale Ter. LS26-2D 115
Airedale Ter. LS27-4D 109
Airedale View. LS13-3B 40
Airedale View. LS19-2A 22
Airedale View. LS26-2D 115
Airedale Wharf. LS13-3B 40
Aire Gro. LS19-4D 7
Airesdale Centre. LS1-3C 67
Aire St. BD10-3C 19
Aire St. LS1-3C 67
Aire View. LS19-4D 7
Aire View Av. BD16-4C 15
Aireview Av. BD18-1C 35
Aireview Av. LS13-4C 41
Aireview Cres. BD17-3C 17
Aireview Ter. LS13-3C 41
Aireville Av. BD9 & BD18-3C 35
Aireville Clo. BD18-3D 35
Aireville Cres. BD9-3C 35
Aireville Gro. BD18-3D 35
Aireville Rise. BD9-3C 35
Aireville Rd. BD9-3D 35
Aire Way. BD17-3C 17
Airlie Av. LS8-3B 46
Airlie Pl. LS8-3B 46
Air St. LS10-1A 90
Airville Dri. BD18-3D 35
Airville Grange. BD18-3C 35
Akam Rd. BD1-3A 58
Aked's Rd. HX1-4C 117
Aked St. BD1-3B 58
Akroyd Ct. BD13-2D 117
(off Randolph St.)
Akroyd Ct. HX3-2D 117
Akroyd Pl. HX1-3D 117
Akroyd Ter. HX2-1B 124
Alabama St. HX1-3B 116
Alan Cres. LS15-3C 71
Alandale Cres. LS25-4D 73
Alandale Dri. LS25-4D 73
Alandale Gro. LS25-4D 73
Alandale Rd. LS25-4D 73
Alaska Pl. LS7-2A 46
Alban St. BD4-1C 81
Albany Gro. LS12-3C 65
Albany Ho. HX1-3A 118
Albany Pl. LS12-3C 65
Albany Rd. LS26-2A 114
Albany St. BD5-1B 80
Albany St. BD6-4D 79
Albany St. HX3-1A 126
Albany St. LS12-3C 65
Albany Ter. HX3-1A 126
Albany Ter. LS12-3C 65
Alberta Av. LS7-2A 46
Albert Av. BD10-4D 19
Albert Av. BD18-4B 16
Albert Av. HX2-3A 116
Albert Bldgs. BD10-2D 37
Albert Ct. HX2-3A 116
Albert Cres. BD11-3D 105
Albert Cres. BD13-3B 76
Albert Dri. HX2-3A 116
Albert Dri. LS27-3A 110
Albert Edward St. BD13-4A 76
Albert Gdns. HX2-3A 116
Albert Gro. LS6-2A 44
Albert Mt. LS18-4A 24
Albert Pk. HX1-1D 125
Albert Pl. BD3-2A 60
Albert Pl. LS18-4D 23
Albert Prom. HX3-2C 125
Albert Rd. BD13-3A 76
Albert Rd. BD18-4B 16
Albert Rd. HX2-3A 116
Albert Rd. HX6-1A 124
Albert Rd. LS26-2D 115
Albert Rd. LS27-3C 109
Albert Sq. LS19-3D 7
Albert St. BD6-1D 101
Albert St. BD10-2D 37
Albert St. BD12-1D 121
Albert St. BD13-4B 76
Albert St. BD15-3A 32
Albert St. BD16-2B 14
Albert St. BD17-3D 17
Albert St. BD19-3D 123
Albert St. HX1-3C 117
Albert St. LS28-4A 62
Albert Ter. BD12-3B 102
Albert Ter. BD18-4B 16
Albert Ter. LS19-3D 7
Albert View. HX2-3A 116
Albert Wlk. BD18-4B 16
Albert Way. BD11-4D 105
Albion Arc. LS1-3D 67
(off Albion St.)
Albion Av. LS12-3A 66
Albion Ct. BD1-3B 58
Albion Ct. HX1-3D 117
Albion Fold. BD15-2A 32
Albion Pl. BD13-4D 53
Albion Pl. LS1-3D 67
Albion Pl. LS20-1B 6
Albion Rd. BD10-4D 19
Albion Rd. LS28-1B 62
Albion St. BD1-3A 58
Albion St. BD6-1B 100
Albion St. BD13-2A 52
Albion St. HX1-4D 117
Albion St. LS1 & LS2-3D 67
Albion St. LS27-4C 109
(in two parts)
Albion St. LS28-3B 62
Albion Yd. BD1-3B 58
Albury Rd. LS10-4A 68
Alcester Garth. BD3-3C 59
Alcester Pl. LS8-3B 46
Alcester Rd. LS8-4B 46
Alcester Ter. LS8-4B 46
Alden Av. LS27-4C 109
Alden Clo. LS27-4C 109
Alder Carr. BD17-2C 17
Alder Dri. LS28-2C 61
Alder Garth. LS28-2C 61
Alder Gro. HX2-2B 96
Alder Hill Av. LS6-1B 44
Alder Hill Gro. LS7-1C 45
Aldermanbury. BD1-4B 58
Alderscholes Clo. BD13-4A 54
Alderscholes La. BD13-1D 75
Alderson St. BD6-2B 100
Alderton Bank. LS17-3B 26
Alderton Cres. LS17-3B 26
Alderton Heights. LS17-3B 26
Alderton Mt. LS17-3B 26
Alderton Pl. LS17-3B 26
Alderton Rise. LS17-3B 26
Alexander Av. LS15-3B 70
Alexander Sq. BD14-2D 77
Alexander St. BD6-1D 101
Alexander St. LS1-2D 67
Alexander Ter. HX1-3B 116
Alexandra Cres. LS6-1B 66
Alexandra Gro. LS6-1B 66
Alexandra Gro. LS28-4D 61
Alexandra Rd. BD2-2D 37
Alexandra Rd. BD18-1C 35
Alexandra Rd. LS6-1A 66
Alexandra Rd. LS18-4D 23
Alexandra Rd. LS28-4D 61
Alexandra Sq. BD18-4B 16
Alexandra St. BD7-1D 79
Alexandra St. BD13-4A 76
Alexandra St. HX1-4D 117
Alexandra Ter. BD2-1D 59
Alexandra Ter. LS19-3D 7
(in two parts)
Alford Ter. BD7-4C 57
Alfred St. HX1-3B 116
Alfred St. LS1-3D 67
Alfred St. LS27-1D 109
Alfred St. E. HX1-4A 118
Alice St. BD8-2A 58
Alice St. BD19-2D 123
All Alone Rd. BD10-1B 36
Allandale Av. BD6-1C 101
Allandale Rd. BD6-1C 101
Allan St. BD3-4C 59
Allenby Cres. LS11-4C 89
Allenby Dri. LS11-4C 89
Allenby Gdns. LS11-4C 89
Allenby Gro. LS11-4C 89
Allenby Pl. LS11-4C 89
Allenby Rd. LS11-4C 89
Allenby View. LS11-4C 89
Allen Croft. BD11-3C 105
Allerby Grn. BD6-2B 100
Allerton Av. LS17-3A 28
Allerton Clo. BD15-2D 55
Allerton Ct. LS17-3A 28
(off Allerton Gro.)
Allerton Grange Av. LS17-4A 28
Allerton Grange Clo. LS17-4D 27
Allerton Grange Cres. LS17-4A 28
Allerton Grange Croft. LS8-4A 28
Allerton Grange Dri. BD15-2C 55
Allerton Grange Dri. LS17-4A 28
Allerton Grange Gdns. LS17-4D 27
Allerton Grange Rise. LS17-4D 27
Allerton Grange Vale. LS17-4D 27
Allerton Grange Wlk. LS17-4D 27
Allerton Grange Way. LS8 & LS17-4A 28
Allerton Gro. LS17-3A 28
Allerton Hall. LS7-1D 45
Allerton Hill. LS7-1D 45
Allerton La. BD13 & BD15-4C 55
Allerton M. LS17-4D 27
Allerton Pk. LS7-1A 46
Allerton Pl. HX1-4C 117
Allerton Pl. LS17-3A 28
Allerton Rd. BD15 & BD8 -1A 54 to 2B 56
Allerton St. LS4-1A 66
Allerton Ter. LS4-1A 66
Allerton Up. Grn. BD15-2B 54
Alliance St. LS12-3C 65
Allinson St. LS12-4A 66
Allison La. BD2-3A 36
Alloe Field Pl. HX2-2D 96
Alloe Field View. HX2-2B 96
Allotments Rd. BD13-2B 52
All Saints Av. LS9-3B 68
All Saint's Circle. LS26-2D 115
All Saint's Dri. LS26-2D 115
All Saints Pl. LS9-3B 68
All Saints Rd. BD7-1D 79
All Saint's Rd. LS26-2D 115
All Saints Ter. LS9-3B 68
All Saint's View. LS26-2D 115
All Souls' Rd. HX3-2D 117
All Souls' St. HX3-2D 117
All Souls' Ter. HX3-2D 117
Alma Clo. LS28-4D 39
Alma Cotts. LS6-3A 44
Alma Gro. BD18-4A 18
Alma Rd. LS6-2A 44
Alma St. BD4-1D 81
Alma St. BD13-4A 76
Alma St. BD18-4A 18
Alma St. LS9-1B 68
Alma St. LS19-3D 7
Alma St. LS26-1D 115
Alma Ter. LS26-2A 114
Alma Vs. LS26-1D 115
Almond St. BD3-4D 59
Alpine Rise. BD13-3A 54
Alpine Rd. BD13-3A 54
Alpine Ter. LS26-2A 114
Alston Clo. BD9-1A 56
Alston La. LS14-4C 49
Altar Dri. BD9-4C 35
Altar La. BD16-1A 14
Altar View. BD16-1B 14
(off Sleningford Rd.)
Althorpe Gro. BD10-2C 37
Alton Gro. BD9-4B 34
Alton Gro. BD18-2C 35
Alton Ter. LS10-1A 90
Alum Ct. BD9-4C 35
Alum Dri. BD9-4C 35
Alvanley Ct. BD8-2A 56
Alva Ter. BD18-1D 35
Alwoodley Chase. LS17-1A 28
Alwoodley Ct. LS17-1B 26
Alwoodley Ct. Gdns. LS17-4C 13
Alwoodley Gdns. LS17-1C 27
Alwoodley La. LS17-4B 12
Amberley Ct. BD3-4D 59
Amberley Gdns. LS12-4D 65
Amberley Rd. LS12-4D 65
Amberley St. BD3-3D 59
(in two parts)
Amberley St. LS12-4D 65
Amber St. LS9-1A 68
Amberton App. LS8-4D 47
Amberton Clo. LS8-3D 47
Amberton Cres. LS8-3D 47
Amberton Gdns. LS8-3D 47
Amberton Garth. LS8-3D 47
Amberton Gro. LS8-3D 47
Amberton La. LS8-3D 47
Amberton Mt. LS8-3D 47
Amberton Pl. LS8-3C 47
Amberton Rd. LS8 & LS9-3C 47
Amberton St. LS8-4D 47
Amberton Ter. LS8-3D 47
Amblers Bldgs. LS28-4B 62
(off Amblers Ct.)
Amblers Ct. LS28-2B 62
Amblers Croft. BD10-3D 19
Amblers M. BD17-1D 17
Amblers Row. BD17-1D 17
Amblers Ter. HX3-2D 117
Ambler St. BD8-1D 57
Amblerthorne. BD11-3C 105
Ambler Way. BD13-1D 97
Ambleside Av. BD9-1B 56
Ambleside Gro. LS26-2D 115
Ambleton Way. BD13-4D 75
Amelia St. BD18-4B 16
Amisfield Rd. HX3-3A 120
Amos St. HX1-3B 116
Amroyce Dri. BD18-1A 36
Amundsen Av. BD2-2C 37
Amy St. BD16-2C 15
Amy St. HX3-1C 117
Ancaster Cres. LS16-1C 43
Ancaster Rd. LS16-1C 43
Ancaster View. LS16-1C 43
Anchor St. LS10-2A 90
Anderson Av. LS8-1B 68
Anderson Mt. LS8-1B 68
Anderson St. BD8-1D 57
Anderson St. BD15-2A 32
Anderton Fold. HX3-1C 119
Andover Gro. BD4-1A 82

ndrew Sq. LS28-4A 40
ndrew St. LS28-1A 62
ngel Inn Yd. LS1-3D 67
(off Lands La.)
ngel Rd. HX1-3C 117
ngel Row. LS26-3C 113
ngel St. BD17-1A 18
ngerton Way. BD6-2C 101
ngus Av. BD12-2D 121
nlaby Rd. BD4-1A 82
nne Ga. BD3-3B 58
(in two parts)
nnerley St. BD4-3D 81
nne St. BD7-2B 78
nnie St. BD18-2D 35
nnie St. LS27-4C 109
nnison St. BD3-3C 59
nn Pl. BD5-4A 58
nn St. BD13-2A 52
nson Gro. BD7-3B 78
nvil Ct. BD8-1D 57
nvil St. BD8-1D 57
pex Bus. Cen. LS11-1D 89
pex Way. LS11-1D 89
pperley Gdns. BD10-4B 20
pperley La. BD10 & LS19
-4B 20 to 1C 21
pperley Rd. BD10-4D 19
ppleby Pl. LS15-3A 70
ppleby Wlk. LS15-3A 70
ppleby Way. LS27-3C 109
pplegarth. LS26-1D 115
ppleton Clo. BD12-3B 102
ppleton Clo. BD16-1D 15
ppleton Clo. LS9-2B 68
ppleton Ct. LS9-2B 68
ppleton Gro. LS9-3D 69
ppleton Sq. LS9-2B 68
ppleton Way. LS9-3B 68
pproach, The. LS15-1B 50
psley Cres. BD8-1D 57
chery Pl. LS2-1C 67
chery Rd. LS2-1C 67
chery St. LS2-1C 67
chery Ter. LS2-1C 67
ches St. HX1-4D 117
ches, The. HX3-2D 117
chibald St. BD7-3D 57
ch Rd. LS12-1A 88
den M. HX1-1C 125
dennes Clo. BD2-3B 36
den Rd. BD8-3D 55
den Rd. HX1-1C 125
dsley Clo. BD4-3B 82
gie Av. LS4-4C 43
gie Gdns. LS4-1D 65
gie Rd. LS4-1D 65
gie Ter. LS4-1D 65
gyle Rd. LS9-2A 68
gyle St. BD15-2D 55
gyle St. BD18-2D 35
gyll Clo. BD17-2A 18
gyll Clo. LS18-1C 23
ksey Pl. LS12-2D 65
ksey Ter. LS12-2D 65
k St. LS9-4B 68
kwright St. BD4-4A 60
kwright St. BD14-2D 77
kwright St. LS12-3A 66
lesford Rd. BD4-3B 82
ley Gro. LS12-2D 65
ley Pl. LS12-2D 65
ley St. LS12-2D 65
ley Ter. LS12-2D 65
lington Bus. Cen. LS27-1A 110
lington Cres. HX2-1A 124
lington Gro. LS8-3C 47
lington Rd. LS8-3C 47
lington St. BD3-4C 59
madale Av. BD4-1D 103
mgill La. BD2-3A 36
midale Way. BD2-4B 36
mitage Rd. BD12-3B 102
mitage Rd. HX1-1B 124
mitage Sq. LS28-4A 62
mitage St. LS26-4B 114
mley Grange Av. LS12-2B 64
mley Grange Cres. LS12-2B 64
mley Grange Dri. LS12-2B 64
mley Grange Mt. LS12-2B 64
mley Grange Oval. LS12-2B 64
mley Grange Rise. LS12-2B 64
mley Grange View. LS12-2C 65
mley Grange Wlk. LS12-2C 65
mley Gro. Pl. LS12-3A 66
mley Lodge Rd. LS12-2D 65
mley Pk. Rd. LS12-2D 65
mley Ridge Clo. LS12-2C 65
mley Ridge Rd. LS12
-4B 42 to 3C 65
mley Ridge Ter. LS12-2C 65
mley Rd. LS12-3D 65 to 3B 66
mscliffe Pl. BD2-3A 38
mstrong St. BD4-4A 60
mstrong St. LS28-1A 62
ncliffe Cres. LS27-4D 109
ncliffe Garth. LS28-1A 62
ncliffe Grange. LS17-3A 28
ncliffe Rd. LS16-1C 43
ncliffe St. LS28-1A 62
ncliffe Ter. BD7-4C 57
ndale Cen. LS6-2A 44
ndale Cen. LS15-1D 71
nford Clo. BD3-2B 58
nold Pl. BD8-2D 57
nold St. BD8-2D 57
nold St. HX1-4C 117
nside Rd. BD5-3A 80
ran Dri. LS18-1C 23
thington Av. LS10-3A 90
thington Ct. LS10-3A 90
thington Gro. LS10-3A 90
thington Pl. LS10-3A 90
thington Rd. LS16-1D 11
thington St. BD8-2D 57
thington St. LS10-3A 90
thington Ter. LS10-3A 90
thington View. LS10-3A 90
thur Av. BD8-3D 55
thursdale Clo. LS15-1B 50
thursdale Dri. LS15-1B 50
thursdale Grange. LS15-1B 50
thur St. BD10-2D 37
thur St. BD16-2B 14
thur St. LS28-1B 62

Arthur Ter. LS28-1A 62
Artic Pde. BD7-1C 79
Artist St. LS12-3B 66
Arum St. BD5-2D 79
Arundel St. HX1-3B 116
Arundel Ter. LS15-1D 71
(off North Rd.)
Ascot Av. BD7-3A 78
Ascot Dri. BD7-3A 78
Ascot Gdns. BD7-3B 78
Ascot Pde. BD7-3B 78
Ascot Ter. LS9-3B 68
Ash Av. LS6-3A 44
Ashborne Gro. BD17-1D 17
Ashbourne Av. BD2-4B 36
Ashbourne Bank. BD2-4B 36
Ashbourne Clo. BD2-4B 36
Ashbourne Cres. BD2-4B 36
Ashbourne Cres. BD13-4A 76
Ashbourne Croft. BD19-4D 123
Ashbourne Dri. BD19-4D 123
Ashbourne Gdns. BD2-4B 36
Ashbourne Garth. BD2-4C 37
Ashbourne Gro. BD2-4B 36
Ashbourne Gro. HX1-3B 116
Ashbourne Haven. BD2-4B 36
Ashbourne Mt. BD2-4B 36
Ashbourne Oval. BD2-4B 36
Ashbourne Rise. BD2-4B 36
Ashbourne Rd. BD2-4B 36
Ashbourne View. BD19-4D 123
Ashbourne Way. BD2-4B 36
Ashbourne Way. BD19-4D 123
Ashburnham Gro. BD9-4C 35
Ashby Av. LS13-1A 64
Ashby Cres. LS13-1A 64
Ashby Mt. LS13-1A 64
Ashby Sq. LS13-1A 64
Ashby St. BD4-1C 81
Ashby Ter. LS13-1A 64
Ashby View. LS13-1A 64
Ash Clo. HX3-2A 120
Ash Ct. BD19-2B 122
Ash Cres. LS6-3D 43
Ashdene. LS12-2A 86
Ashdene Clo. LS28-1A 84
Ashdene Cres. LS28-1A 84
Ashdown Clo. BD6-4D 79
Ashdown Clo. HX2-4A 116
Ashdown Ct. BD18-1C 35
Ashdown St. LS13-1D 63
Ashfield. BD4-4A 82
Ashfield. LS12-2C 87
Ashfield Av. BD9 & BD18-3C 35
Ashfield Av. LS27-4B 108
Ashfield Clo. HX3-1B 116
Ashfield Clo. LS12-2B 86
Ashfield Clo. LS15-4A 50
Ashfield Ct. BD16-3C 15
Ashfield Cres. BD16-3C 15
Ashfield Cres. LS28-2A 62
Ashfield Dri. BD9-3C 35
Ashfield Dri. BD17-2A 18
Ashfield Dri. HX3-1B 116
Ashfield Dri. LS28-4B 62
Ashfield Gro. BD9-3C 35
Ashfield Gro. LS28-2A 62
Ashfield Pk. LS6-2A 44
Ashfield Pl. BD2-1A 60
Ashfield Rd. BD10-3D 19
Ashfield Rd. BD13-4A 54
Ashfield Rd. BD18-1A 34
Ashfield Rd. LS27-4B 108
Ashfield Rd. LS28-2A 62
Ashfield Ter. BD12-4A 102
Ashfield Ter. BD16-3C 15
Ashfield Ter. LS15-4A 50
Ashfield Way. LS12-2B 86
Ashford Grn. BD6-4B 78
Ash Gdns. LS6-3A 44
Ash Ghyll Gdns. BD16-1B 14
Ash Gro. BD2-4D 37
Ashgrove. BD7-4A 58
Ashgrove. BD10-1A 38
Ash Gro. BD11-2C 105
Ash Gro. BD16-4C 15
Ash Gro. BD19-4D 123
Ash Gro. LS6-4B 44
Ash Gro. LS18-3D 23
Ash Gro. LS28-4A 62
Ashgrove Av. HX3-2A 126
Ash Hill Dri. LS17-1B 30
Ash Hill Gdns. LS17-1B 30
Ash Hill Garth. LS17-1B 30
Ash Hill La. LS17-1B 30
Ash Hill Wlk. BD4-2C 81
Ashlar Gro. BD13-1A 98
Ashlea Ct. LS13-4D 41
Ashlea Ga. LS13-4D 41
Ashlea Grn. LS13-4D 41
Ashleigh Gdns. LS26-2D 115
Ashleigh Rd. LS16-4C 25
Ashley Av. LS9-1B 68
Ashley Ind. Est. LS7-4D 45
Ashley La. BD17-4C 17
Ashley Pl. BD17-4C 17
Ashley Rd. BD12-1D 121
Ashley Rd. BD16-3C 15
Ashley Rd. LS9-1B 68
Ashley Rd. LS12-4D 65
Ashley St. BD18-4C 17
Ashley St. HX1-3B 116
Ashley Ter. LS9-1B 68
Ash M. BD10-1A 38
Ash Mt. BD7-1D 79
Ash Rd. LS6-3D 43
Ashroyd. LS26-4B 114
Ash St. BD19-3D 123
Ash Ter. BD16-3B 14
Ash Ter. BD19-3D 123
Ash Ter. LS6-3A 44
Ashtofts Mt. LS20-1A 6
Ashton Av. BD7-1B 76
Ashton Av. LS8-4B 46
Ashton Cres. WF3-4A 114
Ashton Gro. LS8-1B 68
Ashton Mt. LS8-1B 68
Ashton Pl. LS8-1B 68
Ashton Rd. LS8-4B 46
Ashton Rd. Ind. Est. LS8-4C 47
Ashton St. BD1-3A 58
Ashton St. LS8-4B 46
Ashton Ter. LS8-1B 68
Ashton Ter. LS26-4C 113
Ashton View. LS8-1B 68

Ash Tree App. LS14-3A 50
Ash Tree Av. BD13-4C 53
Ash Tree Bank. LS14-3A 50
Ash Tree Clo. LS14-3A 50
Ash Tree Ct. LS14-3A 50
Ash Tree Gdns. LS14-3A 50
Ash Tree Grange. LS14-3A 50
Ashtree Gro. BD7-3B 78
Ash Tree Gro. LS14-3A 50
Ash Tree View. LS14-3A 50
Ash Tree Wlk. LS14-3A 50
Ash View. LS6-3A 44
Ash Villa. HX1-4C 117
Ash Vs. LS15-4A 50
Ashville Av. LS6-4A 44
Ashville Croft. HX2-2A 116
Ashville Gdns. HX2-2A 116
Ashville Gro. HX2-2A 116
Ashville Gro. LS6-4A 44
Ashville Rd. LS4 & LS6-4A 44
Ashville St. HX3-2C 117
(off Washington St.)
Ashville Ter. LS6-4A 44
Ashville Ter. LS28-1A 62
Ashville View. LS6-1A 66
Ashwell La. BD9-3C 35
Ashwell Rd. BD8-2C 57
Ashwell Rd. BD9-4C 35
Ashwood. LS14-4C 31
Ashwood Dri. LS27-1D 107
Ashwood Gdns. LS27-1D 107
Ashwood Gro. LS27-1D 107
Ashwood Pde. LS27-1D 107
Ashwood St. BD4-4A 82
Ashwood Ter. LS6-3B 44
Ashwood Vs. LS6-3B 44
Ashworth Pl. BD6-4A 80
Ashworth Ter. HX3-1C 117
Askern Chase. LS10-2A 90
Asket Av. LS14-2A 48
Asket Clo. LS14-2A 48
Asket Cres. LS14-2B 48
Asket Dri. LS14-2A 48
Asket Gdns. LS8-2A 48
Asket Garth. LS14-2A 48
Asket Grn. LS14-2A 48
Asket Hill. LS8-2A 48
Asket Pl. LS14-2A 48
Asket Wlk. LS14-3B 48
Askrigg Dri. BD2-4D 37
Aspect Gdns. LS28-3A 62
Aspect Ter. LS28-3D 61
Aspen Mt. LS16-3B 24
Aspen Rise. BD15-4B 32
Aspinall St. HX1-4B 116
Asquith Av. LS27-2A 108
Asquith Bldgs. BD12-3B 102
Asquith Clo. LS27-3B 108
Asquith Dri. LS27-3B 108
Assembly St. LS2-3D 67
Astley Av. LS26-4C 95
Astley La. LS26-4C 95
Astley La. Ind. Est. LS26-4C 95
Astley Way. LS26-4C 95
Aston Av. LS13-1A 64
Aston Cres. LS13-1A 64
Aston Dri. LS13-1A 64
Aston Gro. LS13-1A 64
Aston Mt. LS13-1A 64
Aston Pl. LS13-1A 64
Aston Rd. BD5-2B 80
Aston Rd. LS13-1A 64
Aston St. LS13-1A 64
Aston Ter. LS13-1A 64
Aston View. LS13-1A 64
Astor Gro. LS13-1C 63
Astral Av. HX3-3A 120
Astral Clo. HX3-3A 120
Astral View. BD6-3C 79
Astura Ct. LS7-2D 45
Atalanta Ter. HX2-1A 124
Atha Clo. LS11-4C 89
Atha Cres. LS11-4C 89
Atha St. LS11-4C 89
Atherstone Rd. BD15-3D 55
Athlone Gro. LS12-3D 65
Athlone St. LS12-3D 65
Athlone Ter. LS12-3D 65
Athol Clo. HX3-4C 97
Athol Cres. HX3-4C 97
Athol Gdns. HX3-4C 97
Athol Grn. HX3-1C 117
Athol Mt. HX3-4C 97
Athol Rd. BD9-1D 57
Athol Rd. HX3-1C 117
Athol St. HX3-4C 97
Atkinson's Ct. HX1-3D 117
Atkinson St. BD18-4C 17
Atkinson St. LS10-1A 90
Atlanta St. LS13-1C 63
Atlas St. BD8-2D 57
Auckland Rd. BD6-3C 79
Austhorpe Av. LS15-3B 72
Austhorpe Ct. LS15-3B 72
Austhorpe Dri. LS15-3B 72
Austhorpe Gdns. LS15-3B 72
Austhorpe Gro. LS15-3A 72
Austhorpe La. LS15-1A 72
Austhorpe Rd. LS15-1D 71
Austhorpe View. LS15-2A 72
Authorpe Rd. LS6-2B 44
Autumn Av. LS6-1B 66
Autumn Cres. LS18-1A 42
Autumn Gro. LS6-1A 66
Autumn Pl. LS6-1A 66
Autumn St. HX1-1B 124
Autumn St. LS6-1B 66
Autumn Ter. LS6-1A 66
Auty Sq. LS27-4C 109
Avenel Rd. BD15-2C 55
Avenel Ter. BD15-2D 55
Avenham Way. BD3-3C 59
Avenue Cres. LS8-3B 46
Avenue Gdns. LS17-1B 26
Avenue Hill. LS8-3B 46
Avenue Lawns. LS16-1B 26
Avenue Rd. BD5-2B 80
Avenue St. BD4-4A 82
Avenue Ter. LS19-3A 8
Avenue, The. BD10-3A 12
Avenue, The. BD14-1D 77
Avenue, The. BD15-4A 32
Avenue, The. BD16-1C 33
Avenue, The. HX3-3A 120
Avenue, The. LS8-4C 29

Avenue, The. LS9-3A 68
Avenue, The. LS15-2A 94
Avenue, The. LS15-1A 94
(Avenue Wood)
Avenue, The. LS15-4A 50
(Manston)
Avenue, The. LS17-4C 13
Avenue, The. LS18-4B 22
Avenue Victoria. LS8-4C 29
Averingcliffe Rd. BD10-2A 38
Avery Tulip Ct. BD12-2D 101
Aviary Gro. LS12-2D 65
Aviary Mt. LS12-2D 65
Aviary Pl. LS12-2D 65
Aviary Rd. LS12-2D 65
Aviary Row. LS12-2D 65
Aviary St. LS12-2D 65
Aviary Ter. LS12-2D 65
Aviary View. LS12-2D 65
Avocet Garth. LS10-3A 112
Avon Clo. LS17-1B 30
Avon Ct. LS17-1A 30
Avondale Ct. LS17-2A 28
Avondale Cres. BD18-1C 35
Avondale Gro. BD18-1C 35
Avondale Mt. BD18-1C 35
Avondale Pl. HX3-2D 125
Avondale Rd. BD18-1B 34
Avondale St. LS13-1D 63
Aydon Way. HX3-1A 100
Aygill Av. BD9-4A 34
Aylesford Mt. LS15-4B 50
Aynsley Gro. BD15-1C 55
Ayresome Av. LS8-3B 28
Ayresome Oval. BD15-3C 55
Ayresome Ter. LS8-3B 28
Ayreville Dri. HX3-2D 99
Ayrton Cres. BD16-2C 15
Aysgarth Av. HX3-4C 121
Aysgarth Clo. BD12-1D 121
Aysgarth Clo. LS9-3B 68
Aysgarth Dri. LS9-3B 68
Aysgarth Pl. LS9-3B 68
Aysgarth Wlk. LS9-3B 68
Ayton Clo. BD3-3C 59
Ayton Ho. BD4-4B 82
Azealea Ct. BD3-3C 59

Bachelor La. LS18-3D 23
Bk. Airlie Pl. LS8-3B 46
Bk. Allerton Ter. LS7-1D 45
Bk. Alma St. LS19-3D 7
Bk. Ann St. BD13-2A 52
Bk. Ash Gro. LS6-4B 44
Bk. Ashgrove W. BD7-4A 58
Bk. Aston Rd. LS13-1A 64
Bk. Aston St. LS13-1A 64
Bk. Aston Ter. LS13-1A 64
Bk. Aston View. LS13-1A 64
Bk. Baker St. BD18-4C 17
Bk. Barrowby View. LS15-3B 72
Bk. Beech St. BD16-3B 14
Bk. Beechwood Gro. LS4-4A 44
Bk. Bellbrooke Ter. LS9-1C 69
(off Bellbrooke St.)
Bk. Beverley Ter. LS11-2D 89
Bk. Blackwood Gro. HX1-3B 116
Bk. Blenheim Av. LS2-1C 67
Bk. Blenheim Mt. BD8-1D 57
Bk. Blenheim Ter. LS2-1C 67
Bk. Blundell St. LS1-2C 67
Bk. Breary Av. LS18-4A 24
Bk. Breary Ter. LS18-4A 24
Bk. Broad La. LS13-4A 42
Bk. Broomfield Cres. LS6-4A 44
Bk. Brunswick St. LS2-2D 67
Bk. Burley Hill. LS4-1D 65
Bk. Burton Cres. LS6-2A 44
Bk. Carberry Rd. LS6-1A 66
Bk. Cavendish Rd. BD10-1D 37
Bk. Cavendish Ter. HX1-3C 117
Bk. Chapel St. BD1-3B 58
Bk. Church La. LS5-3C 43
Bk. Church La. LS16-4D 11
Bk. Claremont St. LS26-2D 115
Bk. Claremont Ter. LS3-2C 67
(off Kendal La.)
Bk. Claremount Ter. HX3-1D 117
Bk. Clarence Rd. LS18-1D 41
Bk. Clarence St. HX1-4D 117
Bk. Clarendon Pl. HX1-4C 117
Bk. Clayton St. LS26-3B 114
Bk. Clifton Ter. LS9-1C 69
(off Clifton Ter.)
Bk. Clough. HX3-1C 119
Bk. Colenso Mt. LS11-1B 88
Bk. Cowper St. LS7-4A 46
Bk. Craggwood Rd. LS18-1D 41
Bk. Cromwell Ter. HX1-3C 117
Bk. Dalton Gro. LS11-3C 89
Bk. Dalton Rd. LS11-3C 89
Bk. Devonshire La. LS8-3C 29
Bk. Elmsfield Ter. HX1-1C 125
Bk. Eric St. LS13-3D 41
Bk. Eshald Pl. LS26-2D 115
Bk. Eversley Mt. HX2-4A 116
Bk. Fairford Pl. LS11-2D 89
Bk. Field. BD13-4A 54
Bk. Fold. BD14-1D 77
Bk. Furguson St. HX1-4D 117
Bk. Gerrard St. HX1-4D 117
Bk. Gillett La. LS26-3B 114
Bk. Girlington Rd. BD8-2C 57
Bk. Gladstone Rd. HX1-3C 117
Bk. Glebe Ter. LS16-1A 44
Bk. Glen Ter. HX1-1D 125
Back Grn. LS27-1D 109
Bk. Greenmount Ter. LS11-2C 89
Bk. Greenwood Mt. LS6-1B 44
Bk. Grosvenor Ter. HX1-3C 117
Bk. Grosvenor Ter. LS6-3B 44
Bk. Grove Gdns. LS6-2A 44
Bk. Grovehall Av. LS11-3B 88
Bk. Grovehall Dri. LS11-4C 89
Bk. Haigh Av. LS26-2D 113
Bk. Haigh St. LS26-2D 113
Bk. Haigh View. LS26-2D 113
Bk. Hartley St. LS27-4D 109
Bk. Hawksworth Gro. LS5-2A 42
Bk. Heathfield Ter. LS6-2A 44
Bk. Heights Rd. BD13-3D 53
Bk. Highbury Ter. LS6-2A 44
Bk. Highfield Rd. LS13-1A 64
Bk. High St. BD13-4A 55

Bk. Hill Top Mt. LS8-3B 46
Backhold. HX3-3A 126
Backhold Av. HX3-3A 126
Backhold Dri. HX3-3A 126
Backhold La. HX3-3A 126
Backhold Rd. HX3-3A 126
Bk. Hollyshaw Ter. LS15-2D 71
Bk. Holywell La. LS17-1A 30
Bk. Hyde Ter. LS2-2B 66
Bk. Ingledew Cres. LS8-3C 29
Bk. John St. BD13-4A 54
Bk. Kelso Rd. LS2-1B 66
Bk. Kensington Ter. LS6-4B 44
Bk. Kirkgate. BD18-1C 35
Bk. Laisteridge La. BD7-4D 57
Bk. Lake St. LS10-3A 90
Back La. BD9-4C 35
Back La. BD10-4C 19
Back La. BD11-1B 106
Back La. BD13-3C 77
Back La. BD14-1D 77
Back La. BD15-1A 54
Back La. HX2-3A 96
(Illingworth)
Back La. HX2-2A 74
(Ogden)
Back La. LS12-3D 85
Back La. LS13-1A 64
Back La. LS18-4C 23
Back La. LS19-4C 7
Back La. LS20-1D 5
Back La. LS28-4A 40
Bk. Laurel Mt. LS7-3A 46
Bk. Lombard St. LS19-1C 21
Bk. Lord St. HX1-4D 117
Bk. Low La. LS18-4A 24
Bk. Lyons St. BD13-4B 76
Bk. Lytton St. HX3-2D 117
Bk. Mafeking Mt. LS11-4C 89
Bk. Manor Gro. LS7-2D 45
Bk. Market St. BD6-4D 79
Bk. Middle Cross St. LS12-3A 66
Bk. Middleton View. LS11-2C 89
Bk. Midland Rd. LS6-4B 44
Bk. Milton Ter. HX1-3C 117
Bk. Moorfield St. HX1-1C 125
Bk. Moorfield Ter. LS12-3C 65
Bk. Morritt Dri. LS15-2B 70
Bk. Mt. Pleasant. LS10-3D 111
Bk. Muff St. BD4-1C 81
Bk. Myrtle Av. BD16-3B 14
Bk. Nansen St. LS13-1C 63
Bk. Ned Hill Rd. HX2-3B 74
Bk. Newport Gdns. LS6-4A 44
(off Newport Rd.)
Bk. Newton Gro. LS7-3A 46
Bk. Norman Mt. LS5-3C 45
Bk. Northbrook St. LS7-1A 46
Bk. North St. BD12-3C 103
Bk. Nunroyd Rd. LS17-3A 28
Bk. Oakfield Ter. LS6-2B 44
Bk. Outwood La. LS18-1D 41
Bk. Oxford Pl. LS1-2C 67
Bk. Park Cres. LS8-3C 29
Bk. Park Ter. HX1-4C 117
Bk. Parnaby Av. LS10-3B 90
Bk. Parnaby St. LS10-3B 90
Bk. Pasture Rd. LS8-3B 46
Bk. Pollard La. LS13-3D 41
Bk. Pottenewton La. LS7-2D 45
Bk. Potters St. LS7-2D 45
Bk. Reginald St. LS7-3A 46
Bk. Rhodes St. HX1-4C 117
Bk. Richardson St. BD12-3C 103
Bk. Ridge View. LS7-3C 45
Bk. Ripon St. HX1-4B 116
Bk. Ripon Ter. HX3-2D 117
Back Rd. BD3-2C 59
Back Rd. BD12-4D 101
Bk. Roberts St. LS26-2D 115
Bk. Roman Gro. LS8-3C 29
Bk. Roman Pl. LS8-3C 29
Bk. Rose Av. LS18-1C 41
Back Row. LS11-4C 67
Bk. Russell St. BD5-1A 80
Bk. Ruthven View. LS8-4C 47
Bk. Salisbury Ter. HX3-2D 117
Bk. Saltaire Rd. N. BD18-4C 17
Bk. Savile Pde. HX1-1C 125
Bk. School St. LS27-4C 109
Bk. Sefton Av. LS11-2C 89
Bk. Sefton Ter. LS11-3C 89
Bk. Sholebroke Mt. LS7-3D 45
Bk. Sholebroke Row. LS7-3D 45
Bk. Sholebroke Ter. LS7-3D 45
Bk. Stanley View. LS12-3D 65
Bk. Stanmore Pl. LS4-4D 43
Bk. Stonegate Rd. LS6-1B 44
Bk. Stone Hall Rd. BD2-3D 37
Bk. Storey Pl. LS14-2B 70
Bk. Stratford Ter. LS11-3C 89
Bk. Strathmore Dri. LS9-4C 47
Bk. St. Anne's Pl. HX1-3C 117
Bk. St. Ives Mt. LS12-3C 65
Bk. St. Luke's Cres. LS11-1C 89
Bk. St. Paul's Rd. BD18-1C 35
Bk. Sunnydene. LS14-1B 70
Bk. Sutton App. LS14-1B 70
Bk. Sycamore Av. BD16-3B 14
Bk. Tamworth St. BD4-4A 60
Bk. Temple View. LS11-2C 89
Bk. Trinity St. BD5-1A 80
Bk. Unity St. N. BD16-3B 14
Bk. Unity St. S. BD16-3C 15
Bk. Victoria Rd. HX1-3D 117
Bk. Victoria St. HX1-3D 117
Bk. Victor Ter. HX1-3C 117
Bk. Violet Ter. HX6-1A 124
Bk. Wakefield Rd. HX6-2A 124
Bk. Welburn Av. LS16-1D 43
Bk. Welton Mt. LS6-4B 44
Bk. Wesley Rd. LS12-3D 65
Bk. Westbourne Ter. LS2-1C 67
Bk. Westbury St. LS11-3B 90
Bk. Wetherby Rd. LS8-2D 47
Bk. Wolseley Ter. HX1-3C 117
Bk. Woodbine Ter. LS6-2A 44
Bk. York Cres. HX2-1B 124
Bk. York St. LS2-3A 68
Bacon St. LS20-2B 6
Baddeley Gdns. BD10-3C 19
Baden Ter. LS13-3D 63
Badgergate Av. BD15-3A 32
Badgers Mt. LS15-1B 72
Badminton Ter. LS7-1A 68

Badsworth Ct. BD14-1A 78
Bagley La. LS28 & LS13
-4A 40 to 3B 40
Bagnall Ter. BD6-4D 79
Baildon Bri. BD17-4D 17
Baildon Chase. LS14-1D 49
Baildon Clo. LS14-2D 49
Baildon Dri. LS14-2D 49
Baildon Grn. LS14-1D 49
Baildon Holmes. BD17-4D 17
Baildon Path. LS14-2D 49
(off Baildon Dri.)
Baildon Pl. LS14-2D 49
Baildon Rd. BD17-3D 17
Baildon Rd. LS14-1D 49
Baildon Wlk. LS14-1D 49
Baildon Wood Ct. BD17-3D 17
Bailes Rd. LS7-3C 45
Bailey Ct. LS14-3C 49
Bailey Fold. BD15-2C 55
Bailey Hall Bank. HX3-4A 118
Bailey Hall Rd. HX3-4A 118
Bailey Hall View. HX3-4A 118
Bailey Hills Rd. BD16-1B 14
Bailey Pl. LS6-2A 44
Bailey's Hill. LS14-2C 49
Bailey's La. LS14-3C 49
Bailey's Lawn. LS14-2C 49
Bailey St. BD4-1B 80
Bailey Towers. LS14-3C 49
Bailey Wells Av. BD5-3D 79
Bail View Ter. LS7-1C 45
Bainbrigge Rd. LS6-3A 44
Baines St. HX1-3C 117
Baines St. LS26-3B 114
(off Hainsworth St.)
Baird St. BD5-2B 80
(in two parts)
Bairstow La. HX6-4A 116
Bairstow Mt. HX6-1A 124
Bairstow's Bldgs. HX2-4B 96
Bairstow St. BD15-4C 33
Baker Cres. LS27-4C 109
Baker Fold. HX1-3C 117
Baker Rd. LS27-4C 109
Baker St. BD2-1D 59
Baker St. BD18-4C 17
Baker St. LS27-4C 109
Baker St. N. HX2-3C 97
Bakes St. BD7-1C 79
Balbec Av. LS6-2B 44
Balbec St. LS6-2B 44
Balcony Cotts. BD13-1A 98
Baldovan Mt. LS8-3B 46
Baldovan Pl. LS8-3B 46
Baldovan Ter. LS8-3B 46
Baldwin La. BD13 & BD14-3C 77
Baldwin Ter. HX3-4A 118
Balfour St. BD4-1C 81
Balfour St. BD16-3B 14
Balkcliffe La. LS10-2C 111
Ballantyne Rd. BD10-3C 19
Ball St. BD13-4A 54
Balme La. BD12-4A 102
Balme St. BD1-3B 58
Balme St. BD12-4A 102
Balmoral Chase. LS10-2B 90
Balmoral Pl. BD13-1D 97
Balmoral Pl. HX1-4D 117
Balmoral St. LS10-2B 90
Balmoral Ter. LS6-2A 44
Balm Pl. LS11-4B 66
Balm Rd. LS10-3A 90
Balm Rd. Ind. Est. LS10-2A 90
Balm Wlk. LS11-4B 66
Bamburgh Clo. LS15-4B 50
Bamburgh Rd. LS15-4B 50
Bangor Gro. LS12-1C 87
Bangor Pl. LS12-1C 87
Bangor St. LS12-1C 87
Bangor Ter. LS12-1C 87
Bangor View. LS12-1C 87
Bank. BD10-2D 37
Bank Av. LS18-4C 23
Bank Av. LS27-3C 109
Bank Bottom. HX3-3A 118
Bank Clo. BD10-2D 37
Bank Crest. BD17-2D 17
Bankcrest Rise. BD18-1A 34
Bank Dri. BD6-4A 80
Bank Edge Gdns. HX2-4A 96
Bank Edge Rd. HX2-4A 96
Banker St. LS4-1A 66
Bankfield Av. BD18-1A 34
Bankfield Dri. BD18-1A 34
Bankfield Gdns. HX3-4B 118
Bankfield Gdns. LS4-1D 65
Bankfield Gro. BD18-1A 34
Bankfield Gro. LS4-4D 43
Bankfield Rd. BD18-1A 34
Bankfield Rd. LS4-1D 65
Bankfield Ter. BD17-3A 18
Bankfield Ter. LS4-1D 65
Bankfield Ter. LS28-2A 62
(off Richardshaw Rd.)
Bankfield View. HX3-2D 117
Bank Gdns. LS18-4D 23
Bank Holme Ct. BD4-3B 82
Bankhouse. LS28-1A 84
Bank Ho. Clo. LS27-3C 109
Bankhouse La. HX3-4A 126
Bankhouse La. LS28-1A 84
Bank Ho. Ter. HX3-3A 126
Banksfield Av. LS19-2C 7
Banksfield Clo. LS19-2C 7
Banksfield Cres. LS19-2C 7
Banksfield Gro. LS19-2C 7
Banksfield Mt. LS19-2C 7
Banksfield Rise. LS19-2C 7
Banksfield Ter. LS19-3D 7
Bank Side. BD17-2D 17
Bank Side. LS8-4B 46
Bankside Ter. BD17-3C 17
Bank St. BD1-3B 58
(in two parts)
Bank St. BD6-4D 79
Bank St. BD18-1D 35
Bank St. BD19-4D 123
Bank St. LS1-3D 67
(in two parts)
Bank St. LS27-3C 109
Bank Ter. LS27-3C 109
Bank Ter. LS28-1B 62
Bank Top. BD6-4A 80
Bank Top. BD16-1A 32
Bank Top. HX3-1B 126
Bank View. BD17-3D 17
Bank Wlk. BD17-2D 17
Bankwell Fold. BD6-4A 80
Bankwood Way. WF17-4C 107
Bannerman St. BD12-3C 103
Banner St. BD3-4C 59
Banstead St. E. LS8-4B 46
Banstead St. W. LS8-4B 46
Banstead Ter. E. LS8-4B 46
Banstead Ter. W. LS8-4B 46
Bantam Clo. LS27-3A 110
Bantam Gro. La. LS27-3A 110
Bantree Ct. BD10-3C 19
Baptist Pl. BD1-3A 58
Barberry Av. BD3-3B 60
Barclay St. LS7-1A 68
Barcroft Gro. LS19-4C 7
Barden Av. BD6-4A 78
Barden Clo. LS12-3C 65
Barden Dri. BD16-1D 15
Barden Grn. LS12-3C 65
Barden Gro. LS12-3C 65
Barden Mt. LS12-3C 65
Barden Pl. LS12-3C 65
Barden St. BD8-2D 57
Barden Ter. LS12-3C 65
Bare Head La. HX3-3A 98
Barfield Av. LS19-4C 7
Barfield Cres. LS17-1B 28
Barfield Dri. LS19-4C 7
Barfield Gro. LS17-1C 29
Barfield Mt. LS17-1C 29
Barfield Rd. HX3-3D 119
Bargrange Av. BD18-2C 35
Barham Ter. BD10-3A 38
Baring Av. BD3-2A 60
Barker Clo. HX3-2A 126
Barkerend Rd. BD3 & BD1-3B 58
Barker Hill. LS12-4D 85
Barker La. HX3-1D 117
Barker Pl. LS13-1A 64
Barker's Ter. LS15-3B 70
Barkly Av. LS11-3C 89
Barkly Dri. LS11-3C 89
Barkly Gro. LS11-3C 89
Barkly Pde. LS11-3C 89
Barkly Pl. LS11-3C 89
Barkly Rd. LS11-3B 88
Barkly St. LS11-3C 89
Barkly Ter. LS11-3C 89
Barkston Wlk. BD15-3C 55
Bar La. LS18-1B 40
Barlby Way. LS8-2D 47
Barleycorn Yd. LS12-3C 65
Barleyhill Rd. LS25-3D 73
Barley M. WF3-4C 113
Barlow St. BD3-3C 59
Barmby Pl. BD2-1C 59
Barmby Rd. BD2-1C 59
Barmby St. BD12-4A 102
Barmouth St. LS10-2A 90
Barmouth Ter. BD3-1B 58
Barmouth Ter. LS10-2A 90
Barnaby Rd. BD16-2D 15
Barnard Clo. LS15-4B 50
Barnard Rd. BD4-1C 81
Barnard Ter. BD4-1C 81
Barnard Way. LS15-4B 50
Barnborough St. LS4-1D 65
Barnbow La. LS15-1C 73 to 3D 51
Barnby Av. BD8-3D 55
Barncroft Clo. LS14-1B 48
Barncroft Ct. LS14-2A 48
Barncroft Dri. LS15-1B 48
Barncroft Gdns. LS14-2B 48
Barncroft Grange. LS14-2A 48
Barncroft Heights. LS14-1B 48
Barncroft Mt. LS14-1B 48
Barncroft Rise. LS14-2B 48
Barncroft Rd. LS14-2B 48
Barncroft Towers. LS14-2A 48
Barnes Rd. BD8-3B 56
Barnet Rd. LS12-3D 65
Barnsdale Clo. BD17-3C 17
Barnsley Beck Gro. BD17-2A 18
Barnstaple Way. BD4-3A 82
Barnswick View. LS16-1A 24
Baron Clo. LS11-2B 88
Baronscourt. LS15-2D 71
Baronsmead. LS15-2D 71
Baronsway. LS15-2D 71
Barrack Rd. LS7-4A 46
Barrack St. LS7-1D 67
Barraclough Bldgs. BD10-1A 38
Barraclough Sq. BD12-4D 101
Barraclough St. BD12-2D 101
Barracloughs Yd. LS26-3B 114
(off Butcher La.)
Barran Ct. LS8-4B 46
(off Bayswater Pl.)
Barran St. BD16-2C 15
Barras Garth Pl. LS12-4C 65
Barras Garth Rd. LS12-4D 65
Barras Pl. LS12-4C 65
Barras St. LS12-4C 65
Barras Ter. LS12-4D 65
Barrowby Av. LS15-3B 72
Barrowby Cres. LS15-3B 72
Barrowby Dri. LS15-3B 72
Barrowby La. LS15 & LS25
-3B 72 to 2D 73
Barrowby Rd. LS15-3B 72
Barrowclough La. HX3-3B 118
Barry St. BD1-3A 58
Barthorpe Av. LS17-4D 27
Barthorpe Cres. LS17-1D 45
Bartle Clo. BD7-2B 78
Bartle Fold. BD7-2C 79
Bartle Gill Dri. BD17-1A 18
Bartle Gill Rise. BD17-1B 18
Bartle Gill View. BD17-1B 18
Bartle Gro. BD7-2B 78
Bartle La. BD7-2B 78
Bartle Pl. BD7-2B 78
Bartle Sq. BD7-2C 79
Barton Ct. LS15-3D 71
Barton Gro. LS11-2C 89
Barton Hill. LS11-2C 89
Barton Mt. LS11-2C 89
Barton Pl. LS11-2C 89
Barton Rd. LS11-2C 89
Barton St. BD5-2D 79
Barton Ter. LS11-2C 89
Barton View. LS11-2C 89
Barum Top. HX1-4D 117
Barwick Grn. BD6-4B 78
Barwick Rd. LS15-4D 49
Basil St. BD5-2D 79
Baslow Gro. BD9-1B 56
Batcliffe Dri. LS6-2D 43
Batcliffe Mt. LS6-2D 43
Bateman Fold. BD12-3C 103
(off Mill Carr Hill Rd.)
Bateman St. BD8-1A 58
Bateson St. BD10-1B 38
Bath Clo. LS13-1D 63
Bath Gro. LS13-1D 63
Bath La. LS13-1D 63
Bath Pl. HX3-2D 117
Bath Rd. HX3-2D 125
Bath Rd. LS11-4C 67
Bath Rd. LS13-1D 63
Bath St. BD3-4C 59
Bath St. HX1-4A 118
Batley St. HX3-2C 117
Batter La. LS19-1D 21
Battinson Pl. HX3-1B 126
Battinson Rd. HX1-3B 116
Battinson's St. HX3-1B 126
Battye St. BD4-4D 59
Bavaria Pl. BD8-2D 57
Bawn App. LS12-1B 86
Bawn Av. LS12-4B 64
Bawn Chase. LS12-4B 64
Bawn Dri. LS12-4B 64
Bawn Gdns. LS12-4B 64
Bawn La. LS12-4A 64
Bawn Path. LS12-4B 64
Bawn Vale. LS12-4B 64
Bawn Wlk. LS12-4B 64
Baxandall St. BD5-2A 80
Baxter La. HX3-1C 119
Bay Horse La. LS17-1C 31
Bay Horse Yd. LS28-4A 40
Bay of Biscay. BD15-4C 33
Bayswater Cres. LS8-4B 46
Bayswater Gro. BD2-1A 60
Bayswater Gro. LS8-4B 46
Bayswater Mt. LS8-4B 46
Bayswater Pl. LS8-4B 46
Bayswater Rd. LS8-4B 46
Bayswater Row. LS8-4B 46
Bayswater Ter. HX3-3D 125
Bayswater Ter. LS8-4B 46
Bayswater View. LS8-4B 46
Bayton La. LS19-4A 8
Beacon Av. LS27-4D 109
Beacon Brow. BD6-3A 78
Beacon Clo. BD16-2D 15
Beacon Gro. BD6-4B 78
Beacon Hill Rd. HX3-3A 118
Beacon Pl. BD6-3B 78
Beacon Rd. BD6-3A 78
Beaconsfield Rd. BD14-2A 78
Beacon St. BD6-4C 79
Beacon St. BD7-3A 78
Beamsley Gro. BD16-2D 15
Beamsley Gro. LS6-1A 66
Beamsley Mt. LS6-1A 66
Beamsley Pl. LS6-1A 66
Beamsley Rd. BD9-1C 57
Beamsley Rd. BD18-3D 35
Beamsley Ter. LS6-1A 66
Beamsley Wlk. BD9-1C 57
Bearing Av. LS11-3D 89
Beatrice St. BD19-2D 123
Beaufort Gro. BD2-4C 37
Beaulah Ter. LS15-1D 71
Beauly Clo. BD16-1D 15
Beaumont Av. LS8-3C 29
Beaumont Rd. BD8-2C 57
Beaumont Sq. LS28-4A 62
Beck Bottom. LS28-4B 40
Beckbury Clo. LS28-1A 62
Beckbury St. LS28-1A 62
Beckenham Pl. HX1-3B 116
Becket St. HX1-4A 118
Beckett's Pk. Cres. LS6-2D 43
Beckett's Pk. Dri. LS6-2D 43
Becketts Pk. Rd. LS6-2A 44
Beckett St. LS9-2B 68
Beckfield Rd. BD16-1B 32
Beck Foot La. BD16-3A 14
Beck Hill. BD6-1B 100
Beckhill App. LS7-2C 45
Beckhill Av. LS7-2C 45
Beckhill Chase. LS7-2C 45
Beckhill Clo. LS7-2C 45
Beckhill Dri. LS7-1C 45
Beckhill Fold. LS7-1C 45
Beckhill Gdns. LS7-2C 45
Beckhill Garth. LS7-2C 45
Beckhill Ga. LS7-2C 45
Beckhill Grn. LS7-2C 45
Beckhill Gro. LS7-2C 45
Beckhill Lawn. LS7-1C 45
Beckhill Pl. LS7-1C 45
Beckhill Row. LS7-1C 45
Beckhill Vale. LS7-1C 45
Beckhill View. LS7-1C 45
Beckhill Wlk. LS7-1C 45
Beck La. BD16-1B 14
Beck Rd. LS8-3B 46
Beckside La. BD7-1C 79
Beckside Rd. BD7-1C 79
Beckwith Dri. BD10-2A 38
Becross Dri. HX3-2A 118
Bedale Dri. BD6-4B 78
Bedford Clo. LS16-2A 24
Bedford Ct. LS8-2D 47
Bedford Dri. LS16-2A 24
Bedford Gdns. LS16-2A 24
Bedford Garth. LS16-2A 24
Bedford Grn. LS16-2A 24
Bedford Gro. LS16-2A 24
Bedford Mt. LS16-3A 24
Bedford Pl. LS20-2A 6
Bedford Row. LS10-2A 90
Bedford St. BD4-4B 58
Bedford St. BD19-4D 123
Bedford St. HX1-4D 117
Bedford St. LS1-2D 67
Bedford St. N. HX1-3D 117
Bedford View. LS16-2A 24
Bedivere Rd. BD8-3A 56
Beech Av. BD13-1A 52
Beech Av. LS12-3D 65
Beech Av. LS18-1D 41
Beech Clo. BD10-3C 19
Beech Clo. HX3-2A 100
Beech Clo. LS9-4D 47
Beech Cres. BD3-2D 59
Beech Cres. BD17-3B 16
Beech Cres. LS9-4D 47
Beechcroft Clo. LS11-4A 88
Beechcroft Mead. LS17-1C 29
Beechcroft View. LS11-4A 88
Beech Dri. BD13-1A 52
Beech Dri. LS12-3D 65
Beech Dri. LS18-1D 41
Beecher St. HX3-1D 117
Beeches, The. BD17-1A 18
Beeches, The. BD19-3B 122
Beeches, The. LS20-1B 6
Beechfield. LS12-2A 86
Beech Gro. BD3-2C 59
Beech Gro. BD14-1D 77
Beech Gro. BD16-1D 15
Beech Gro. HX3-4C 121
Beech Gro. LS6-1A 44
(off Glebe Ter.)
Beech Gro. LS26-2B 114
Beech Gro. LS27-4B 108
Beech Gro. Ter. LS2-1C 67
Beech La. LS9-4D 47
Beech Lees. LS28-3D 39
Beech Mt. LS9-4A 48
Beech Mt. Clo. BD17-2A 18
Beech Rd. BD6-1D 101
Beech Rd. HX6-1A 124
Beechroyd. LS28-4A 62
Beechroyd Ter. BD16-3B 14
Beech Sq. BD14-1D 77
Beech St. BD16-3B 14
Beech Ter. BD3-2C 59
Beech Tree Ct. BD17-3C 17
Beech Wlk. BD11-4C 105
Beech Wlk. LS9-4D 47
Beechwood. LS26-1D 115
Beechwood Av. BD6-3C 79
Beechwood Av. BD11-1A 106
Beechwood Av. BD18-1B 34
Beechwood Av. HX2-3C 97
Beechwood Av. HX3-3D 99
Beechwood Av. LS4-4A 44
Beechwood Clo. HX2-3B 96
Beechwood Clo. LS18-2C 23
Beechwood Cres. LS4-4A 44
Beechwood Dri. BD6-3C 79
Beechwood Dri. HX2-3B 96
Beechwood Gro. BD6-3C 79
Beechwood Gro. BD11-1A 106
Beechwood Gro. BD18-1B 34
Beechwood Gro. HX2-3B 96
Beechwood Gro. LS4-4A 44
Beechwood Mt. LS4-4A 44
Beechwood Pl. LS4-4A 44
Beechwood Rd. BD6-3C 79
Beechwood Rd. HX2-3B 96
Beechwood Rd. LS4-4A 44
Beechwood Row. LS4-4A 44
Beechwood St. LS4-4A 44
Beechwood St. LS28-1D 61
Beechwood Ter. LS4-4A 44
Beechwood View. LS4-4A 44
Beechwood Vs. HX2-4B 96
Beechwood Wlk. LS4-4A 44
Beecroft Clo. LS13-4C 41
Beecroft Cres. LS13-4C 41
Beecroft Gdns. LS13-4C 41
Beecroft Mt. LS13-4C 41
Beecroft St. LS5-4C 43
Beecroft Wlk. BD15-3C 55
Beehive St. BD6-1B 100
Beehive Yd. N. BD6-1B 100
Beeston Pk. Croft. LS11-3B 88
Beeston Pk. Garth. LS11-3B 88
Beeston Pk. Gro. LS11-3B 88
Beeston Pk. Pl. LS11-3B 88
Beeston Pk. Ter. LS11-3A 88
Beeston Rd. LS11-3B 88 to 1C 89
Beevers Ct. LS16-3B 24
Bela Av. BD4-3D 81
Beldon La. BD7-3B 78
Beldon Pk. Av. BD7-3B 78
Beldon Pk. Clo. BD7-3B 78
Beldon Pl. BD2-1C 59
Beldon Rd. BD7-2C 79
Belfast St. HX1-4B 116
Belford Clo. BD4-2A 82
Belgrave Av. HX3-2A 118
Belgrave Clo. HX3-2A 118
Belgrave Cres. HX3-2A 118
Belgrave Dri. HX3-2A 118
Belgrave Gdns. HX3-2A 118
Belgrave Gro. HX3-2A 118
Belgrave M. LS19-1C 21
Belgrave Mt. HX3-2A 188
Belgrave Pk. HX3-2A 118
Belgrave Rd. BD16-2C 15
Belgrave St. LS2-2D 67
Belinda St. LS10-2B 90
Bell Bank View. BD16-2B 14
Bellbrooke Av. LS9-1C 69
Bellbrooke Gro. LS9-1C 69
Bellbrooke Pl. LS9-1C 69
Bellbrooke St. LS9-1C 69
Bell Dean Rd. BD15 & BD8-3C 55
Belle Isle Cir. LS10-4A 90
Belle Isle Clo. LS10-1A 112
Belle Isle Pde. LS10-4A 90
Belle Isle Rd. LS10-3A 90 to 2B 11
Bellerby Brow. BD6-4A 78
Belle Vue. BD2-3D 37
Belle Vue. BD8-2A 58
Belle Vue Av. LS8-2A 48
Belle Vue Av. LS15-1B 50
Belle Vue Ct. LS3-2B 66
Belle Vue Cres. HX3-3D 99
Belle Vue Dri. LS28-4D 39
Belle Vue Est. LS15-2B 50
Belle Vue Pl. HX1-3C 117 & 4C 117
Belle Vue Rise. HX3-3D 99
Belle Vue Rd. HX3-3D 99
Belle Vue Rd. LS3-1B 66 to 2B 66
Belle Vue Rd. LS15-2B 50
Belle Vue Ter. LS20-2B 6
Belle Vue Ter. LS27-2A 108
Bell Gro. LS13-4D 41
Bell Hall Mt. HX1-1C 125
Bell Hall Ter. HX1-1C 125
Bell Hall View. HX1-1C 125
Bell Ho. Av. BD4-4D 81
Bellhouse Cres. BD4-4C 81
Bell La. LS13-4D 41
Bellmount Clo. LS13-4A 42
Bellmount Gdns. LS13-4D 41
Bellmount Grn. LS13-4A 42
Bellmount Pl. LS13-4A 42
Bellmount View. LS13-4A 42
Belloe St. BD5-2A 80
Bell Rd. LS13-4D 41
Bellshaw St. BD8-3A 56
Bell St. BD12-4D 101
Bell St. HX3-2A 118
Bell St. LS2-2A 68
Belmont Av. BD12-1A 102
Belmont Av. BD17-2C 17
Belmont Av. N. BD12-1A 102
Belmont Clo. BD17-2C 17
Belmont Cres. BD12-1A 102
(in two parts)
Belmont Cres. BD18-1C 35
Belmont Gdns. BD6-1A 102
Belmont Gro. BD6-1A 102
Belmont Gro. LS2-2C 67
Belmont Gro. LS19-4D 7
Belmont Pl. HX1-4C 117
Belmont Rise. BD17-2C 17
Belmont Rise. BS12-1A 102
Belmont St. BD2-3D 37
Belmont St. HX3-3A 118
Belmont St. HX6-1A 124
Belmont Ter. BD18-1C 35
Belton Clo. BD7-2C 79
Belvedere Av. LS11-3C 89
Belvedere Av. LS17-1A 28
Belvedere Gdns. LS17-1A 28
Belvedere Gro. LS17-1A 28
Belvedere Mt. LS11-3C 89
Belvedere Rd. LS17-1A 28
Belvedere St. BD8-2D 57
Belvedere Ter. BD8-2D 57
Belvedere Ter. LS11-3C 89
Belvedere View. LS17-1A 28
Belvoir Gdns. HX3-3D 125
Bempton Ct. BD7-1C 79
Bempton Pl. BD7-1C 79
Benbow Av. BD10-3A 38
Benn Av. BD7-1B 78
Benn Cres. BD7-1B 78
Bennett Ct. LS15-3D 71
Bennett Rd. LS6-3A 44
Bennett St. HX3-1A 126
Bennetts Yd. LS26-3B 114
Benson Gdns. LS12-4D 65
Benson St. LS7-1A 68
Bentcliffe Av. LS17-3A 28
Bentcliffe Clo. LS17-3A 28
Bentcliffe Ct. LS17-3A 28
Bentcliffe Dri. LS17-3A 28
Bentcliffe Gdns. LS17-3A 28
Bentcliffe Gro. LS17-3A 28
Bentcliffe La. LS17-3A 28
Bentcliffe Mt. LS17-3A 28
Bentfield Cotts. BD14-1D 77
Bentfield Ter. BD14-1D 77
(off Bentfield Cotts.)
Bentley Av. HX3-4C 121
Bentley Clo. BD17-1D 17
Bentley Ct. LS7-2B 44
Bentley Garth. HX3-2A 100
Bentley Gro. LS6-2B 44
Bentley La. LS6 & LS7-2B 44
Bentley Mt. HX6-1A 124
Bentley Mt. LS6-2B 44
Bentley Pde. LS6-2B 44
Bentley Sq. LS26-3D 115
Bentley St. BD12-1A 122
Benton Pk. Av. LS19-1D 21
Benton Pk. Cres. LS19-1D 21
Benton Pk. Dri. LS19-4D 7
Benton Pk. Rd. LS19-1D 21
Benyon Pk. Way. LS12-1A 88
Beresford Rd. BD6-1C 101
Beresford St. BD12-3C 103
Berkeley Av. LS8-4C 47
Berkeley Cres. LS8-4C 47
Berkeley Gro. LS8-4C 47
Berkeley Mt. LS8-4C 47
Berkeley Rd. LS8-4C 47
Berkeley St. LS8-4C 47
Berkeley Ter. LS8-4C 47
Berkeley View. LS8-4C 47
Berking Av. LS9-3B 68
Berking Row. LS9-3B 68
Bernard St. LS2-3D 67
Bernard St. LS26-2D 115
Berry La. HX3-4A 118
Berry Moor Rd. HX6-3A 124
Berry's Bldgs. HX2-4B 96
Bertha St. LS28-1A 62
Bertie St. BD4-2D 81
Bertram Dri. BD17-3D 17
Bertram Rd. BD8-1D 57
Bertrand St. LS11-1C 89
Berwick St. HX1-4A 118
Besha Av. BD12-2A 102
Besha Gro. BD12-2A 102
Bessbrook St. LS10-2A 90
Bessingham Gdns. BD6-1B 100
Beswick Garth. BD6-1B 100
Bethal Rd. BD18-4A 18
Bethel St. HX3-1C 117
Beulah Gro. LS6-4C 45
Beulah Mt. LS6-4C 45
Beulah St. LS6-4C 45
Beulah Ter. LS6-4C 45
Beulah View. LS6-4C 45
Beverley Av. BD12-1A 122
Beverley Av. LS11-2D 89
Beverley Ct. LS17-3A 28
Beverley Ct. LS28-1A 62
Beverley Dri. BD12-1A 122
Beverley Mt. LS11-2D 89
Beverley Pl. HX3-2D 117
Beverley St. BD4-1A 82
Beverley Ter. HX3-2D 117
Beverley Ter. LS11-2D 89
Beverley View. LS11-2D 89
Bewerley Cres. BD6-2C 101
Bewick Gro. LS10-1B 112
Bexley Av. LS8-1B 68
Bexley Gro. LS8-1B 68
Bexley Mt. LS8-1B 68
Bexley Pl. LS8-1B 68
Bexley Rd. LS8-1B 68
Bexley Ter. LS8-1B 68
Bexley View. LS8-1B 68

Beza Rd. LS10-2A 90
Beza St. LS10-2A 90
Biddenden Rd. LS15-1B 72
Bideford Av. LS8-2B 28
Bideford Mt. BD4-2A 82
Bierley Hall Gro. BD4-1D 103
Bierley Ho. Av. BD4-4D 81
Bierley La. BD4-1C 103
Bierley View. BD4-3D 81
Billey La. LS12-1B 86
Billingbank Ter. LS13-1A 64
Billingbauk Dri. LS13-2A 64
Billing Ct. LS19-2A 22
Billing Dri. LS19-2B 22
Billingsley Ter. BD4-2D 81
Billing View. BD10-1D 37
Billing View. LS19-2A 22
Billingwood Dri. LS19-2A 22
Bilsdale Grange. BD6-1B 100
Bilsdale Way. BD17-3C 17
Bilton Pl. BD8-3D 57
Bingley Rd. BD17-1D 17
Bingley Rd. BD18-1A 34
Bingley Rd. LS29-1A 4
Bingley St. BD8-3C 57
Bingley St. LS3-2B 66
Bingly Rd. BD9-3A 34
Binks Fold. BD12-1A 122
Binnie St. BD3-3C 59
Binns La. BD7-1B 78
Binns St. BD16-2C 15
Binswell Fold. BD17-1D 17
Bircham Clo. BD16-1D 15
Birch Av. BD5-3B 80
Birch Av. LS15-2C 71
Birch Clo. BD5-3B 80
Birch Cres. LS15-2C 71
Birchdale. BD16-1B 14
Birches, The. LS16-1B 10
Birches, The. LS20-1A 6
Birchfield Av. LS27-2D 107
Birchfields Av. LS14-4D 31
Birchfields Clo. LS14-1D 49
Birchfields Ct. LS14-1D 49
Birchfields Cres. LS14-4D 31
Birchfields Garth. LS14-1D 49
Birchfields Rise. LS14-4D 31
Birch Gro. BD5-3A 80
Birch Hill Rise. LS18-1A 42
Birchlands. BD4-4C 81
Birch La. BD5-2B 80 & 3B 80
Birchroyd. LS26-4B 114
Birch St. BD8-2C 57
Birchtree Way. LS16-3B 24
Birchway. BD5-3B 80
Birchwood Av. LS17-2C 29
Birchwood Hill. LS17-1B 28
Birchwood Mt. LS17-2C 29
Birdcage Hill. HX3-2C 125
Birdcage La. HX3-3C 125
Birdforth Gro. BD6-1B 100
Bird Holme La. HX3-2D 119
Birdsall Grn. BD6-1B 100
Birfed Cres. LS4-4C 43
Birkby Haven. BD6-1B 100
Birkby La. HD6-4D 121
Birkby St. BD12-4A 102
Birkdale Clo. LS17-1C 27
Birkdale Dri. LS17-1C 27
Birkdale Grn. LS17-1C 27
Birkdale Gro. HX2-1B 96
Birkdale Gro. LS17-1C 27
Birkdale Mt. LS17-1C 27
Birkdale Pl. LS17-1C 27
Birkdale Rise. LS17-1C 27
Birkdale Wlk. LS17-1C 27
Birkdale Way. LS17-1C 27
Birkenshaw La. BD11-3D 105
Birkett St. BD19-3D 123
Birkhill Cres. BD11-3D 105
Birkhouse La. HD6-4D 121
Birkhouse Rd. HD6-4D 121
Birklands Ind. Est. BD4-4D 59
Birklands Rd. BD18-1C 35
Birklands Ter. BD18-1C 35
Birk La. LS27-4B 108
Birk Lea St. BD5-2B 80
Birks Av. BD7-1B 78
Birks Fold. BD7-4B 56
Birkshall La. BD4-4D 59
Birks Hall La. HX1-3C 117
Birks Hall St. HX1-3C 117
Birks Hall Ter. HX1-3C 117
Birksland Moor. BD11-4D 105
Birksland St. BD4 & BD3-4C 59
Birkwith Clo. LS14-4C 31
Birnam Gro. BD4-1C 81
Birr Rd. BD9-4C 35
Birstall La. BD11-3A 106
Bishopdale Holme. BD6-1B 100
Bishopgate St. LS1-3D 67
Bishop St. BD9-4C 35
Bismarck Dri. LS11-2D 89
Bismarck St. LS11-2D 89
Black Bull St. LS10-4A 68
Blackburn Clo. BD8-4A 56
Blackburn Ct. LS26-3B 114
Blackburn Ho. HX3-4C 97
Black Dyke La. BD13-1C 53
Black Edge La. BD13-4A 52
Blackett St. LS28-1C 39
Black Hill. BD13-3C 77
Black Hill La. LS16-1D 11
Blackledge. HX1-1D 118
Blackman La. LS2 & LS7-1C 67
Blackmoor Ct. LS17-1B 26
Black Moor Rd. LS17-2B 26
Blackpool Gro. LS12-1C 87
Blackpool Pl. LS12-1C 87
Blackpool St. LS12-1C 87
Blackpool Ter. LS12-1C 87
Blackpool View. LS12-1C 87
Blackshaw Beck La. BD13-1C 99
Blackshaw Dri. BD6-1A 100
Blacksmith Fold. BD7-2C 79
Blacksmith La. LS16-1B 12
Blackstone Av. BD12-1D 121
Black Swan Ginnell. HX1-4D 117
Black Swan Pas. HX1-4D 117
Blackthorn Ct. LS10-1A 112
Blackwall. HX1-4D 117
Black Wood Av. LS16-2A 24
Black Wood Gdns. LS16-2A 24
Blackwood Gro. HX1-3B 116
Black Wood Gro. LS16-2A 24
Black Wood Mt. LS16-2A 24
Black Wood Rise. LS16-2A 24
Blacup Moor View. BD19-3D 123
Blairsville Gdns. LS13-4D 41
Blairsville Gro. LS13-4D 41
Blaithroyd La. HX3-4B 118
Blake Cres. LS20-2B 6
Blake Gro. LS7-2A 46
Blake Hill. HX3-4A 98
Blakehill Av. BD2-1D 59
Blake Hill End. HX3-3B 98
Blakehill Ter. BD2-1D 59
Blakeney Gro. LS10-3A 90
Blakeney Rd. LS10-3A 90
Blamires Pl. BD7-2B 78
Blamires St. BD7-2B 78
Blanche St. BD4-4A 60
Blandford Gdns. LS2-1C 67
Blandford Gro. LS2-1C 67
Bland St. HX1-4D 117
Blayds St. LS9-3B 68
Blayd's Yd. LS1-3D 67
Blencarn Clo. LS14-3B 48
Blencarn Garth. LS14-3B 48
Blencarn Lawn. LS14-3B 48
Blencarn Path. LS14-3B 48
Blencarn Rd. LS14-3B 48
Blencarn View. LS14-3B 48
Blencarn Wlk. LS14-3B 48
Blenheim Av. LS2-1C 67
Blenheim Ct. HX1-3D 117
Blenheim Cres. LS2-1C 67
Blenheim Gro. LS2-1D 67
Blenheim Pl. BD10-3C 19
Blenheim Rd. BD8-1D 57
Blenheim Sq. LS2-1D 67
Blenheim Ter. LS2-1C 67
Blenheim Ter. LS27-2C 109
Blenheim View. LS2-1C 67
Blenheim Wlk. LS2-1C 67
Blind La. BD11-1B 106
Blind La. BD13-3D 75
Blind La. BD16-2A 14
Blind La. HX2-1A 96
Blind La. LS17-1A 30
Blue Hill. BD13-1A 52
Blue Hill Cres. LS12-4C 65
Blue Hill Grange. LS12-1C 87
Blue Hill Gro. LS12-4C 65
Blue Hill La. LS12-4C 65
Blundell St. LS1-2C 67
Blyth Av. BD8-2C 57
Blythe St. BD7-3A 58
Boar La. LS1-3D 67
Bob La. BD15-4A 32
Bob La. HX2-3A 116
Bodley Ter. LS4-2A 66
Bodmin App. LS10-3C 111
Bodmin Av. BD18-1B 36
Bodmin Cres. LS10-3C 111
Bodmin Croft. LS10-3C 111
Bodmin Gdns. LS10-3C 111
Bodmin Garth. LS10-3C 111
Bodmin Pl. LS10-3C 111
Bodmin Rd. LS10-2B 110
Bodmin Sq. LS10-4C 111
Bodmin St. LS10-4C 111
Bodmin Ter. LS10-4C 111
Bodwin Glade. BD6-1B 100
Boggart Hill. LS14-2A 48
Boggart Hill Cres. LS14-2B 48
Boggart Hill Dri. LS14-2A 48
Boggart Hill Gdns. LS14-2A 48
Boggart Hill Rd. LS14-2B 48
Boggart La. HX3-2A 120
Bog La. BD15-1C 55
Bog La. LS15-3C 51
Boldmere Rd. LS15-3B 70
Boldron Holt. BD6-1B 100
Boldshay St. BD3-3C 59
Bold St. BD8-2D 57
Bolehill Pk. HD6-4A 120
Bolingbroke St. BD5-3A 80
Bolland Bldgs. BD12-3B 102
Bolland St. BD12-3B 102
Bolling Rd. BD4-4B 58
Boltby La. BD6-1B 100
Bolton. HX2-1A 96
Bolton Brow. HX6-2A 124
Bolton Ct. BD2-1C 59
Bolton Cres. BD2-3C 37
Bolton Dri. BD2-3C 37
Bolton Grange. LS19-4D 7
Bolton Gro. BD2-3C 37
Bolton Hall Rd. BD2-3A 36
Bolton La. BD2-1A 58
Bolton Rd. BD1, BD3 & BD2 -3B 58 to 3D 37
Bolton Rd. LS19-4D 7
Bolton St. BD3-3C 59
Bolton St. BD12-2A 102
Bond Ct. LS1-3C 67
Bond St. BD13-2A 52
Bond St. LS1-3D 67
Bond St. Centre. LS1-3D 67
Bonn Rd. BD9-1C 57
Bonwick Mall. BD6-1B 100
Boocock St. LS28-2A 62
Booth Royd. BD10-3C 19
Booth Royd Dri. BD10-3C 19
Booths Bldgs. HD6-3D 121
Booth St. BD10-1D 37
Booth St. BD13-4A 76
Booth St. BD18-1A 36
Booths Yd. LS28-3B 62
Booth Town Rd. HX3-1D 117
Borrins Way. BD17-2A 18
Borrough Av. LS8-4A 28
Borrough View. LS8-4B 28
Borrowdale Croft. LS19-3C 7
Borrowdale Ter. LS14-4B 48
Bosnia Gro. LS12-3C 65
Bosnia St. LS12-3C 65
Bosnia Ter. LS12-3C 65
Bosphorous St. LS12-3C 65
Boston Av. LS5-4B 42
Boston St. HX1-3B 116
Boston Towers. LS9-2A 68
Boston Wlk. BD6-1B 100
Bosworth Clo. BD15-1D 55
Botany Av. BD2-4B 36
Botany Bay Yd. LS12-2A 66
Bottomley's Bldgs. LS6-4C 45
Bottomley St. BD5-2A 80
Bottomley St. BD6-1B 100
Bottoms. HX3-3A 126
Bottoms La. BD11-4D 105
Boulevards, The. HX1-4D 117
Boulevard, The. BD6-4B 78
Boulevard, The. LS28-1A 62
Boundary Farm Rd. LS17-2C 27
Boundary Pl. LS7-1A 68
Boundary St. LS7-1A 68
Bourdon Clo. BD6-4D 79
Bourne St. BD10-3C 19
Bowbridge Rd. BD5-2B 80
Bower Grn. BD3-4D 59
Bower Rd. LS15-4A 50
Bower St. BD5-4A 58
Bowes Nook. BD6-1B 100
Bowfell Clo. LS14-4C 49
Bowker St. BD7-1C 79
Bowland Av. BD17-3A 16
Bowland Clo. LS15-3A 70
Bowland St. BD1-2A 58
Bowler Clo. BD12-2D 101
Bowling Back La. BD4-1C 81
Bowling Ct. Ind. Est. BD4-4D 59
Bowling Dyke. HX1-3D 117
Bowling Grn. Fold. BD12-4D 101
Bowling Grn. Ter. LS11-1C 89
Bowling Hall Rd. BD4-2C 81
Bowling Old La. BD5-1A 80
Bowling Pk. Clo. BD4-2B 80
Bowling Pk. Dri. BD4-2B 80
Bowl Shaw La. HX3-2B 98
Bowman Av. BD6-1C 101
Bowman Gro. HX1-3C 117
Bowman La. LS10-3D 67
Bowman Pl. HX1-3C 117
Bowman Rd. BD6-1C 101
Bowman St. HX1-3C 117
Bowman Ter. HX1-3C 117
Bowness Av. BD10-3A 38
Bowood Av. LS7-1C 45
Bowood Cres. LS7-1C 45
Bowood Gro. LS7-1C 45
Bow St. LS9-3A 68
Box Tree Clo. BD8-2B 56
Box Trees La. HX2-1A 116
Boyd Av. BD3-2B 60
Boy La. BD4-1D 103
Boy La. HX3-1A 116
Boyle St. LS12-3C 65
Boyle, The. LS15-1D 51
Boyne St. HX1-4D 117
Boynton St. BD5-2A 80
(in two parts)
Boynton Ter. BD5-2A 80
Boys La. HX3-1A 126
Bracewell Av. BD15-3C 55
Bracewell Bank. HX3-1C 117
Bracewell Dri. HX3-1B 116
Bracewell Gro. HX3-2C 117
Bracewell Hill. HX3-1B 116
Brackenbed La. HX2-2B 116
Bracken Ct. LS17-4D 27
Brackendale. BD10-3B 18
Brackendale Av. BD10-3C 19
Brackendale Dri. BD10-3B 18
Brackendale Gro. BD10-3B 18
Brackendale Pde. BD10-3B 18
Bracken Edge. BD10-1D 37
Bracken Edge. LS8-2B 46
Bracken Hill. HX2-2B 116
Bracken Hill. LS17-4D 27
Brackenholme Royd. BD6-1B 100
Brackens La. HX3-1D 99
Brackenwood Clo. LS8-1B 46
Brackenwood Dri. LS8-4A 28
Brackenwood Grn. LS8-4A 28
Bradbeck Rd. BD7-3B 56
Bradburn Rd. WF3-4C 113
Bradford Bus. Pk. BD1-2B 58
Bradford La. BD3-3A 60
Bradford Old Rd. BD16-1D 33
Bradford Old Rd. HX3-1D 117
Bradford Rd. BD3 & LS28-2B 60
Bradford Rd. BD4, BD11 & B19-1B 104
Bradford Rd. BD10-2C 37
Bradford Rd. BD11-1A 106
Bradford Rd. BD12 & BD19 -3C 103 to 2D 12
Bradford Rd. BD14-1D 77
Bradford Rd. BD16-3C 15
Bradford Rd. BD18-1C 35
Bradford Rd. HD6-3D 121
Bradford Rd. HX3-2C 119 & 4C 99
Bradford Rd. LS27-3D 107
Bradford Rd. LS29 & LS20-1D 5
Bradford & Wakefield Rd. BD4-1D 105
Bradlaugh Rd. BD6-4D 79
Bradlaugh Ter. BD6-4D 79
Bradley La. LS28-3C 61
Bradley St. BD9-3D 35
Bradley St. BD16-2B 14
Bradley Ter. LS17-1C 29
Bradshaw La. HX2-4B 74
Bradshaw View. HX2-1B 96
Bradstock Gdns. LS27-2C 109
Brae Av. BD2-4B 36
Braeside. HX2-3A 116
Brafferton Arbor. BD6-4A 78
Braithwaite Row. LS10-3A 90
Braithwaite St. LS11-4B 66
Bramble Clo. BD14-2D 77
Bramham Dri. BD17-1A 18
Bramham Rd. BD16-2C 15
Bramhope Rd. BD19-3D 123
Bramleigh Dri. LS27-2C 109
Bramleigh Gro. LS27-2C 109
Bramley Centre. LS13-4A 42
Bramley Fold. HX3-3A 120
Bramley La. HX3-3A 120
Bramley St. BD5-1A 80
(in two parts)
Bramley St. LS13-1D 63
Bramley's Yd. LS1-2D 67
Bramley View. HX3-2A 120
Bramstan Av. LS13-4C 41
Bramstan Clo. LS13-4C 41
Bramstan Gdns. LS13-4C 41
Brancepeth Pl. LS12-3B 66
Branch Church St. LS10-2A 90
Branch Pl. LS12-1C 87
Branch Rd. BD19-2B 122
Branch Rd. LS12-3D 65
(Armley)
Branch Rd. LS12-1C 87
(Lower Wortley)
Branch Rd. LS27-2A 108
Branch St. LS12-1C 87
Brander App. LS9-2D 69
Brander Clo. LS9-1A 70
Brander Dri. LS9-2D 69
Brander Gro. LS9-2D 69
Brander Mt. LS9-1D 69
Brander Rd. LS9-2D 69
Brander St. LS9-1A 70
Brandon Ct. LS17-1C 29
Brandon Gro. LS7-3A 46
Brandon Rd. LS3-2C 67
Brandon St. LS12-3B 66
Brandon Ter. LS17-1D 29
Brandon Way. LS7-3A 46
Branfort St. BD7-1C 79
Branksome Ct. BD9-1B 56
Branksome Cres. BD9-1B 56
Branksome Dri. BD18-4A 16
Branksome Gro. BD18-4D 15
Branksome Pl. LS6-1B 66
Branksome Ter. LS6-1B 66
Bransby Clo. LS28-1A 62
Bransby Ct. LS28-1A 62
Bransby Rise. LS28-4A 40
Bransdale Av. LS20-2A 6
Bransdale Clo. LS20-2A 6
Bransdale Clough. BD6-4A 78
Bransdale Gdns. LS20-2B 6
Bransdale Garth. LS20-2A 6
Brant Av. HX2-4B 96
Brantcliffe Dri. BD17-1D 17
Brantcliffe Way. BD17-1D 17
Brantdale Clo. BD9-3D 33
Brantdale Rd. BD9-3D 33
Brantford St. LS7-2A 46
Brantwood Av. BD9-3D 33
Brantwood Clo. BD9-3D 33
Brantwood Cres. BD9-3D 33
Brantwood Dri. BD9-4D 33
Brantwood Gro. BD9-3D 33
Brantwood Oval. BD9-3D 33
Brantwood Rd. BD9-3D 33
Brantwood Vs. BD9-4D 33
Branwell Av. WF17-4B 106
Branwell Wlk. WF17-4B 106
Branxholme Ind. Est. HD6-3D 121
Brassey Rd. BD4-1C 81
Brassey St. HX1-4D 117
Brassey Ter. BD4-1C 81
Brathay Gdns. LS14-4B 48
Braybrook Ct. BD8-4D 35
Bray Clo. BD7-3A 78
Brayshaw Dri. BD7-3A 78
Brayshaw Fold. BD12-2A 102
Brayshaw St. LS28-4A 62
Brayton App. LS14-3D 49
Brayton Clo. LS14-3D 49
Brayton Garth. LS14-3D 49
Brayton Grange. LS14-2D 49
Brayton Grn. LS14-3A 50
Brayton Gro. LS14-2D 49
Brayton Pl. LS14-2D 49
Brayton Sq. LS14-3D 49
Brayton Ter. LS14-3D 49
Brayton Wlk. LS14-2D 49
Breacon Ct. LS9-1A 70
Breacon Rise. LS9-1A 70
Break Neck. HX3-3C 119
Breaks Fold. BD12-1A 122
Breaks Rd. BD12-2A 102
Brearcliffe Clo. BD6-1C 101
Brearcliffe Dri. BD6-1C 101
Brearcliffe Gro. BD6-1C 101
Brearcliffe Rd. BD6-1C 101
Brearcliffe St. BD6-1C 101
Brearton St. BD1-2A 58
Breary Av. LS18-4A 24
Breary Rise. LS16-1A 10
Breary Ter. LS18-4A 24
Breary Wlk. LS18-4A 24
Brecks. BD14-1A 78
Brecks La. LS26-1D 95
Brecks Rd. BD14-1A 78
Brecon App. LS9-1A 70
Brecon Clo. BD10-1D 37
Bredon Av. BD18-1B 36
Breighton Adown. BD6-4A 78
Bremit Vs. BD6-1D 101
Bremit Wlk. BD6-1D 101
Brendon Ho. BD4-3B 82
Brendon Wlk. BD4-3A 82 & 2A 82
Brentford Rd. BD12-2D 101
Brentwood Gdns. BD6-1A 102
Brentwood Gro. LS12-3D 65
Brentwood St. LS12-3D 65
Brentwood Ter. LS12-3D 65
Brett Gdns. LS11-2C 89
Brewery La. BD13-2D 97
Brewery St. HX3-1D 117
Brian Cres. LS15-4C 49
Brian Pl. LS15-4D 49
Brian St. LS27-4C 109
Brian View. LS15-4D 49
Briar Clo. LS28-1A 62
Briardale Rd. BD9-4D 33
Briardene. LS26-3D 115
Briarfield Av. BD10-1C 37
Briarfield Clo. BD10-1C 37
Briarfield Gdns. BD18-2D 35
Briarfield Gro. BD10-1C 37
Briarfield Rd. BD18-2D 35
Briarlea Clo. LS19-4B 6
Briarmains Rd. WF17-4B 106
Briar Rhydding. BD17-3B 18
Briarsdale Ct. LS8-4D 47
Briarsdale Croft. LS8-4D 47
Briarsdale Garth. LS8-4D 47
Briarsdale Heights. LS9-4D 47
Briar Wood. BD18-1B 36
Briarwood Av. BD6-3D 79
Briarwood Cres. BD6-3D 79
Briarwood Dri. BD6-4C 79
Briarwood Gro. BD6-3D 79
Brickfield Gro. HX2-3C 97
Brickfield La. HX2-3C 97
Brickfield Ter. HX2-3C 97
Brick Mill Rd. LS28-4B 62
Brick Row. BD12-1D 121
Brick St. BD19-4D 123
Brick St. LS9-3A 68
Bridge Ct. LS27-4C 109
Bridge End. LS1-3D 67
Bridge Fold. LS5-4B 42
Bridgegate Way. BD10-2A 38
Bridge La. HX3-2C 99
Bridge Rd. LS5-4B 42
Bridge Rd. LS11-4C 67
Bridge Rd. LS13-2A 40
Bridge St. BD1-4B 58
Bridge St. BD13-4A 54
Bridge St. BD16-2C 15
Bridge St. LS2-2A 68
Bridge St. LS27-4C 109
Bridge Ter. LS17-1C 31
Bridge View. LS9-4B 68
Bridge View. LS13-2A 40
Bridgewater Clo. LS18-3A 24
Bridgewater Ct. LS6-2B 44
Bridgewater Rd. BD9-1C 57
Bridgewater Rd. LS9-4B 68
Bridgeway. BD4-3A 82
Bridge Wood Clo. LS18-3A 24
Bridge Wood View. LS18-3A 24
Bridle Dene. HX3-3D 99
Bridle Path. LS15-1C 71
Bridle Path Cres. LS15-1C 71
Bridle Path Rd. LS17-1A 30
Bridle Path Wlk. LS15-1C 71
Bridle Stile. HX3-3D 99
Bridle Stile La. BD13-3A 76
Brierfield Gdns. LS27-2D 107
Brier Hill Clo. BD19-4C 123
Brierley Clo. BD18-2D 35
Brier St. HX3-1D 117
Briery Field. BD18-3D 35
Briggate. BD17-4D 17 & 1D 35
Briggate. BD18-4D 17 & 1D 35
Briggate. LS1-3D 67
Briggs Av. BD6-3C 79
Briggs Bldgs. LS27-4C 109
Briggs Gro. BD6-4C 79
Briggs Pl. BD6-4C 79
Briggs St. BD13-4A 76
Briggs Vs. BD13-4A 76
(off Briggs St.)
Brighouse & Denholme Ga. HX3-1B 98
Brighouse & Denholme Rd. BD13 -4B 52 to 3A 76
Brighouse Rd. BD12-3A 102
Brighouse Rd. BD13-4B 76
Brighouse Rd. HX3-4D 99
Brighton Av. LS27-3B 108
Brighton Cliff. LS13-1D 63
Brighton Gro. HX1-3C 117
Brighton Gro. LS13-2A 64
Brighton St. BD10-3C 19
Brighton St. BD17-4D 17
Brighton St. HX3-2C 117
Brighton Ter. BD19-2B 122
Bright St. BD4-3D 81
Bright St. BD13-3B 76
Bright St. BD14-2D 77
Bright St. BD15-2D 55
Bright St. LS27-3B 108
Bright St. LS28-1B 62
Brignall Croft. LS9-2B 68
Brignall Garth. LS9-2B 68
Brignall Way. LS9-2B 68
Brindley Gro. BD8-3D 55
Brisbane Av. BD2-4B 36
Bristol St. HX3-3A 126
Bristol St. LS7-1A 68
Britannia Clo. LS28-1B 62
Britannia Ct. LS13-2C 63
Britannia St. BD5-4B 58
Britannia St. BD16-2C 15
Britannia St. LS1-3C 67
Britannia St. LS28-1B 62
Britannia Ter. BD19-3D 123
Broadfield Clo. BD4-4A 82
Broadfields. LS18-4D 23
Broadfolds. BD14-1D 77
Broadgate Av. LS18-4A 24
Broadgate Ct. LS18-4A 24
Broadgate Cres. LS18-4D 23
Broadgate Dri. LS18-4D 23
Broadgate La. LS18-4D 23
Broadgate M. LS18-4A 24
Broadgate Rise. LS18-4A 24
Broadgate Trading Est. LS18-4D 23
Broadgate Wlk. LS18-4D 23
Broadlands St. BD4-1A 82
Broad La. BD4-1A 82
Broad La. LS28, LS13 & LS5 -1C 63 to 4B 42
Broad La. Clo. LS13-4A 42
Broadlea Av. LS13-3A 42
Broadlea Clo. LS13-3B 42
Broadlea Cres. BD5-3B 80
Broadlea Cres. LS13-4A 42
Broadlea Gdns. LS13-3A 42
Broadlea Gro. LS13-3A 42
Broadlea Hill. LS13-3A 42
Broadlea Mt. LS13-4B 42
Broadlea Oval. LS13-3A 42
Broadlea Pl. LS13-4B 42
Broadlea Rd. LS13-3A 42
Broadlea St. LS13-3B 42
Broadlea Ter. LS13-3B 42
Broadlea View. LS13-3A 42
Broadley Clo. HX2-2A 116
Broadley Gro. HX2-2A 116
Broad Oak La. HX3-4A 120
Broad Oak Pl. HX3-4A 120
Broad Oak St. HX3-4A 120
Broad Oak Ter. HX3-4A 120
Broadstone Way. BD4-4A 82
Broad St. BD1-3B 58
Broad St. HX1-3D 117
Broad St. LS28-4D 39
Broad Tree Rd. HX3-1C 117
Broad Tree Ter. HX3-1C 117
Broadway. BD1-4B 58
Broadway. BD16-2C 15
Broadway. HX3-1B 126
Broadway. LS5-1B 42
Broadway. LS15-4B 70
Broadway. LS18-1B 40 to 4A 24
Broadway. LS20-2D 5
Broadway Av. BD5-3A 80
Broadway Av. HX2-2A 116
Broadway Av. LS6-1A 66
Broadway Clo. BD5-3A 80
Broadway Dri. LS18-4C 23
Broadwood Av. HX2-2A 116
Brocken Way. BD5-3A 80
Brocklesby Dri. BD15-2C 55
Broderick Ct. LS6-2A 44
Bromet Pl. BD2-4D 37

Bromford Rd. BD4-2C 81
Bromley Rd. BD16-1B 14
Bromley Rd. BD18-1B 34
Brompton Av. BD4-2C 81
Brompton Gro. LS11-3C 89
Brompton Mt. LS11-3C 89
Brompton Rd. BD4-2C 81
Brompton Row. LS11-3C 89
Brompton Ter. BD4-2C 81
Brompton Ter. LS11-3C 89
Brompton View. LS11-3C 89
Bronshill Gro. BD15-2D 55
Bronte Clo. BD9-1A 56
Bronte Old Rd. BD13-4B 54
Bronte Pl. BD13-4B 54
Broohouse Gdns. BD10-4B 20
Brookeville Av. HX3-3A 120
Brookfield Av. BD18-4A 18
Brookfield Av. LS8-3B 46
Brookfield Av. LS13-2A 40
Brookfield Ct. LS13-2A 40
Brookfield Gdns. LS13-2A 40
Brookfield Pl. LS6-2B 44
Brookfield Rd. BD3-3C 59
Brookfield Rd. BD18-4A 18
Brookfield Rd. LS6-2B 44
Brookfields Av. BD12-2A 122
Brookfields Rd. BD12-2A 122
Brookfield St. LS10-4A 68
Brookfield Ter. LS6-2B 44
Brookfield Ter. LS10-4A 68
Brookfoot Av. BD11-3C 105
Brookhill Av. LS17-1B 28
Brookhill Clo. LS17-1B 28
Brookhill Cres. LS17-1B 28
Brookhill Dri. LS17-1B 28
Brookhill Gro. LS17-1B 28
Brooklands. HX3-3A 120
Brooklands Av. BD13-4B 54
Brooklands Av. LS14-4B 48 to 3C 49
Brooklands Clo. LS14-3B 48
Brooklands Cres. LS14-4B 48
Brooklands Cres. LS19-4C 7
Brooklands Dri. LS14-3B 48
Brooklands Dri. LS19-4C 7
Brooklands Garth. LS14-4B 48
Brooklands La. LS14-3B 48
Brooklands Towers. LS14-3C 49
Brooklands View. LS14-3B 48
Brook La. BD14-2C 77
Brookleigh. LS28-2D 39
Brooklyn Av. LS12-3D 65
Brooklyn Pl. LS12-3D 65
Brooklyn St. LS12-3D 65
Brooklyn Ter. LS12-3D 65
Brookroyd Av. HD6-4C 121
Brooksbank Av. BD7-1B 78
Brooksbank Dri. LS15-3B 70
Brooks Ter. BD13-3D 77
Brook St. BD12-3C 103
Broom Clo. LS10-2B 112
Broom Cres. LS10-1B 112
Broomcroft. BD14-2D 77
Broom Cross. LS10-1B 112
Broome Av. BD2-4B 36
Broomfield. LS16-1C 25
Broomfield Av. HX3-3C 125
Broomfield Cres. LS6-4A 44
Broomfield Pl. BD14-2C 77
Broomfield Pl. LS6-4A 44
Broomfield Rd. LS6-4A 44
Broomfield St. BD13-4A 76
Broomfield St. LS6-4A 44
Broomfield Ter. BD19-4D 123
Broomfield Ter. LS6-4A 44
Broomfield View. LS6-4A 44
Broom Gdns. LS10-2B 112
Broom Garth. LS10-1B 112
Broom Gro. LS10-2B 112
Broomhill Av. LS17-3A 28
Broomhill Cres. LS17-3A 28
Broomhill Dri. LS17-3D 27 & 3A 28
Broom Hill Rd. LS9-2D 69
Broom Lawn. LS10-2B 112
Broom Mt. LS10-2B 112
Broom Nook. LS10-2B 112
Broom Pl. LS10-2B 112
Broom Rd. LS10-2B 112
Broom St. BD4-4B 58
Broom St. BD19-4D 123
Broom Ter. LS10-1B 112
Broom View. LS10-2B 112
Broom Wlk. LS10-2B 112
Brougham St. HX3-2D 117
Brougham Ter. HX3-2D 117
Broughton Av. BD4-4C 81
Broughton Av. LS9-1C 69
Broughton Ho. BD4-4B 82
Broughton Rd. HX3-2D 117
Broughton St. HX3-2D 117
Broughton Ter. HX3-2D 117
Broughton Ter. LS9-1C 69
Broughton Ter. LS28-2A 62
Browfoot. BD18-1A 36
Browfoot Dri. HX2-4A 116
Brow Foot Ga. HX2-4A 116
Brow Foot Ga. La. HX2-4A 116
Browgate. BD17-2D 17
Brow La. BD14-2B 76
Brow La. HX3-4B 98
Brown Av. LS11-1B 88
Brownberrie Av. LS18-2D 23
Brownberrie Cres. LS18-2D 23
Brownberrie Dri. LS18-2D 23
Brownberrie Gdns. LS18-2D 23
Brownberrie La. LS18-2B 22
Brownberrie Wlk. LS18-2D 23
Brownberry Gro. HX3-1A 100
Brown Hill Av. LS9-1C 69
Brown Hill Clo. BD11-2C 105
Brown Hill Cres. LS9-1C 69
Brown Hill Dri. BD11-2C 105
Brown Hill Ter. LS9-1C 69
Browning Av. HX3-2A 126
Browning St. BD3-3C 59
Brown La. E. LS11-1B 88
Brown La. W. LS12 & LS11-1A 88
Brownlea Clo. LS19-4B 6
Brown Pl. LS11-1B 88
Brown Rd. LS11-1B 88
Brownroyd Hill Rd. BD6-3D 79
Brownroyd St. BD8-3C 57
Brownroyd Wlk. BD6-3D 79
Brown's Ter. LS13-1A 64
Brow Quarry Ind. Est. HX3-4A 120
Brow Top. BD14-3C 77
Brow Wood Cres. BD2-4A 36
Brow Wood Rise. HX3-2A 100
Brow Wood Rd. HX3-2A 100
Brow Wood Ter. BD6-1B 100
Bruce Gdns. LS12-4B 66
Bruce Lawn. LS12-3B 66
Bruce St. HX1-4B 116
Brudenell Av. LS6-4B 44
Brudenell Gro. LS6-4B 44
Brudenell Mt. LS6-4B 44
Brudenell Rd. LS6-4A 44
Brudenell St. LS6-4B 44
Brudenell View. LS6-4B 44
Brunel Ct. HX3-1D 117
Brunswick Gdns. HX1-4D 117
Brunswick Ho. BD16-3C 15
Brunswick Pl. BD10-1A 38
Brunswick Pl. LS27-3D 109
Brunswick Rd. BD10-1A 38
Brunswick Rd. LS28-3A 62
Brunswick Row. LS2-2D 67
Brunswick St. BD13-4B 76
Brunswick St. BD16-2C 15
Brunswick St. LS27-3C 109
Brunswick Ter. BD12-1D 101
Brunswick Ter. LS2-2D 67
Brunswick Ter. LS27-3D 109
Bruntcliffe Av. LS27-3B 108
Bruntcliffe Clo. LS27-3B 108
Bruntcliffe Dri. LS27-3B 108
Bruntcliffe La. LS27-4A 108
Bruntcliffe Rd. LS27-4A 108
Bruntcliffe Way. LS27-3A 108
Brussels St. LS9-3A 68
Bryanstone Rd. BD4-1A 82
Bryan St. LS28-4A 40
Bryan St. N. LS28-4A 40
Bryngate. LS26-2D 115
Bubwith Gro. HX2-4A 116
Buckfast Ct. BD10-1D 37
Buckingham Av. LS6-4B 44
Buckingham Cres. BD14-1A 78
Buckingham Dri. LS6-4B 44
Buckingham Gro. LS6-4B 44
Buckingham Ho. LS6-3B 44
Buckingham Mt. LS6-4A 44
Buckingham Rd. LS6-4B 44
Buckland Pl. HX1-4B 116
Buckland Rd. BD8-2B 56
Buck La. BD17-2B 18
Buckley Av. LS11-2C 89
Buckley La. HX2-1A 116
Buck Mill La. BD10-2C 19
Buck Stone Av. LS17-1B 26
Buck Stone Clo. LS17-1C 27
Buck Stone Cres. LS17-1B 26
Buck Stone Dri. LS17-1B 26
Buckstone Dri. LS19-2C 21
Buck Stone Gdns. LS17-1B 26
Buck Stone Grn. LS17-1B 26
Buck Stone Gro. LS17-1B 26
Buck Stone Mt. LS17-1B 16
Buck Stone Oval. LS17-1B 26
Buck Stone Rise. LS17-1B 26
Buck Stone Rd. LS17-1B 26
Buck Stone View. LS17-2B 26
Buck Stone Way. LS17-1B 26
Buck St. BD3-4C 59
Buck St. BD13-2A 52
Buckton Clo. LS11-2C 89
Buckton Mt. LS11-2C 89
Buckton View. LS11-2C 89
Bude Rd. BD5-4B 80
Bude Rd. LS11-3C 89
Bulgaria St. LS12-3C 65
Bull Clo. La. HX1-4D 117
Buller Clo. LS9-2D 69
Buller Ct. LS9-1D 69
Buller Gro. LS9-2D 69
Buller St. BD4-1D 81
Buller St. LS26-2D 115
Bullerthorpe La. LS15 & LS26 -4A 94 to 3B 72
Bull Grn. HX1-4D 117
Bullough La. LS26-1B 114
Bullroyd Av. BD8-2B 56
Bullroyd Cres. BD8-2B 56
Bullroyd Dri. BD8-2A 56
Bullroyd La. BD8-3B 56
Bungalows, The. HX2-2A 116
Bungalows, The. HX3-3A 126 (Salterhebble)
Bungalows, The. HX3-1B 116 (Wheatley)
Bungalows, The. LS15-4D 49
Bunker's Hill. BD17-4D 5
Burchett Gro. LS6-3C 45
Burchett Pl. LS6-3C 45
Burchett Ter. LS6-3C 45
Burdale Pl. BD7-4D 57
Burdett Ter. LS4-1D 65
Burdock Way. HX1-4D 117
Burland Ter. LS26-3B 94
Burleigh St. HX1-1B 124
Burley Grange Rd. LS4-1D 65
Burley Hill Cres. LS4-4D 43
Burley Hill Dri. LS4-4D 43
Burley Hill Trading Est. LS4-4D 43
Burley La. LS18-1D 41
Burley Lodge Pl. LS6-1B 66
(off Burley Lodge Rd.)
Burley Lodge Rd. LS6-1A 66
Burley Lodge St. LS6-1B 66
Burley Lodge Ter. LS6-1A 66 (in two parts)
Burley Pl. LS4-2A 66
Burley Rd. LS4 & LS3-4D 43 to 2B 66
Burley St. BD2-3A 36
Burley St. LS3-2B 66
Burley Wood Cres. LS4-4D 43
Burley Wood La. LS4-4D 43
Burley Wood Mt. LS4-4D 43
Burley Wood View. LS4-4D 43
Burlington Av. BD3-2A 60
Burlington Pl. LS11-3C 89
Burlington Rd. LS11-3C 89
Burlington St. BD8-2A 58
Burlington St. HX1-3B 116
Burmah St. HX1-3B 116
Burmantofts St. LS9-2A 68
Burned Gro. HX3-2D 99
Burned Rd. HX3-1D 99
Burnedside. HX3-2A 100
Burneston Gdns. BD6-1A 100
Burnett Av. BD5-2A 80
Burnett Pl. BD5-2A 80
Burnett Rise. BD13-4D 75
Burnett St. BD1-3B 58
Burnham Av. BD4-3D 81
Burniston Clo. BD15-3A 32
Burnley Hill Ter. HX3-3C 99
Burnley Rd. HX2-4A 116
Burnsall Ct. LS12-3C 65
Burnsall Croft. LS12-3D 65
Burnsall Gdns. LS12-3D 65
Burnsall Grange. LS12-3D 65
Burnsall Rd. BD3-3D 59
Burnside Av. HX3-2A 100
Burns St. HX3-4C 97
Burnt Side Rd. LS12-3D 85
Burnup Gro. BD19-3D 123
Burnwells Av. BD10-3C 19
Burrage St. BD16-2B 14
Burras Rd. BD4-3C 81
Burrow St. BD5-4A 58
Burr Tree Dri. LS15-3A 72
Burr Tree Garth. LS15-3A 72
Burr Tree Vale. LS15-3A 72
Burton Av. LS11-2D 89
Burton Cres. LS6-2A 44
Burton Rd. LS11-2D 89
Burton Row. LS11-2D 89
Burton's Arc. LS1-3D 67
Burton St. BD4-1C 81
Burton St. HX2-3C 97
Burton St. LS11-2D 89
Burton St. LS28-4A 40
Burton Ter. LS11-2D 89
Burton Way. LS9-1C 69
Busfield St. BD4-2C 81
Busfield St. BD16-2B 14
Buslingthorpe Grn. LS7-4D 45
Buslingthorpe La. LS7-4D 45
Buslingthorpe Vale. LS7-4D 45
Bussey Ct. LS6-4C 45
Busy La. BD18-4A 18
Butcher Hill. LS5, LS18 & LS16-1B 42
Butcher La. LS25-3B 114
Butchers Row. LS2-3D 67
(off Kirkgate Mkt.)
Butcher St. LS11-4C 67
Bute St. BD2-3A 36
Butler La. BD17-1A 18
Butler St. E. BD3-3C 59
Butler St. W. BD3-3C 59
Butterbowl Dri. LS12-1A 86
Butterbowl Gdns. LS12-1B 86
Butterbowl Garth. LS12-4A 64
Butterbowl Gro. LS12-4A 64
Butterbowl Lawn. LS12-1B 86
Butterbowl Mt. LS12-4B 64
Butterbowl Rd. LS12-1B 86
Butterclose. HX2-4A 74
Butterfield Homes. BD16-2D 33
Butterfield Ind. Est. BD17-3A 18
Butterfield Manor. LS9-3B 68
Butterfield's Bldgs. LS27-3B 108
Butterfield St. LS9-3B 68
Butterley St. LS10-4D 67
Buttermere Rd. BD2-4C 37
Buttershaw Dri. BD6-4A 78
Buttershaw La. BD6-1C 101
Buttershaw La. BD19-4C 123
Buttholme Ga. BD6-1B 100
Butt La. BD10-4D 19
Butt La. LS12-4A 64
Button Hill. LS7-3A 46
Butts Ct. LS1-3D 67
Butts La. LS20-2B 6
Butts Mt. LS12-3A 66
Butts Ter. LS20-2A 6
Butts Yd. BD19-4D 123
Buxton Av. BD9-3D 35
Buxton La. BD9-3D 35
Buxton St. BD9-1C 57
Buxton St. HX3-2C 117
Byeway. LS20-1D 5
Byland. HX2-2A 96
Byland Gro. BD15-1B 54
Byron St. BD3-3C 59
Byron St. HX1-3B 116
Byron St. LS2-2A 68
Bywater Row. BD11-3C 105
Cabbage Hill. LS12-4C 65
Cad Beeston. LS11-2C 89
Cad Beeston M. LS11-2C 89
Cain Clo. LS9-3B 68
Cairns Clo. BD2-4B 36
Calcutta. LS19-4C 7
Calde Ct. BD12-2A 102
Caldene Av. BS12-2B 102
Calder Av. HX2-1B 124
Calderdale Bus. Pk. HX2-4B 96
Calderstone Av. BD6-1A 100
Calder St. HX3-1A 126
Calder Ter. HX3-4C 125
Calder Trading Est. HD6-4D 121
Caledonia St. BD5 & BD4-1B 80
Calgary Pl. LS7-2A 46
California M. LS27-2C 109
California Row. BD13-3D 75
California St. LS27-4D 109
Call La. LS1-3D 67
Calls, The. LS2-3A 68
Calpin Clo. BD10-4C 19
Calverley Av. BD3-2A 60
Calverley Av. LS13-4C 41
Calverley Ct. LS13-4C 41
Calverley Ct. LS26-3D 115
Calverley Cutting. BD10-4B 20
Calverley Dri. LS13-4C 41
Calverley Gdns. LS13-4C 41
Calverley Garth. LS13-4C 41
Calverley Gro. LS13-4C 41
Calverley La. LS13-4B 40 to 4D 41
Calverley La. LS18 & LS13 -1A 40 to 1C 41
Calverley La. LS28-2D 39
Calverley Moor Av. LS28-2C 61
Calverley Rd. LS26-3D 115
Calverley St. LS1-2C 67
Calverley Ter. LS13-4C 41
Camargue Fold. BD2-3B 36
Camberley Mt. BD4-2A 82
Camberley St. LS11-2D 89
Cambrian Bar. BD12-2C 101
Cambrian St. LS11-1C 89
Cambrian Ter. LS11-1C 89
Cambridge Ct. LS27-3C 109
Cambridge Dri. LS13-4C 41
Cambridge Gdns. LS13-4C 41
Cambridge Pl. BD3-2B 58
Cambridge Pl. BD13-4B 76
Cambridge Pl. HX3-2A 126
Cambridge Rd. LS7-4D 45
Cambridge St. BD7-1C 79
Cambridge St. BD13-3B 76
Cambridge St. BD14-1D 77
Cambridge St. LS20-2B 6
Cambridge Ter. HX3-2A 126
Camden Ter. BD8-2A 58
Camellia Mt. BD7-4B 56
Cameron Av. BD12-2D 121
Camerton Grn. BD5-3B 80
Campbell St. BD13-3B 76
Campbell St. LS28-1A 62
Camp Rd. LS16-1A 10
Campus Rd. BD7-4D 57
Canada Cres. LS19-1D 21
Canada Dri. LS19-1D 21
Canada Rd. LS19-1D 21
Canada Ter. LS19-1D 21
Canal Pl. LS12-3B 66
Canal Rd. BD2 & BD1-3D 35
Canal Rd. BD16-1B 14
Canal Rd. HX6-2A 124
Canal Rd. LS12-2D 65
Canal Rd. LS13-2A 40
Canal St. HX3-1A 126
Canal St. LS12-3A 66
Canal Wharf. LS1-4C 67
Canford Dri. BD15-1D 55
Canford Gro. BD15-1D 55
Canford Rd. BD15-1D 55
Canker La. HX3-1C 117
Canning St. BD4-1C 81
Cannon St. BD16-3C 15
Cannon St. HX1-1C 125
Canonbury Gro. LS11-2B 88
Canonbury Mt. LS11-2B 88
Canonbury St. LS11-2B 88
Canonbury Ter. LS11-2B 88
Canterbury Av. BD5-2D 79
Canterbury Cres. HX3-1C 117
Canterbury Dri. LS6-3D 43
Canterbury Rd. LS6-3D 43
Capel St. LS28-2D 39
Cape of Good Hope. BD13-1D 97
Cape St. BD1-2B 58
Capitol Pde. LS6-1B 44
Captain St. BD1-3B 58
Carberry Pl. LS6-1A 66
Carberry Rd. LS6-1A 66
Carberry Ter. LS6-1A 66
Carden Av. LS15-3A 70
Carden Rd. BD4-1B 82
Cardigan Ct. LS6-4A 44
Cardigan La. LS4-1A 66
Cardigan La. LS6-4A 44
Cardigan Rd. LS6-3A 44
Cardigan St. BD13-4B 76
Cardigan Trading Est. LS4-2A 66
Cardinal Av. LS11-4B 88
Cardinal Cres. LS11-4B 88
Cardinal Gdns. LS11-4B 88
Cardinal Gro. LS11-4B 88
Cardinal Rd. LS11-4B 88
Cardinal Sq. LS11-4B 88
Cardinal Wlk. LS11-4B 88
Carisbrooke Cres. BD6-1D 101
Cariss St. LS10-2A 90
Carlisle Av. LS19-4D 7
Carlisle Dri. LS28-4A 62
Carlisle Gro. LS28-4A 62
Carlisle Pl. BD8-2D 57
Carlisle Rd. BD8-2D 57
Carlisle Rd. LS10-4A 68
Carlisle Rd. LS28-4A 62
Carlisle St. BD8-1D 57
Carlisle St. HX2-2A 116
Carlisle St. LS28-1D 61
Carlisle Ter. BD8-2D 57
Carlton Av. BD18-4B 16
Carlton Av. LS28-3A 62
Carlton Carr. LS7-1D 67
Carlton Clo. BD19-3D 123
Carlton Clo. LS7-1D 67
Carlton Ct. BD19-3D 123
Carlton Croft. LS7-1D 67
Carlton Dri. BD9-4C 35
Carlton Dri. BD17-1D 17
Carlton Dri. BD18-2C 35
Carlton Dri. LS20-1B 6
Carlton Gdns. LS7-1D 67
Carlton Garth. LS7-1D 67
(off Carlton Rise)
Carlton Garth. LS17-1C 29
Carlton Ga. LS7-1D 67
Carlton Grange. LS19-3D 7
Carlton Gro. BD5-2A 80
Carlton Gro. BD18-2C 35
Carlton Gro. LS7-1D 67
Carlton Hill. LS7-1D 67
Carlton Ho. Ter. HX1-1C 125
Carlton La. LS19-1A 8
Carlton La. LS20-1B 6
Carlton La. LS26-4A 114
Carlton M. LS20-1B 6
Carlton Mt. LS19-3D 7
Carlton Pde. LS7-1D 67
Carlton Pl. HX1-4D 117
Carlton Pl. LS7-1D 67
Carlton Rise. LS7-1D 67
Carlton Rise. LS28-3A 62
Carlton Rd. BD18-4B 16
Carlton Row. LS12-3C 65
Carlton St. BD7-4A 58
Carlton St. HX1-4D 117
Carlton St. LS2 & LS7-1D 67
Carlton St. LS19-3D 7
Carlton Ter. HX1-4D 117
Carlton Ter. LS19-3D 7
Carlton Ter. LS28-3A 62
Carlton Towers. LS7-1D 67
Carlton Wlk. BD18-4B 16
Carlton Wlk. LS7-1D 67
Carlton Way. BD19-3D 123
Carmel Rd. HX3-1D 117
Carmona Av. BD18-2D 35
Carmona Gdns. BD18-2D 35
Carnaby Rd. BD7-3A 78
Carnation St. BD3-4D 59
Carnegie Dri. BD18-1D 35
Carnoustie Gro. BD16-1C 33
Caroline St. BD18-4B 16
Carperley Cres. BD13-2A 52
Carr Bottom Av. BD5-3D 79
Carr Bottom Fold. BD5-4D 79
Carr Bottom Gro. BD5-3D 79
Carr Bottom Rd. BD5-3D 79
Carr Bottom Rd. BD10-1B 38
Carr Bri. Av. LS16-2A 24
Carr Bri. Clo. LS16-2A 24
Carr Bri. Dri. LS16-2A 24
Carr Bri. View. LS16-2A 24
Carr Clo. LS19-2A 22
Carr Crofts. LS12-3D 65
Carr Croft's Ter. LS12-3D 65
Carrfield Dri. LS15-1D 51
Carrfield Rd. LS15-1D 51
Carr Hall Rd. BD12-4D 101
Carr Hill Av. LS28-2C 39
Carr Hill Dri. LS28-2C 39
Carr Hill Gro. LS28-2C 39
Carr Hill Nook. LS28-2C 39
Carr Hill Rise. LS28-2C 39
Carr Hill Rd. LS28-2C 39
Carrholm Cres. LS7-1C 45
Carrholm Dri. LS7-1C 45
Carrholm Grn. BD6-2C 101
Carrholm Gro. LS7-1C 45
Carrholm M. LS7-1C 45
Carrholm Rd. LS7-1C 45
Carrholm View. LS7-1C 45
Carr Ho. Gro. BD12-3D 101
Carr Ho. La. BD12-3C 101
Carr Ho. La. HX3-2A 100
Carr Ho. Mt. BD12-4D 101
Carr Ho. Rd. HX3-2A 100
Carriage Dri. HX1-3C 117
Carriage Dri., The. LS8-4D 29 to 1D 47
Carricks Clo. BD12-2A 102
Carrier St. HX1-4D 117
Carrington St. BD3-3D 59
Carrington Ter. LS20-2A 6
Carr La. BD12-3A 102
Carr La. BD13-1A 52
Carr La. BD18-1D 35
Carr La. LS17 & LS14-1C 31
Carr La. LS19-2A 22
Carr La. WF3-4A 114
Carr Manor Cres. LS17-4C 27
Carr Manor Croft. LS17-1C 45
Carr Manor Dri. LS17-4D 27
Carr Manor Gdns. LS17-4C 27
Carr Manor Garth. LS17-4D 27
Carr Manor Gro. LS17-4D 27
Carr Manor Mt. LS17-4C 27
Carr Manor Pde. LS17-4C 27
Carr Manor Pl. LS17-1C 45
Carr Manor Rd. LS17-1C 45
Carr Manor View. LS17-4D 27
Carr Manor Wlk. LS17-1C 45
Carr Meadow Av. LS17-4C 27
Carr Moor Side. LS11-2D 89
Carr Moor St. LS10-3D 89
Carroll St. BD3-4C 59
Carr Rd. BD12-1D 121
Carr Rd. LS28-1B 38
Carr Row. BD12-4D 101
Carr St. BD5-3A 80
Carr St. BD19-3D 123
Carr Wood Clo. LS28-1C 39
Carr Wood Gdns. LS28-1C 39
Carr Wood Way. LS28-1C 39
Carter Av. LS15-2D 71
Carter La. BD13-2A 76
Carter La. LS15-2D 71
Carter Mt. LS15-2D 71
Carter St. BD4-4B 58
Carter Ter. LS15-2D 71
Cart Ga. BD6-4A 80
Cartmell Dri. LS15-3A 70 to 4A 70
Carton Ct. BD5-3A 80
Caryl Rd. BD4-2C 81
Casson Fold. HX3-1C 119
Casterton Gdns. LS14-4C 49
Castlefields La. BD16-1A 14
Castlefields Rd. BD16-1A 14
Castlefields Trading Est. BD16-1A 14
Castlegate Dri. BD10-2D 37
Castle Grange. LS19-4A 8
Castle Gro. Av. LS6-2A 44
Castle Gro. Dri. LS6-2A 44
Castle Ings Clo. LS12-3A 86
Castle Ings Dri. LS12-3A 86
Castle Ings Gdns. LS12-3A 86
Castle M. BD18-1C 35
Castlemore Rd. BD17-2A 18
Castlerigg Grn. BD6-2B 100
Castle Rd. BD18-1C 35
Castle Rd. LS26-2A 114
Castleton Clo. LS12-3B 66
Castleton Rd. LS12-3A 66
Castle View. LS17-3C 27
Castle Wood Clo. LS18-4A 24
Cater St. BD1-3B 58
Cathcart St. HX3-1D 117
Cathcart St. LS6-4C 45
Cathedral Clo. BD1-3B 58
Catherine Gro. LS11-2C 89
Catherine Slack. HD6-4B 120
Cato St. LS9-3A 68
Causeway. HX1-3A 118
Causeway Foot. HX2-3A 74
Cautley Rd. LS9-4B 68
Cavalier Ho. LS9-4A 68
Cavendish Dri. BD16-1D 15
Cavendish Dri. LS20-2A 6
Cavendish Gro. LS20-2A 6
Cavendish M. LS17-1A 28
Cavendish Pl. LS28-2A 62
Cavendish Rise. LS28-3C 63
Cavendish Rd. BD2-3D 37
Cavendish Rd. BD10-1D 37
Cavendish Rd. LS1 & LS2-1C 67
Cavendish Rd. LS20-2A 6
Cavendish Sq. LS28-2A 62
(off Cavendish Pl.)
Cavendish St. HX1-3C 117
Cavendish St. LS3-2B 66
Cavendish St. LS19-3D 7
Cavendish St. LS28-3C 63
Cavendish Ter. HX1-3C 117
(off Bk. Cavendish Ter.)
Cawood Haven. BD6-1A 100
Cawood Yd. LS9-3A 68

Caygill Ter. HX1-1D 125
Caythorpe Rd. LS16-1D 43
Caythorpe Wlk. BD10-3D 37
Cecil Av. BD7-1C 79
Cecil Av. BD17-1D 17
Cecil Av. HX3-3B 120
Cecil Gro. LS12-2D 65
Cecil Mt. LS12-2D 65
Cecil Rd. LS12-2D 65
Cecil St. LS12-2D 65
Cedar Av. LS12-3D 65
Cedar Clo. LS12-3D 65
Cedar Ct. LS17-2A 28
Cedar Dri. BD12-4A 102
Cedar Gro. BD17-3B 16
Cedar Mt. LS12-3D 65
Cedar Pl. LS12-3D 65
Cedar Rd. LS12-3D 65
Cedars, The. LS16-1B 10
Cedar St. HX1-4B 116
Cedar St. LS12-3D 65
Cedar Ter. LS12-3D 65
Cemetery Rd. BD6 & BD12-1C 101
Cemetery Rd. BD8 & BD7-3B 56
Cemetery Rd. BD16-1B 14
Cemetery Rd. LS11-1C 89
Cemetery Rd. LS19-3D 7
Cemetery Rd. LS28-3D 61
Cemetery View. LS26-2D 115
Centenary Rd. BD17-1B 18
Central Av. BD5-2D 79
Central Av. BD17-3D 17
Central Av. BD18-1C 35
Central Pde. LS9-2D 91
Central Pk. HX1-1D 125
Central Rd. LS1-3D 67
Central St. HX1-3D 117
Central St. LS1-3C 67
Centre 27 Bus. Pk. WF17-4C 107
Centre Bus. Cen. WF17-4C 107
Centre St. BD5-2D 79
Century Pl. BD8-2D 57
Chaddlewood Clo. LS18-3D 23
Chadwell Springs. BD16-1C 33
Chadwick St. LS10-4A 68
Chaffinch Rd. BD8-3D 55
Chain St. BD1-3A 58
Chalfont Rd. LS16-1C 43
Chalice Clo. LS10-1A 112
Challis Gro. BD5-2B 80
Chalner Clo. LS27-4B 108
Chancellor Ct. LS2-3D 67
Chancellor St. LS6-4D 45
Chancery Ter. HX3-3D 125
Chandlers, The. LS2-3A 68
Chandos Av. LS8-4A 28
Chandos Fold. LS8-1B 46
Chandos Gdns. LS8-1A 46
Chandos Garth. LS8-4B 28
Chandos Grn. LS8-1B 46
Chandos Pl. LS8-4B 28
Chandos St. BD4-4B 58
Chandos Ter. LS8-4B 28
Chandos Wlk. LS8-1B 46
Change La. HX3-3B 126
Channing Way. BD1-4B 58
Chantrell Ct. LS2-3A 68
Chantry Croft. LS15-3A 72
Chantry Garth. LS15-3A 72
Chapel Clo. HX3-2A 100
Chapel Fold. BD6-4C 97
Chapel Fold. BD12-2D 121
Chapel Fold. LS6-4A 44
Chapel Fold. LS11-3B 88
Chapel Fold. LS28-4B 62
Chapel Grn. LS28-4A 62
Chapel Gro. BD16-1B 14
Chapel Hill. LS10-3D 111
Chapel Hill. LS19-3D 7
Chapel Hill. LS27-3C 109
Chapel Ho. Bldgs. BD12-2A 102
Chapel Ho. Rd. BD12-2A 102
Chapel La. BD13-4A 76
Chapel La. BD15-2D 55
Chapel La. BD16-2B 14
Chapel La. BD17-1D 19
Chapel La. HX3-3A 126
Chapel La. HX6-2A 124
Chapel La. LS6-4A 44
Chapel La. LS12-3D 65
(Armley)
Chapel La. LS12-1A 86
(Farnley Park)
Chapel La. LS19-3C 7
Chapel Pl. LS6-3A 44
Chapel Rd. BD12-2A 102
(in two parts)
Chapel Rd. BD16-1B 14
Chapel Rd. LS7-3A 46
Chapel Sq. LS6-3A 44
Chapel St. BD1-3B 58
Chapel St. BD2-3A 38
Chapel St. BD5-1A 80
Chapel St. BD6-4D 79
Chapel St. BD13-2A 52
Chapel St. BD16-1B 14
Chapel St. HD6-4A 120
Chapel St. HX2-2A 116
Chapel St. LS6-3A 44
Chapel St. LS13-2A 40
Chapel St. LS15-3C 71
Chapel St. LS19-1D 21
Chapel St. LS26-3B 114
Chapel St. LS27-4A 108
Chapel St. LS28-1C 39
(Calverley)
Chapel St. LS28-2A 62
(Stanningley)
Chapel St. WF3-4A 114
Chapel St. N. HX3-4B 96
Chapel Ter. BD13-4A 54
Chapel Ter. BD15-1C 55
Chapel Ter. LS6-3A 44
Chapeltown. HX1-3D 117
Chapeltown. LS28-4A 62
Chapeltown Rd. LS7-4A 46
Chapel Wlk. BD2-3A 38
Chapel Yd. LS15-4A 72
(Colton)
Chapel Yd. LS15-3B 70
(Halton)
Chapel Yd. LS26-3D 115
Chapman St. BD4-4A 60
Chapman St. LS9-1B 68
Charing Cross M. LS6-4C 45
Chariot St. LS1-2C 67
Charles Av. BD3-3A 60
Charles Av. LS9-4B 68
Charles Gdns. LS11-1C 89
Charles Gro. LS26-2D 115
Charles St. BD1-3B 58
Charles St. BD13-4A 76
Charles St. BD16-2B 14
Charles St. BD17-4D 17
Charles St. HX1-4A 118
Charles St. LS18-1C 41
Charles St. LS27-3D 109
Charles St. LS28-4A 40
Charlestown Rd. HX3-3A 118
Charlesworth Gro. HX2-2B 116
Charlesworth Ter. HX2-2B 116
Charlotte Clo. WF17-4B 106
Charlotte Gro. LS15-2C 71
Charlton Ct. HX2-3B 116
Charlton Gro. LS9-3B 68
Charlton Mt. LS9-3B 68
Charlton Pl. LS9-3B 68
Charlton Rd. LS9-3B 68
Charlton St. LS9-3B 68
Charnwood Clo. BD2-1D 59
Charnwood Gro. BD2-1D 59
Charnwood Rd. BD2-1D 59
Charterhouse Rd. BD10-4C 19
Charteris Rd. BD8-3D 55
Chartists Way. LS27-4C 109
Chartwell Ct. LS17-1D 29
Charville Gdns. LS17-2B 30
Chase, The. LS19-1C 21
Chassum Gro. BD9-1C 57
Chatham St. BD3-2B 58
Chatham St. HX1-3D 117
Chat Hill Rd. BD13-4C 55
Chatswood Av. LS11-4B 88
Chatswood Cres. LS11-4B 88
Chatswood Dri. LS11-4B 88
Chatsworth Av. LS28-2C 61
Chatsworth Clo. LS8-4C 47
Chatsworth Cres. LS28-2C 61
Chatsworth Dri. LS28-2C 61
Chatsworth Fall. LS28-3C 61
Chatsworth M. LS27-4D 109
Chatsworth Pl. BD8-1D 57
Chatsworth Rise. LS28-2C 61
Chatsworth Rd. LS8-4C 47
Chatsworth Rd. LS28-2C 61
Chatsworth St. LS12-4D 65
Chaucer Av. LS28-4B 62
Chaucer Gdns. LS28-4B 62
Chaucer Gro. LS28-4B 62
Cheapside. BD1-3B 58
Cheapside. HX1-4D 117
Cheapside. HX3-2D 99
Cheapside. LS27-3C 109
(off Bank St.)
Cheddington Gro. BD15-3C 55
Chellowfield Ct. BD9-4D 33
Chellow Grange Rd. BD9-4D 33
Chellow La. BD9-1A 56
Chellow St. BD5-3A 80
Chellow Ter. BD9-2A 56
Chellow Ter. BD11-4D 105
Chelmsford Rd. BD3-3D 59
Chelmsford Ter. BD3-3D 59
Chelsea Clo. LS12-4D 65
Chelsea Mansions. HX3-1C 119
Chelsea Rd. BD7-1B 78
Chelsea View. HX3-2C 119
Chelsfield Way. LS15-4B 50
Cheltenham Gdns. HX3-2A 126
Cheltenham Pl. HX3-2A 126
Cheltenham Rd. BD2-3B 36
Cheltenham St. LS12-4A 66
Chelwood Av. LS8-2B 28
Chelwood Cres. LS8-2B 28
Chelwood Dri. BD15-3C 55
Chelwood Dri. LS8-2B 28
Chelwood Gro. LS8-2B 28
Chelwood Mt. LS8-2B 28
Chelwood Pl. LS8-2B 28
Chenies Clo. LS14-2B 70
Cheriton Dri. BD13-4B 76
Cherry Ct. LS9-2A 68
Cherry Fields. BD2-4B 36
Cherry Lea Ct. LS19-1D 21
Cherry Pl. LS9-2A 68
Cherry Rise. LS14-4D 31
Cherry Row. LS9-2A 68
Cherry Tree Av. BD10-1A 38
Cherry Tree Cres. LS28-4A 40
Cherry Tree Dri. LS28-4A 40
Cherry Tree Gdns. BD10-3B 18
Cherrywood Clo. LS14-3C 31
Cherrywood Gdns. LS14-3C 31
Chesham St. BD7-4D 57
Chesney Pk. Ind. Est. LS10-2A 90
Chester Clo. HX3-2D 117
Chester Gro. HX3-2D 117
Chester Pl. HX3-2D 117
Chester Rd. HX3-2D 117
Chester St. BD5-4A 58
Chester St. HX3-2D 117
Chester St. LS12-2D 65
Chester Ter. HX3-2D 117
Chestnut Av. LS6-4B 44
Chestnut Av. LS15-1A 72
Chestnut Ct. BD18-1B 34
Chestnut Gdns. LS12-4D 65
Chestnut Gro. BD2-3A 36
Chestnut Gro. LS6-4B 44
Chestnut Gro. LS28-2D 39
Chestnut Pl. LS6-4B 44
Chestnut Rise. LS12-4D 65
Chestnut St. HX1-1B 124
Chestnut St. LS6-4B 44
Chevet Mt. BD15-3C 55
Chevinedge Cres. HX3-4A 126
Cheviot Ga. BD12-2D 101
Chichester St. LS12-2D 65
Chippendale Rise. BD8-2A 56
Chirton Gro. LS8-3C 47
Chislehurst Pl. BD5-2D 79
Chiswick St. LS6-1A 66
Chiswick Ter. LS6-1A 66
Chorley La. LS2-2C 67
Chrisharben Pk. BD14-1D 77
Christ Church Av. LS12-2C 65
Christ Church Mt. LS12-2C 65
Christ Church Pde. LS12-2C 65
Christ Church Pl. LS12-2C 65
Christ Church Rd. LS12-2C 65
Christ Church Ter. LS12-2C 65
Christ Church View. LS12-2C 65
Christiana Ter. LS27-3C 109
Christopher Rd. LS6-4C 45
Christopher St. BD5-2D 79
Christopher Ter. BD5-2D 79
Church Av. LS6-1B 44
Church Av. LS18-3D 23
Church Av. LS26-3B 94
Church Av. LS27-1D 107
Church Bank. BD1-3B 58
Church Bank. HX2-4A 116
Church Bank. HX6-2A 124
Church Clo. HX1-4D 117
Church Clo. HX2-3A 96
Church Clo. LS14-3C 49
Church Clo. LS18-3D 23
Church Clo. LS26-3C 95
Church Ct. BD7-1B 78
Church Ct. LS19-4C 7
Church Cres. LS17-2D 27
Church Cres. LS18-4C 23
Church Cres. LS19-4C 7
Church Cres. LS26-4C 95
Church Farm Garth. LS17-1B 30
Churchfield Croft. LS26-3B 114
Churchfield Gro. LS26-2A 114
Church Field La. LS26-2A 114
Church Field Rd. LS26-2B 114
Church Gdns. LS17-2A 28
Church Gdns. LS27-1D 107
Church Ga. LS18-3D 23
Churchgate. LS27-1D 107
Church Grn. BD8-1D 57
Church Grn. HX2-2B 116
Church Gro. LS6-1B 44
Church Gro. LS18-4C 23
Church Hill. BD17-1A 18
Church Hill Gdns. LS28-1B 62
Church Hill Grn. LS28-1B 62
Church Hill Mt. LS28-1B 62
Church Hill Ter. LS28-1B 62
(off Church Hill Mt.)
Churchill Gdns. LS2-1C 67
Churchill Rd. BD13-4B 54
Church La. BD6-1C 101
Church La. BD17-4D 5
Church La. HX2-2B 116
Church La. LS2-3A 68
Church La. LS5-3C 43
Church La. LS6-1B 44
Church La. LS7-2A 46
Church La. LS15-1D 71
Church La. LS16-1D 25
Church La. LS18-3C 23
Church La. LS26-3C 95
Church La. LS28-3A 62
Church Mt. LS18-3C 23
Church Pl. HX1-4C 117
Church Rd. BD6-1D 101
Church Rd. LS9-3A 68
Church Rd. LS12-3D 65
Church Rd. LS18-4C 23
Church Row. LS2-3A 68
Church St. BD6-1B 100
Church St. BD8-1D 57
Church St. BD16-3C 15
Church St. BD18-4A 18
Church St. HX1-4A 118
Church St. LS5-3C 43
Church St. LS10-2A 90
Church St. LS19-4C 7
Church St. LS20-2B 6
Church St. LS26-3A 114
(Rothwell)
Church St. LS26-1D 115
(Woodlesford)
Church St. LS27-1D 107
(Gildersome)
Church St. LS27-3C 109
(Morley)
Church Ter. HX2-3A 96
Church View. BD19-3D 123
Church View. LS5-3C 43
Church View. LS16-1D 25
Church Wlk. LS2-3A 68
Church Wlk. LS18-4C 23
Church Way. LS27-3C 109
Church Wood Av. LS16-1D 43
Church Wood Mt. LS16-1D 43
Church Wood Rd. LS16-1D 43
Churn La. HX2-4A 116
Churn Milk La. HX3-4C 97
Cinderhills La. HX3-3A 126
City La. HX3-1B 116
City Mills. LS27-4C 109
City Pk. Ind. Est. LS12-2D 87
City Rd. BD8-3D 57
City Sq. LS1-3D 67
City Ter. HX3-1B 116
Cityway Ind. Est. BD4-1C 81
Clapgate La. LS10-3B 112
Clapham Dene Rd. LS15-2C 71
Clapham St. BD13-2A 52
Clapton Av. HX1-4C 117
Clapton Gro. HX1-4C 117
Clapton Mt. HX1-4C 117
Clapton Pl. HX1-4C 117
(off Parkinson La.)
Clara Dri. LS28-1B 38
Clara Rd. BD2-2B 36
Clara St. LS28-1A 62
Clare Cres. BD12-1D 121
Claremont. BD7-4A 58
Claremont. BD12-1D 121
Claremont. LS28-3B 62
Claremont Av. BD18-2B 36
Claremont Av. LS3-2C 67
Claremont Ct. LS6-2A 44
Claremont Cres. BD18-2B 36
Claremont Cres. LS6-2B 44
Claremont Dri. LS6-2A 44
Claremont Gdns. BD16-1C 15
Claremont Gdns. LS28-1A 62
Claremont Gro. BD18-2B 36
Claremont Gro. LS3-2C 67
Claremont Gro. LS28-3B 62
Claremont Pl. LS12-3C 65
Claremont Rd. BD18-2B 36
Claremont Rd. LS6-2A 44
Claremont St. HX6-1A 124
Claremont St. LS12-3C 65
Claremont St. LS26-2D 115
Claremont Ter. BD5-4A 58
Claremont Ter. LS12-3C 65
Claremont View. LS3-2C 67
Claremont View. LS26-2D 115
Claremont Vs. LS3-2C 67
Claremount. LS6-2A 44
Claremount Rd. HX3-1D 117
Claremount Ter. HX3-1D 117
Clarence Dri. LS18-1C 41
Clarence Gdns. LS18-1C 41
Clarence Gro. LS18-1D 41
Clarence Rd. BD18-4B 16
Clarence Rd. LS10-4A 68
Clarence Rd. LS18-1D 41
Clarence St. BD19-4D 123
Clarence St. HX1-4D 117
Clarence St. LS13-1D 63
Clarence Ter. LS28-3A 62
Clarendon Pl. BD13-1D 97
Clarendon Pl. LS2-1C 67
Clarendon Rd. BD16-1D 15
Clarendon Rd. LS2-1B 66 to 2C 67
Clarendon Ter. LS27-1D 109
(off Park St.)
Clarendon Ter. LS28-4B 62
Clarendon Way. LS2-2C 67
Clare Rd. BD12-1D 121
Clare Rd. BD19-4D 123
Clare Rd. HX1-4D 117
Clare St. HX1-4D 117
Clarges St. BD5-2A 80
Clark Av. LS9-3B 68
Clark Cres. LS9-4B 68
Clarke St. LS28-2C 39
Clark Gro. LS9-4B 68
Clark La. LS9-4B 68
Clark Mt. LS9-3B 68
Clark Rd. LS9-4B 68
Clark Row. LS9-4B 68
Clarkson Ter. LS27-1D 109
Clarkson View. LS6-4C 45
Clark Spring Clo. LS27-1C 109
Clark Spring Rise. LS27-1C 109
Clark Ter. LS9-4B 68
Clark View. LS9-4B 68
Clayfield Dri. BD7-3C 79
Clay Hill Dri. BD12-4A 102
Clay La. LS27-4D 109
Clay Pit La. LS2 & LS7-2D 67
Clay Pits La. HX1-3B 116
Clay St. HX1-3B 116
Clayton Clo. LS10-3B 90
Clayton Ct. LS10-3B 90
Clayton Ct. LS16-4B 24
Clayton Croft. LS10-3B 90
Clayton Dri. LS10-3B 90
Clayton Grange. LS16-4B 24
Clayton Gro. LS19-3D 7
Clayton La. BD5-1A 80
Clayton La. BD14-2C 77
Clayton Rd. BD7-1A 78
Clayton Rd. LS10-3B 90
Clayton St. LS26-3B 114
Clayton Way. LS10-3B 90
Clayton Wood Bank. LS16-4B 24
Clayton Wood Clo. LS16-3B 24
Clayton Wood Rise. LS16-3B 24
Clayton Wood Rd. LS16-4B 24
Cleckheaton Rd. BD6 & BD12-1A 102
Cleeve Hill. LS19-1D 21
Clegg St. BD12-1D 121
Clement St. BD8-2B 56
Clement Ter. LS26-4A 114
Clement Ter. LS27-3D 109
Cleopatra Pl. LS13-1D 63
Clevedon Pl. HX3-1C 117
Cleveland Av. HX3-2A 126
Cleveland Rd. BD9-4D 35
Cleveleys Av. LS11-1B 88
Cleveleys Ct. LS11-1B 88
Cleveleys Mt. LS11-1B 88
Cleveleys Rd. LS11-1B 88
Cleveleys St. LS11-1B 88
Cleveleys Ter. LS11-1B 88
Cliff Ct. LS6-3B 44
Cliff Cres. HX2-1B 124
Cliffdale Rd. LS7-3C 45
Cliffe Av. BD17-3D 17
Cliffe Av. HX3-4C 121
Cliffe Ct. LS19-3D 7
Cliffe Dri. LS19-2C 21
Cliffe Gdns. BD18-2C 35
Cliffe La. BD13-3B 54
Cliffe La. BD17-4D 17
Cliffe La. LS19-3D 21
Cliffe La. S. BD17-4D 17
Cliffe La. W. BD17-3D 17
Cliffe Pk. Chase. LS12-4C 65
Cliffe Pk. Clo. LS12-4C 65
Cliffe Pk. Cres. LS12-4C 65
Cliffe Pk. Dri. LS12-4C 65
Cliffe Pk. Mt. LS12-4C 65
Cliffe Pk. Rise. LS12-4B 64
Cliffe Rd. BD3-1B 58
Cliffe St. LS10-3D 67
Cliffe Ter. BD8-2A 58
Cliffe Ter. BD13-2A 52
Cliffe Ter. BD17-4D 17
Cliffe Ter. WF3-4C 113
Cliffe View. BD15-1C 55
Cliffe View. LS27-4A 108
Cliffe Vs. BD16-2D 33
Cliffe Wood Av. BD18-2C 35
Cliffe Wood Clo. BD9-4B 34
Cliff Gdns. HX2-1B 124
Cliff Hollins La. BD12 & BD4
-3C 103 to 1A 10
Cliff La. LS6-3B 44
Cliff Mt. LS6-4C 45
Cliff Mt. Ter. LS6-4C 45
Clifford Pl. LS27-1D 109
Clifford Rd. BD17-3D 17
Clifford St. BD5-4B 58
Cliff Rd. LS6-3B 44
Cliff Rd. Gdns. LS6-3B 44
Cliff Side Gdns. LS6-3B 44
Cliff St. BD13-3A 54
Cliff Ter. HX3-3D 125
Cliff Ter. LS6-4C 45
Cliff Vale Rd. BD18-3C 35
Clifton Av. HX1-4B 116
Clifton Av. LS9-1C 69
Clifton Ct. LS28-3B 62
(off Clifton Rd.)
Clifton Dri. LS28-3B 62
Clifton Gro. LS9-1C 69
Clifton Hill. LS28-3B 62
Clifton Mt. LS9-1C 69
Clifton Pl. BD18-2C 35
Clifton Pl. LS28-3B 62
Clifton Rd. HX3-2D 125
Clifton Rd. LS28-3B 62
Clifton St. BD8-1A 58
Clifton St. BD13-4B 76
Clifton St. HX3-2C 117
Clifton St. HX6-1A 124
Clifton Ter. LS9-1C 69
Clifton Vs. BD8-1A 58
Clipston Av. LS6-2B 44
Clipstone St. BD5-3A 80
Clipston Mt. LS6-2B 44
Clipston St. LS6-2B 44
Clipston Ter. LS6-2B 44
Clive Pl. BD7-4D 57
Clive St. HX3-2A 118
Clive Ter. BD7-4D 57
Cloberry St. LS2-1C 67
Clock Bldgs. LS8-3B 46
Clock La. BD13-2A 52
Close Head. BD13-4C 53
Close Head Dri. BD13-4C 53
Close Head La. BD13-4D 53
Close, The. LS9-3A 68
Close, The. LS17-4C 13
Close, The. LS20-2D 5
Cloth Hall St. LS2-3D 67
Cloudsdale Av. BD5-2A 80
Clough La. HD6-4D 121
Clough Rd. HX6-4A 124
Clough St. BD5-2B 80
Clough St. LS27-3D 109
Clough Ter. HX6-2A 124
Clovelly Av. LS11-2D 89
Clovelly Gro. LS11-2D 89
Clovelly Pl. LS11-2D 89
Clovelly Row. LS11-2C 89
Clovelly Ter. LS11-2D 89
Clover Ct. LS28-1C 39
Clover Cres. LS28-1C 39
Cloverdale. HX3-1A 100
Clover Hill Clo. HX1-1D 125
Clover Hill Rd. HX1-1D 125
Clover Hill Ter. HX1-1D 125
Clover Hill View. HX1-1D 125
Clover Hill Wlk. HX1-1D 125
Clover St. BD5-3C 79
Cloverville App. BD6-1D 101
Club Houses. BD2-1D 59
Club La. HX2-4B 96
Club La. LS13-3B 40
Club Row. BD15-3A 32
Club Row. LS7-1D 45
Club Row. LS19-3D 7
Club St. BD7-4B 56
Clyde App. LS12-4A 66
Clyde Chase. LS12-4A 66
Clyde Ct. LS12-4A 66
Clyde Gdns. LS12-4A 66
Clyde Grange. LS12-4A 66
Clyde St. BD16-2B 14
Clyde View. LS12-4A 66
Clyde Wlk. LS12-4A 66
Coach Fold. HX3-2D 117
Coach La. BD13-4B 54
Coach Rd. BD17-3C 17
Coach Rd. HX3 & HD6-4B 120
Coach Rd. LS12-2A 86
Coach Rd. LS20-3A 6
Coach Row. BD3-3D 59
Coal Hill Fold. LS13-3B 40
Coal Hill Gdns. LS13-3B 40
Coal Hill Ga. LS13-3B 40
Coal Hill Grn. LS13-3B 40
Coal Hill La. LS28 & LS13-4B 40
Coal La. HX2-2A 74
Coalpit La. HX3-2B 126
Coal Rd. LS14-2C 31 to 2D 49
Coates St. BD5-2A 80
Coates Ter. BD5-2A 80
Cobden Av. LS12-1B 86
Cobden Ct. HX1-3D 117
Cobden Gro. LS12-1B 86
Cobden M. LS27-3B 108
Cobden Pl. LS12-1B 86
Cobden Rd. LS12-1B 86
Cobden St. BD10-1D 37
Cobden St. BD13-3B 76
Cobden St. BD14-2D 77
Cobden St. BD15-2D 55
Cobden St. LS12-1B 86
Cobden St. LS27-3C 109
Cobden Ter. HX3-3D 119
Cobden Ter. LS12-1B 86
Cobham Wlk. LS15-1B 72
Cockburn Clo. LS11-2D 89
Cockburn Way. LS11-2D 89
Cock Hill La. HX3-2C 99
Cockin La. BD14-2A 76
Cockshot Hill. LS28-4A 40
Cockshott Clo. LS12-2B 64
Cockshott Dri. LS12-2B 64
Cockshott La. BD10-4C 19
Cockshott La. LS12-2B 64
Coggill St. LS10-3C 91
Colby Rise. LS15-3A 70
Coldbeck Dri. BD6-4B 78
Coldcotes Av. LS9-1C 69
Coldcotes Cir. LS9-1D 69
Coldcotes Clo. LS9-1D 69
Coldcotes Cres. LS9-1D 69
Coldcotes Dri. LS9-1D 69
Coldcotes Garth. LS9-1A 70
Coldcotes Gro. LS9-1D 69
Coldcotes View. LS9-1D 69
Coldcotes Wlk. LS9-1A 70
Coldwell Rd. LS15-1C 71
Coldwell Sq. LS15-1D 71
Coleman St. BD3-2B 58
Coleman St. LS12-4B 66
Colenso Gdns. LS11-1B 88
Colenso Gro. LS11-1B 88
Colenso Mt. LS11-1B 88
Colenso Pl. LS11-1B 88
Colenso Rd. LS11-1B 88
Colenso Ter. LS11-1B 88
Coleridge St. HX1-4D 117
Coley Hall La. HX3-1A 120
Coley Rd. HX3-4D 99
Coley View. HX3-1C 119
Colin Moor La. HX4-4D 125
Collbrook Av. BD6-1D 101
College Rd. LS27-2A 108

College Ter. HX1-1B 124
Collier Clo. BD18-1B 34
Collier La. BD17-1D 17
Colliers La. LS17-1A 30
Collinfield Rise. BD6-2B 100
Collingdale Clo. BD10-2B 38
Collingham Av. BD6-1A 100
Collin Rd. LS14-2B 70
Collinson St. BD19-2D 123
Collins St. BD4-1C 81
Collins St. BD7-2C 79
Coll Pl. BD6-1A 102
Colmore Gro. LS12-4D 65
Colmore Rd. LS12-4A 66
Colmore St. LS12-4A 66
Colston Clo. BD8-2B 56
Colton Ct. LS15-3A 72
Colton Croft. LS15-3A 72
Colton Garth. LS15-3A 72
Colton La. LS15-3A 72
Colton Rd. LS12-3D 65
Colton Rd. LS15-3D 71
Colton Rd. E. LS15-4A 72
Colton St. LS12-3D 65
Columbus St. HX3-2C 117
(off Washington St.)
Colville Ter. LS11-1C 89
Colwyn Av. LS11-3C 89
Colwyn Mt. LS11-3C 89
Colwyn Pl. LS11-3C 89
Colwyn Rd. LS11-3C 89
Colwyn Ter. LS11-3C 89
Colwyn View. LS11-3C 89
Colyton Mt. BD15-55C 89
Commercial Bldgs. BD12-3C 103
Commercial Rd. LS5-4C 43
Commercial St. BD1-3B 58
Commercial St. BD13-2A 52
Commercial St. BD16-2B 14
Commercial St. BD18-4C 17
Commercial St. HX1-4D 117
Commercial St. LS1-3D 67
Commercial St. LS26-3B 114
(in two parts)
Commercial St. LS27-3C 109
Commercial Vs. LS28-4A 62
Commondale Way. BD4-2C 103
Common La. HX3-1B 126
Common Rd. BD12-2D 101
Como Av. BD8-2B 56
Como Dri. BD8-2B 56
Como Gdns. BD8-2B 56
Como Gro. BD8-2B 56
Compton Av. LS9-1C 69
Compton Cres. LS9-1C 69
Compton Gro. LS9-1C 69
Compton Mt. LS9-1C 69
Compton Pl. LS9-1C 69
Compton Rd. LS9-1C 69
Compton Row. LS9-1C 69
Compton St. BD4-3D 81
Compton St. LS9-1C 69
Compton Ter. LS9-1C 69
Compton View. LS9-1C 69
Concordia St. LS1-3D 67
Concord St. LS2-2A 68
Concrete St. HX3-2C 117
Conduit Pl. BD8-1D 57
Conduit St. BD8-1D 57
Coney La. HX2-2C 97
Conference Gro. LS12-3C 65
Conference Pl. LS12-3C 65
Conference Rd. LS12-3C 65
Conference Ter. LS12-3C 65
Congress Mt. LS12-3C 65
Congress St. LS12-3C 65
Coniston Av. BD13-4A 76
Coniston Av. LS6-2B 44
Coniston Clo. BD13-4A 76
Coniston Gro. BD9-1B 56
Coniston Gro. BD17-3B 16
Coniston Rd. BD7-3B 78
Coniston Way. LS26-2D 115
Consort St. LS3-2B 66
Consort Ter. LS3-2B 66
Consort View. LS3-2B 66
Consort Wlk. LS3-2B 66
Constance St. BD18-4B 16
Constitutional St. HX1-1C 125
Conway Av. LS8-4B 46
Conway Dri. LS8-4B 46
Conway Gro. LS8-4B 46
Conway Mt. LS8-4B 46
Conway Pl. LS8-4B 46
Conway Rd. LS8-4B 46
Conway St. BD4-1B 80
Conway St. HX1-4C 117
(in two parts)
Conway St. LS8-4B 46
Conway St. LS28-1A 62
Conway Ter. LS8-4B 46
Conway View. LS8-4B 46
Cookridge Av. LS16-4A 10
Cookridge Dri. LS16-4A 10
Cookridge Gro. LS16-4B 10
Cookridge La. LS16-3A 10
Cookridge St. LS2-2D 67
Coombe Hill. BD13-3D 77
Co-operation St. LS12-1C 87
Co-operative Bldgs. HD6-3D 121
Co-operative St. LS27-1D 109
(Churwell)
Co-operative St. LS27-3C 109
(Morley)
Cooper Clo. BD16-1C 15
Cooper Hill. LS28-4B 62
Cooper La. BD6 & HX3-3A 78
Copeland St. BD4-1A 82
Copgrove Rd. BD4-2A 82
Copgrove Rd. LS8-3C 47
Copley Av. HX2-1B 124
Copley Circle. HX3-4C 125
Copley Clo. HX3-4D 125
Copley Glen. HX3-4C 125
Copley Gro. HX3-3C 125
Copley Hall Row. HX3-4D 125
Copley Hall St. HX3-4D 125
Copley Hall Ter. HX3-4D 125
Copley Hill. LS12-4A 66
Copley Hill Trading Est. LS12-4A 66
Copley Hill Way. LS12-4A 66
Copley La. HX3-4C 125
Copley La. WF3-4C 113
Copley Mt. HX3-3C 125
Copley St. BD5-3D 79
Copley St. HX3-3D 117
Copley St. LS12-4A 66
Copley Ter. HX3-3D 125
Copley View. HX3-3C 125
Copley Wood Ter. HX3-3D 125
Copley Yd. LS12-4A 66
Coplowe La. BD15-1A 32
Copperfield Av. LS9-4B 68
Copperfield Cres. LS9-4B 68
Copperfield Dri. LS9-4B 68
Copperfield Gro. LS9-4B 68
Copperfield Mt. LS9-4B 68
Copperfield Pl. LS9-4B 68
Copperfield Row. LS9-4B 68
Copperfield Ter. LS9-4B 68
Copperfield View. LS9-4B 68
Copperfield Wlk. LS9-4B 68
Copper Gro. HX3-1A 100
Coppice Grange. LS19-2C 7
Coppice, The. LS19-4B 6
Coppice Way. LS8-2B 46
Coppicewood Av. BD7-4C 57
Coppice Wood Av. LS20 & LS19-2C 7
Coppice Wood Clo. LS20-2C 7
Coppice Wood Cres. LS19-2C 7
Coppicewood Gro. BD7-4C 57
Coppice Wood Gro. LS20-2C 7
Coppice Wood Rise. LS19-2C 7
Coppies, The. BD12-3D 101
Copplestone Wlk. BD4-3A 82
Coppy Clo. BD16-2C 33
Coppy La. LS13-3D 41
Copse, The. BD19-4B 122
Copt Royd Grn. LS19-3C 7
Copy St. BD15-2D 55
Corban St. BD4-2D 81
Cordingley Clo. BD4-4B 82
Cordingley St. BD4-4B 82
Corner Ho. LS17-3A 28
Corn Mill Fold. LS18-4A 24
Corn Mill La. BD14-1B 76
Corn Mill Yd. LS12-3A 64
Cornus Gdns. LS10-1A 112
Cornwall Clo. LS26-2A 114
Cornwall Cres. BD17-1D 17
Cornwall Cres. HD6-4C 121
Cornwall Cres. LS26-2A 114
Cornwall Pl. BD8-2A 58
Cornwall Rd. BD8-2A 58
Cornwall Rd. BD16-3C 15
Cornwall Ter. BD8-2A 58
Coronation Av. BD10-2A 20
Coronation Pde. LS15-4A 70
Coronation Pl. LS2-2D 67
(off Up. Fountain St.)
Coronation Rd. HX3-2A 126
Coronation St. BD12-3C 103
Coronation St. WF3-4A 114
Corporal La. HX3 & BD13-2B 98
Corporation St. BD2-4D 37
Corporation St. HX1-3D 117
Corporation St. LS27-3B 108
Corrance Rd. BD12-2A 122
Corrie Fold. BD13-4B 54
Corrie St. BD13-4B 54
Cotefields Av. LS28-4D 39
Cote Hill Fold. HX2-4A 116
Cote La. BD15-2C 55
Cote La. LS28-1D 61
Coteroyd Av. LS27-1D 109
Coteroyd Dri. LS27-1D 109
Cote, The. LS28-1D 61
Cotewall Rd. BD5-2A 80
Cotswold Av. BD18-1B 36
Cotswold Dri. LS26-2A 114
Cotswold Rd. LS26-2A 114
Cottage Grn Ends. BD8-3B 56
Cottage Rd. BD10-1A 38
Cottage Rd. LS6-2A 44
Cottam Av. BD7-4D 57
Cottam Ter. BD7-4D 57
Cotterdale View. LS15-4B 70
Cottingley App. LS11-4A 88
Cottingley Chase. LS11-3D 87
Cottingley Cliffe Rd. BD16-2D 33
Cottingley Ct. LS11-4A 88
Cottingley Cres. LS11-4A 88
Cottingley Dri. BD16-4C 15
Cottingley Dri. LS11-3D 87
Cottingley Fold. LS11-3D 87
Cottingley Gdns. LS11-4A 88
Cottingley Grn. LS11-4A 88
Cottingley Gro. LS11-4A 88
Cottingley Heights. LS11-4A 68
Cottingley Moor Rd. BD16-3C 33
Cottingley Rd. BD15-4C 33
Cottingley Rd. BD16-1D 33
Cottingley Rd. LS11-3D 87
Cottingley Ter. BD8-2A 58
Cottingley Towers. LS11-4A 88
Cottingley Vale. LS11-4D 87
Cotton St. LS9-3A 68
County Arc. LS1-3D 67
County Bri. BD13-1A 74
Coupland Pl. LS11-2C 89
Coupland Rd. LS11-2C 89
Coupland St. LS11-2C 89
Courtenay Clo. BD3-3A 60
Courtenays. LS14-3C 49
Court La. HX2-3A 116
Courts Leet. BD12-3D 101
Court, The. LS17-4B 12
Cousen Av. BD7-1B 78
Cousen Rd. BD7-2C 79
Cousin La. HX2-3B 96
Coventry St. BD4-1C 81
Coventry St. HX2-3B 116
Coverdale Way. BD17-1B 18
Cow Clo. Cotts. BD12-1B 122
Cow Clo. Gro. LS12-1C 87
Cow Clo. La. BD12-1A 122
Cow Clo. Rd. LS12-1B 86
Cowdrey Dri. BD19-2B 122
Cowgill St. BD8-1D 57
Cow Grn. HX1-3D 117
Cow Hill Ga. La. HX2-4A 74
Cow La. HX3-3D 125 & 4D 125
Cowley Cres. BD9-3D 33
Cowley Rd. LS13-3B 40
Cowling La. HX3-2B 98
Cowper Av. LS9-1C 69
Cowper Cres. LS9-1C 69
Cowper Gro. LS8-4C 47
Cowper Mt. LS9-1C 69
Cowper Rd. LS9-1C 69
Cowper St. LS7-4A 46
Cowper Ter. LS9-1C 69
Cowroyd Pl. HX3-2A 118
Coxwold Wlk. BD15-3C 55
Crab La. LS12-3D 65
Crab St. BD4-4B 58
Crabtree Fold. LS28-4A 62
Crabtree St. BD7-1C 79
Crabtree St. HX1-4B 116
Crack La. BD15-3A 32
Cracoe Rd. BD3-4D 59
Crag Clo. HX2-3A 96
Crag Ct. HX2-3A 96
Cragg Av. LS18-1D 41
Cragg Hill. LS18-1D 41
Cragg La. BD13-4A 52
Cragg Rd. LS18-1D 41
Cragg St. BD7-2C 79
Cragg Ter. BD7-2C 79
Cragg Ter. LS18-1D 41
Cragg Ter. LS19-3C 21
Craggwell Ter. LS18-1D 41
Craggwood Clo. LS18-1D 41
Cragg Wood Dri. LS19-2C 21
Craggwood Rd. LS18-1D 41
Craggwood Ter. LS18-1D 41
Crag Hill Av. LS16-3A 10
Crag Hill Rd. BD10-3C 19
Crag Hill View. LS16-4A 10
Crag La. HX2-3A 96
Crag La. LS17-1B 26
Crag Rd. BD18-1D 35
Cragside. BD10-3B 18
Cragside Clo. LS5-1B 42
Cragside Cres. LS5-1A 42
Cragside Gdns. LS5-1A 42
Cragside Gro. LS5-1A 42
Cragside Mt. LS5-1A 42
Cragside Pl. LS5-1A 42
Cragside Wlk. LS5-1A 42
Crag View. BD10-1D 37
Craiglands. HX3-3A 120
Craiglea Dri. BD12-1A 122
Cranbourne Rd. BD9-1A 56
Cranbrook Av. BD6-1D 101
Cranbrook Av. LS11-2C 89
Cranbrook Pl. BD5-2B 80
Cranbrook St. BD5-2A 80
Cranbrook St. BD14-2D 77
Cranbrook View. LS28-4C 63
Cranewells Dri. LS15-4D 71
Cranewells Grn. LS15-4D 71
Cranewells Rise. LS15-4D 71
Cranewells Vale. LS15-4D 71
Cranewells View. LS15-3D 71
Cranford Pl. BD15-2A 32
Cranmer Bank. LS17-2C 27
Cranmer Clo. LS17-2C 27
Cranmer Gdns. LS17-2C 27
Cranmer Rise. LS17-2C 27
Cranmer Rd. BD3-1B 58
Cranmer Rd. LS17-2C 27
Cranmore Cres. LS10-3B 112
Cranmore Dri. LS10-2B 112
Cranmore Gdns. LS10-3B 112
Cranmore Garth. LS10-3B 112
Cranmore Grn. LS10-3B 112
Cranmore Gro. LS10-3B 112
Cranmore La. LS10-3B 112
Cranmore Rise. LS10-2B 112
Cranmore Rd. LS10-3B 112
Craven Av. BD13-4A 54
Craven Ct. HX1-4C 117
Craven Mt. HX1-4C 117
(off Lister La.)
Craven Pl. HX1-4C 117
Craven Rd. LS6-4C 45
Craven St. BD3-3B 48
Craven Ter. BD2-4D 37
Craven Ter. HX1-4C 117
Crawford Av. BD6-4D 79
Crawford St. BD4-2C 81
Crawshaw Av. LS28-3B 62
Crawshaw Clo. LS28-3B 62
Crawshaw Gdns. LS28-3B 62
Crawshaw Hill. LS28-3B 62
Crawshaw Pk. LS28-3B 62
Crawshaw Rise. LS28-4B 62
Crawshaw Rd. LS28-3B 62
Crediton Av. BD15-3D 55
Crescent Av. LS26-1B 114
Crescent Ct. LS17-4B 12
Crescent Gdns. LS17-1A 28
Crescent Grange. LS11-1D 89
Crescent, The. BD6-4B 78
Crescent, The. BD11-1C 105
Crescent, The. BD17-3D 17
Crescent, The. BD19-4D 123
Crescent, The. HX3-4B 118
(Bank Top)
Crescent, The. HX3-3A 120
(Hipperholme)
Crescent, The. LS6-4B 44
Crescent, The. LS13-4D 41
Crescent, The. LS15-2C 71
Crescent, The. LS16-2C 25
Crescent, The. LS17-4B 12
Crescent, The. LS18-4B 22
Crescent, The. LS20-2D 5
Crescent, The. LS28-2B 62
Crescent Towers. LS11-1D 89
Crescent View. LS17-4B 12
Crescent Wlk. BD14-1A 78
Creskeld La. LS16-1B 10
Creskeld Way. BD15-1C 55
Creskell Rd. LS11-1C 89
Cresswell Mt. BD7-3A 78
Cresswell Pl. BD7-3A 78
Cresswell Ter. BD7-3A 78
Cresswell Ter. HX3-2B 120
Crest Av. BD12-2D 121
Crestfield Dri. HX2-1B 124
Crest, The. LS26-4C 95
Crestville Clo. BD14-1A 78
Crestville Rd. BD14-1D 77
Crestville Ter. BD14-1A 78
Crib La. HX1-3D 117
Cricketer's Grn. LS19-4D 7
Cricketers Ter. LS12-3D 65
Cricklegate. LS15-2C 71
Crimble Clo. HX3-4A 120
Crimbles Ct. LS28-3B 62
Crimbles Pl. LS28-3B 62
Crimbles Rd. LS28-3B 62
Crimbles Ter. LS28-3B 62
Crimshaw La. BD18-2A 36
Cripplegate. HX1-3A 118
Cripple Syke. LS18-3D 23
(off Lister Hill)
Croft Av. LS28-4A 40
Croft Bri. LS26-3D 115
Croft Cotts. LS12-2A 86
Croft Ct. LS18-3D 23
Croftdale Gro. LS15-1A 72
Crofters Grn. BD10-1C 37
Croft Ho. Av. LS27-2C 109
Croft Ho. Clo. BD6-1D 101
Croft Ho. Clo. LS27-2C 109
Croft Ho. Ct. LS28-2A 62
Croft Ho. Dri. LS27-3C 109
Croft Ho. Gdns. LS27-3C 109
Croft Ho. Gro. LS27-3C 109
Croft Ho. La. LS27-3D 109
Croft Ho. M. LS27-3D 109
Croft Ho. Mt. LS27-2C 109
Croft Ho. Rise. LS27-2C 109
Crofthouse Rd. BD6-4D 79
Croft Ho. Rd. LS27-3C 109
Croft Ho. View. LS27-3C 109
Croft Ho. Wlk. LS27-2D 109
Croft Ho. Way. LS27-2C 109
Croftlands. BD10-1C 37
Crofton Rise. LS17-1C 31
Crofton Rd. BD9-4C 35
Crofton Ter. LS17-1C 31
Croft Pl. BD6-4B 78
Croft Row. BD13-4B 52
Crofts Ct. LS1-3C 67
Croftside Clo. LS14-4C 49
Croft St. BD5-4B 58
Croft St. BD6-4D 79
Croft St. BD10-4D 19
Croft St. BD11-2C 105
Croft St. BD18-1C 35
Croft St. HX6-2A 124
Croft St. LS28-4A 40
Croft Ter. LS12-2A 86
Croft, The. BD11-3B 106
Croft, The. BD12-3B 102
Croft, The. LS15-2D 71
Croft, The. LS26-3D 115
Cromack View. LS28-3D 61
Cromer Pl. LS2-1C 67
Cromer Rd. LS2-1C 67
Cromer St. HX1-1B 124
Cromer St. LS2-1C 67
Cromer Ter. LS2-1C 67
Cromwell Ct. BD9-3D 33
Cromwell Ct. BD11-3A 106
Cromwell Heights. LS9-2A 68
Cromwell Mt. LS9-2A 68
Cromwell St. LS9-2A 68
Cromwell Ter. HX1-3C 117
Crooked La. BD10-4B 18
Crooked La. HX3-2D 97
Crooke La. BD15-3A 32
Cropper Gate. LS1-3C 67
Cropredy Clo. BD13-4B 76
Crosby Av. LS11-1B 88
Crosby Pl. LS11-1C 89
Crosby Rd. LS11-1B 88
Crosby St. LS11-1B 88
Crosby Ter. LS11-1B 88
Crosby View. LS11-1C 89
Croscombe Wlk. BD5-1A 80
Crosland St. LS11-4C 67
Crosley View. BD16-3D 15
Crosley Wood Rd. BD16-3C 15
Cross Arc. LS1-3D 67
(off King Edward St.)
Cross Aston Gro. LS13-1A 64
Cross Av. LS26-2B 114
Cross Aysgarth Mt. LS9-3B 68
Cross Banks. BD18-1C 35
Cross Banstead St. LS8-4B 46
Cross Barstow St. LS11-4D 67
Cross Bath Rd. LS13-1D 63
Cross Belgrave St. LS2-2D 67
Cross Bentley La. LS6-2B 44
Cross Cardigan Mt. LS4-2D 65
Cross Cardigan Ter. LS4-1D 65
Cross Catherine St. LS9-3B 68
Cross Chancellor St. LS6-4D 45
Cross Chapel St. LS6-3A 44
Cross Chestnut Gro. LS6-4B 44
Cross Church St. LS11-4D 67
Cross Cliff Rd. LS6-4B 44
Cross Conway Mt. LS8-4B 46
Cross Cowper St. LS7-4A 46
Crossdale Av. BD6-1A 100
Cross Dawlish Gro. LS9-3C 69
Cross Easy Rd. LS9-4B 68
Cross Eric St. LS13-3D 41
Crossfield St. LS2-4C 45
Cross Flatts Av. LS11-3C 89
Cross Flatts Cres. LS11-3B 88
Cross Flatts Dri. LS11-3B 88
Cross Flatts Gro. LS11-3B 88
Cross Flatts Mt. LS11-3C 89
Cross Flatts Pde. LS11-3B 88
Cross Flatts Pl. LS11-3B 88
Cross Flatts Rd. LS11-3B 88
Cross Flatts Row. LS11-3B 88
Cross Flatts St. LS11-3B 88
Cross Flatts Ter. LS11-3B 88
Cross Fountaine St. LS2-2D 67
Cross Francis St. LS7-4A 46
Cross Gates Av. LS15-4D 49
Cross Gates La. BD16-2A 14
Cross Gates La. LS15-4D 49
Cross Gates Rd. LS15-1C 71
Cross Glen Rd. LS16-1D 43
Cross Granby Ter. LS6-3A 44
Cross Grange Av. LS7-4B 46
Cross Grasmere St. LS12-3A 66
Cross Grn. BD4-1B 82
Cross Grn. App. LS9-1B 90
Cross Grn. Av. LS9-4B 68
Cross Grn. Clo. LS9-1C 91
Cross Grn. Ct. LS9-1C 91
Cross Grn. Cres. LS9-4B 68
Cross Grn. Dri. LS9-1C 91
Cross Grn. Garth. LS9-1C 91
Cross Grn. Gro. LS9-4B 68
Cross Grn. La. LS9-4B 68
Cross Grn. La. LS15-2C 71
Cross Grn. Rise. LS9-4C 69
Cross Grn. Rd. LS9-4B 68
Cross Grn. Row. LS6-1B 44
Cross Grn. Vale. LS9-1C 91
Cross Grn. Way. LS9-1C 91
Cross Greenwood Mt. LS6-1B 44
Cross Heath Gro. LS11-3A 88
Cross Heeles St. BD4-4B 82
Cross Henley Rd. LS13-1D 63
Cross Hill. LS11-4B 88
Cross Hills. HX1-3D 117
Cross Ingledew Cres. LS8-3C 29
Cross Ingram Rd. LS11-1B 88
Cross Kelso Rd. LS2-1B 66
Crossland Rd. LS27-1D 109
Crossland Ter. LS11-2D 89
Cross La. BD7-2C 79
Cross La. BD11 & BD4-1D 105
Cross La. BD13-4D 75
Cross La. BD15-1A 32
Cross La. BD16-2B 14
Cross La. HX3-2C 99
(Pepper Hill)
Cross La. HX3-3D 99
(Stone Chair)
Cross La. LS12-4A 64
(Bawn)
Cross La. LS12-4D 65
(Carr Crofts)
Cross Lea Farm Rd. LS5-1B 42
Crossley Almshouses. HX1-4C 117
Crossley Clo. HX1-3C 117
Crossley Gdns. HX1-3C 117
(in three parts)
Crossley Hall St. BD8-3A 56
Crossley Hill. HX3-2A 126
Crossley St. BD7-1D 79
Crossley St. BD13-3B 76
Crossley St. HX1-3D 117
Crossley Ter. HX3-4C 97
Crossley Ter. N. HX3-4C 97
Crossley Ter. S. HX3-4C 97
Cross Louis St. LS7-4A 46
Cross Maude St. LS2-3A 68
(off Maude St.)
Cross Mill St. LS9-3A 68
Cross Myrtle St. LS11-1D 89
Cross Osmondthorpe La. LS9-2D 69
Cross Pk. St. LS15-2C 71
Cross Peel St. LS27-3D 109
Cross Quarry St. LS6-4C 45
Cross Reginald Mt. LS7-3A 46
Cross Rd. BD8-2D 57
Cross Rd. BD10-4D 19
Cross Rd. BD12-3B 102
Cross Rd. LS18-4C 23
Cross Rosse St. BD18-1C 34
Cross Roundhay Av. LS8-3B 46
Cross Row. LS15-4C 73
Cross Speedwell St. LS6-4C 45
Cross Springwell St. LS12-4C 67
Cross Stamford St. LS27-1A 68
Cross St. BD6-1B 100
Cross St. BD12-3C 103
Cross St. BD14-2D 77
Cross St. HX1-4A 118
(Caddy Field)
Cross St. HX1-3D 117
(Halifax)
Cross St. HX3-2A 118
Cross St. LS15-2C 71
Cross St. LS26-3A 114
Cross St. W. HX2-2B 116
Cross Sun St. BD1-3B 58
Cross Ter. LS26-3A 114
Cross Union St. LS2-3D 67
Cross Valley Dri. LS15-2C 71
Crossway. BD16-1B 32
Cross Wingham St. LS7-1A 68
Cross Woodstock St. LS2-1C 67
(off Bk. Blenheim Ter.)
Cross Woodview St. LS11-3D 89
(off Woodview St.)
Cross York St. LS2-3A 68
Crowgill Rd. BD18-1C 35
Crown Ct. LS2-3D 67
(off Crown St.)
Crown Dri. BD12-4D 101
Crownest La. BD16-2C 15
Crow Nest La. LS11-3A 88
Crownest Rd. BD16-2C 15
Crown Point Retail Pk. LS10-4D 67
Crown Point Rd. LS10-4D 67
Crown Rd. HX3-1C 117
Crown St. BD1-3D 57
Crown St. BD12-4D 101
Crown St. HX1-3D 117
Crown St. LS2-3D 67
Crown Ter. HX1-4B 116
Crowther Av. LS28-2B 38
Crowther Pl. LS6-4D 45
Crowther St. BD10-1A 38
Crowther St. BD12-4D 101
Crowthers Yd. LS28-4B 62
Crow Tree Clo. BD17-2A 18
Crow Tree La. BD8-2A 56
Crowtrees Ct. LS19-2D 21
Crow Trees Pk. LS19-1D 21
Crow Wood Pk. HX2-1A 124
Croydon Rd. BD7-1B 76
Croydon St. LS11-4B 66
Croyd St. BD13-4B 76
Crystal Ter. BD4-2D 81
Cudbear St. LS10-4D 67
Culver St. HX1-3D 117
Culvert. BD12-2C 121
Cumberland Clo. HX2-4A 96
Cumberland Ct. LS6-4A 44
Cumberland Rd. BD7-1C 79
Cumberland Rd. LS6-3B 44
Cunliffe La. BD17-4C 5
Cunliffe Rd. BD8-4D 35
Cunliffe Ter. BD8-1A 58
Cunliffe Vs. BD8-4A 36
Curley St. BD5-2D 79
Currer Av. BD4-4D 81
Currer St. BD1-3B 58
Currer St. BD12-3C 103
Curzon Rd. BD3-3D 59
Cut La. HX3-3B 98
Cutler Heights La. BD4-2D 81
Cutler Pl. BD4-1A 82
Cyprus Av. BD10-3B 18
Cyprus Dri. BD10-3C 19
Czar St. LS11-4C 67

Dacre St. BD3-2C 59
Daffil Av. LS27-1D 109

affil Grange M. LS27-1C 109
affil Grange Way. LS27-1C 109
affil Gro. LS27-1D 109
affil Rd. LS27-1D 109
agenham Rd. BD4-2D 81
aisy Bank. HX1-1D 125
aisyfield Rd. LS13-1A 64
aisy Hill. BD12-1D 121
aisy Hill. LS27-3D 109
aisy Hill Av. LS27-2D 109
aisy Hill Back La. BD9-1A 56
aisy Hill Clo. LS27-2D 109
aisy Hill Gro. BD9-1A 56
aisy Hill La. BD9-1A 56
aisy Row. LS13-1A 64
aisy St. BD7-2C 79
aisy St. HX1-4D 117
alby Av. BD3-2D 59
alby St. BD3-3D 59
alcross Gro. BD5-2B 80
alcross St. BD5-2B 80
ale Clo. LS20-2D 5
ale Croft Rise. BD15-1C 55
ale Garth. BD17-2C 17
ale Gro. BD10-4B 18
ale Pk. Av. LS16-1A 24
ale Pk. Clo. LS16-1A 24
ale Pk. Gdns. LS16-1A 24
ale Pk. Rise. LS16-1A 24
ale Pk. View. LS16-1A 24
ale Pk. Way. LS16-1A 24
ale Rd. BD11-4C 85
ales Dri. LS20-2C 5
aleside Av. LS28-2C 61
aleside Clo. LS28-2B 60
aleside Gro. BD12-3B 102
aleside Gro. LS28-3C 61
aleside Rd. BD18-4A 18
aleside Rd. LS28-2B 60
aleside Wlk. BD5-3B 80
aleson Clo. HX3-4C 99
ale St. BD1-3B 58
ale St. BD18-1D 35
alesway. BD16-1D 15
alesway. LS20-2C 5
ale Vs. LS18-1A 42
allam Av. BD18-4B 16
allam Gro. BD18-4B 16
allam Rd. BD18-4B 16
allam Wlk. BD18-4B 16
alton Av. LS11-3C 89
alton Gro. LS11-3C 89
alton Rd. LS11-3C 89
alton Ter. BD8-2D 57
amask St. HX1-3D 117
am Head Rd. HX6-1A 124
am La. LS19-3D 7
amon Av. BD10-3A 38
anby Av. BD4-1D 103
anby Wlk. LS9-3D 68
ane Ct. Rd. BD4-2B 82
ane Hill Dri. BD4-2B 82
aniel St. BD3-3A 60
an La. BD13-3D 77
anum Dri. BD17-3D 17
arcey Hey La. HX2-1B 124
arcy Ct. LS15-3D 71
arfield Av. LS8-4C 47
arfield Cres. LS8-4B 46
arfield Gro. LS8-4B 46
arfield Pl. LS8-4C 47
arfield Rd. LS8-4C 47
arfield St. BD1-3A 58
arfield St. LS8-4C 47
ark La. HX3-3C 119
ark La. LS15-1D 51
ark La. WF17-4B 106
arkwood Clo. LS17-1C 29
arkwood Way. LS17-1C 29
arley Av. LS10-1A 112
arley St. BD1-3A 58
arnay La. BD5-2A 80
arnes Av. HX2-1B 124
arnley La. LS15-3A 72
arnley Rd. LS16-1D 43
arren St. BD4-4A 60
artmouth Ter. BD8-1D 57
artmouth Ter. LS11-3D 89
arwin St. BD5-2D 79
asby Croft. BD4-4A 82
avid St. LS11-4C 67
avies Av. LS8-1B 46
awlish Av. LS9-3C 69
awlish Cres. LS9-2C 69
awlish Gro. LS9-3C 69
awlish Mt. LS9-2C 69
awlish Pl. LS9-2C 69
awlish Rd. LS9-3C 69
awlish Row. LS9-2C 69
awlish St. LS9-2C 69
awlish Ter. LS9-2C 69
awlish Wlk. LS9-3C 69
awnay Rd. BD5-2D 79
awson Av. BD6-4D 79
awson Hill. LS27-3C 109
awson La. BD4-4D 81
awson La. LS26-1A 114
awson Mt. BD4-4D 81
awson Pl. BD4-4A 82
awson Rd. LS11-2C 89
awsons Corner. LS28-1D 61
awson's Ct. LS14-3D 49
awsons Meadow. LS28-1D 61
awson St. BD4-3D 81
awson St. BD10-3C 19
awson St. LS28-1A 62
awson Ter. BD4-4D 81
ealburn Rd. BD12-3A 102
eal St. HX1-4A 118
ean Av. LS8-2C 47
ean Beck Av. BD6-4B 80
ean Beck Ct. BD6-4B 80
ean Clo. BD8-2A 56
ean Clough. HX1-3D 117
an Ct. HX3-4C 125
an Ct. LS8-2C 47
anery Gdns. BD10-3D 37
ane, The. LS15-3A 70 & 4A 70
eanfield Av. LS27-2B 108
ean Hall Clo. LS27-3B 108
ean Head. LS18-2C 9
eanhurst Gdns. LS27-2A 108
eanhurst Ind. Cen. LS27-2A 108
an La. BD13-2D 53
an La. LS18-2C 9
Dean La. LS20-2B 4
Dean M. LS18-2C 9
Dean Pk. Av. BD11-2A 106
Dean Pk. Dri. BD11-2A 106
Dean Pastures. BD11-2A 106
Dean Rd. BD6-4A 80
Dean's Ter. HX3-1D 117
Deanstone La. BD13-4A 76
Deanstones Cres. BD13-4A 76
Dean St. BD8-3C 57
Deansway. LS27-2B 108
Deanswood Clo. LS17-2B 26
Deanswood Dri. LS17-2B 26
Deanswood Gdns. LS17-2B 26
Deanswood Garth. LS17-2B 26
Deanswood Grn. LS17-2B 26
Deanswood Hill. LS17-2B 26
Deanswood Pl. LS17-2B 26
Deanswood Rise. LS17-2B 26
Deanswood View. LS17-2C 27
Deanwood Av. BD15-4C 33
Deanwood Cres. BD15-1C 55
Deanwood Wlk. BD15-4C 33
Deepdale Clo. BD17-2C 17
Deep La. BD13-1C 75
Deep La. BD14-1D 77
Defarge Ct. BD5-2A 80
De Lacey M. BD4-3D 81
De Lacy Av. BD4-4D 81
De Lacy Mt. LS5-3C 43
Delamere St. BD5-3A 80
Delf Clo. HX3-1A 100
Delius Av. BD10-3A 38
Delph Ct. LS6-3C 45
Delph Cres. BD14-1C 77
Delph Dri. BD14-1C 77
Delph End. LS28-3D 61
Delph Gro. BD14-1C 77
Delph Hill. BD17-2D 17
Delph Hill. LS28-3B 62
Delph Hill Fold. HX2-2C 125
Delph Hill Rd. HX2-2B 124
Delph La. LS6-4C 45
Delph Mt. LS6-4C 45
Delph St. HX1-4D 117
Delph Ter. BD14-1C 77
Delph View. LS6-4C 45
Delph Wood Clo. BD16-2D 15
Delver Fold. BD2-1C 59
Delverne Gro. BD2-4D 37
Denbigh App. LS9-1A 70
Denbigh Croft. LS9-1A 70
Denbigh Heights. LS9-1A 70
Denbrook Av. BD4-4B 82
Denbrook Clo. BD4-4B 82
Denbrook Cres. BD4-4B 82
Denbrook Wlk. BD4-4B 82
Denbrook Way. BD4-4B 82
Denbury Mt. BD4-3A 82
Denby Dri. BD17-3D 17
Denby Ho. BD4-4B 82
Denby La. BD15-1D 55
Denby St. BD8-2D 57
Dence Grn. BD4-1B 82
Dence Pl. LS15-3B 70
Dene Cres. BD7-1B 78
Denehill. BD9-1A 56
Dene Hill. BD17-2B 16
Dene Mt. BD15-2D 55
Dene Pl. HX1-3D 117
Dene Rd. BD6-4A 78
Deneside Mt. BD5-3A 80
Deneside Ter. BD5-3A 80
Deneway. LS28-1D 61
Denfield Av. HX3-1B 116
Denfield Cres. HX3-1B 116
Denfield Edge. HX3-1B 116
Denfield Gdns. HX3-1B 116
Denfield La. HX3-1B 116
Denfield Sq. HX3-1B 116
Denham Av. LS27-4C 109
Denholme Ga. Rd. HX3-2D 119
Denison Rd. LS3-2C 67
Denison St. LS19-3D 7
Dennil Cres. LS15-4D 49
Dennil Rd. LS15-4D 49
Dennison Fold. BD4-1A 82
Dennistead Cres. LS6-2A 44
Denshaw Dri. LS27-3D 109
Denshaw Dri. Clo. LS27-3D 109
Denshaw Gro. LS27-3D 109
Denshaw Gro. Clo. LS27-3D 109
Denshaw La. WF3-4B 110
Denton Av. LS8-4B 28
Denton Dri. BD16-1D 15
Denton Gro. LS8-4B 28
Denton Row. BD13-3A 52
Denton Row. LS12-4C 65
Dent St. LS9-3B 68
Derby Pl. BD3-3A 60
Derby Pl. LS19-1C 21
(off Derby Rd.)
Derby Rd. BD3-3A 60
Derby Rd. LS19-1C 21
Derbyshire La. LS16-2A 10
Derbyshire St. LS10-2B 90
Derby St. BD7-1C 79
Derby St. BD13-4A 76
Derby St. BD14-2C 77
Derby St. BD16-2B 14
Derby St. HX6-1A 124
Derby Ter. BD10-4B 20
Derwent Av. BD17-3B 16
Derwent Av. LS11-4C 67
Derwent Av. LS26-2D 115
Derwent Dri. LS16-1A 26
Derwent Pl. BD13-3D 75
Derwent Pl. LS11-4C 67
Derwent Rd. BD2-4C 37
Derwentwater Gro. LS6-3D 43
Derwentwater Ter. LS6-3A 44
Detroit Av. LS15-2A 72
Detroit Dri. LS15-3A 72
Devon Gdns. LS2-4C 45
Devon Rd. LS2-1C 67
Devonshire Av. LS8-3C 29
Devonshire Clo. LS8-3B 28
Devonshire Cres. LS8-3B 28
Devonshire La. LS8-3C 29
Devonshire Pl. LS19-3D 7
Devonshire Ter. BD9-1D 57
Devon St. HX1-1B 124
Devon Way. HD6-4C 121
Dewhirst Clo. BD17-3A 18
Dewhirst Pl. BD4-4A 60
Dewhirst Rd. BD17-3A 18
Dewhirst St. BD15-3A 32
Dewsbury Rd. BD19-4C 105
Dewsbury Rd. WF3, LS27 & LS11 -4B 110 to 4D 67
Diadem Dri. LS14-2A 70
Dial St. LS9-4B 68
Diamond St. HX1-3C 117
Diamond Ter. HX1-3C 117
Diamond Ter. HX2-1B 124
Diasy Pl. BD18-4B 16
Dibb La. LS19-3B 6
Dib Clo. LS8-3A 48
Dib La. LS8-3A 48
Dickens St. BD5-2A 80
Dickens St. HX2-3A 116
Dickinson St. LS18-3D 23
Dick La. BD4 & BD3-1A 82
Dinsdale Bldgs. LS19-4C 7
Dinsdale's Bldgs. LS19-4C 7
Dirkhill Rd. BD7-1D 79
Dirkhill St. BD7-1D 79
Discovery Rd. HX1-4A 118
Dispensary Wlk. HX1-4A 118
Disraeli Gdns. LS11-2D 89
Disraeli Ter. LS11-2D 89
Dixon Av. BD7-1B 78
Dixon La. LS12-4D 65
Dixon La. Rd. LS12-1D 87
Dobson Av. LS11-2D 89
Dobson Gro. LS11-2D 89
Dobson Pl. LS11-2D 89
Dobson's Pl. LS26-3B 114
Dobson St. LS11-2B 88
Dobson Ter. LS11-2D 89
Dobson View. LS11-2D 89
Dockfield Ind. Est. BD17-3A 18
Dockfield Pl. BD17-4D 17
Dockfield Rd. BD17-4D 17 & 4A 18
Dockfield Ter. BD17-4D 17
Dock La. BD18 & BD17-4D 17
Dock St. LS10-3D 67
Doctor Hill. BD10-1C 37
Doctor Hill. HX2-2A 116
Doctor La. BD10-4C 19
Dodge Holme Ct. HX2-3A 96
Dodge Holme Dri. HX2-3A 96
Dodge Holme Gdns. HX2-4A 96
Dodge Holme Rd. HX2-3A 96
Dodgson Av. LS7-4A 46
Doe Pk. BD13-2B 52
Dog Kennel La. HX3-1B 126
Dole St. BD13-4A 54
Dolly La. LS9-1A 68
Dolphin Rd. LS10-3A 112
Dolphin Ter. BD13-1D 97
Dombey St. HX1-4C 117
Domestic Rd. LS12 & LS11-4B 66
Domestic St. LS11-4B 66
Domestic St. Ind. Est. LS11-4B 66
Dominion Av. LS7-1A 46
Donald Av. BD6-1D 101
Donald St. LS28-1A 62
Doncaster St. HX3-3A 126
Donisthorpe St. BD5-2A 80
Donisthorpe St. LS10-1A 90
Dorchester Cres. BD4-3A 82
Dorchester Cres. BD17-2B 18
Dorchester Dri. HX2-1A 124
Dorchester Dri. LS19-4A 8
Dorian Clo. BD10-2D 37
Dorset Av. LS8-4C 47
Dorset Clo. BD5-2D 79
Dorset Gro. LS28-2A 62
Dorset Mt. LS8-4C 47
Dorset Rd. LS8-4C 47
Dorset St. BD5-2D 79
Dorset Ter. LS8-4C 47
Dortmund Sq. LS2-2D 67
Douglas Cres. BD18-2A 36
Douglas Dri. BD4-1D 81
Douglas Rd. BD4-1D 81
Douglas St. HX3-1C 117
Dovedale Clo. HX3-2D 99
Dovedale Gdns. LS15-1B 72
Dovedale Garth. LS15-4B 50
Dover St. BD3-2B 58
Dover St. LS28-3A 62
Dovesdale Gro. BD5-3A 80
Dovesdale Rd. BD5-3A 80
Dove St. BD18-4B 16
Dowker St. HX1-1B 124
Dowley Gap La. BD16-4C 15
Downham St. BD3-4C 59
Downing Clo. BD3-3C 59
Downside Cres. BD15-2C 55
Dracup Av. BD7-1B 78
Dracup Rd. BD7-2B 78
Dragon Cres. LS12-1D 87
Dragon Dri. LS12-1D 87
Dragon Rd. LS12-1D 87
Drake Fold. BD12-1D 121
Drake La. BD11-3B 106
Drakes Ind. Est. HX3-4C 97
Drake St. BD1-4B 58
Draughton St. BD5-3A 80
Draycott Wlk. BD4-2B 82
Drayton Mnr. Yd. LS11-2D 89
Drewton Rd. BD1-3A 58
Drewton St. BD1-3A 58
Driftholme. BD11-1B 106
Driftholme Rd. BD11-1B 106
Drighlington By-Pass. BD4, BD11, WF17 & LS27-1D 105
Drill Pde. BD8-2A 58
Driver St. LS12-4B 66
Driver Ter. LS12-4B 66
Drive, The. BD10-1A 38
Drive, The. HX3-3A 120
Drive, The. LS8-4B 28 to 4C 29
Drive, The. LS9-3A 68
Drive, The. LS15-1D 71
Drive, The. LS16-1C 25
Drive, The. LS17-4C 13
Drive, The. LS26-4C 95
Dross St. BD4-4A 60
Druids St. BD14-1D 77
Drummond Av. LS16-1D 43
Drummond Ct. LS16-2D 43
Drummond Rd. BD8-2D 57
Drummond Rd. LS16-1D 43
Drury Av. LS18-4D 23
Drury Clo. LS18-4D 23
Drury La. LS18-4C 23
Dryclough Clo. HX3-2D 125
Dryclough La. HX3-2D 125
Dryden St. BD1-4B 58
Dryden St. BD16-2B 14
Dubb La. BD16-2C 15
Duchy Av. BD9-4A 34
Duchy Cres. BD9-4B 34
Duchy Dri. BD9-1A 56
Duchy Gro. BD9-4A 34
Duchy Vs. BD9-4B 34
Duchywood. BD9-4A 34
Ducie St. BD10-3C 19
Duckett Gro. LS28-2B 60
Duckett La. BD1-3A 58
Duckworth Gro. BD9-1B 56
Duckworth La. BD9-1B 56
Duckworth Ter. BD9-1B 56
Dudley Cres. HX2-3A 96
Dudley Gro. BD4-4B 60
Dudley Hill Rd. BD2-1D 59
Dudley St. BD4-3D 81
Dudley St. BD4-2D 81
(Dudley Hill, in two parts)
Dudley St. BD4-4A 60
(Tyersal)
Dudwell Av. HX3-3A 126
Dudwell Gro. HX3-3A 126
Dudwell La. HX3-3D 125
Dufton App. LS14-4C 49
Duich Rd. BD6-2B 100
Duinen St. BD5-1B 80
Duke St. BD1-3B 58
Duke St. LS9-3A 68
Dulverton Clo. LS11-4A 88
Dulverton Ct. LS11-4A 88
Dulverton Cres. LS11-4D 87
Dulverton Gdns. LS11-3D 87
Dulverton Garth. LS11-4D 87
Dulverton Grn. LS11-4D 87 & 4A 88
Dulverton Gro. BD4-2A 82
Dulverton Gro. LS11-4D 87
Dulverton Pl. LS11-3D 87
Dulverton Sq. LS11-4D 87
Dunbar Croft. BD13-4B 76
Duncan St. BD5-1B 80
Duncan St. LS1-3D 67
Duncombe Rd. BD8-3B 56
Duncombe St. BD8-3C 57
Duncombe St. LS1-2C 67
Dundas St. HX1-1B 124
Dundas St. LS9-2A 68
Dunhill Cres. LS9-2A 70
Dunhill Rise. LS9-2A 70
Dunkirk Cres. HX1-1B 124
Dunkirk Gdns. HX1-1B 124
Dunkirk La. HX1-1B 124
Dunkirk St. HX1-4B 116
Dunkirk Ter. HX1-4B 116
Dunlin Dri. LS10-3A 112
Dunlin Fold. LS10-3A 112
Dunningley La. WF3-4B 110
Dunnington Wlk. BD6-2C 101
Dunsford Av. BD4-1C 103
Dunstarn Dri. LS16-2A 26
Dunstarn Gdns. LS16-2A 26
Dunstarn La. LS16-2A 26
Durban Av. LS11-3B 88
Durban Cres. LS11-3B 88
Durham Ct. LS28-4A 40
Durham Rd. BD8-1C 57
Durham St. HX2-3B 116
Durham Ter. BD8-2C 57
Durley Av. BD9-4B 34
Durling Dri. BD18-1A 36
Durlston Gro. BD12-4A 102
Durlston Ter. BD12-4A 102
Dutton Grn. LS14-1C 49
Dutton Way. LS14-1B 48
Duxbury Rise. LS7-1D 67
Dyehouse Fold. BD12-3C 103
Dye Ho. La. HX6-4A 124
Dyehouse La. LS28-2A 84
Dyehouse Rd. BD12-3B 102
Dyer La. HX3-2B 116
Dyers Ct. LS6-3B 44
Dyer St. LS2-3A 68
Dyson Ho. BD4-4D 43
Dyson Pl. HX3-2A 126
Dyson Rd. HX1-3B 116
Dyson St. BD1-3A 58
Dyson St. BD9-4C 35
Eaglesfield Dri. BD6-2B 100
Earls Ter. HX3-1C 117
Earlswood Av. LS8-2B 28
Easby Rd. BD7-4A 58
Easdale Clo. LS14-3B 48
Easdale Cres. LS14-3C 49
Easdale Mt. LS14-3B 48
Easdale Rd. LS14-3B 48
E. Beckett St. LS9-2B 68
E. Bolton. HX2-1A 96
Eastbourne Rd. BD9-3D 35
Eastbrook La. BD1-4B 58
Eastbrook Well. BD1-3B 58
Eastbury Av. BD6-4A 78
E. Byland. HX2-2A 96
E. Causeway. LS16-1A 26
E. Causeway Clo. LS16-1A 26
E. Causeway Cres. LS16-1A 26
E. Causeway Vale. LS16-1A 26
E. Croft. BD12-1A 122
Eastdean Bank. LS14-2C 49
Eastdean Dri. LS14-2C 49
Eastdean Gdns. LS14-2C 49
Eastdean Ga. LS14-2C 49
Eastdean Grange. LS14-2C 49
Eastdean Gro. LS14-2C 49
Eastdean Rise. LS14-2C 49
Eastdean Rd. LS14-2C 49
E. End. LS12-2A 86
Easterly Av. LS8-3C 47
Easterly Clo. LS8-4C 47
Easterly Cres. LS8-3C 47
Easterly Cross. LS8-4C 47
Easterly Garth. LS8-4C 47
Easterly Gro. LS8-3C 47
Easterly Mt. LS8-4C 47
Easterly Rd. LS8-3C 47
Easterly Sq. LS8-3C 47
Easterly View. LS8-4D 47
Eastfield Cres. LS26-2C 115
Eastfield Dri. LS26-2C 115
E. Field Gdns. BD4-2B 82
E. Field St. LS9-3A 68
Eastgate. LS2-2D 67
E. Grange Clo. LS10-4A 90
E. Grange Dri. LS10-4A 90
E. Grange Garth. LS10-4A 90
E. Grange Rise. LS10-4A 90
E. Grange Rd. LS10-4A 90
E. Grange Sq. LS10-4A 90
E. Grange View. LS10-4A 90
Easthorpe Ct. BD2-3A 38
East La. LS2-3A 68
Eastleigh Gro. BD5-2A 80
E. Moor Av. LS8-3B 28
E. Moor Clo. LS8-3B 28
E. Moor Cres. LS8-3B 28
E. Moor Dri. LS8-3B 28
E. Moor Rd. LS8-3B 28
East Pde. BD1-3B 58
East Pde. BD17-1A 18
East Pde. HX6-1A 124
East Pde. LS1-3C 67
E. Park Dri. LS9-3B 68
E. Park Gro. LS9-3C 69
E. Park Mt. LS9-3B 68
E. Park Pde. LS9-3C 69
E. Park Pl. LS9-3B 68
E. Park Rd. HX3-2C 117
E. Park Rd. LS9-3B 68
E. Park St. LS9-3C 69
E. Park St. LS27-4B 108
E. Park Ter. LS9-3C 69
E. Park View. LS9-3C 69
East Rd. BD12-2A 102
E. Squire La. BD8-1D 57
East St. HX3-3C 121
East St. LS2 & LS9-3A 68
E. View. BD12-3C 103
(off S. Lea Clo.)
E. View. BD13-3D 77
(Queensbury)
E. View. BD13-3D 53
(Thornton)
E. View. BD19-4C 123
E. View. LS15-1D 71
E. View. LS19-3D 7
E. View. LS26-3D 115
E. View. LS27-3D 107
E. View. LS28-4A 62
(Fartown)
E. View. LS28-2B 62
(Lowtown)
E. View Cotts. LS28-2B 62
E. View Rd. LS19-3D 7
E. View Ter. BD12-4A 102
Eastwood Av. HX2-1B 96
Eastwood Clo. HX2-1A 96
Eastwood Ct. HX3-2C 125
Eastwood Cres. BD16-1C 33
Eastwood Cres. LS14-3A 50
Eastwood Dri. LS14-3D 49
Eastwood Gdns. LS14-3D 49
Eastwood Garth. LS14-3A 50
Eastwood Gro. HX2-1A 96
Eastwood La. LS14-4D 49
Eastwood Nook. LS14-4D 49
Eastwood St. BD4-1B 80
Eastwood St. HX3-1C 117
Easy Rd. LS9-4B 68
Eaton Hill. LS16-2B 24
Ebberston Gro. LS6-4B 44
Ebberston Pl. LS6-4B 44
Ebberston Ter. LS6-4B 44
Ebenezer Pl. BD7-1C 79
Ebenezer St. BD1-4B 58
Ebenezer St. LS2-3D 67
Ebenezer St. LS2-3D 67
Ebenezer St. WF3-4C 113
Ebor Mt. LS6-1B 66
Ebor Pl. LS6-1B 66
Ebor St. HX1-1C 125
Ebor St. LS6-1B 66
Ebor Ter. LS10-3A 90
Ecclesburn Av. LS9-3C 69
Ecclesburn Rd. LS9-3C 69
Ecclesburn St. LS9-3C 69
Ecclesburn Ter. LS9-3C 69
Eccles Ct. BD2-4D 37
Eccup La. LS16-4D 11 to 1B 12
Eccup Moor Rd. LS16-2A 12
Edale Gro. BD13-4D 75
(in two parts)
Edale Way. LS16-2B 24
Edderthorpe St. BD3-4C 59
Eddison Clo. LS16-1A 26
Eddison St. LS28-1A 62
Eddison Wlk. LS16-1A 26
Eden Clo. BD12-1A 122
Eden Cres. LS4-4C 43
Eden Dri. LS4-4D 43
Eden Gdns. LS4-4D 43
Edon Gro. LS4 4D 43
Eden Mt. LS4-4C 43
Eden Rd. LS4-4C 43
Eden Wlk. LS4-4D 43
Eden Way. LS4-4C 43
Ederoyd Av. LS28-2C 61
Ederoyd Cres. LS28-2C 61
Ederoyd Dri. LS28-2C 61
Ederoyd Gro. LS28-2C 61
Ederoyd Mt. LS28-2C 61
Ederoyd Rise. LS28-2C 61
Edgar St. BD14-2A 78
Edgbaston Clo. LS17-4C 13
Edgbaston Wlk. LS17-4B 12
Edgebank Av. BD6-2B 100
Edge Bottom. BD13-1A 52
Edge End Gdns. BD6-1A 100
Edge End Rd. BD6-1A 100
Edgehill Clo. BD13-4B 76
Edgemoor Clo. HX3-2C 125
Edgerton Rd. LS16-1C 43
Edgware Av. LS8-1B 68
Edgware Gro. LS8-1B 68
Edgware Mt. LS8-1B 68
Edgware Pl. LS8-1B 68
Edgware Row. LS8-1B 68
Edgware St. LS8-1B 68
Edgware Ter. LS8-1B 68
Edgware View. LS8-1B 68
Edinburgh Av. LS12-3C 65
Edinburgh Gro. LS12-3C 65
Edinburgh Pl. LS12-3C 65
Edinburgh Rd. LS12-3C 65
Edinburgh Ter. LS12-3C 65
Edlington Clo. BD4-2B 82
Edmonton Pl. LS7-2A 46

Edmund St. BD5-4A 58
Edroyd Pl. LS28-4D 39
Edroyd St. LS28-4D 39
Education Rd. LS7-4D 45
Edwards Rd. HX2-1B 124
Edward St. BD4-4B 58
Edward St. BD16-2C 15
Edward St. BD18-4B 16
Edward St. LS2-2D 67
Edward Turner Clo. BD12-2D 101
Edwin Rd. LS6-1B 66
Egerton Gro. BD15-2C 55
Egerton Ter. LS19-2A 22
Eggleston Dri. BD4-3B 82
Eggleston St. LS13-3B 40
Egham Grn. BD10-1D 37
Egremont Cres. BD6-2B 100
Egypt Rd. BD13-2D 53
Eighth Av. LS12-4A 66
Eighth Av. LS26-1C 115
Eightlands Av. LS13-1A 64
Eightlands La. LS13-1A 64
Eightlands Pl. LS13-1A 64
Elbow La. BD2-1D 59
Elder Croft. LS13-1D 63
Elder Mt. LS13-1D 63
Elder Pl. LS13-1D 63
Elder Rd. LS13-1D 63
Elder St. BD10-1A 38
Elder St. LS13-1D 63
Eldon Mt. LS20-2A 6
Eldon Pl. BD1-2A 58
Eldon Pl. BD4-2A 82
Eldon Pl. HX1-4B 116
Eldon St. HX3-2D 117
Eldon Ter. BD1-2A 58
Eldon Ter. LS2-1C 67
Eldroth Mt. HX1-1C 125
Eldroth Rd. HX1-1C 125
Eleanor Dri. LS28-1B 38
Elford Gro. LS8-4B 46
Elford Pl. E. LS8-4B 46
Elford Pl. W. LS8-4B 46
Elford Rd. LS8-4B 46
Eliot Gro. LS20-2B 6
Eli St. BD5-2B 80
Elizabeth Av. BD12-4A 102
Elizabeth Clo. BD12-4A 102
Elizabeth Cres. BD12-3A 102
Elizabeth Dri. BD12-4A 102
Elizabeth Gro. LS27-2D 109
Elizabeth Ho. HX2-4A 96
Elizabeth St. BD5-1A 80
Elizabeth St. BD12-4A 102
Elizabeth St. BD16-2C 15
Elizabeth St. LS6-4B 44
Elland Rd. LS27 & LS11
-1D 109 to 1C 89
Elland Rd. Ind. Pk. LS11-3A 88
Elland St. LS28-2A 62
Elland Ter. LS11-1C 89
Elland Way. LS11-3A 88
Elland Wood Bottom. HX3-4A 126
Ellar Carr Rd. BD10-3D 19
Ellen Royd St. HX3-2D 117
Ellen St. BD16-2C 15
Ellenthorpe Rd. BD17-2B 16
Ellerby La. LS9-4B 68
Ellerby Rd. LS9-3A 68
Eller Clo. LS8-2D 47
Ellercroft Av. BD7-4C 57
Ellercroft Rd. BD7-4C 57
Ellercroft Ter. BD7-4C 57
Ellers Gro. LS8-4B 46
Ellers Rd. LS8-3B 46
Ellerton St. BD3-3D 59
Ellinthorpe St. BD4-1C 81
Elliot St. BD18-4C 17
Elliott St. BD18-4C 17
Ellis Ct. HX3-1B 120
Ellison Fold. BD17-1D 17
Ellison St. HX3-2C 117
Ellis Pl. LS11-2C 89
Ellis St. BD5-2A 80
Ellis St. BD16-1B 14
Ellis Ter. LS6-1A 44
Elm Ct. BD11-4D 105
Elm Croft. LS14-4D 31
Elmete Av. LS8-1D 47
Elmete Av. LS15-2B 50
Elmete Clo. LS8-2D 47
Elmete Ct. LS8-2D 47
Elmete Croft. LS15-2B 50
Elmete Dri. LS8-1A 48
Elmete Gro. LS8-1D 47
Elmete Hill. LS8-2A 48
Elmete La. LS8 & LS17-1A 48 to 2A 30
Elmete Mt. LS8-2A 48
Elmete Wlk. LS8-1D 47
Elmete Way. LS8-1A 48
Elmet Towers. LS14-3D 49
Elmfield. BD17-2A 18
Elmfield. LS26-3D 115
Elmfield Ct. LS27-4C 109
Elmfield Dri. BD6-4D 79
Elmfield Gro. LS12-4A 66
Elmfield Pl. LS12-4A 66
Elmfield Rd. LS12-4A 66
Elmfield Ter. HX1-1C 125
Elmfield Way. LS13-2A 64
Elm Gdns. HX3-1D 125
Elm Gro. BD18-1A 36
Elm Gro. HX3-2A 100
Elmhurst Clo. LS17-1C 29
Elmhurst Gdns. LS17-1C 29
Elm Pl. HX1-4B 116
Elm Rd. BD18-1A 36
Elmroyd. LS26-4B 114
Elmsall St. BD1-2A 58
Elms, The. LS7-2A 46
Elms, The. LS20-1B 6
Elm St. HX1-4B 116
Elm St. LS6-4C 45
Elmton Clo. LS10-1A 112
Elm Tree Av. BD6-4D 79
Elm Tree Chase. LS10-1A 90
Elm Tree Clo. BD6-4A 80
Elm Tree Clo. LS28-4A 62
Elm Tree Gdns. BD6-4D 79
Elm View. HX3-2D 125
Elm Wlk., The. LS15-4C 71
Elmwood Av. LS15-1D 51
Elmwood La. LS7-1D 67
Elmwood La. LS15-1D 51
Elmwood Rd. LS2-2D 67
Elmwood St. HX1-1C 125
Elsdon Gro. BD5-1A 80
Elsham Ter. LS4-1D 65
Elsworth Av. BD3-2A 60
Elsworth St. BD4-1C 81
Elsworth St. LS12-3A 66
Elsworth Ter. LS12-3A 66
Eltham Av. LS6-4C 45
Eltham Clo. LS6-4C 45
Eltham Ct. LS6-3C 45
Eltham Dri. LS6-4C 45
Eltham Gdns. LS6-4C 45
Eltham Gro. BD6-1C 101
Eltham Rise. LS6-4C 45
Elton Gro. BD6-4C 79
Elvaston Rd. LS27-4C 109
Elvey Clo. BD2-3D 37
Elwell Clo. HX3-1A 100
Elwyn Gro. BD5-2B 80
Elwyn Rd. BD5-2B 80
Ely St. LS12-2D 65
Emerson Av. BD9-4A 34
Emmanuel Trading Est. LS12-4B 66
Emmet Clo. BD11-3C 105
Emmett's Bldgs. LS13-4D 41
Emmfield Dri. BD9-4C 35
Emm La. BD9-4C 35
Emmott Dri. LS19-2A 22
Emmott View. LS19-2A 22
Empire Arc. LS1-3D 67
Emscote Av. HX1-1C 125
Emscote Gdns. HX1-1C 125
Emscote Gro. HX1-1C 125
Emscote Pl. HX1-1C 125
Emscote St. HX1-1C 117
Emscote St. HX3-2D 117
Emscote St. S. HX1-1C 125
Emsley Clo. BD4-4D 81
Emsley Pl. LS10-1A 90
Emville Av. LS17-1D 29
Enderley Rd. BD13-4A 54
Endon Croft. LS10-1A 90
Endrich Clo. BD12-2A 102
Endsleigh Pl. BD14-2D 77
Enfield. LS19-4C 7
Enfield Av. LS7-1A 68
Enfield Dri. BD6-4C 79
Enfield Pde. BD6-4C 79
Enfield Rd. BD17-3D 17
Enfield St. LS7-1A 68
Enfield Ter. LS7-1A 68
Enfield Wlk. BD6-4C 79
Englefield Cres. BD4-3B 82
Ennerdale Dri. BD2-4C 37
Ennerdale Rd. BD2-4C 37
Ennerdale Rd. LS12-3A 86
Ennerdale Way. LS12-3A 86
Enterprise Pk. Ind. Est. LS11-3B 88
Enterprise Way. BD10-2C 37
Envoy St. LS11-2D 89
Epworth Pl. LS10-1A 90
Eric St. LS13-3D 41
Erskine Pde. BD6-2B 100
Escroft Clo. BD12-2A 122
Eshald La. LS26-3D 115
Eshald Pl. LS26-2D 115
Esholt Av. LS20-3A 6
Esholt La. BD17 & BD10-1B 18
Esholt Ter. LS12-3D 65
Eshton Av. BD12-3B 102
Eskdale Av. HX3-3D 99
Eskdale Clo. LS20-2A 6
Eskdale Croft. LS20-2A 6
Eskdale Rise. BD15-3D 55
Esmond St. BD7-2B 78
Esmond St. LS12-3D 65
Esmond Ter. LS12-3D 65
Essex St. BD4-4C 59
Essex St. HX1-4B 116
Estcourt Av. LS6-3D 43
Estcourt Gro. BD7-1C 79
Estcourt Rd. BD7-1C 79
Estcourt Ter. LS6-3D 43
Estwaite Gdns. LS15-4A 70
Etna St. BD7-2B 78
Eton St. HX1-4B 116
Euroway Ind. Est. BD4-2C 103
Euroway Trading Est. BD4-1C 103
Euston Gro. LS11-1B 88
Euston Mt. LS11-1B 88
Euston Ter. LS11-2B 88
Evanston Av. LS4-2D 65
Evelyn Av. BD3-3A 60
Evelyn Pl. LS12-4D 65
Evens Ter. BD5-3B 80
Everest Av. BD18-1A 36
Everleigh St. LS9-3C 69
Eversley Dri. BD4-1B 82
Eversley Mt. HX2-4A 116
Eversley Pl. HX2-4B 116
Evesham Gro. BD10-1C 37
Ewart Pl. BD7-2C 79
Ewart St. BD7-2C 79
Ewart St. BD13-4A 76
Exchange St. BD19-2D 123
Exe St. BD5-2D 79
Exeter Dri. LS10-1A 112
Exeter St. HX3-3A 126
Exeter St. HX6-1A 124
Exhibition Rd. BD18-4C 17
Exley Bank. HX3-3A 126
Exley Bank Top. HX3-4A 126
Exley Gdns. HX3-4A 126
Exley La. HX3 & HX5-4A 126
Exley Mt. BD7-4B 56
Exmoor St. HX1-1B 124
Exmouth Pl. BD3-1B 58
Exton Pl. LS15-3A 70
Eyres Av. LS12-3D 65
Eyres Gro. LS12-3D 65
Eyres Mill Side. LS12-2D 65
Eyres St. LS12-3D 65
Eyres Ter. LS12-3D 65

Factory La. BD4-3D 81
Factory St. BD4-3D 81
Fagley Cres. BD2-1D 59
Fagley Croft. BD2-1A 60
Fagley Dri. BD2-1D 59
Fagley La. BD2-4A 30
Fagley Pl. BD2-1D 59
Fagley Rd. BD2-1D 59
Fagley Ter. BD2-1D 59
Fair Bank. BD18-2D 35
Fair Bank Pl. BD18-2D 35
Fairbank Rd. BD8-2C 57
Fairbank Ter. BD8-2C 57
Fairburn Gdns. BD2-3D 37
Fairclough Gro. HX2-4B 96
Fairfax Av. BD4-4D 81
Fairfax Av. BD11-2B 106
Fairfax Clo. LS14-4C 49
Fairfax Cres. BD4-4D 81
Fairfax Rd. BD16-1B 14
Fairfax Rd. LS11-2C 89
Fairfax St. BD4-1B 90
Fairfax View. BD4-1B 104
Fairfax View. LS18-1C 23
Fairfield. BD13-2A 52
Fairfield. LS18-4D 23
Fairfield Av. LS13-1C 63
Fairfield Av. LS28-2B 62
Fairfield Clo. LS13-1D 63
Fairfield Ct. BD17-2A 18
Fairfield Ct. LS17-1A 28
Fairfield Cres. LS13-1C 63
Fairfield Dri. BD17-1A 18
Fairfield Gro. LS13-1C 63
Fairfield Hill. LS13-1C 63
Fairfield Mt. LS13-1C 63
Fairfield Rd. BD8-1C 57
Fairfield Rd. BD12-1A 122
Fairfield Rd. BD18-1C 35
Fairfield Rd. LS13-1C 63
Fairfield Sq. LS13-1D 63
Fairfield St. BD4-3A 82
Fairfield St. LS13-1C 63
Fairfield Ter. LS13-1C 63
Fairford Av. LS11-2D 89
Fairford Ter. LS11-2D 89
Fairhaven Grn. BD10-1D 37
Fairless Av. HX3-4C 121
Fairmount. BD9-1D 57
Fair Rd. BD6-4C 79
Fair View. LS11-4A 88
Fairview Clo. HX3-2C 117
Fairview Ct. BD17-4D 17
Fairview Ter. HX3-2C 117
Fairway. BD7-3B 78
Fairway. BD18-1B 34
Fairway. LS19-3C 21
Fairway. LS20-2D 5
Fairway Av. N. BD7-3B 78
Fairway Clo. BD7-4B 78
Fairway Clo. LS20-2D 5
Fairway Dri. BD7-3B 78
Fairway Gro. BD7-3B 78
Fairway, The. HX2-1B 96
Fairway, The. LS17-4D 13
Fairway, The. LS28-2C 61
Fairway Wlk. BD7-3B 78
Fairwood Gro. BD10-4A 38
Fairy Dell. BD16-1C 33
Falcon Rd. BD16-1B 14
Falcon Sq. HX3-3A 126
Falcon St. BD7-1C 79
Falcon St. HX3-3A 126
Falkland Ct. BD16-2C 15
Falkland Ct. LS17-4D 27
Falkland Cres. LS17-3D 27
Falkland Gdns. LS17-3D 27
Falkland Gro. LS17-4D 27
Falkland Mt. LS17-3D 27
Falkland Rise. LS17-4D 27
Falkland Rd. BD10-4A 38
Falkland Rd. LS17-3D 27
Fall La. HX3-3A 98
Fall La. HX6-2A 124
Fallowfield Clo. BD4-4D 81
Fallowfield Dri. BD4-4D 81
Fallowfield Gdns. BD4-4D 81
Fallswood Gro. LS13-3D 41
Falmouth Av. BD3-2B 58
Falsgrave Av. BD2-1A 60
Faltis Sq. BD10-2D 37
Fanny St. BD18-4B 16
Farcliffe Pl. BD8-1C 57
Farcliffe Rd. BD8-1C 57
Farcliffe Ter. BD8-1C 57
Far Croft Ter. LS12-4A 66
(off Gilpin Ter.)
Fardew Ct. BD16-1B 14
Farfield Av. BD6-1A 100
Farfield Av. LS28-4D 39
Farfield Cres. BD6-1B 100
Farfield Dri. LS28-1D 61
Farfield Gro. BD6-1B 100
Farfield Gro. LS28-4D 39
Farfield Rise. LS28-4D 39
Farfield Rd. BD6-1C 101
Farfield Rd. BD17-3A 18
Farfield St. BD9-1C 57
Farfield St. BD19-2D 123
Farfield Ter. BD9-1C 57
Farlea Dri. BD2-4D 37
Farleton Dri. BD2-4A 38
Farm Hill Ct. BD10-2D 37
Farm Hill Cres. LS7-2B 44
Farm Hill M. LS27-3B 108
Farm Hill N. LS7-2B 44
Farm Hill Rise. LS7-2B 44
Farm Hill Rd. BD10-2D 37
Farm Hill Rd. LS27-3B 108
Farm Hill S. LS7-2C 45
Farm Hill Way. LS7-2C 45
Farm Mt. LS15-1D 71
Far Moss. LS17-4C 13
Farm Rd. LS15-1C 71
Farmstead Rd. BD10-2D 37
Farndale App. LS14-2D 49
Farndale Clo. LS14-2D 49
Farndale Ct. LS14-2D 49
Farndale Gdns. LS14-2D 49
Farndale Garth. LS14-2D 49
Farndale Pl. LS14-2D 49
Farndale Rd. BD17-3C 17
Farndale Sq. LS14-2D 49
Farndale Ter. LS14-2D 49
Farndale View. LS14-2D 49
Farnham Clo. BD17-1A 18
Farnham Clo. LS14-3C 31
Farnham Croft. LS14-4C 31
Farnham Rd. BD7-1C 79
Farnley Cres. LS12-4B 64
Farnley View. BD11-2C 107
Farnley Wlk. BD15-3C 55
Farrar Bldgs. BD12-4D 101
(off Brick Row)
Farrar Croft. LS16-1C 25
Farrar Gro. LS16-1C 25
Farrar La. LS16-1B 24
Farrar Mill La. HX3-2A 126
Far Reef Clo. LS18-3D 23
Farrer La. LS26-3D 115
Farriers Croft. BD2-3B 36
Farringdon Clo. BD4-2A 82
Farringdon Dri. BD4-2A 82
Farringdon Gro. BD6-1C 101
Farringdon Sq. BD4-2A 82
Farrow Bank. LS12-3B 64
Farrow Grn. LS12-3B 64
Farrow Hill. LS12-3B 64
Farrow Rd. LS12-3B 64
Farrow Vale. LS12-3A 64
Fartown. LS28-4A 62
Fartown Clo. LS28-1B 84
Far View. HX2-2B 96
Farway. BD4-1B 82
Far Well Fold. LS19-2A 22
Far Well Rd. LS19-2A 22
Fascination Pl. BD13-3D 75
Faversham Wlk. BD4-1B 82
Fawcett Av. LS12-1C 87
Fawcett Bank. LS12-1C 87
Fawcett Clo. LS12-1C 87
Fawcett Dri. LS12-1C 87
Fawcett Gdns. LS12-1C 87
Fawcett La. LS12-1C 87
Fawcett Pl. BD4-4D 81
Fawcett Pl. LS12-1C 87
Fawcett Rd. LS12-1C 87
Fawcett Vale. LS12-1C 87
Fawcett View. LS12-1C 87
Fawcett Way. LS12-1C 87
Faxfleet St. BD5-4A 80
Fearnley Clo. LS12-3A 66
Fearnley Pl. LS12-3A 66
Fearnsides St. BD8-3D 57
Fearnsides Ter. BD8-2D 57
Fearnville Av. LS8-3A 48
Fearnville Clo. LS8-3A 48
Fearnville Dri. BD4-4A 60
Fearnville Dri. LS8-3A 48
Fearnville Gro. LS8-3A 48
Fearnville Mt. LS8-3A 48
Fearnville Pl. LS8-3A 48
Fearnville Rd. LS8-3A 48
Fearnville Ter. LS8-3A 48
Fearnville View. LS8-3A 48
Feast Field. LS18-4D 23
Feather Bank Av. LS18-1C 41
Feather Bank Gro. LS18-1C 41
Feather Bank La. LS18-1C 41
Feather Bank Mt. LS18-1C 41
Feather Bank Ter. LS18-1C 41
Feather Bank Wlk. LS18-1C 41
Feather Rd. BD3-3C 59
Federation St. BD5-3B 80
Felcourt Dri. BD4-3B 82
Felnex Clo. LS9-4D 69
Felnex Cres. LS9-4D 69
Felnex Rd. LS9-4D 69
Felnex Sq. LS9-4D 69
Felnex Way. LS9-1D 91
Fenby Av. BD4-2D 81
Fenby Clo. BD4-2D 81
Fenby Gdns. BD4-2D 81
Fenby Gro. BD4-2D 81
Fencote Cres. BD2-4A 38
Fender Rd. BD6-4B 78
Fenny Royd Est. HX3-3D 119
Fenton Fold. BD12-4B 102
Fenton Rd. HX1-1B 124
Fenton St. LS1-2C 67 & 1C 67
Fenwick Dri. BD6-2B 100
Ferguson St. HX1-4D 117
Fernbank Av. BD16-2C 15
Fernbank Av. LS13-4B 40
Fernbank Clo. LS13-4B 40
Fernbank Dri. BD16-2C 15
Fernbank Dri. BD17-3C 17
Fernbank Dri. LS13-4B 40
Fernbank Gdns. LS13-4B 40
Fernbank Pl. LS13-4B 40
Fernbank Rd. BD3-2C 59
Fernbank Rd. LS13-4B 40
Fernbank St. BD16-2C 15
Fernbank Ter. BD16-2C 15
Fern Bank Ter. LS19-3C 7
Fernbank Wlk. LS13-4B 40
Ferncliffe Ct. BD18-1B 34
Ferncliffe Dri. BD17-2D 17
Ferncliffe Rd. BD16-2C 15
Ferncliffe Rd. BD18-4B 16
Ferncliffe Rd. LS13-1D 63
Ferncliffe Ter. LS13-1D 63
Ferndale. BD14-2C 77
Ferndale Av. BD14-2C 77
Ferndale Gro. BD9-4D 35
Ferndene. BD16-2C 15
Ferndene Av. WF17-4B 106
Ferndene Wlk. WF17-4B 106
Ferndown Grn. BD5-2A 80
Fernfield Ter. HX3-1D 117
Fern Hill. BD16-1C 15
Fern Hill Av. BD18-1B 34
Fern Hill Gro. BD18-1B 34
Fern Hill Mt. BD18-1B 34
Fern Hill Rd. BD18-1B 34
Fernlehurst. BD17-3D 17
Fern Lea. BD13-4B 76
Fernlea. LS26-2B 114
Fernley Gdns. BD12-4D 101
Fern Pl. BD18-4B 16
Fern St. HX3-1D 117
Fern Ter. LS28-1B 62
Fernwood. LS8-3C 29
Fernwood Ct. LS8-3C 29
Ferrand Av. BD4-1D 103
Ferrand La. BD16-2B 14
Ferrand Rd. BD18-4B 16
Ferrand St. BD16-2C 15
Ferriby Clo. BD2-4A 38
Ferriby Towers. LS9-2B 68
Festival Av. BD18-2A 36
Feversham St. BD3-4C 59
Fewston Av. LS9-4B 68
Fewston Pl. LS9-4B 68
Fewston Rd. LS9-4B 68
Field Ct. BD13-4A 54
Field End. LS15-3C 71
Field End Clo. LS15-3C 71
Field End Ct. LS15-3C 71
Field End Cres. LS15-3C 71
Field End Gdns. LS15-3C 71
Field End Garth. LS15-3C 71
Field End Grn. LS15-3C 71
Field End Gro. LS15-3C 71
Field End La. WF17 & BD11-4B 106
Field End Mt. LS15-3C 71
Field End Rd. LS15-3C 71
Fieldgate Rd. BD10-1A 38
Field Head. WF17-4B 106
Field Head Cres. WF17-4B 106
Fieldhead Dri. LS20-2D 5
Fieldhead Gro. LS20-2D 5
Field Head La. HX2-1A 96
Field Head La. WF17-4B 106
Field Head Pde. WF17-4B 106
Fieldhead Rd. LS20-2D 5
Fieldhead St. BD7-4D 57
Fieldhouse Clo. LS17-3D 27
Fieldhouse Dri. LS17-3D 27
Fieldhouse Gro. LS28-1D 61
Fieldhouse Lawn. LS17-3D 27
Fieldhouse St. BD3-3A 60
Fieldhouse Wlk. LS17-3D 27
Field Hurst. BD19-3B 122
Fielding Ga. LS12-3D 65
Field Side. HX1-2B 116
Fields Rd. BD12-3B 102
Field St. BD1-3B 58
Field Ter. LS15-2C 71
Field View. HX2-3A 96
Fieldway. BD14-1D 77
Fieldway Av. LS13-3C 41
Fieldway Chase. LS26-3D 115
Fieldway Clo. LS13-3C 41
Fieldway Rise. LS13-4C 41
Fifth Av. BD3-2D 59
Fifth Av. LS26-2C 115
Fifth St. BD12-2A 102
Filey St. BD1-4B 58
Fillingfir Dri. LS16-4B 24
Fillingfir Rd. LS16-4B 24
Fillingfir Way. LS16-4B 24
Finchley St. BD5-2A 80
Finchley Way. LS27-4C 109
Finch St. BD5-1A 80
Findon Ter. BD10-4A 38
Fink Hill. LS18-4C 23
Finkil St. HD6-4B 120
Finkle La. LS27-2D 107
Finsbury Dri. BD2-2B 36
Finsbury Rd. LS1-1C 67
Firbank Grn. BD2-4A 38
Firbank Gro. LS15-4A 70
Firethorn Clo. BD8-2C 57
First Av. BD3-2D 59
First Av. HX3-1D 125
First Av. LS12-3A 66
First Av. LS19-4D 7
First Av. LS26-1B 114
First Av. LS28-2B 62
Fir St. BD15-3A 32
First St. BD12-2A 102
Firth Av. LS11-3C 89
Firth Carr. BD18-3D 35
Firth Gro. LS11-3C 89
Firth La. BD15-3A 32
Firth Mt. LS11-3C 89
Firth Pl. LS9-1A 68
Firth Rd. BD9-4C 35
Firth Rd. LS11-3C 89
Firth St. BD13-4A 54
Firth St. LS9-1A 68
Firth Ter. LS9-1A 68
Firth View. LS11-3C 89
Fir Tree App. LS17-2C 27
Fir Tree Clo. LS17-2D 27
Fir Tree Gdns. BD10-1A 38
Fir Tree Gdns. LS17-2D 27
Fir Tree Grn. LS17-2D 27
Fir Tree Gro. LS17-2D 27
Fir Tree La. LS17-2D 27
Fir Tree Rise. LS17-2D 27
Fir Tree Vale. LS17-2D 27
Fish Row. LS2-3D 67
(off Kirkgate Mkt.)
Fish St. LS1-3D 67
Fitzgerald St. BD5-1A 80
Fitzroy Dri. LS8-2B 46
Fitzroy Rd. BD3-3D 59
Fitzwilliam St. BD4-1B 80
Five Oaks. BD17-2C 17
Fixby Av. HX2-1B 124
Flat Nook. BD16-2C 15
Flats La. LS15-2D 51
Flats, The. HX1-4D 117
Flawith Dri. BD2-1A 60
Flaxman Rd. BD2-3D 37
Flax Mill Rd. LS10-3A 90
Flax Pl. LS9-3A 68
Flaxton Clo. LS11-2C 89
Flaxton Gdns. LS11-2C 89
Flaxton Grn. BD2-1A 60
Flaxton Pl. BD7-4D 57
Flaxton St. LS11-2C 89
Flaxton View. LS11-2C 89
Fleece St. BD6-1B 100
Fleet La. BD13-3A 76
Fleet La. LS26-3D 115
Fleet Thro' Rd. LS18-2D 41
Fletcher La. BD2-3A 36
Fletcher Rd. BD6-4C 79
Fletton Ter. BD2-1D 59
Flexbury Av. LS27-4C 109
Flinton Gro. BD2-4A 38
Flockton Clo. BD4-2C 81
Flockton Cres. BD4-2C 81
Flockton Dri. BD4-2C 81
Flockton Gro. BD4-2C 81
Flockton Rd. BD4-2C 81
Flockton Ter. BD4-2C 81
Floral Av. LS7-2D 45
Florence Av. LS9-1C 69
Florence Gro. LS9-1C 69
Florence Mt. LS9-1C 69
Florence Pl. LS9-1C 69
Florence St. BD3-4D 59
Florence St. HX1-4C 117
(in two parts)
Florence St. LS9-1C 69
Florence St. LS12-4D 65
Florence Ter. LS27-4D 109
Florida Rd. BD15-3C 33
Flower Bank. BD2-3B 36
Flower Clo. LS19-3C 7
Flower Ct. LS18-1D 41

ower Garth. BD10-2A 38
ower Garth. LS18-1D 41
ower Haven. BD9-4A 34
ower Hill. BD9-4B 34
owerlands. HX3-2B 120
ower Mt. BD17-2A 18
ower Mt. LS19-3D 7
(off Windmill Mt.)
yd St. BD5-2D 79
lding Av. BD19-2B 122
ldings Clo. BD19-3B 122
ldings Ct. BD19-3B 122
ldings Gro. BD19-3B 122
ldings Pde. BD19-3B 122
ldings Rd. BD19-3B 122
d, The. LS15-4A 50
kestone St. BD3-3D 59
in two parts)
kton Holme. BD2-1A 60
ly Hall Av. BD6-4D 79
ly Hall Clo. BD6-4D 79
ly Hall Gdns., The. BD6-1D 101
ly Hall Rd. BD6-4D 79
ly Hall Wlk. BD6-4D 79
ly La. LS11-2C 89
ntmell Clo. BD4-3B 82
otball. LS19-3D 7
ber Gro. BD4-1A 82
ber Pl. LS15-3A 70
d Hill. BD13-1A 98
rd St. BD4-4A 60
eside Bottom La. BD13-1A 74
eside La. BD13-1A 74
est Av. HX2-4B 96
est Bank. LS27-1D 107
est Cres. HX2-4B 96
ester St. BD13-2A 52
est Grn. HX2-4B 96
est Gro. HX2-4B 96
ge La. LS12-2A 66
ge Row. LS12-2A 86
man's Dri. WF3-4C 113
side Bottom La. BD13-1A 74
ster Ct. BD1-3B 58
ster Pl. LS12-1C 87
ster Sq. BD1-3B 58
ster St. LS10-1A 90
th Ct. LS11-4C 67
ster Av. BD13-4B 54
ster Clo. LS27-3C 109
ster Cres. LS27-3B 108
ster Pk. BD13-2A 52
ster Pk. Gro. BD13-2B 52
ster Pk. Rd. BD13-2B 52 & 1A 52
ster Pk. View. BD13-2B 52
n two parts)
ster Sq. BD13-2A 52
ster St. BD13-4A 76
ster Ter. LS13-4A 42
ston Clo. BD2-1A 60
ston La. BD2-1A 60
lds Ter. BD16-2C 15
ndry App. LS9-1C 69
ndry Av. LS8 & LS9-4D 47
ndry Dri. LS9-4C 47
ndry Hill. BD16-2B 14
ndry La. BD4-1C 81
ndry La. LS9 & LS14-4A 48
ndry La. LS28-1A 62
ndry Mill Cres. LS14-4B 48
ndry Mill Dri. LS14-4B 48 to 3B 48
ndry Mill Gdns. LS14-3B 48
ndry Mill Mt. LS14-4B 48
ndry Mill St. LS14-4B 48
ndry Mill Ter. LS14-4B 48
ndry Mill View. LS14-4B 48
ndry Mill Wlk. LS14-4B 48
ndry Pl. LS9-4C 47
ndry Rd. LS28-2A 62
ndry St. HX1-3D 117
ndry St. LS9-3A 68
ndry St. LS11-4C 67
ndry St. N. HX3-4B 96
ndry Wlk. LS8-4C 47
ntain M. BD13-4B 76
off Fountain St.)
ntain St. BD1-3A 58
ntain St. BD12-2D 101
ntain St. BD13-4B 76
ntain St. HX1-4D 117
ntain St. LS1-2C 67
ntain St. LS27-1D 109
hurwell)
ntain St. LS27-4B 108
Morley)
ntain Ter. BD12-1A 122
ntain Wlk. LS14-2C 49
ntain Way. BD18-1D 35
rlands Ct. BD10-4D 19
rlands Cres. BD10-4D 19
rlands Dri. BD10-4D 19
rlands Gdns. BD10-4D 19
rlands Gro. BD10-4D 19
rlands Rd. BD10-4D 19
rteenth Av. LS12-4A 66
rth Av. BD3-2D 59
rth Av. LS26-2B 114
rth St. BD12-2A 102
ler's Pl. LS28-1B 62
ler St. BD4-1C 81
croft Clo. BD13-1D 97
croft Clo. LS6-2D 43
croft Grn. LS6-3D 43
croft Mt. LS6-3D 43
croft Rd. LS6-3C 43
croft Wlk. LS6-3D 43
croft Way. LS6-3C 43
glove Av. LS8-2D 47
hill. BD17-2C 17
hill Av. BD13-3A 76
hill Av. LS16-4D 25
hill Clo. BD13-4A 76
hill Ct. LS16-4D 25
hill Cres. LS16-4A 26
hill Dri. BD13-4A 76
hill Dri. LS16-4D 25
hill Grn. LS16-3A 26
hill Gro. BD13-3A 76
hill Gro. LS16-4A 26
holes Cres. LS28-2C 39
holes La. LS28-2C 39
St. BD16-2B 14
St. BD19-4D 123
wood Av. LS8-3A 48
Foxwood Clo. LS8-3A 48
Foxwood Gro. LS8-3A 48
Foxwood Rise. LS8-3A 48
Foxwood Wlk. LS8-3A 48
Fraisthorpe Mead. BD2-1A 60
Frances St. LS28-1A 62
Francis Clo. HX1-4C 117
Francis Gro. LS11-2C 89
Francis St. BD4-4C 59
Francis St. HX1-4C 117
Francis St. LS7-4A 46
Frankland Gro. LS7-4A 46
Frankland Pl. LS7-4A 46
Franklin St. HX1-4B 116
Frank Parkinson Ct. LS20-1A 6
Frank Parkinson Homes. LS20-1B 6
(off Victoria Ter.)
Frank Pl. BD7-1C 79
Frank St. BD7-1C 79
Frank St. HX1-4C 117
Fraser Av. LS18-4B 22
Fraser Rd. LS28-1B 38
Fraser St. BD8-2D 57
Fraser St. LS9-2B 68
Frederick Av. LS9-4C 69
Frederick Clo. BD10-3B 18
Frederick St. BD1-4B 58
Frederick St. LS28-4D 39
Fred's Pl. BD4-2D 81
Freemantle Gro. BD4-1A 82
Freemantle Pl. LS15-3B 70
Freemont St. LS13-1C 63
Free School La. HX1-1C 125
Frensham Av. LS27-4B 108
Frensham Dri. BD7-2A 78
Frensham Gro. BD7-3A 78
Frensham Way. BD7-2A 78
Freshfield Gdns. BD15-2D 55
Friar Ct. BD10-2D 37
Friars Ind. Est. BD10-1D 37
Friendly Fold. HX3-1C 117
Friendly Fold Ho. HX3-1C 117
Friendly Fold Rd. HX3-1C 117
Friendly St. BD13-4A 54
Friendly St. HX3-1C 117
Frimley Dri. BD5-3D 79
Frizinghall Rd. BD9-4D 35
Frizley Gdns. BD9-3D 35
Frodingham Vs. BD2-1A 60
Frogmore Av. BD12-3B 102
Frogmore Ter. BD12-3B 102
Front Row. LS11-4C 67 & 4D 67
Front St. LS11-4C 67
Fulford Wlk. BD2-1A 60
Fulham Pl. LS11-2C 89
Fulham Sq. LS11-2C 89
Fulham St. LS11-2C 89
Fullerton St. BD3-4C 59
Fulmar Ct. LS10-3A 112
Fulmar M. BD8-3D 55
Fulneck. LS28-1A 84
Fulton St. BD1-3A 58
Furnace Gro. BD12-3B 102
Furnace Inn St. BD4-4A 60
Furnace La. BD11-2C 105
Furnace Rd. BD12-3B 102
Furness Av. HX2-3A 96
Furness Dri. HX2-3A 96
Furness Gdns. HX2-4A 96
(in two parts)
Furness Gro. HX2-3A 96
Furness Pl. HX2-4A 96
Futures Way. BD4-1B 80
Fyfe Cres. BD17-2A 18
Fyfe Gro. BD17-3A 18
Fyfe La. BD17-2A 18
Gable End Ter. LS28-3B 62
Gables, The. LS18-2D 23
Gainest. HX2-1B 124
Gain La. BD3-1A 60
Gainsborough Av. LS16-1D 25
Gainsborough Clo. BD2-1C 59
Gainsborough Dri. LS16-1D 25
Gainsborough Field. LS12-2A 86
(off Well Holme Mead)
Gainsborough Pl. LS12-2A 86
(off Coach Rd.)
Gaisby La. BD2 & BD18-3A 36 to 2A 36
Gaisby Mt. BD18-2A 36
Gaisby Pl. BD18-2A 36
Gaisby Rise. BD18-2A 36
Gaitskell Ct. LS11-1C 89
Gaitskell Grange. LS11-1C 89
(off Jenkinson Lawn)
Gaitskell Wlk. LS11-1C 89
Galefield Grn. BD6-2B 100
Galloway Ct. LS28-2C 61
Galloway La. LS28-2C 61
Galloway Rd. BD10-1A 38
Galsworthy Av. BD9-4A 34
Gamble Hill. LS13-3A 64
Gamble Hill. LS28-4A 40
Gamble Hill Chase. LS13-2A 64
Gamble Hill Clo. LS13-2A 64
Gamble Hill Croft. LS13-2A 64
Gamble Hill Cross. LS13-2A 64
Gamble Hill Dri. LS13-2A 64
Gamble Hill Fold. LS13-2A 64
Gamble Hill Grange. LS13-2A 64
Gamble Hill Grn. LS13-2A 64
Gamble Hill Lawn. LS13-2A 64
Gamble Hill Path. LS13-2A 64
Gamble Hill Pl. LS13-2A 64
Gamble Hill Rise. LS13-2A 64
Gamble Hill Vale. LS13-2A 64
Gamble Hill View. LS13-2A 64
Gamble Hill Wlk. LS13-2A 64
Gamble La. LS12-4D 63
Gambles Hill Fold. LS13-2A 64
(off Gamble Hill Cross)
Ganners Clo. LS13-3D 41
Ganners Garth. LS13-3D 41
Ganners Grn. LS13-3D 41
Ganners Gro. LS13-3A 42
Ganners Hill. LS13-3A 42
Ganners La. LS13-3D 41
Ganners Mt. LS13-3D 41
Ganners Rise. LS13-3A 42
Ganners Rd. LS13-3D 41
Ganners Wlk. LS13-3D 41
Ganners Way. LS13-3D 41
Ganton Clo. LS6-4C 45
Gaol La. HX1-3A 118
Garden Clo. BD12-4D 101
Gardener's Sq. HX3-3D 119
Garden Field. BD12-1D 121
Garden La. BD9-4B 34
Gardens, The. HX1-1D 125
Gardens, The. LS28-4D 39
Garden St. BD5-1A 80
Garden St. BD9-4B 34
Garden St. LS9-3A 68
Garden St. N. HX3-3A 118
Garden Ter. BD9-4C 35
Garden View. BD16-2D 15
Garden View Ct. LS8-3C 29
Gardiner Row. BD4-3C 81
Garfield Av. BD8-1D 57
Garfield Pl. BD15-1C 55
Garfield St. BD15-1C 55
Garfield St. HX3-2C 117
(off Washington St.)
Garforth St. BD15-2D 55
Gargrave App. LS9-2B 68
Gargrave Ct. LS9-2B 68
Gargrave Pl. LS9-2B 68
Garibaldi St. BD3-3A 60
Garland Dri. LS15-3A 72
Garmont Rd. LS7-2A 46
Garnet Av. LS11-2D 89
Garnet Cres. LS11-2C 89
Garnet Gro. LS11-3D 89
Garnet Pde. LS11-2D 89
Garnet Pl. LS11-3D 89
Garnet Rd. LS11-3D 89
Garnet Ter. LS11-3D 89
Garnett St. BD3-3C 59
Garnet View. LS11-2D 89
Garsdale Av. BD10-1D 37
Garsdale Cres. BD17-1A 18
Garth Av. LS17-3D 27
Garth Dri. LS17-3D 27
Garth Fold. BD10-4C 19
Garth Rd. LS17-3D 27
Garth, The. LS9-3A 68
Garthwaite Mt. BD15-1C 55
Garth Wlk. LS17-3D 27
Garton Av. LS9-3C 69
Garton Dri. BD10-2A 38
Garton Gro. LS9-3C 69
Garton Rd. LS9-3C 69
Garton Ter. LS9-3C 69
Garton View. LS9-3C 69
Gascoigne Rd. LS15-2D 51
Gascoigne St. LS1-3D 67
Gas Ho. Yd. BD12-3B 102
Gas Works Rd. HX6-2A 124
Gas Works Yd. LS26-3B 114
Gateland Dri. LS17-1A 30
Gateland La. LS17-2A 30
Gatesfield Mt. BD6-2C 101
Gateside View. LS15-4A 70
Gathorne Clo. LS8-4B 46
Gathorne Mt. LS8-4B 46
Gathorne St. BD7-1C 79
Gathorne St. LS8-4B 46
Gathorne Ter. LS8-4B 46
Gaukroger La. HX3-1A 126
Gawcliffe Rd. BD18-1D 35
Gawthorpe Av. BS16-1C 15
Gawthorpe Dri. BD16-1C 15
Gawthorpe Hall. BD16-1B 14
Gawthorpe La. BD16-1C 15
Gay La. BD4-4A 60
Gaynor St. BD1-3A 58
Gaythorne Rd. BD5-2B 80
Gaythorne Ter. BD14-2D 77
Gaythorn Ter. HX3-2D 119
Geelong Clo. BD2-4B 36
Gelderd Clo. LS12-2A 88
Gelderd La. LS12-2A 88
Gelderd Rd. WF17, LS27 & LS12
-4C 107 to 4B 66
Gelderd Trading Est. LS12-1A 88
Gelder Rd. LS12-3D 65
George's St. HX3-4B 96
George St. BD1-4B 58
George St. BD13-2A 52
(Denholme)
George St. BD13-4A 54
(Thornton)
George St. BD17-3D 17
George St. BD18-4B 16
George St. HX1-4D 117
George St. HX3-3A 120
George St. LS2-3D 67
George St. LS19-1D 21
Gerald Av. LS27-4B 108
Geraldton. BD2-4B 36
Gerrard St. HX1-4D 117
Ghyll Beck Dri. LS19-2B 22
Ghyll Mt. LS19-4B 6
Ghyll Rd. LS6-2C 43
Ghyll Royd. LS19-1C 21
Ghyll Royd. LS20-2B 6
Ghyllroyd Av. BD11-3D 105
Ghyllroyd Dri. BD11-3D 105
Ghyll, The. BD16-4C 15
Ghyll Wood Dri. BD16-4C 15
Gibbet St. HX2 & HX1-3A 116
Gibraltar Av. HX1-4B 116
Gibraltar Rd. HX1-4B 116
Gibraltar Rd. LS28-3D 61
Gibson Dri. LS15-3D 71
Gibson St. BD3-4D 59
Gilbert Chase. LS5-4C 43
Gilbert Clo. LS5-4C 43
Gilbert Mt. LS5-4C 43
Gilbert St. LS28-1A 62
Gildersome La. LS27 & LS12-1D 107
Gildersome Spur. LS27-3A 108
Giles Hill La. HX3-1C 99
Giles St. BD5-1A 80
Giles St. BD6-4C 79
Gill Beck Clo. BD17-1A 18
Gillett Dri. LS26-3B 114
Gillett La. LS26-3B 114
Gillingham Grn. BD4-2A 82
Gill La. BD13-1D 75
Gill La. LS19-1A 20 to 4C 7
Gillrene Av. BD15-4A 32
Gillroyd Mt. LS27-4D 109
(off Wide La.)
Gillroyd Pde. LS27-4C 109
Gillroyd Pl. LS27-4C 109
Gillroyd Ter. LS27-4D 109
Gill's Ct. HX1-3D 117
Gilmour St. HX3-2C 117
Gilpin Pl. LS12-4A 66
Gilpin St. BD3-3D 59
Gilpin St. LS12-4A 66
Gilpin Ter. LS12-4A 66
Gilpin View. LS12-4A 66
Gilstead Ct. BD16-2D 15
Gilstead Dri. BD16-2D 15
Gilstead La. BD16-2D 15
Gipsy La. LS11-1C 111
Gipsy La. LS26-2C 115
Gipsy Mead. LS26-2C 115
Gipsy St. BD3-2B 60
Gipton App. LS9-2D 69
Gipton Av. LS8-4B 46
Gipton Ga. E. LS9-4D 47
Gipton Ga. W. LS9-4D 47
Gipton Sq. LS9-2A 70
Gipton St. LS8-4B 46
Gipton Wood Av. LS8-3C 47
Gipton Wood Cres. LS8-3C 47
Gipton Wood Gro. LS8-3C 47
Gipton Wood Pl. LS8-2C 47
Gipton Wood Rd. LS8-2C 47
Girlington Rd. BD8-2C 57
Glade, The. LS28-1C 61
Gladstone Cres. LS19-1C 21
Gladstone Pl. BD13-3A 52
Gladstone Rd. HX1-3C 117
Gladstone Rd. LS19-1C 21
Gladstone Sq. LS27-4C 109
Gladstone St. BD3-3D 59
Gladstone St. BD13-3B 76
Gladstone St. BD15-2D 55
Gladstone St. BD16-3B 14
Gladstone St. LS28-4D 39
Gladstone Ter. LS27-3C 109
Gladstone Ter. LS28-1B 62
Gladstone View. HX3-3A 126
Gladstone Vs. LS17-2A 30
Glaisdale Gro. HX3-3A 120
Glanville Ter. LS26-3B 114
Glasshouse St. LS10-1A 90
Glasshouse View. LS10-4D 111
Glazier Rd. BD13-3D 75
Gleanings Av. HX2-3A 116
Glebe Av. LS5-3C 43
Glebelands Dri. LS6-2A 44
Glebe Mt. LS28-4A 62
Glebe Pl. LS5-3C 43
Glebe St. LS28-4A 62
Glebe Ter. LS16-1A 44
Gledcliffe. HX3-3D 118
Gleddings Clo. HX3-3C 125
Gledhill Rd. BD3-4D 59
Gledhow Av. LS8-1B 46
Gledhow Ct. LS7-1A 46
Gledhow Grange View. LS8-1B 46
Gledhow Grange Wlk. LS8-1B 46
Gledhow La. LS7 & LS8
-1A 46 to 2C 47
Gledhow Mt. LS8-1B 68
Gledhow Pk. LS8-1B 46
Gledhow Pk. Av. LS7-2A 46
Gledhow Pk. Cres. LS7-1A 46
Gledhow Pk. Dri. LS7-2A 46
Gledhow Pk. Gro. LS7-2A 46
Gledhow Pk. Rd. LS7-2A 46
Gledhow Pk. View. LS7-2A 46
Gledhow Pl. LS8-1B 68
Gledhow Rise. LS8-2C 47
Gledhow Rd. LS8-1B 68
Gledhow Ter. LS8-1B 68
Gledhow Towers. LS8-1A 46
Gledhow Wood Av. LS8-1B 46
Gledhow Wood Clo. LS8-1B 46
Gledhow Wood Ct. LS8-2C 47
Gledhow Wood Gro. LS8-1B 46
Gledhow Wood Rd. LS8-2B 46
Glenaire. BD18-4B 18
Glenaire Dri. BD17-3C 17
Glenbrook Dri. BD7-3B 56
Glencoe Rd. LS9-4B 68
Glencoe View. LS9-4B 68
Glen Dale. BD16-1B 32
Glendale Clo. BD6-1C 101
Glendale Dri. BD6-1C 101
Glendare Av. BD7-4B 56
Glendare Rd. BD7-4B 56
Glendare Ter. BD7-4B 56
Glen Dene. BD16-1B 32
Glendower Pk. LS16-3A 26
Gleneagles Mt. LS17-1C 27
Gleneagles Rd. LS17-1C 27
Glenfield. BD18-4B 18
Glenfield Av. BD6-1A 102
Glenfield Mt. BD6-1A 102
Glen Gro. LS27-4D 109
Glenholme. BD18-4B 18
Glenholme Heath. HX1-3B 116
Glenholme Rd. BD8-2C 57
Glenholme Rd. LS28-1D 61
Glenholm Rd. BD17-2D 17
Glenholm Rd. W. BD17-2D 17
Glenhow La. End. LS7-1A 46
Glenhow Valley Rd. LS17, LS7 & LS8
-4A 28 to 3B 46
Glenhurst. BD4-4A 82
Glenhurst Rd. BD18-1A 34
Glenlea Clo. LS28-4C 41
Glenlea Gdns. LS28-4C 41
Glenlee Rd. BD7-4B 56
Glenmere Mt. LS19-3A 8
Glenmore Clo. BD2-1D 59
Glen Mt. BD16-1B 32
Glen Mt. LS27-4D 109
Glen Mt. Clo. HX3-1B 116
Glen Rise. BD17-3C 17
Glen Rd. BD16-1D 15
Glen Rd. BD17-2A 16 to 1B 16
Glen Rd. LS16-1D 43
Glen Rd. LS27-4C 109
Glenrose Dri. BD7-4B 56
Glenroyd. BD18-4B 18
Glenroyd Av. BD6-1A 102
Glenroyd Clo. LS28-4D 61
Glensdale Gro. LS9-3B 68
Glensdale Mt. LS9-3B 68
Glensdale Rd. LS9-3B 68
Glensdale St. LS9-3B 68
Glensdale Ter. LS9-3B 68
Glenside Av. BD18-4B 18
Glenside Rd. BD18-4A 18
Glenstone Gro. BD7-3B 56
Glen Ter. HX1-1D 125
Glen Ter. HX3-3D 119
Glenthorpe Av. LS9-3C 69
Glenthorpe Cres. LS9-3B 68
Glenthorpe Ter. LS9-3C 69
Glenton Sq. BD9-1C 57
Glen View. HX1-1D 125
Glenview Av. BD9-4B 34
Glenview Clo. BD9-1D 33
Glenview Dri. BD9-1D 33
Glenview Dri. BD18-1A 34
Glenview Gro. BD18-1A 34
Glen View Rd. BD16-1D 15
Glenview Rd. BD18-1A 34
Glenview Ter. BD18-1B 34
Glen Way. BD16-1A 16
Glenwood Av. BD17-3A 16
Globe Fold. BD8-2D 57
Globe Rd. LS11-4C 67
Glossop Gro. LS6-4C 45
Glossop Mt. LS6-4C 45
Glossop St. LS6-4C 45
Glossop View. LS6-3C 45
Gloucester Av. BD3-2A 60
Gloucester Cres. LS12-3A 66
Gloucester Gro. LS12-3A 66
Gloucester Rd. BD16-3C 15
Gloucester Rd. LS12-3A 66
Gloucester Ter. LS12-3A 66
Gloucester View. LS12-3A 66
Glover Ct. BD5-2B 80
Glover Way. LS11-3D 89
Glydegate. BD5-4A 58
Glynn Ter. BD8-3D 57
Godfrey Rd. HX3-3D 125
Godfrey St. BD8-3A 56
Godley Branch Rd. HX3-3A 118
Godley Gdns. HX3-2B 118
Godley La. HX3-3A 118
Godley Rd. HX3-3A 118
Godwin St. BD1-3A 58
Goit Side. BD1-3A 58
Golden Acre Corner. LS16-1C 11
Golden Bank. LS18-4D 23
Golden Ter. LS12-1C 87
Golf Av. HX2-3A 116
Golf Cres. HX2-3A 116
Goodman St. LS10-1A 90
Goodrick La. LS17-3C 13
Goodwin Rd. LS12-4D 65
Goody Cross La. LS26-3C 95
Goody Cross Vale. LS26-3D 95
Goosefield Rise. LS25-4D 73
Goose La. LS20-1A 4
Goose Pond La. HX6-4A 124
Gordale Clo. BD4-2B 82
Gordon Dri. LS6-2B 44
Gordon Rd. LS10-2A 90
Gordon St. BD5-1B 80
Gordon St. BD14-2D 77
Gordon St. HX3-1D 117
Gordon Ter. BD10-4C 19
Gordon Ter. LS6-2B 44
Gordon View. LS6-2B 44
Gorse Av. BD17-3B 16
Gorse Lea. LS10-1A 112
Gothic St. BD17-4B 76
Gott's Pk. Av. LS12-1B 64
Gott's Pk. Cres. LS12-1B 64
Gott's Pk. View. LS12-1B 64
Gotts Rd. LS12-3B 66
Gower St. BD5-1B 80
Gower St. LS2-2A 68
Gracechurch St. BD8-2A 58
Grace St. LS1-2C 67
Gracey La. BD6-4B 78
Grafton Clo. BD17-1A 18
Grafton Pl. HX3-4C 97
Grafton St. BD5-1A 80
Grafton St. LS7-2D 67
Grafton Vs. LS15-4A 50
Graham Av. LS4-4A 44
Graham Gro. LS4-4A 44
Graham Mt. LS4-4A 44
Graham St. BD9-1C 57
Graham St. LS4-4A 44
Graham Ter. LS4-4A 44
Graham View. LS4-4A 44
Graham Wlk. LS27-1A 108
Grain St. BD5-3C 79
Grammar School St. BD1-3A 58
Granby Av. LS6-3A 44
Granby Clo. LS6-3A 44
Granby Gro. LS6-3A 44
Granby Mt. LS6-3A 44
Granby Pl. LS6-3A 44
Granby Rd. LS6-3A 44
Granby St. BD4-4B 58
Granby St. BD13-4A 76
Granby St. LS6-3A 44
Granby Ter. LS6-3A 44
Granby View. LS6-3A 44
Grandage Ter. BD8-2D 57
Grand Arc. LS2-2D 67
(off New Briggate)
Grandsmere Pl. HX3-1D 125
Grand View. BD13-3D 75
Grange. BD15-3D 55
Grange Av. BD3-2B 60
Grange Av. BD4-1C 105
Grange Av. BD15-2D 55
Grange Av. BD18-4A 16
Grange Av. HX2-3B 96
Grange Av. LS7-3A 46
Grange Av. LS19-4D 7
Grange Clo. LS18-4B 22
Grange Cotts. BD19-3D 123
Grange Ct. LS6-3B 44
Grange Ct. LS15-2B 50
Grange Ct. LS17-1D 27
Grange Ct. LS26-1D 115
Grange Cres. LS7-3A 46
Grange Cres. LS19-4D 7
Grange Croft. LS17-1D 27
Grange Dri. BD15-3D 55
Grange Dri. LS18-4B 22
Grangefield Ind. Est. LS28-2B 62
Grangefield Rd. LS28-1B 62
Grange Fields Mt. LS10-2B 112
Grange Fields Rd. LS10-2B 112
Grange Fields Way. LS10-2B 112
Grange Fold. BD15-2D 55
Grange Gro. BD3-2B 60
Grange Holt. LS17-1D 27
Grange Mt. LS19-4D 7
Grange Pk. BD17-2B 18
Grange Pk. HX3-2D 125

Grange Pk. Av. LS8-2A 48
Grange Pk. Clo. LS8-2A 48
Grange Pk. Clo. LS27-1C 109
Grange Pk. Cres. LS8-3A 48
Grange Pk. Dri. BD16-4C 15
Grange Pk. Dri. LS27-1C 109
Grange Pk. Gro. LS8-2A 48
Grange Pk. M. LS27-1C 109
Grange Pk. Pl. LS8-3A 48
Grange Pk. Rise. LS8-3A 48
Grange Pk. Rd. BD16-1C 33
Grange Pk. Rd. LS8-2A 48
Grange Pk. Ter. LS8-2A 48
Grange Pk. Wlk. LS8-3A 48
Grange Pk. Way. LS27-1C 109
Grange Rd. BD15-2D 55
Grange Rd. BD16-1C 15
Grange Rd. BD19-3D 123
Grange Rd. LS19-3D 7
Grange Rd., The. LS16-4C 25
Grange St. HX3-2C 117
Grange St. LS27-1D 109
Grange Ter. BD15-2D 55
Grange Ter. BD18-2C 35
Grange Ter. LS7-4A 46
Grange Ter. LS19-3D 7
Grange Ter. LS27-1D 109
Grange Ter. LS28-2B 62
Grange View. BD3-2B 60
Grange View. LS7-3A 46
Grange View. LS28-2B 62
Grange View Gdns. LS17-4B 30
Grange Way. BD15-3D 55
Grangewood Ct. LS16-4C 25
Grangewood Gdns. LS16-4C 25
Granhamthorpe. LS13-1D 63
Granny Av. LS27-1D 109
Granny Hill. HX2-1B 124
Granny La. LS12-1C 87
Granny Pl. LS27-1D 109
Grant Av. LS7-1A 68
Grantham Pl. BD7-1D 79
Grantham Pl. HX3-1D 117
Grantham Rd. BD7-1D 79
Grantham Rd. HX3-1C 117
Grantham Ter. BD7-4D 57
Grantham Towers. LS9-2A 68
Granton Rd. LS7-2A 46
Granton St. BD3-3D 59
Grant St. BD3-3C 59
Granville Pl. BD15-2D 55
Granville Rd. BD9-3D 35
Granville Rd. BD18-3D 35
Granville Rd. LS9-1B 68
Granville St. BD14-1D 77
Granville St. LS28-1B 62
Granville Ter. BD16-2C 15
Granville Ter. LS19-3D 7
Granville Ter. LS20-1B 6
(in two parts)
Grape St. BD15-2D 55
Grape St. HX1-3C 117
Grape St. LS10-1A 90
Grasleigh Av. BD15-1C 55
Grasleigh Way. BD15-1B 54
Grasmere Av. LS12-4A 66
Grasmere Pl. LS12-4A 66
Grasmere Rd. BD2-4C 37
Grasmere Rd. BD12-2B 122
Grasmere Rd. LS12-4A 66
Grasmere St. LS12-4A 66
Gratrix La. HX6-1A 124
Grattan Rd. BD1-3A 58
Graveley Sq. LS15-3B 70
Gravelythorpe Rise. LS15-2D 71
Gravelythorpe Rd. LS15-2C 71
Gravel La. BD16-2B 14
Gray Av. BD18-2A 36
Gray Ct. LS15-3A 72
Grayrigg Clo. LS15-3A 70
Grayrigg Ct. LS15-3A 70
Grayrigg Fold. LS15-3A 70
Grayrigg Lawn. LS15-3A 70
Grayshon St. BD11-3B 106
Grayson Crest. LS4-4C 43
Grayson Heights. LS4-4C 43
Grayswood Cres. BD4-2A 82
Grayswood Dri. BD4-2A 82
Gt. Albion St. HX1-3D 117
Gt. Cross St. BD1-4B 58
Gt. George St. LS1 & LS2-2C 67
Gt. Horton Rd. BD7-3A 78 to 4A 58
Gt. Northern St. LS27-4C 109
Gt. Russell St. BD7-3D 57
Great St. BD13-4A 76
Gt. Wilson St. LS11 & LS10-4D 67
Greaves St. BD5-2A 80
Greaves Yd. LS28-4A 62
Greek St. LS1-3C 67
Greenacre Av. BD12-1A 122
Greenacre Clo. BD12-1A 122
Green Acre Clo. BD17-2A 122
Greenacre Dri. BD12-1A 122
Greenacre Pk. LS19-1C 21
Greenacre Pk. Av. LS19-4D 7
Greenacre Pk. M. LS19-4D 7
Greenacre Pk. Rise. LS19-4D 7
Greenacres. HX3-2A 100
Greenacres Av. HX3-2A 100
Greenacres Dri. HX3-2A 100
Greenacres Gro. HX3-2A 100
Greenacre Way. BD12-1A 122
Greenaire Pl. BD1-3A 58
Greenbank Rd. BD15-2D 55
Greenbanks Av. LS18-3D 23
Greenbanks Clo. LS18-3D 23
Greenbanks Dri. LS18-3D 23
Green Chase. LS6-1B 44
Green Chase. LS26-1B 44
Greencliffe Av. BD17-2D 17
Green Clo. BD8-3B 56
Green Clo. LS6-1B 44
Green Ct. BD7-1B 78
Green Ct. BD19-2B 122
Green Ct. LS15-1B 50
Green Ct. LS17-3A 28
Green Cres. LS6-1B 44
Greencroft Av. HX3-1C 119
Green Dragon Yd. LS1-2D 67
(off Headrow, The.)
Green End. BD14-1D 77
Green End Rd. BD6-4C 79
Greenfield Av. BD18-2D 35
Greenfield Av. HX3-4C 121
Greenfield Av. LS20-3C 5
Greenfield Av. LS27-1D 107
Greenfield Clo. HX3-4C 99
Greenfield Dri. BD19-2B 122
Greenfield Dri. LS27-1D 107
Greenfield La. BD4-2D 103
Greenfield La. BD7-2B 78
Greenfield La. BD10-3C 19
Greenfield Pl. BD8-1D 57
Greenfield Pl. HD6-3C 121
Greenfield Pl. LS27-4C 109
Greenfield Rd. LS9-3B 68
Green Fold. BD17-3C 17
Greengate. LS26-2D 115
Greengates Av. BD12-2D 121
Greenhead Rd. LS16-1C 43
Green Hill Av. LS13-2B 64
Green Hill Chase. LS12-4C 65
Green Hill Clo. LS12-2B 64
Greenhill Cres. LS12-4D 65
Green Hill Croft. LS12-4C 65
Green Hill Dri. LS13-2B 64
Green Hill Gdns. LS12-4D 65
Green Hill Holt. LS12-4D 65
Greenhill La. BD3-3D 59
Green Hill La. LS12-4C 65
Green Hill Mt. LS13-2A 64
Green Hill Pl. LS13-2A 64
Green Hill Rd. LS13 & LS12-2A 64
Greenhills. LS29-2D 21
Greenhill St. BD3-4D 59
Green Hill View. LS13-1A 64
Green Hill Way. LS13-2A 64
Greenholme Ct. BD4-3B 82
Greenhow Clo. LS4-1A 66
Greenhow Gdns. LS4-1D 66
Greenhow Rd. LS4-1A 66
Greenhow Wlk. LS4-1D 65
Greenland Av. BD13-1A 98
Greenland Vs. BD13-1A 98
Green La. BD2-4A 38
Green La. BD7-4C 57
Green La. BD8-2D 57
Green La. BD10-1C 37
Green La. BD12-3B 102
Green La. BD13-3C 75
Green La. BD17-3C 17
(Baildon Green)
Green La. BD17-1C 17
(Brandcliff Hill)
Green La. HD6-4B 120
Green La. HX2-1B 96
(Illingworth Moor)
Green La. HX2-1B 124
(Pye Nest)
Green La. HX3-4B 118
Green La. HX3-2A 100
(Brow La.)
Green La. HX3-1A 100
(Soaper La.)
Green La. LS11-4B 88
Green La. LS12-1D 85
(Farnley Park)
Green La. LS12-4A 66
(New Wortley)
Green La. LS14-4C 31
Green La. LS15-2C 71
Green La. LS16-1A 24
Green La. LS18-1D 41
Green La. LS19-4C 7
Green La. LS28-4A 62
Green Lea. LS26-2D 115
Greenlea Av. LS19-4B 6
Greenlea Clo. LS19-4B 6
Greenlea Fold. LS19-4B 6
Greenlea Mt. LS19-4B 6
Greenlea Rd. LS19-4B 6
Green Mt. BD4-2A 82
Green Mt. BD17-3C 17
Greenmount Ct. LS11-3D 89
Greenmount La. LS11-2C 89
Greenmount Pl. LS11-2C 89
Green Mt. Rd. BD13-4B 54
Greenmount St. LS11-2C 89
Greenmount Ter. LS11-2C 89
Greenock Pl. LS12-3C 65
Greenock Rd. LS12-3C 65
Greenock St. LS12-3C 65
Greenock Ter. LS12-3C 65
Green Pk. LS17-3A 28
Green Pk. Av. HX3-3D 125
Green Pk. Dri. HX3-3D 125
Green Pk. Ga. HX3-3D 125
Green Pk. Rd. HX3-3D 125
Green Pk. St. HX3-3A 126
Green Pl. BD2-1D 59
Green Rd. BD17-3C 17
Green Rd. LS6-1A 44
Green Row. BD10-1C 37
Green Royd. HX3-1C 120
Greenroyd Av. HX3-3D 125
Greenroyd La. HX2-2B 116
Greenroyd Ter. HX3-3D 125
(off Skircoat Grn. Rd.)
Greenshaw Ter. LS20-1A 6
Greenside. BD12-3C 103
Greenside. BD17-3C 17
Greenside. LS19-1C 21
Greenside. LS28-4A 62
Green Side Av. LS12-1D 87
Greenside Clo. LS12-1D 87
Greenside Ct. LS27-1D 107
Green Side Dri. LS12-1D 87
Greenside Gro. LS28-4A 62
Greenside La. BD8-3B 56
Green Side Rd. LS12-1D 87
Green Side Ter. LS12-1D 87
Greenside Wlk. LS12-1D 87
Greens Sq. HX2-2B 116
Green's Ter. BD12-3B 102
Green St. BD12-3C 103
Green St. LS17-3A 28
Green Ter. BD2-1C 59
Green Ter. LS20-2B 6
Green Ter. Sq. HX1-1C 125
Green, The. BD10-4D 19
Green, The. LS14-3C 49
Green, The. LS17-3A 28
Green, The. LS18-4C 23
Green, The. LS19-3C 7
(off Town St.)
Green, The. LS20-2B 6
Green, The. LS27-1A 108
Green, The. LS28-4A 40
Greenthorpe Hill. LS13-3A 64
Greenthorpe Mt. LS13-3A 64
Greenthorpe Rd. LS13-3A 64
Greenthorpe St. LS13-3A 64
Greenthorpe Wlk. LS13-3A 64
Greenton Av. BD19-2B 122
Greenton Cres. BD13-1A 98
Green Top. LS12-4D 65
Greentop. LS28-4A 62
Green Top Gdns. LS12-4D 65
Green Top St. BD8-3A 56
Greentrees. BD6-2C 101
Green View. LS6-1B 44
Greenview Ct. LS8-1C 47
Greenville Av. LS12-1D 87
Greenville Dri. BD12-1B 102
Greenville Gdns. LS12-1D 87
Greenway. BD3-2C 59
Green Way. HX2-1B 96
Greenway. LS15-1D 71
Greenway. LS20-3D 5
Greenway Clo. LS15-1D 71
Greenway Dri. BD15-3C 55
Greenway Rd. BD5-3B 80
(in two parts)
Greenwell Row. BD14-2D 77
Greenwood Av. BD2-3C 37
Greenwood Ct. BD1-4B 58
Greenwood Ct. LS6-1B 44
Greenwood Dri. BD2-3C 37
Greenwood Mt. BD2-3C 37
Greenwood Mt. LS6-1B 44
Greenwood Pk. LS6-1B 44
Greenwood Rd. BD17-4D 17
Greenwood Row. LS27-4C 109
Greenwood Row. LS28-3B 62
Greenwood's Ter. HX3-2C 117
Gregory Ct. BD14-1D 77
(off Green End)
Gregory Cres. BD7-3B 78
Grenfell Dri. BD3-2A 60
Grenfell Rd. BD3-2A 60
Grenfell Ter. BD3-2A 60
Gresham Av. BD2-3B 36
Greycourt Clo. BD10-2C 37
Greycourt Clo. HX1-1C 125
Greyfriars Wlk. BD7-2A 78
Greyfriar Wlk. BD7-2A 78
Grey Shaw Syke Cottage. HX2-3A 74
Greyshiels Av. LS6-3D 43
Greyshiels Clo. LS6-3D 43
Greystone Cres. BD10-2D 37
Greystone Mt. LS15-3A 70
Greystones Ct. LS17-1D 27
Griffe Dri. BD12-2D 121
Griffe Head Cres. BD12-1D 121
Griffe Head Rd. BD12-1D 121
Griffe Rd. BD12-2D 121
Griffe Ter. BD12-2D 121
Grimthorpe Av. LS6-3D 43
Grimthorpe Pl. LS6-3D 43
Grimthorpe St. LS6-3D 43
Grimthorpe Ter. LS6-3D 43
Grosmont Pl. LS13-4D 41
Grosmont Rd. LS13-1D 63
Grosmont Ter. LS13-4D 41
Grosvenor Av. BD18-1B 34
Grosvenor Ct. LS16-1A 24
Grosvenor Hill. LS7-1D 67
Grosvenor Mt. LS6-3B 44
Grosvenor Pk. LS7-1D 45
Grosvenor Pk. Gdns. LS6-3B 44
Grosvenor Rd. BD8-2A 58
Grosvenor Rd. BD18-1B 34
Grosvenor Rd. LS6-3B 44
Grosvenor St. BD8-2A 58
Grosvenor Ter. BD8-2A 6
Grosvenor Ter. HX1-3C 117
(off Heywood Pl.)
Grosvenor Ter. LS6-3B 44
Grove Av. BD18-3C 35
Grove Av. HX3-1B 116
Grove Av. LS6-2A 44
Grove Av. LS28-3A 62
Grove Clo. BD2-4C 37
Grove Ct. HX3-1C 117
Grove Ct. LS6-2A 44
Grove Ct. LS28-3A 62
Grove Croft. HX3-1B 116
Grove Dri. HX3-1C 117
Grove Edge. HX3-1B 116
Grove Farm Clo. LS16-1B 24
Grove Farm Cres. LS16-2B 24
Grove Farm Croft. LS16-2B 24
Grove Farm Dri. LS16-2B 24
Grove Gdns. HX3-1C 117
Grove Gdns. LS6-2A 44
Grovehall Av. LS11-3B 88
Grovehall Dri. LS11-3B 88
Grovehall Pde. LS11-3B 88
Grovehall Rd. LS11-4B 88
Grove Ho. Ct. LS8-2D 47
Grove Ho. Cres. BD2-4C 37
Grove Ho. Dri. BD2-4C 37
Grove Ho. Rd. BD2-4C 37
Grovelands. BD2-4C 37
Grove La. HX3-1C 117
Grove La. LS6-2A 44
Grove Pk. HX3-1C 117
Grove Rise. LS17-4B 12
Grove Rd. BD16-3B 14
Grove Rd. BD18-2C 35
Grove Rd. LS6-2A 44
Grove Rd. LS10-2A 90
Grove Rd. LS15-3B 70
Grove Rd. LS18-4D 23
Grove Rd. LS28-3A 62
Grove Royd. HX3-1C 117
Grove Sq. HX3-1C 117
Grove St. HX1-3D 117
Grove St. HX6-1A 124
Grove St. LS1-3C 67
Grove St. LS28-1B 62
Grove St. S. HX1-4B 116
Grove Ter. BD7-4A 58
Grove Ter. BD11-4C 105
Grove Ter. LS28-3A 62
Grove, The. BD10-1A 38
Grove, The. BD13-4A 76
(off New Pk. Rd.)
Grove, The. BD17-1D 17
Grove, The. BD18-1A 34
Grove, The. HX3-2A 120
Grove, The. LS18-4D 23
Grove, The. LS19-4C 7
Grove, The. LS26-3D 95
Grove, The. LS27-2A 108
Grove, The. LS28-3A 62
Groveville. HX3-2D 119
Groveway. BD2-4C 37
Grovewood. LS6-2A 44
Grunberg Rd. LS6-3A 44
Grunberg St. LS6-3A 44
Gulley Rd. LS9-2D 91
Gurney Clo. BD5-2A 80
Guy St. BD4-4B 58
Gwynne Av. BD3-2A 60
Gypsy Wood Clo. LS15-3D 71
Gypsy Wood Cres. LS15-3A 72

Hadassah St. HX3-2A 126
Haddon Av. HX3-3D 125
Haddon Av. LS4-1D 65
Haddon Pl. LS4-1D 65
Haddon Rd. LS4-1D 65
Hadleigh Ct. LS17-3A 28
Hag La. HX3-1A 118 to 4D 97
Haigh Av. LS26-2D 113
Haigh Beck View. BD10-1D 37
Haigh Corner. BD10-1A 38
Haigh Fold. BD2-4D 37
Haigh Gdns. LS26-1D 113
Haigh Hall. BD10-1A 38
Haigh Hall Rd. BD10-1A 38
Haigh La. HX3-2A 126
Haigh Pk. Rd. LS10-3C 91
Haigh Rd. LS26-2A 114
Haigh Row. BD2-1C 59
Haighside. LS26-2D 113
Haigh Side Clo. LS26-2D 113
Haigh Side Dri. LS26-2D 113
Haigh Side Way. LS26-2D 113
Haigh St. BD4-2D 81
Haigh St. HX1-3C 117
Haigh Ter. LS26-1D 113
Haigh View. LS26-2D 113
Haigh Wood Cres. LS16-2A 24
Haigh Wood Grn. LS16-2A 24
Haigh Wood Rd. LS16-2D 23
Haines Pk. LS7-1A 68
Hainsworth Moor Cres. BD13-1A 98
Hainsworth Moor Dri. BD13-1A 98
Hainsworth Moor Garth. BD13-1A 98
Hainsworth Moor Gro. BD13-1A 98
Hainsworth Moor View. BD13-1A 98
Hainsworth Sq. LS28-4A 40
Hainsworth St. LS12-4A 66
Hainsworth St. LS26-3B 114
Halcyon Hill. LS27-4D 27
Halcyon Way. BD5-2D 79
Hales Rd. LS12-1D 87
Halesworth Cres. BD4-3A 82
Haley Ct. HX3-2D 117
Haley Hill. HX3-2D 117
Haley's Yd. LS13-4D 41
Half Acre Rd. BD13-3C 53
Half Mile. LS13-4B 40
Half Mile Clo. LS28-1B 62
Half Mile Gdns. LS13-1B 62
Half Mile Grn. LS28-1B 62
Half Mile La. LS13 & LS28-4B 40
Halifax Ind. Cen., The. HX1-3C 117
Halifax Ind. Est. HX1-3C 117
Halifax Old Rd. HX3-3C 119
Halifax Rd. BD6-2B 100
Halifax Rd. BD13-2A 74 to 3A 52
Halifax Rd. HD6 & BD19-4A 122
Halifax Rd. HX3 & HD6
-3C 119 to 4A 12
Halifax Rd. HX5-4A 126
Hallamfield. LS20-2A 6
Hallam St. LS20-2A 6
Hall Av. BD2-3A 38
Hallbank Clo. Bd5-4A 80
Hallbank Dri. BD5-4A 80
Hall Bank Dri. BD16-1B 14
Hall Cliffe. BD17-1A 18
Hall Ct. LS7-3A 46
Hallcroft. BD16-1B 14
Hallfield Dri. BD17-2D 17
Hallfield Pl. BD1-2A 58
Hallfield Rd. BD1-3A 58
Hallfield St. BD1-3B 58
Hallgate. BD1-3A 58
Hall Gro. LS6-1B 66
Halliday Av. LS12-2C 65
Halliday Dri. LS12-2C 65
Halliday Gro. LS12-2C 65
Halliday Mt. LS12-2C 65
Halliday Pl. LS12-2C 65
Halliday Rd. LS12-2C 65
Halliday St. LS28-3A 62
Hall Ings. BD1-4B 58
Hall La. BD4-4B 58
Hall La. BD18-1D 35
Hall La. HX3-4B 98
Hall La. LS7-3A 46
Hall La. LS12-3D 65
(Armley)
Hall La. LS12-4D 63
(Farnley)
Hall La. LS16-4B 10
Hall La. LS18-4B 22
Hall Pk. Av. LS18-3C 23
Hall Pk. Clo. LS18-4C 23
Hall Pk. Garth. LS18-3C 23
Hall Pk. Mt. LS18-4C 23
Hall Pk. Rise. LS18-4C 23
Hall Pl. LS9-3B 68
Hall Rd. BD2-3A 38
Hall Rd. LS12-3D 65
Hall Rd. LS26-3C 95
Hall Royd. BD18-1C 35
Hall Sq. LS28-1C 39
Hall St. BD6-4D 79
Hall St. HX1-3D 117
(in two parts)
Hall St. N. HX3-1D 117
Hall View. LS12-3A 66
Hallwood Grn. BD10-3A 38
Halstead Pl. BD7-2C 79
Halton Dri. LS15-3C 71
Halton Hill. LS15-3B 70
Halton Moor Av. LS9-4D 69
Halton Moor Rd. LS9 & LS15
-4C 69 to 4B 70
Halton Pl. BD5-2C 79
Hambledon Av. BD4-4D 81
Hamilton Av. LS7-4A 46
Hamilton Gdns. LS7-4A 46
Hamilton Pl. LS7-4A 46
Hamilton St. BD1-2A 58
Hamilton Ter. LS7-4A 46
Hamilton View. LS7-3A 46
Hammerton Gro. LS28-3B 62
Hammerton St. BD3 & BD4-4C 59
Hammerton St. LS28-3B 62
Hammond Cres. BD11-1A 106
Hammond Pl. BD9-4C 35
Hammond St. HX1-4C 117
Hammond St. BD3-4B 68
Hamm Strasse. BD1-2B 58
Hampden Pl. BD5-2A 80
Hampden Pl. HX1-3C 117
Hampden St. BD5-1A 80
Hampton Pl. BD10-4D 19
Hampton Pl. LS9-3B 68
Hampton St. HX1-1B 124
Hampton St. LS9-3B 68
Hampton Ter. LS9-3B 68
Handel St. BD7-3D 57
Hanley Rd. LS27-4C 109
Hannah Ct. BD12-1D 121
Hanover Av. LS3-2B 66
Hanover Clo. BD8-2C 57
Hanover Ho. HX2-1B 124
Hanover Ho. LS19-3D 7
Hanover La. LS3-2C 67
Hanover Mt. LS3-2B 66
Hanover Sq. BD1-2A 58
Hanover Sq. BD12-1D 121
Hanover Sq. LS3-2C 67
Hanover St. HX1-4D 117
Hanover St. HX6-1A 124
Hanover Wlk. LS3-2C 67
(off Denison Rd.)
Hanover Way. LS3-2C 67
Hansby Av. LS14-3D 49
Hansby Bank. LS14-3C 49
Hansby Clo. LS14-3C 49
Hansby Dri. LS14-3D 49
Hansby Gdns. LS14-3D 49
Hansby Ga. LS14-3C 49
Hansby Grange. LS14-3C 49
Hansby Pl. LS14-3C 49
Hanson Ct. BD12-1D 121
Hanson Fold. BD12-1D 121
Hanson La. HX1-3B 116
Hanson Mt. BD12-1D 121
Hanson Pl. BD12-1D 121
Hanworth Rd. BD12-2A 102
Harbour Cres. BD6-4C 79
Harbour Pk. BD6-1C 101
Harbour Rd. BD6-1C 101
Harcourt Av. BD13-4A 54
Harcourt Pl. LS1-2B 66
Harcourt St. BD4-2D 81
Hardaker La. BD17-3C 17
Hardaker St. BD8-3A 58
Harden Gro. BD10-4A 38
Harden Rd. BD16-3A 14
Hardknot Clo. BD7-2A 78
Hardrow Grn. LS12-4A 66
Hardrow Gro. LS12-4A 66
Hardrow Rd. LS12-4D 65
Hardrow Ter. LS12-4A 66
Hardwick St. LS10-3A 90
Hardy Av. BD6-1D 101
Hardy Av. LS27-1D 109
Hardy Ct. LS27-3C 109
Hardy Gro. LS11-2C 89
Hardy St. BD4-4B 58
Hardy St. BD6-4D 79
Hardy St. LS11-2C 89
Hardy St. LS27-3C 109
Hardy Ter. LS11-2C 89
Hardy View. LS11-2C 89
Hare Farm Av. LS12-3A 64
Hare Farm Clo. LS12-3A 64
Harefield E. LS15-3B 70
Harefield W. LS15-3A 70
Harehill Clo. BD10-3D 19
Harehill Rd. BD10-3C 19
Harehills Av. LS7 & LS8-3A 46
Harehills La. LS7, LS8 & LS9
-2A 46 to 2D
Harehills Pk. Av. LS9-1C 69
Harehills Pk. Cotts. LS9-1D 69
Harehills Pk. Rd. LS9-1C 69
Harehills Pk. Ter. LS9-1C 69
Harehills Pk. View. LS9-1C 69
Harehills Pl. LS8-4B 46
Harehills Rd. LS8-4B 46
Hare La. LS28-1B 84
Hare Pk. Mt. LS12-3D 63
Hares Av. LS8-4B 46
Hares Mt. LS8-3B 46
Hares Rd. LS8-3B 46
Hares Ter. LS8-3B 46
Hare St. HS1-4C 117
Hares View. LS8-4B 46
Harewood Av. HX2-3A 116
Harewood Ct. LS14-2C 49
Harewood Ct. LS17-3A 28
Harewood Pl. HX2-4B 116
Harewood St. BD3-3C 59
(in two parts)
Harewood St. LS2-3D 67
Harewood Way. LS13-3D 63
Hargreaves St. LS26-3B 114
Harker Rd. BD12-2D 101
Harker Ter. LS28-1D 61
Harland Sq. LS2-4C 45
(off Moorfield St.)
Harlech Av. LS11-3C 89
Harlech Cres. LS11-3C 89
Harlech Gro. LS11-3C 89
Harlech Mt. LS11-3C 89
Harlech Rd. LS11-3C 89
Harlech St. LS1-3C 89
Harlech Ter. LS11-3C 89
Harley Clo. LS13-2C 63
Harley Ct. LS13-3C 63
Harley Dri. LS13-2C 63
Harley Gdns. LS13-3C 63
Harley Grn. LS13-3C 63
Harley Rise. LS13-2C 63
Harley Rd. LS13-2C 63
Harley Ter. LS13-2C 63
Harley View. LS13-2C 63
Harley Wlk. LS13-2C 63
Harlington Rd. LS27-4C 109
Harlow Rd. BD7-4C 57
Harmer St. LS3-2B 66
Harmon Clo. BD4-4D 81
Harold Av. LS6-1A 66

arold Gro. LS6-1A 66
arold Mt. LS6-1A 66
arold Pl. BD18-4B 16
arold Pl. LS6-1A 66
arold Rd. LS6-1A 66
arold Sq. LS6-1B 66
arold St. BD16-1B 14
arold St. LS6-1A 66
arold Ter. LS6-1A 66
arold View. LS6-1A 66
arold Wlk. LS6-1A 66
arper Av. BD10-4D 19
arper Cres. BD10-4D 19
arper Gro. BD10-4D 19
arper La. LS19-3D 7
arper Lans. LS19-3D 7
arper Pl. LS2-3A 68
arper Rock. LS19-3D 7
arper St. LS2-3A 68
arper Ter. LS19-3D 7
arp La. BD13-3A 76
arrier Way. LS27-4D 109
arriet St. BD8-2D 57
arriet St. LS7-4A 46
arris Ct. BD7-2C 79
arrison Cres. LS9-2A 70
arrison Potter Trust LS2-4C 45
arrison Rd. HX1-4D 117
arrisons Av. LS28-1B 62
rrison St. BD16-2C 15
arrison St. LS1-2D 67
arrison's Yd. LS11-4D 67
rris St. BD1-3C 59
rris St. BD16-3C 15
rrogate Av. BD3-1C 59
rrogate Pde. LS17-3A 28
rrogate Pl. BD3-1C 59
rrogate Rd. BD2 & BD10
-1D 59 to 4B 20
rrogate Rd. LS7 & LS17
-2A 46 to 1A 28
rrogate Rd. LS19-1D 21
rrogate St. BD3-1C 59
rrogate Ter. BD3-1C 59
rrop La. BD15 & BD13-1C 53
rrowby Cres. LS16-1D 43
rrowby Rd. LS16-1C 43
rrow St. HX1-4B 116
rry La. BD14-1C 77
rry St. BD4-3D 81
rthill. LS27-1A 108
rthill Av. LS27-1A 108
rthill Clo. LS27-1A 108
rthill La. LS27-1A 108
rthill Pde. LS27-1A 108
off Town St.)
rthill Rise. LS27-1A 108
rtington Ter. BD7-4C 57
rtland Rd. BD4-2B 82
rtley Av. LS6-3C 45
rtley Bank La. HX3-1D 119
rtley Cres. LS6-3C 45
rtley Gdns. LS6-4C 45
rtley Gro. LS6-3C 45
rtley Hill. LS2-2D 67
rtley Pl. LS27-4D 109
rtley's Bldgs. LS27-4C 109
rtley Sq. HX2-2C 75
rtley St. BD4-1C 81
rtley St. HX1-3C 117
rtley St. LS11-2B 88
rtley St. LS27-1D 109
Churwell)
rtley St. LS27-4D 109
Morley)
rtley's Yd. LS12-3D 65
rtlington Ct. BD17-2B 18
rtman Pl. BD9-1B 56
t St. BD7-1C 79
twell Rd. LS6-1B 66
will App. LS27-1D 109
will Av. LS27-1D 109
will Gro. LS27-1D 109
will Rise. LS27-2D 109
will Rd. LS27-1D 109
slam Clo. BD3-2C 59
slam Gro. BD18-2A 36
slemere Clo. BD4-2A 82
slewood Clo. LS9-2A 68
slewood Ct. LS9-3B 68
slewood Dene. LS9-3B 68
slewood Dri. LS9-2B 68
slewood Grn. LS9-3B 68
slewood Lawn. LS9-2B 68
slewood M. LS9-2B 68
slewood Pl. LS9-3B 68
slewood Sq. LS9-3B 68
slingden Dri. BD9-1B 56
stings Av. BD5-3A 80
stings Pl. BD5-3A 80
stings St. BD5-3A 80
stings Ter. BD5-3A 80
chet La. BD12-4C 103
field Rd. BD2-1D 59
haway Av. BD9-4A 34
haway Dri. LS14-4C 31
haway La. LS14-4C 31
haway M. LS14-4C 31
haway Wlk. LS14-4C 31
ters Fold. HX1-4A 118
ton Clo. BD6-1A 102
ugh Shaw Croft. HX1-1C 125
ugh Shaw Rd. HX1-1C 125
ugh Shaw Rd. W. HX1-1B 124
uxwell Dri. LS19-4C 7
velock Sq. BD13-4A 54
velock St. BD7-2C 79
velock St. BD13-4A 54
ven Chase. LS16-2B 24
ven Clo. LS16-2B 24
ven Ct. LS16-2B 24
ven Croft. LS16-2B 24
ven Gdns. LS16-2B 24
ven Garth. LS16-2B 24
ven Grn. LS16-2B 24
ven Mt. LS16-2B 24
ven Rise. LS16-2B 24
ven, The. BD10-2D 37
ven, The. LS15-2A 72
ven View. LS16-2A 24
vercroft. LS12-1A 86
v Av. LS19-2D 7
wes Av. BD5-3D 79
wes Cres. BD5-3D 79
wes Dri. BD5-3D 79
Hawes Gro. BD5-3D 79
Hawes Mt. BD5-3D 79
Hawes Rd. BD5-3D 79
Hawes Ter. BD5-3D 79
Hawkes Wood. BD9-4B 34
Hawkhill Av. LS15-1C 71
Hawkhill Av. LS20-2A 6
Hawkhill Dri. LS15-1D 71
Hawkhill Gdns. LS15-4D 49
Hawkhills. LS7-1A 46
Hawkhurst Rd. LS12-4D 65
Hawkins Dri. LS7-1D 67
Hawks Clo. BD17-1A 18
Hawkshead Clo. BD5-1A 80
Hawkshead Cres. LS14-4B 48
Hawkshead Dri. BD5-1A 80
Hawkshead Wlk. BD5-1A 80
Hawk's Nest Gdns. E. LS17-1A 28
Hawk's Nest Gdns. S. LS17-1D 27
Hawk's Nest Gdns. W. LS17-1D 27
Hawk's Nest Rise. LS17-1A 28
Hawkstone Av. LS20-3D 5
Hawkstone View. LS20-3D 5
Hawkswood Av. BD9-4B 34
Hawkswood Av. LS5-1A 42
Hawkswood Cres. LS5-1A 42
Hawkswood Gro. LS5-1B 42
Hawkswood Mt. LS5-1B 42
Hawkswood Pl. LS5-2B 42
Hawkswood St. LS5-2B 42
Hawkswood Ter. LS5-1B 42
Hawkswood View. LS5-1B 42
Hawksworth Av. LS20-3A 6
Hawksworth Clo. BD17-1A 18
Hawksworth Dri. LS20-3A 6
Hawksworth Gro. LS5-2A 42
Hawksworth La. LS20-2B 4
Hawksworth Rd. BD17-1D 17
Hawksworth Rd. LS18-1A 42
Haw La. LS19-3D 7
Hawley Clo. LS27-4C 109
Hawley Ter. BD10-3A 38
Haworth Ct. LS19-3C 7
Haworth Gro. BD9-48 34
Haworth La. LS19-3C 7
Haworth Rd. BD15 & BD9
-4A 32 to 4C 33
Haworth Rd. WF17-4B 106
Hawthorn Av. BD3-2B 60
Hawthorn Av. LS19-3D 7
Hawthorn Cres. BD17-2A 18
Hawthorn Cres. LS19-3C 7
Hawthorn Dri. BD10-1D 37
Hawthorn Dri. LS13-2A 40
Hawthorn Dri. LS19-2D 7
Hawthorne Av. BD18-2A 36
Hawthorn Gro. LS13-2A 40
Hawthorn Gro. LS26-4B 114
Hawthorn La. LS7-1A 46
Hawthorn Mt. LS7-1A 46
Hawthorn Rise. LS14-4D 31
Hawthorn Rd. LS7-1D 45
Hawthorn Rd. LS19-3D 7
Hawthorn St. BD3-2A 60
Hawthorn St. HX1-1C 125
Hawthorn St. HX3-3A 120
Hawthorn Vale. LS7-1A 46
Hawthorn View. BD17-2A 18
Hawthorn View. LS7-1A 46
Haw View. LS19-2D 7
Haybeck Wlk. BD4-3B 82
Haycliffe Av. BD7-3C 79
Haycliffe Dri. BD7-3B 78
Haycliffe Gro. BD7-3C 79
Haycliffe Hill Rd. BD5-3C 79
Haycliffe La. BD5-3C 79
Haycliffe Rd. BD5-2C 79
Haycliffe Ter. BD5-2C 79
Hayclose Mead. BD6-2C 101
Hayden St. BD3-4C 59
Haydn Pl. BD13-3A 76
Haydn's Ter. LS28-1B 62
Hayfield Clo. BD17-1A 18
Hayfield Ter. LS12-4D 65
Hay Horse Yd. LS1-3D 67
Hayleigh Av. LS13-4D 41
Hayleigh Mt. LS13-4D 41
Hayleigh St. LS13-4D 41
Hayleigh Ter. LS13-1D 63
Hays La. HX2-1A 96
Haywood Yd. LS12-3D 65
(off Hall La.)
Hazebrouck Dri. BD17-1D 17
Hazel Av. LS14-4D 31
Hazel Beck. BD16-4C 15
Hazel Clo. BD11-2C 105
Hazel Ct. LS26-4B 114
Hazelcroft. BD10-3A 38
Hazel Croft. BD18-1A 36
Hazel Dene. BD13-4A 76
Hazel Gro. HX3-4C 121
Hazel Heads. BD17-1A 18
Hazelhurst Av. BD16-4C 15
Hazelhurst Brow. BD9-1A 56
Hazelhurst Ct. BD3-4D 59
Hazelhurst Ct. BD9-1A 56
Hazelhurst Gro. BD13-1A 98
Hazelhurst Rd. BD9-1A 56
Hazelhurst Rd. BD13-1A 98
Hazelhurst Ter. BD9-1A 56
Hazelmere Av. BD16-4C 15
Hazel Mt. BD18-1D 35
Hazel Wlk. BD9-1A 56
Hazelwood Rd. BD9-4D 33
Headingley Av. LS6-3D 43
Headingley Ct. LS6-2A 44
Headingley Cres. LS6-3A 44
Headingley La. LS6-3A 44
Headingley Mt. LS6-3D 43
Headingley Ter. LS6-4B 44
Headingley View. LS6-3D 43
Headland Clo. BD6-4B 78
Headland Gro. BD7-3B 78
Headley La. BD13-1A 76
Headrow, The. LS1-2D 67
Healey Av. BD16-3C 15
Healey La. BD16-3C 15
Heap La. BD3-3C 59
Heap St. BD3-3C 59
Heap St. HX3-1D 117
Heath Av. HX3-2D 125
Heathcliffe Clo. WF17-4B 106
Heath Cres. HX1-1D 125
Heath Cres. LS11-2B 88
Heathcroft Bank. LS11-3A 88
Heathcroft Cres LS11-3A 88
Heathcroft Dri. LS11-3A 88
Heathcroft Lawn. LS11-3A 88
Heathcroft Rise. LS11-3A 88
Heathcroft Vale. LS11-3A 88
Heathercroft. LS7-2A 46
Heather Gdns. LS13-2A 64
Heather Gro. BD9-4D 33
Heather Gro. LS13-2A 64
Heatherlands Av. BD13-1A 52
Heather Pl. BD13-3D 75
Heather Rd. BD17-1A 18
Heatherside. BD17-1D 17
Heatherstones. HX1-1D 125
Heather View. BD16-1A 16
Heathfield. LS16-1C 25
Heathfield Clo. BD16-1C 15
Heathfield Gro. BD7-2B 78
Heathfield Gro. HX3-1D 125
Heathfield Pl. HX3-2D 125
Heathfield Ter. HX3-1D 125
Heathfield Ter. LS6-2A 44
Heathfield Wlk. LS16-1C 25
Heath Gdns. HX3-2D 125
Heath Gro. LS11-2B 88
Heath Gro. LS28-4D 61
Heath Hall. HX1-1D 125
Heath Hall Av. BD4-4D 81
Heath La. HX1-1D 125
Heath Lea. HX1-1D 125
Heathmoor Clo. BD10-1C 37
Heathmoor Clo. HX2-2A 96
Heathmoor Mt. HX2-2A 96
Heathmoor Pk. Rd. HX2-1A 96
Heathmoor Way. HX2-2A 96
Heath Mt. HX1-1D 125
Heath Mt. LS11-2A 88
Heath Pk. Av. HX1-1D 125
Heath Pl. LS11-2B 88
Heath Rise. LS11-3B 88
Heath Rd. BD3-2C 59
Heath Rd. HX1 & HX3-1D 125
Heath Rd. LS11-2A 88
Heath Royd. HX3-2D 125
Heath St. BD3-3D 59
Heath St. BD16-2C 15
Heath St. HX3-1D 125
Heath Ter. BD3-3D 59
Heath View St. HX1-4A 118
Heath Vs. HX3-1D 125
Heathy Av. HX2-3C 97
Heathy La. HX2-2B 96
Heaton Av. BD19-3D 123
Heaton Av. LS12-1D 87
Heaton Clo. BD16-1D 15
Heaton Clo. BD17-1D 17
Heaton Ct. BD16-3B 14
(off Beechroyd Ter.)
Heaton Cres. BD16-1D 15
Heaton Cres. BD17-1D 17
Heaton Dri. BD16-1D 15
Heaton Dri. BD17-1D 17
Heaton Gro. BD9-3C 35
Heaton Gro. BD18-1D 35
Heaton Gro. BD19-3D 123
Heaton Pk. Dri. BD9-4B 34
Heaton Pk. Rd. BD9-4B 34
Heaton Rd. BD9 & BD8-4C 35
Heaton Royds La. BD18-3B 34
Heaton's Ct. LS1-3D 67
Heaton St. BD4-4C 59
Heaton St. BD19-2D 123
Hebble Cotts. HX3-2B 116
Hebble Ct. HX2-3A 96
Hebble Gdns. HX2-2B 116
Hebble La. HX3-2B 116
Hebble Vale Dri. HX2-1A 116
Hebble View. HX3-1B 116
Hebb View. BD6-3B 78
Hebconner La. LS7-2D 45
Hebden App. LS14-2C 49
Hebden Chase. LS14-2D 49
Hebden Clo. LS14-2C 49
Hebden Grn. LS14-2D 49
Hebden Path. LS14-2D 49
Hebden Pl. LS14-2D 49
Hebden Wlk. LS14-2D 49
Heddon Clo. BD5-1A 80
Heddon Gro. BD5-1B 80
Heddon Pl. LS6-2B 44
Heddon St. LS6-2B 44
Heddon Wlk. BD5-1A 80
Hedge Clo. BD8-2A 56
Hedge Nook. BD12-4D 101
Hedge Side. BD8-2A 56
Hedge Top La. HX3-1C 119
Hedge Way. BD8-2A 56
Hedley Chase. LS12-3A 66
Hedley Gdns. LS12-3A 66
Hedley Grn. LS12-3A 66
Heidelberg Rd. BD9-1C 57
Heights Bank. LS12-3B 64
Heights Clo. LS12-3B 64
Heights Dri. LS12-3B 64
Heights E., The. LS12-3B 64
Heights Garth. LS12-3B 64
Heights Grn. LS12-3B 64
Heights La. BD9-4A 34
Heights La. BD16-1D 15
Heights La. LS12-3B 64
Heights Pde. LS12-3B 64
Heights Wlk. LS12-3B 64
Heights Way. LS12-3B 64
Heights W., The. LS12-3B 64
Helena Way. BD4-4D 81
Helen Rose Ct. BD18-4A 18
Helen St. BD18-4B 16
Hellewell St. BD6-1B 100
Helmsley Dri. LS16-1C 43
Helmsley Rd. LS16-1C 43
Helmsley St. BD4-1C 81
Helston Clo. LS10-2C 111
Helston Croft. LS10-3C 111
Helston Garth. LS10-3C 111
Helston Grn. LS10-3C 111
Helston Pl. LS10-3C 111
Helston Rd. LS10-2C 111
Helston Sq. LS10-2B 110
Helston St. LS10-2B 110
Helston Wlk. LS10-3C 111
Helston Way. LS10-2B 110
Hemingway Clo. LS10-2A 90
Hemingway Garth. LS10-2B 90
Hemingway Grn. LS10-2A 90
Henacre Wood Ct. BD13-1B 98
Henage St. BD13-4A 76
Henbury St. LS7-1A 68
Henconner Av. LS7-2D 45
Henconner Cres. LS7-2D 45
Henconner Dri. LS7-2D 45
Henconner Gdns. LS7-2D 45
Henconner Garth. LS7-2D 45
Henconner Gro. LS7-2D 45
Henconner La. LS7-2D 45
Henconner La. LS13-2A 64
Henderson Pl. BD6-4D 79
Hendford Dri. BD3-3C 59
Henley Av. BD5-3B 80
Henley Av. LS13-1D 63
Henley Av. LS29-2A 22
Henley Clo. LS19-2A 22
Henley Ct. BD5-3B 80
Henley Cres. LS13-1D 63
Henley Cres. LS19-2A 22
Henley Dri. LS19-2D 21
Henley Gro. BD5-3B 80
Henley Gro. LS13-1D 63
Henley Hill. LS19-2D 21
Henley Mt. LS19-2A 22
Henley Pl. LS13-1D 63
Henley Rd. BD5-3B 80
Henley Rd. LS13-1D 63
Henley St. LS13-1D 63
Henley Ter. LS13-1D 63
Henley View. LS13-1D 63
Henley View. LS19-2D 21
Henley Vs. LS19-2D 21
(off Well La.)
Henry Av. LS12-1D 87
Henry Pl. LS27-4C 109
Henry Price Bldgs. LS2-1C 67
Henry St. BD13-4A 54
Henry St. BD14-1D 77
Henry St. HX1-4D 117
Henry Ter. LS19-3B 6
Henshaw Av. LS19-4C 7
Henshaw Cres. LS29-4C 7
Henshaw La. LS19-4C 7
Henshaw Oval. LS19-4D 7
Hepton Ct. LS9-2D 69
Hepworth Av. LS27-1D 109
Hepworth Cres. LS27-1D 109
Herbalist St. LS12-4A 66
Herbert Pl. BD3-2A 60
Herbert St. BD5-1A 80
Herbert St. BD14-2A 78
Herbert St. BD16-2C 15
(Bingley)
Herbert St. BD16-1D 33
(Cottingley)
Herbert St. BD18-4B 16
Herbert St. HX1-4B 116
Hereford St. LS12-2D 65
Hereford Way. BD4-1C 81
Herman Av. HX1-4C 117
Hermon Gro. HX1-4C 117
Hermon Rd. LS15-2C 71
Hermon St. LS15-2D 71
Heron Clo. LS17-1B 28
Heron Ct. LS27-4A 110
Heron Gro. LS17-1B 28
Herschel Rd. BD8-3A 56
Hertford Chase. LS15-4D 71
Hertford Clo. LS15-4D 71
Hertford Croft. LS15-4D 71
Hertford Fold. LS15-4D 71
Hertford Lawn. LS15-4D 71
Heshbon St. BD4-2D 81
Hesketh Av. LS5-3C 43
Hesketh Mt. LS5-3C 43
Hesketh Pl. HX3-3C 121
Hesketh Pl. LS5-3C 43
Hesketh Rd. LS5-3C 43
Hesketh Ter. LS5-3C 43
Hessle Av. LS6-4A 44
Hessle Mt. LS6-4B 44
Hessle Pl. LS6-4B 44
Hessle Rd. LS6-4A 44
Hessle St. LS6-4A 44
Hessle Ter. LS6-4A 44
Hessle View. LS6-4B 44
Hessle Wlk. LS6-4A 44
Hetton Rd. LS8-2C 47
Hew Clews. BD7-2B 78
Heygate Clo. BD17-1A 18
Heygate La. BD17-1A 18
(in two parts)
Heys Av. BD13-4C 55
Heys Cres. BD13-4C 55
Heysham Dri. BD4-3B 82
Hey St. BD7-3A 58
Heywood Clo. HX3-1C 119
Heywood Lawn. LS10-1A 90
Heywood M. HX1-3B 116
(off Beckenham Pl.)
Heywood Pl. HX1-3C 117
Heywood St. HX1-3C 117
Hick St. BD1-3B 58
Higgin La. HX3-1B 126
Higgins Clo. HX1-1D 125
High Ash. BD18-1B 36
High Ash Av. LS17-1B 28
High Ash Cres. LS17-1B 28
High Ash Dri. LS17-1A 28
High Ash Mt. LS17-1B 28
High Ash Pk. BD15-1B 54
High Bank App. LS15-3A 72
High Bank Clo. LS15-3A 72
High Bank Gdns. LS15-3A 72
High Bank Ga. LS15-3A 72
High Bank La. BD18-2A 34
High Bank Pl. LS15-3A 72
High Bank St. LS28-4D 39
High Bank View. LS15-3A 72
High Bank Way. LS15-3A 72
Highbridge Ter. BD5-4B 80
Highbury Clo. BD13-1D 97
Highbury Clo. LS6-2B 44
Highbury La. LS6-2B 44
Highbury Mt. LS6-2A 44
Highbury Pl. LS6-2B 44
Highbury Pl. LS13-2C 63
Highbury Rd. LS6-2B 44
Highbury St. LS6-2B 44
Highbury Ter. LS6-2A 44
High Busy La. BD18 & BD10-4B 18
High Cliffe. LS4-4D 43
(off St Michaels La.)
High Cliffe Clo. BD13-4A 54
Highcliffe Dri. HX2-3A 116
Highcliffe Ind. Est. LS27-3B 108
Highcliffe Rd. LS27-3B 108
High Clo. LS19-2D 21
High Clo. LS20-2C 5
High Ct. LS2-3D 67
High Ct. La. LS2-3A 68
High Croft. BD13-4A 76
Highcroft Clo. LS28-2D 61
High Cross La. BD13 & HX3-1C 99
Higher Coach Rd. BD17-3A 16
Higher Downs. BD8-2A 56
Higher Grange Rd. LS28-2A 62
Higher Intake Rd. BD2-1D 59
Higher School. BD18-4B 16
High Fernley Ct. BD12-4D 101
High Fernley Rd. N. BD12-4C 101
Highfield. BD4-3A 82
Highfield Av. BD10-1C 37
Highfield Av. HD6-3D 121
Highfield Av. HX3-1A 100
Highfield Av. LS12-4D 65
Highfield Clo. LS12-1A 88
Highfield Clo. LS27-2A 108
Highfield Cres. BD9-4A 34
Highfield Cres. BD17-1D 17
Highfield Cres. LS12-4D 65
Highfield Cres. LS26-2D 115
Highfield Cres. LS28-2A 62
Highfield Dri. BD9-4A 34
Highfield Dri. LS19-2D 21
Highfield Dri. LS27-1A 108
Highfield Gdns. BD9-4A 34
Highfield Gdns. LS12-4D 65
Highfield Gdns. LS27-1A 108
Highfield Garth. LS12-1A 88
Highfield Grn. LS28-3A 62
Highfield Gro. BD10-2C 37
Highfield Gro. HX5-4B 126
Highfield Gro. LS12-4D 65
Highfield La. LS26-2D 115
Highfield Mt. LS26-2D 115
Highfield Pl. HX1-4B 116
Highfield Pl. LS27-4C 109
Highfield Rd. BD2 & BD10-2C 37
Highfield Rd. BD9-3D 35
Highfield Rd. BD19-3D 123
Highfield Rd. LS13-1A 64
Highfield Rd. LS28-2D 61
High Fields. HX6-2A 124
Highfield St. LS28-3D 61
Highfield Ter. BD13-4A 76
Highfield Ter. BD16-2C 15
Highfield Ter. BD18-4B 16
Highfield Ter. BD19-3D 123
Highfield Ter. HX1-4B 116
Highfield Ter. LS19-2D 21
Highfield Ter. LS28-3D 61
Highfield View. LS27-1A 108
High Fold. BD17-1D 17
High Fold. LS19-1C 21
Highgate. BD9-4B 34
Highgate. BD13-4B 52
Highgate Clo. BD13-3D 77
Highgate Gdns. HX2-2B 116
Highgate Gro. BD13-3D 77
Highgate Rd. BD13-3C 77
Highgate St. LS10-1A 90
High Ho. Av. BD2-3C 37
High Ho. Rd. BD2-3C 37
Highlands Clo. BD7-2B 78
Highlands Clo. LS10-1B 112
Highlands Dri. LS10-1B 112
Highlands Gro. BD7-2B 78
Highlands Gro. LS10-1B 112
Highlands La. HX2-2B 96
Highlands Pk. HX2-2B 96
Highlands, The. BD19-4D 123
Highlands Wlk. LS10-1B 112
Highland Vs. HX3-3A 120
Highlea Clo. LS19-4B 6
High Level Way. HX1-3B 116
High Moor Av. LS17-2B 28
High Moor Clo. LS17-2A 28
High Moor Ct. LS17-3B 28
High Moor Cres. LS17-2A 28
High Moor Dri. LS17-2A 28
High Moor Gro. LS17-2B 28
Highmoor La. BD19-4C 123
High Pk. Cres. BD9-4A 34
High Pk. Dri. BD9-4A 34
High Pk. Gro. BD9-4A 34
High Ridge Av. LS26-2A 114
High Ridge Ct. LS26-2A 114
High Ridge Pk. LS26-1A 114
High Ridge Way. LS16-1B 10
Highroad Well. HX2-3A 116
Highroad Well Ct. HX2-4A 116
Highroad Well La. HX2-3A 116
High St. Farsley, LS28-4A 40
High St. Halifax, HX1-4D 117
High St. Idle, BD10-4C 19
High St. Morley, LS27-4C 109
High St. Pl. BD10-4C 19
High St. Queensbury, BD13-4A 76
High St. Shipley, BD18-1D 35
High St. Thornton, BD13-4A 54
High St. Wibsey, BD6-4D 79
High St. Yeadon, LS19-3D 7
High Sunderland La. HX3-2A 118
Highthorne Av. BD3-1D 59
Highthorne Dri. LS17-1B 28
Highthorne Gro. LS12-3C 65
Highthorne Gro. LS17-1B 28
Highthorne Mt. LS17-1B 28
Highthorne St. LS12-2C 65
Highthorne View. LS12-3C 65
Hightown Rd. BD19-4D 123
Hightown View. BD19-4D 123
Highway. LS20-2C 5
Highways. LS14-2A 70
High Wicken Clo. BD13-4A 54
Highwood Av. LS17-2D 27
High Wood Ct. LS6-3A 44
Highwood Cres. LS17-2D 27
Highwood Gro. LS17-2D 27
Hilda St. BD9-4C 35
Hillam Rd. BD2-4A 36
Hillam St. BD5-3D 79
Hillary Pl. LS2-1C 67
Hillary Rd. BD18-1A 36
Hill Brow Clo. BD15-2C 55
Hill Clo. BD17-3D 17
Hill Ct. Av. LS13-4D 41
Hill Ct. Croft. LS13-3D 41
Hill Ct. Dri. LS13-3D 41

Hill Ct. Gro. LS13-3D 41
Hill Cres. HX3-1B 126
Hill Cres. LS19-1D 21
Hill Crest. LS26-4B 94
Hillcrest. LS27-4C 85
Hill Crest Av. BD13-2A 52
Hillcrest Av. LS7-4B 46
Hillcrest Clo. LS26-4B 94
Hill Crest Dri. BD13-2A 52
Hill Crest Mt. BD13-2A 52
Hillcrest Mt. BD19-3B 122
Hillcrest Mt. LS16-1A 24
Hillcrest Pl. LS7-3A 46
Hillcrest Rise. LS16-1A 24
Hill Crest Rd. BD13-2A 52
Hill Crest View. BD13-2A 52
Hillcrest View. LS7-3A 46
Hill Croft. BD13-3B 54
Hill End Clo. HX3-3D 119
(Hipperholme)
Hill End Clo. HX3-1C 121
(Norwood Green)
Hill End Clo. LS12-3B 64
Hill End Cres. LS12-3B 64
Hill End Gro. BD7-2A 78
Hill End La. BD13-1A 98
Hill End Rd. LS12-3B 64
Hill Foot. BD18-1A 34
Hillfoot Av. LS28-2C 61
Hillfoot Cotts. LS28-2C 61
Hillfoot Cres. LS28-2D 61
Hillfoot Dri. LS28-2C 61
Hillfoot Rise. LS28-2D 61
Hillidge Av. LS10-1A 90
Hillidge Pl. LS10-2A 90
Hillidge Rd. LS10-2A 90
Hillidge Sq. LS10-1A 90
Hillingdon Way. LS17-4C 13
Hillings La. LS20 & LS29-2A 4
Hill Lands. BD12-3D 101
Hill Pk. Av. HX3-2B 116
Hill Rise Av. LS13-4D 41
Hill Rise Gro. LS13-4D 41
Hillside Av. LS20-1A 6
Hillside Bldgs. LS11-2C 89
Hillside Ct. LS7-1A 46
Hillside Gro. LS28-3B 62
Hill Side Mt. LS28-1B 62
Hillside Rise. LS20-1A 6
Hill Side Rd. BD3-3C 59
Hillside Rd. BD16-2B 14
Hillside Rd. BD18-2A 36
Hillside Rd. LS7-1A 46
Hill Side Ter. BD3-3C 59
Hillside Ter. BD17-2D 17
Hill Side View. LS28-1B 62
Hill St. BD6-4C 79
Hill St. BD19-3D 123
Hill St. HX1-4D 117
Hill St. LS9-1A 68
Hill St. LS11-2C 89
Hillthorpe Rise. LS28-1A 84
Hillthorpe Rd. LS28-1A 84
Hillthorpe Sq. LS28-4A 62
Hillthorpe St. LS28-4A 62
Hillthorpe Ter. LS28-1A 84
Hill Top. BD13-3A 76
Hill Top. HX2-1B 124
Hill Top Av. LS8-4B 46
Hill Top Clo. LS12-3B 64
Hill Top Fold. BD12-2A 102
Hill Top Gro. BD15-2C 55
Hill Top La. BD15-2C 55
Hill Top Mt. LS8-4B 46
Hill Top Pl. LS8-4B 46
Hill Top Rd. BD13-3C 53
Hill Top Rd. LS6-1B 66
Hill Top Rd. LS12-2B 64
Hill Top St. LS6-1B 66
Hill View. HX2-1B 96
Hill View Av. LS7-1A 46
Hillview Gdns. HX3-2C 119
Hill View Mt. LS7-1A 46
Hill View Pl. LS7-1A 46
Hill View Rise. BD4-2B 82
Hill View Ter. LS7-1A 46
Hillway. LS20-3D 5
Hilton Av. BD18-2D 35
Hilton Cres. BD17-3C 17
Hilton Dri. BD18-2C 35
Hilton Gro. BD7-4C 57
Hilton Gro. BD18-2D 35
Hilton Gro. LS8-3B 46
Hilton Pl. LS8-3B 46
Hilton Rd. BD7-4C 57
Hilton Rd. BD18-2D 35
Hilton Rd. LS8-3B 46
Hilton St. LS8-3B 46
Hilton Ter. LS8-3B 46
Hinchcliffe Av. BD17-3A 18
Hinchcliffe St. BD3-2C 59
Hindle Pl. LS27-1D 109
Hindle Wlk. BD7-3A 78
Hind St. BD8-3D 57
Hind St. BD12-1D 121
Hipswell St. BD3-3D 59
Hird Av. BD6-1D 101
Hird Rd. BD12-2A 102
Hird St. BD17-4C 17
Hird St. LS11-2C 89
Hirst Fold. BD12-4D 101
(off Worthing Head)
Hirst La. BD18-4A 16
Hirst Lodge Ct. BD2-3B 36
Hirst Mill Cres. BD18-3A 16
Hirst's Yd. LS1-3D 67
Hirst Wood Cres. BD18-4A 16
Hirst Wood Rd. BD18-4A 16
Hobb End. BD13-3D 53
Hobberley La. LS17-2B 30
Hobson Fold. BD12-1A 122
Hockney Rd. BD8-2C 57
Hodgson Av. BD3-2A 60
Hodgson Av. LS17-2C 29
Hodgson Cres. LS17-2C 29
Hodgson Fold. BD2-4B 36
Hodgson La. BD4 & BD11-2D 105
Hodgson La. BD11-2A 106
Hodgson Pl. LS27-1D 109
Hodgson Yd. BD2-3D 37
Holbeck La. LS11-4B 66
Holbeck Moor Rd. LS11-1C 89
Holbeck Towers. LS11-1C 89
Holborn App. LS6-4C 45
Holborn Ct. BD12-2D 101
Holborn Ct. LS6-4C 45
Holborn Gdns. LS6-4C 45
Holborn Grn. LS6-4C 45
Holborn Gro. LS6-4C 45
Holborn St. LS6-4C 45
Holborn Ter. LS6-4C 45
Holborn Towers. LS6-4C 45
Holborn View. LS6-4C 45
Holborn Wlk. LS6-4C 45
Holden Ing Way. WF17-4C 107
Holden La. BD17-1A 18
Holden Rd. BD6-4C 79
Holdforth Clo. LS12-3A 66
Holdforth Gdns. LS12-3A 66
Holdforth Grn. LS12-4A 66
Holdforth Pl. LS12-3A 66
Holdsworth Bldgs. BD12-3D 101
(off Courts Leet)
Holdsworth Ct. BD19-3D 123
Holdsworth Pl. LS12-3C 65
Holdsworth Rd. HX2 & HX3-2C 97
Holdsworth Row. LS12-3C 65
Holdsworth Sq. BD2-3A 38
Holdsworth St. BD1-3B 58
Holdsworth St. BD18-2D 35
Holdsworth St. BD19-3D 123
Holker St. BD8-2D 57
Holland St. BD4-4A 60
Hollas La. HX3-2B 124
Hollas La. HX6-3B 124
Hollin Clo. La. BD2-4A 36
Hollin Cres. LS16-1A 44
Hollin Dri. LS16-1A 44
Hollin Gdns. LS16-1D 43
Hollingbourne Rd. LS15-1B 72
Hollin Greaves La. HX3-2A 118
Hollings Rd. BD8-2D 57
Hollings Sq. BD8-2D 57
Hollings St. BD8-3D 57
Hollings St. BD16-1D 33
Hollings Ter. BD8-2D 57
Hollingwell Hill. BD14-2B 76
Hollingwood Av. BD7-1B 78
Hollingwood Ct. BD7-2A 78
Hollingwood Dri. BD7-2B 78
Hollingwood La. BD7-2A 78
Hollingwood Mt. BD7-2B 78
Hollin Hall Rd. BD18-1A 34
Hollin Head. BD17-1B 18
Hollin Hill Av. LS8-2D 47
Hollin Hill Cotts. LS8-2D 47
Hollin Hill Dri. LS8-2D 47
Hollin La. BD18-2A 36
Hollin La. LS16-1A 44
Hollin Mt. LS16-1D 43
Hollin Pk. Av. LS8-3D 47
Hollin Pk. Cres. LS8-3D 47
Hollin Pk. Dri. LS28-2C 39
Hollin Pk. Mt. LS8-2D 47
Hollin Pk. Pde. LS8-3D 47
Hollin Pk. Pl. LS8-2D 47
Hollin Pk. Rd. LS8-3D 47
Hollin Pk. Rd. LS28-2C 39
Hollin Pk. Ter. LS8-3D 47
Hollin Pk. View. LS8-2D 47
Hollin Pl. LS16-1A 44
Hollin Rise. BD18-2D 35
Hollin Rd. BD18-2D 35
Hollin Rd. LS16-1D 43
Hollins Hill. BD17-1C 19
Hollins Hill. LS20-1C 19
Hollin Ter. BD18-2D 35
Hollin View. LS16-1A 44
Hollin Wood Clo. BD18-1B 34
Hollis Pl. LS3-2B 66
Hollowfield Croft. BD12-3C 103
Holly Av. LS16-2A 24
Holly Bank. LS6-2A 44
Holly Bank Dri. HX3-3A 120
Hollybank Gdns. BD7-2B 78
Hollybank Gro. BD7-2B 78
Hollybank Rd. BD7-2B 78
Holly Clo. LS10-3C 111
Holly Ct. LS20-2A 6
Hollycroft Ct. LS16-2C 25
Holly Dri. LS16-2A 24
Holly Gro. HX1-4C 117
Holly Hall La. BD12-3D 101
(in two parts)
Holly Pk. LS28-2C 39
Holly Pk. Dri. BD7-2B 78
Holly Pk. Gro. BD7-2A 78
Hollyshaw Cres. LS15-2D 71
Hollyshaw Gro. LS15-2D 71
Hollyshaw La. LS15-2D 71
Hollyshaw St. LS15-2D 71
Hollyshaw Ter. LS15-2D 71
Hollyshaw Wlk. LS15-2D 71
Holly St. BD6-3A 78
Hollywell Ash La. BD8-2A 58
Hollywell Gro. LS12-3C 65
Hollywell La. LS12-3C 65
Holme La. BD4-4B 82
Holmes La. BD2-3A 36
Holmes Rd. HX6-2A 124
Holmes St. BD1-3A 58
Holmes St. LS11-4D 67
Holmes St. LS26-3B 114
Holme's Ter. HX2-2A 116
Holme St. BD5-2A 80
Holme St. HX3-3C 121
Holme Top La. BD5-1A 80
Holme Top St. BD5-2A 80
Holme Well Rd. LS10-3A 112
Holme Wood Rd. BD4-2A 82
Holmfield Dri. LS8-3B 28
Holmfield Gdns. HX2-3C 97
Holmfield Ho. HX3-3D 97
Holmfield Ind. Est. HX2 & HX2-2C 97
Holmfield Ind. Est. Rd. HX2-1C 97
Holmfield St. BD1-3A 58
Holmsley Crest. LS26-2C 115
Holmsley Field Ct. LS26-2D 115
Holmsley Field La. LS26-2D 115
Holmsley Garth. LS26-2D 115
Holmsley La. LS26-2C 115
Holmsley Wlk. LS26-2D 115
Holmwood Av. LS6-4B 26
Holmwood Clo. LS6-4B 26
Holmwood Cres. LS6-1B 44
Holmwood Dri. LS6-4B 26
Holmwood Gro. LS6-4B 26
Holmwood Mt. LS6-4B 26
Holmwood View. LS6-4B 26
Holroyd Hill. BD6-4D 79
Holroyd St. LS7-1A 68
Holsworthy Rd. BD4-3A 82
Holt Av. LS16-1D 25
Holtby Gro. HX3-4C 121
Holt Clo. LS16-1D 25
Holt Cres. LS16-1B 24
Holtdale App. LS16-4B 10
Holtdale Av. LS16-4B 10
Holtdale Clo. LS16-1B 24
Holtdale Croft. LS16-4B 10
Holtdale Dri. LS16-4B 10
Holtdale Fold. LS16-4B 10
Holtdale Gdns. LS16-1B 24
Holtdale Garth. LS16-4B 10
Holtdale Grn. LS16-4B 10
Holtdale Gro. LS16-4B 10
Holtdale Lawn. LS16-1B 24
Holtdale Pl. LS16-1B 24
Holtdale Rd. LS16-1B 24
Holtdale View. LS16-1B 24
Holtdale Way. LS16-4B 10
Holt Dri. LS16-1C 25
Holt Farm Clo. LS16-4B 10
Holt Farm Rise. LS16-4B 10
Holt Gdns. LS16-1D 25
Holt Garth. LS16-1C 25
Holt Ga. LS16-1C 25
Holt Grn. LS16-1C 25
Holt La. LS16-4B 10
Holt La. Ct. LS16-1D 25
Holt Pk. App. LS16-4C 11
Holt Pk. Av. LS16-4C 11
Holt Pk. Clo. LS16-4C 11
Holt Pk. Cres. LS16-4B 10
Holt Pk. District Cen. LS16-1B 24
(off Holt Rd.)
Holt Pk. Dri. LS16-4C 11
Holt Pk. Gdns. LS16-4C 11
Holt Pk. Ga. LS16-4C 11
Holt Pk. Grange. LS16-4C 11
Holt Pk. Grn. LS16-4C 11
Holt Pk. Gro. LS16-4B 10
Holt Pk. La. LS16-1B 24
Holt Pk. Rise. LS16-4B 10
Holt Pk. Rd. LS16-1B 24
Holt Pk. Vale. LS16-1B 24
Holt Pk. View. LS16-4B 10
Holt Pk. Way. LS16-4C 11
Holt Rise. LS16-1C 25
Holt Rd. LS16-1C 25
Holt's La. BD14-1C 77
Holts Ter. HX3-2A 126
Holt, The. BD18-1D 35
Holt Vale. LS16-1C 25
Holt Wlk. LS16-1C 25
Holt Way. LS16-1C 25
Holybrook Av. BD10-2A 38
Holyoake Av. BD16-3C 15
Holywell La. LS17-1A 30
Holywell View. LS17-1A 30
Home Lea. LS26-2A 114
Home Lea. Dri. LS26-2A 114
Home View Ter. BD8-1D 57
Hopbine Av. BD5-3B 80
Hope Av. BD18-1A 36
Hopefield Chase. LS26-4C 113
Hopefield Clo. LS26-4C 113
Hopefield Ct. LS26-4C 113
Hopefield Dri. LS26-4C 113
Hopefield Gdns. LS26-4C 113
Hopefield Grn. LS26-4C 113
Hopefield Gro. LS26-4C 113
Hopefield M. LS26-4C 113
Hopefield Wlk. LS26-4C 113
Hopefield Way. LS26-4C 113
Hope Hall St. HX1-4D 117
Hope Hall Ter. HX1-4D 117
Hope Hill View. BD16-1C 33
Hope La. BD17-2D 17
Hope Rd. LS9-2A 68
Hopes Farm Mt. LS10-2B 112
Hopes Farm Rd. LS10-2B 112
Hopes Farm View. LS10-2B 112
Hope St. HX1-3D 117
Hope St. HX3-3D 99
Hope St. LS27-4C 109
Hope View. BD18-1A 36
Hopewell Pl. LS6-1B 66
Hopewell Ter. LS18-1D 41
Hopewell View. LS10-3D 111
Hopkinson Dri. BD4-4D 81
Hopkinsons Bldgs. HX3-4C 97
Hopkinson St. HX3-4C 97
Hopkin St. BD4-4B 82
Hopton Av. BD4-4D 81
Hopwood Bank. LS18-3D 23
Hopwood Clo. LS18-3D 23
Hopwood La. HX1-4B 116
Hopwood Rd. LS18-3D 23
Hopwood St. BD1-1A 58
Horley Grn. La. HX3-2A 118
Horley Grn. Rd. HX3-2A 118
Horley St. HX3-2A 118
Hornbeam Way. LS14-4D 31
Hornby St. HX1-1B 124
Hornby Ter. HX1-1B 124
Horne St. HX1-3C 117
Horsfall St. HX1-1C 125
Horsfall St. LS27-2B 108
Horsforth Bri. LS16-2D 23
Horsforth New Rd. LS13-2A 40
Horsham Rd. BD4-3A 82
Horsley St. BD6-4D 79
Horsman St. BD4-4A 82
Horton Clo. LS13-3B 40
Horton Garth. LS13-3B 40
Horton Grange Rd. BD7-4C 57
Horton Hall Clo. BD5-1A 80
Horton Pk. Av. BD7 & BD5-1D 79
Horton Pl. HX2-4B 74
Horton Rise. LS13-3B 40
Horton St. HX1-4D 117
Horton Ter. HX3-3D 119
Hospital La. LS16-2B 24
Hough. HX3-2C 119
Hough Clo. LS13-2C 63
Hough End Av. LS13-2D 63
Hough End Clo. LS13-2A 64
Hough End Ct. LS13-2D 63
Hough End Cres. LS13-2D 63
Hough End Gdns. LS13-2A 64
Hough End Garth. LS13-2D 63
Hough End La. LS13-2D 63
Hough Gro. LS23-1D 63
Hough La. LS13-1D 63
Houghley Av. LS12-1B 64
Houghley Clo. LS13-1B 64
Houghley Cres. LS12-1B 64
Houghley La. LS13 & LS12-1B 64
Houghley Pl. LS12-1B 64
Houghley Rd. LS12-1B 64
Houghley Sq. LS12-1B 64
Hough Side Clo. LS28-3C 63
Hough Side La. LS28-3C 63
Hough Side Rd. LS28-3B 62
Hough Ter. LS13-1D 63
Houghton Pl. BD1-3A 58
(in two parts)
Hough Top. LS13-3C 63
Hough Tree Rd. LS13-2C 63
Hough Tree Ter. LS13-3D 63
Hougomont. BD13-2D 75
Hovingham Av. LS8-4C 47
Hovingham Gro. LS8-4C 47
Hovingham Mt. LS8-4C 47
Hovingham Ter. LS8-4C 47
Howard Av. LS15-3B 70
Howard Ct. LS15-3B 70
Howard St. BD5-4A 58
Howard St. HX1-3C 117
Howarth Av. BD2-3C 37
Howarth Cres. BD2-3C 37
Howarth Pl. LS7-1D 67
Howcans La. HX3-4C 97
Howden Brook. HX3-1A 100
Howden Clo. BD4-3B 82
Howden Clough Rd. WF17 & LS27 -4D 107
Howden Gdns. LS6-1B 66
Howden Pl. LS6-1B 66
Howden Way. LS27-4A 108
Howes La. HX3-1B 118
Howgate. BD10-4D 19
Howgill Grn. BD6-2C 101
Howson Clo. LS20-2B 6
Hoxton St. BD8-2C 57
Hoyle Ct. Av. BD17-2B 18
Hoyle Ct. Dri. BD17-2B 18
Hoyle Ct. Rd. BD17-2B 18
Hoyle Ing Rd. BD13-4B 54
Hubert St. BD3-4D 59
Hubert St. HX2-3A 116
Huddersfield Rd. BD12 & BD6 -2D 121 to 1A 10
Huddersfield Rd. HX3-1D 125 to 4A 12
Hud Hill. HX3-3C 99
Hudson Av. BD7-2C 79
Hudson Cres. BD7-2C 79
Hudson Gro. LS9-1C 69
Hudson Pl. LS9-1C 69
Hudson Rd. LS9-1C 69
Hudson's Ter. LS19-3D 7
Hudson St. BD3-3A 60
Hudson St. LS9-1C 69
Hudson St. LS28-1A 62
Hudson, The. BD12-1D 121
Hudswell Rd. LS10-1D 89
Huggan Row. LS28-3B 62
Hughenden View. LS27-2C 109
Hughendon Dri. BD13-4C 55
Hughendon Wlk. BD13-4C 55
Hugill St. BD13-4A 54
Hulbert St. BD16-3C 15
Hull St. LS27-3C 109
Humble Pl. LS11-1C 89
Humboldt St. BD1-3C 59
Hunger Hill. HX1-4D 117
Hunger Hill. LS27-4C 109
Hunger Hills Av. LS18-3C 23
Hunger Hills Dri. LS18-3C 23
Hunslet Distributor. LS10-1A 90
Hunslet District Shopping LS10-2A 90
Hunslet Hall Rd. LS11-1C 89
Hunslet Hall Shopping LS11-1D 89
Hunslet La. LS10-4D 67
Hunslet Rd. LS10-4D 67
Hunsworth La. BD19 & BD4 -2D 123 & 4A 104
Hunters Ct. BD9-4D 33
Hunters Pk. Av. BD14-1A 78
Huntsmans Clo. BD16-1D 15
Hunt Yd. BD7-2C 79
Hurstville Av. BD4-2B 104
Husler Gro. LS7-4A 46
Husler Pl. LS7-4A 46
Hustlergate. BD1-3B 58
Hustler's Row. LS6-4A 26
Hustler St. BD3-2C 59
Hutchinson Pl. LS5-4C 43
Hutchinson St. HX3-2C 117
Hutson St. BD5-2A 80
Hutton Rd. N. BD5-3D 79
Hutton Ter. BD2-3A 38
Hutton Ter. LS28-3B 62
Hydale Ct. BD12-2D 101
Hyde Pk. HX1-1C 125
Hyde Pk. Clo. LS6-1B 66
Hyde Pk. Corner. LS6-4B 44
Hyde Pk. Gdns. HX1-1C 125
Hyde Pk. Pl. LS6-4B 44
Hyde Pk. Rd. HX1-1C 125
Hyde Pk. Rd. LS6-1B 66
Hyde Pk. St. HX1-1C 125
Hyde Pk. Ter. LS6-4B 44
Hyde Pl. LS2-2C 67
Hyde St. BD10-3C 19
Hyde St. LS2-2C 67
Hyde Ter. LS2-2B 66
Hyne Av. BD4-4D 81

Ibbetson Clo. LS27-1C 109
Ibbetson Ct. LS27-2C 109
Ibbetson Croft. LS27-1C 109
Ibbetson Dri. LS27-1C 109
Ibbetson M. LS27-1C 109
Ibbetson Oval. LS27-1C 109
Ibbetson Rise. LS27-1C 109
Ibbetson Rd. LS27-1C 109
Ida's, The. LS9-3C 91
Ida St. BD5-2D 79
Iddesleigh St. BD4-4D 59
Idle Croft Rd. BD10-1C 37
Idle Rd. BD2-3C 37
Idlethorpe Way. BD10-1D 37
Ilbert Av. BD4-4D 81
Ilford St. LS27-3C 109
Illingworth Av. HX2-1B 96
Illingworth Bldgs. BD12-3B 102
Illingworth Clo. HX2-1B 96
Illingworth Clo. LS19-4D 7
Illingworth Cres. HX2-1B 96
Illingworth Dri. HX2-1B 96
Illingworth Gdns. HX2-2B 96
Illingworth Gro. HX2-1B 96
Illingworth Rd. BD12-3B 102
Illingworth Rd. HX2-2B 96
Illingworth Way. HX2-1B 96
Incline, The. HX3-3A 118
Independent St. BD5-2D 79
Industrial St. BD16-2B 14
Industrial St. BD19-3B 122
Industrial St. LS9-1B 68
Industrial Ter. HX1-1C 125
Industry St. BD13-4A 54
Infirmary St. BD1-3A 58
(in two parts)
Infirmary St. LS1-3C 67
Ing Field. BD12-3C 103
Ingham Clo. HX2-4B 74
Ingham La. HX2-4B 74
Inghams Av. LS28-3D 61
Inghams Ct. HX3-2C 117
Inghams Ter. LS28-3C 61
Ingham St. LS28-2A 62
Inghams View. LS28-3C 61
Inghead Gdns. HX3-4D 99
Ing Head Ter. HX3-4D 99
Ingle Av. LS27-2B 108
Ingleborough Dri. LS27-4D 109
Ingleby Pl. BD7-4C 57
Ingleby Rd. BD8 & BD7-3C 57
Ingleby St. BD8-3C 57
Ingleby Way. LS10-1A 112
Ingle Cres. LS27-2C 109
Ingledew Ct. LS17-2A 28
Ingledew Cres. LS8-3C 29
Ingledew Dri. LS8-3C 29
Ingle Gro. LS27-3B 108
Ingle Row. LS7-1D 45
Ingleton Clo. LS11-2C 89
Ingleton Dri. LS15-3A 70
Ingleton Gro. LS11-2C 89
Ingleton St. LS11-2C 89
Inglewood App. LS14-4C 49
Inglewood Dri. LS14-4C 49
Inglewood Pl. LS14-4C 49
Inglewood Ter. LS6-4C 45
Ingram Av. LS15-3B 70
Ingram Clo. LS11-1B 88
Ingram Ct. LS11-4B 66
Ingram Cres. LS11-1B 88
Ingram Gdns. LS11-1B 88
Ingram Pde. LS26-3B 114
Ingram Rd. LS11-1B 88
Ingram Row. LS11-4C 67
Ingram Sq. HX1-1C 125
Ingram St. HX1-1C 125
Ingram St. LS11-4C 67
Ingram View. LS11-1B 88
Ings Av. LS20-1D 5
Ings Ct. LS20-1D 5
Ings Cres. LS9-3C 69
Ings Cres. LS20-1D 5
Ings La. LS20-1D 5
Ings Rd. LS9-3C 69
Ings, The. HX3-4C 121
Ing St. BD3-4A 60
Ings Way. BD8-3A 56
Inkerman St. BD4-2A 82
Inner Ring Rd. LS1 & LS2-2C 67
Institute Rd. BD2-3D 37
Intake Gro. BD2-1D 59
Intake La. LS10-4D 111
Intake La. LS13 & LS28-4B 40
Intake La. LS14-2D 31
Intake La. LS19-2A 22
Intake Mt. LS10-4D 111
Intake Rd. BD2-1D 59
Intake Rd. LS28 & LS13-3B 62
Intake Sq. LS10-4D 111
Intake Ter. BD2-1D 59
Intake View. LS10-4D 111
Intake View. LS13-4B 40
Intercity Way. LS13-2B 62
Invertrees Av. LS19-1D 21
Iona Pl. HX3-1D 117
Iona St. HX3-2D 117
Ireland Cres. LS16-2B 24
Ireland St. BD16-2B 14
Ireland Ter. BD16-2B 14
Ireton St. BD7-4C 57
Iron St. BD19-4D 123
Ironwood App. LS14-4B 48
Ironwood Cres. LS14-4C 49
Ironwood View. LS14-4C 49
Irving St. HX1-1B 124
Irving Ter. BD14-2D 77
Irwell St. BD4-1C 81
Irwin App. LS15-3B 70
Irwin St. LS28-1A 62
Isaac St. BD8-3C 57
Isle La. LS11-4B 66
Isles St. BD8-3B 56
Ivanhoe Rd. BD7-1D 79
Ivegate. BD1-3B 58
Ivegate. LS19-3C 7
Iveson App. LS16-3B 24
Iveson Clo. LS16-3B 24
Iveson Cres. LS16-3B 24
Iveson Dri. LS16-3B 24
Iveson Gdns. LS16-3B 24
Iveson Garth. LS16-3C 25
Iveson Grn. LS16-2B 24
Iveson Gro. LS16-3B 24
Iveson Lawn. LS16-3C 25
Iveson Rise. LS16-3C 25
Iveson Rd. LS16-3B 24
Ives St. BD17-4D 17
Ivory St. LS10-1D 89
Ivy Av. LS9-3C 69
Ivy Bank. BD12-4D 101
Ivy Bank. LS19-3C 7
Ivy Chase. LS28-3C 63
Ivy Ct. LS7-2A 46
Ivy Cres. HX3-3A 120
Ivy Cres. LS9-3C 69
Ivy Gro. BD18-1B 34
Ivy Gro. LS9-3C 69
Ivy La. BD15-1C 55
Ivy La. HX2-2A 96
Ivy Mt. HX3-3A 126
Ivy Mt. LS9-3C 69
Ivy Pl. LS13-3A 42
Ivy Rd. BD18-1B 34

y Rd. LS9-3C 69
y St. HX1-1C 125
y St. LS9-3C 69
y St. S. HX1-1C 125
y Ter. HX1-1C 125
y Ter. HX3-3A 120
y View. LS9-3C 69

ckie Smart Rd. BD5-2B 80
ck La. LS11 & LS10-1C 89 & 1D 89
ckman Dri. LS18-1A 42
ckson Av. LS8-1B 46
ckson Hill. BD13-1B 98
ckson Hill La. BD13-1B 98
ckson Rd. LS7-4D 45
ckson St. BD3-4C 59
cob St. BD5-2A 80
cob St. LS2-2D 67
cob's Well. BD5-4B 58
l Yd. LS26-3B 114
mes Av. LS8-4B 28
mes Baillie Flats. LS6-3B 44
mes Ga. BD1-3A 58
mes St. BD1-3A 58
mes St. BD11-2C 105
mes St. BD13-4A 54
mes St. BD15-2D 55
mes St. BD19-4D 123
mes St. LS19-1D 21
mie Ct. BD10-2A 38
ne Hills. BD17-4C 17
ne St. BD13-2A 52
ne St. BD18-4B 16
ques Clo. LS6-3D 43
dine Rd. BD16-2C 15
dine St. BD16-2C 15
ratt St. BD8-2C 57
rom Clo. BD4-2A 82
vis Sq. WF3-4C 113
vis Wlk. WF3-4C 113
smin Ter. BD8-2D 57
sper St. BD10-4D 19
sper St. HX1-3B 116
velin Clo. BD10-2C 37
an Av. LS15-3C 71
nkinson Clo. LS11-1C 89
nkinson Lawn. LS11-1C 89
nnings Pl. BD7-1C 79
nnings St. BD7-1C 79
nny La. BD17-1A 18
Gro. BD7-3A 78
La. BD7-3A 78
myn St. BD1-3B 58
vaulx Cres. BD8-2A 58
wood Hill Clo. HX3-2A 118
wood Hill Rd. HX3-2A 118
smond Av. BD9-1C 57
smond Gro. BD9-1B 56
samine Av. LS11-3B 88
se St. BD8-3A 56
sop Row. LS12-3C 65
ter Pl. BD13-3D 75
ney Moor La. LS26-4A 94
fre Mt. LS19-3C 7
hn Escritt Rd. BD16-3C 15
hn O Gaunts Trading LS26-2B 114
hn O'Gaunts Wlk. LS26-2B 114
hnson's Ter. LS27-3D 109
hnson St. BD3-3A 60
hnson St. BD16-2B 14
hnston St. LS6-4C 45
hn St. BD1-3A 58
hn St. BD4-4B 82
hn St. BD13-2A 52
hn St. BD14-1D 77
hn St. BD17-3D 17
hn St. BD18-4C 17
hn St. HX1-3D 117
hn St. LS6-4B 44
hn St. LS19-1D 21
hn St. Mkt. BD1-3A 58
seph Av. HX3-1C 119
seph St. BD3-3C 59 & 4C 59
seph St. BD4-4B 82
seph St. LS10-1A 90
wett Pk. Cres. BD10-3C 19
wett St. BD1-3D 57
bilee Ct. LS27-3C 109
bilee Cres. BD11-1C 107
bilee Croft. BD11-1B 106
bilee Pl. LS27-4C 109
bilee Rd. HX3-3A 126
bilee St. BD1-2A 58
bilee St. BD4-2A 82
bilee St. HX3-1A 126
bilee St. LS27-4C 109
bilee St. N. HX3-4C 97
bilee Ter. LS27-4C 109
bilee Way. BD18-4A 18
an Dri. BD13-3D 77
nples. HX2-3A 96
nples Ct. HX2-3A 96
nples Crag. HX2-3A 96
nction St. LS10-4D 67
niper Pl. LS9-1C 69

nac Rd. LS8-3B 46
herine St. BD18-4B 16
cell St. BD4-3D 81
St. BD18-2D 35
rsley Ter. LS10-3A 90
leston Rd. LS8-2B 28
ble Ho. BD2-1A 60
lham Pl. BD13-4B 52
per La. BD4-2A 84
ton St. LS9-3B 68
ghley Clo. HX2-2A 96
ghley Dri. HX2-3B 96
ghley Pl. LS28-1B 62
ghley Rd. BD9 & BD8-3D 35
ghley Rd. BD13-1A 52
ghley Rd. BD16-1B 14
ghley Rd. HX2 & HX3
-3A 74 to 4B 96
brook Ho. BD4-3B 82
cliffe Av. LS20-1A 6
cliffe Gro. LS20-1A 6
cliffe La. LS20-1A 6
lholme Clo. LS13-3B 40
lholme Rd. LS13-3B 40
lett Av. LS12-1D 87
lett Bldgs. BD12-3A 102
lett Cres. LS12-1D 87
Kellett Dri. LS12-1D 87
Kellett Gro. LS12-1D 87
Kellett La. LS12-1D 87
Kellett Mt. LS12-1D 87
Kellett Pl. LS12-1D 87
Kellett Rd. LS12-1D 87
Kellett Ter. LS12-1D 87
Kellett Wlk. LS12-1D 87
Kell La. HX3-1B 118
Kelloe St. BD19-2D 123
Kell St. BD16-2C 15
Kelmore Gro. BD6-2B 100
Kelmscott Av. LS15-4A 50
Kelmscott Cres. LS15-4A 50
Kelmscott Gdns. LS15-4A 50
Kelmscott Garth. LS15-4A 50
Kelmscott Grn. LS15-4A 50
Kelmscott Gro. LS15-4A 50
Kelmscott La. LS15-4A 50
Kelsal Av. LS6-1B 66
Kelsall Gro. LS6-1B 66
Kelsall Pl. LS6-1B 66
Kelsall Rd. LS6-1B 66
Kelsall Ter. LS6-1B 66
Kelsey's Ter. HX2-2A 116
(off Stretchgate La.)
Kelsey St. HX1-3B 116
Kelso Gdns. LS2-1B 66
Kelso Pl. LS12-1B 66
Kelso Rd. LS2-1B 66
Kelso St. LS2-1B 66
Kelvin Av. HX2-4A 116
Kelvin Cres. HX2-4A 116
Kelvin Ho. BD4-2B 82
Kelvin Pl. BD4-1C 81
Kelvin Way. BD2-1D 59
Kemsing Wlk. LS15-1B 72
Kendal Bank. LS3-2B 66
Kendal Carr. LS3-2B 66
Kendal Clo. LS3-2B 66
Kendal Dri. LS15-4A 70
Kendal Gro. LS3-2B 66
Kendal La. LS3-2B 66
Kendall Av. BD18-1B 34
Kendall St. LS10-3D 67
Kendal Rise. LS3-2B 66
Kendal Rd. LS2-2C 67
Kendal Wlk. LS3-2B 66
Kenilworth Av. LS27-2A 108
Kenilworth Dri. HD6-4C 121
Kenilworth Gdns. LS27-2A 108
Kenilworth Rd. LS12-4D 65
Kenilworth St. BD4-1C 81
Kenley Av. BD6-3C 79
Kenley Mt. BD6-3C 79
Kenley Pde. BD7 & BD6-3B 78
Kenmore Av. BD19-2D 123
Kenmore Clo. BD19-2D 123
Kenmore Cres. BD6-3C 79
Kenmore Cres. BD19-3D 123
Kenmore Dri. BD6-3C 79
Kenmore Dri. BD19-3D 123
Kenmore Gro. BD6-3C 79
Kenmore Gro. BD19-2D 123
Kenmore Rd. BD6-3C 79
Kenmore Rd. BD19-2D 123
Kenmore View. BD19-2D 123
Kenmore Wlk. BD6-3C 79
Kenmore Way. BD19-3D 123
Kennerleigh Av. LS15-1D 71
Kennerleigh Cres. LS15-1D 71
Kennerleigh Dri. LS15-1D 71
Kennerleigh Garth. LS15-2D 71
Kennerleigh Glen. LS15-2D 71
Kennerleigh Gro. LS15-2D 71
Kennerleigh Rise. LS15-2D 71
Kennerleigh Wlk. LS15-2D 71
Kenneth St. LS11-1B 88
Kennion St. BD5-1A 80
Kensington Clo. HX3-2C 125
Kensington Ct. LS6-4B 44
Kensington Rd. HX3-2C 125
Kensington St. BD8-2C 57
Kensington Ter. LS6-4B 44
Kenstone Cres. BD10-1C 37
Kent Av. LS28-3C 63
Kent Clo. LS28-3C 63
Kent Cres. LS28-3B 62
Kent Dri. LS28-3B 62
Kentmere App. LS14-2A 48
Kentmere Av. BD12-2A 122
Kentmere Av. LS14-1B 48 to 3B 48
Kentmere Clo. LS14-2B 48
Kentmere Cres. LS14-2B 48
Kentmere Gdns. LS14-2B 48
Kentmere Garth. LS14-2B 48
Kentmere Ga. LS14-1B 48
Kentmere Grn. LS14-2B 48
Kentmere Rise. LS14-3B 48
Kenton Way. BD4-2A 82
Kent Rd. BD16-2C 15
Kent Rd. LS28-3B 62 to 4C 63
Kent St. BD1-4B 58
Kent St. HX1-4D 117
Kenwood M. LS18-1A 42
Kenworthy Clo. LS16-1C 25
Kenworthy Gdns. LS16-1C 25
Kenworthy Garth. LS16-1C 25
Kenworthy Ga. LS16-1C 25
Kenworthy Rise. LS16-1C 25
Kenworthy Vale. LS16-1C 25
Kenyon La. HX2-4A 116
Kepier Gro. LS8-1A 68
Kepler Mt. LS8-1A 68
Kepler Ter. LS8-1B 68
Kepstorn Clo. LS5-2C 43
Kepstorn Rise. LS5-2C 43
Kepstorn Rd. LS16-1C 43
Kerry Garth. LS18-4D 23
Kerry Hill. LS18-4D 23
Kerry St. LS18-4D 23
Kerry View. LS18-4D 23
Kershaw St. BD3-3A 60
Kesteven Clo. BD4-3B 82
Kesteven Rd. BD4-3A 82
Kestrel Clo. LS17-1B 28
Kestrel Dri. BD2-3C 37
Kestrel Garth. LS27-4A 110
Kestrel Gro. LS17-1B 28
Kestrel Mt. BD2-3C 37
Keswick Clo. HX3-2A 126
Keswick St. BD4-1A 82
Kettlewell Dri. BD5-2D 79
Kidacre St. LS10-4D 67
Kildare Cres. BD15-2C 55
Kildare Ter. LS12-4B 66
Killingbeck Bri. LS14-2A 70
Killingbeck Dri. LS14-1A 70
Killinghall Av. BD2-1D 59
Killinghall Dri. BD2-1D 59
Killinghall Gro. BD2-1D 59
Killinghall Rd. BD2 & BD3-1D 59
Kilner Ho. BD2-1A 60
Kilner Rd. BD6-4C 79
Kilnsea Mt. BD4-2B 82
Kilnsey Rd. BD3-4D 59
Kimberley Pl. HX3-4C 97
Kimberley Pl. LS9-3C 69
Kimberley Rd. LS9-1C 69
Kimberley St. BD4-4D 59
Kimberley St. HX3-4C 97
Kimberley View. LS9-1C 69
King Alfred's Dri. LS6-4C 27
King Alfred's Grn. LS6-4C 27
King Alfred's Wlk. LS6-4C 27
King Alfred's Way. LS6-4C 27
King Charles St. LS1-2D 67
King Charles Wlk. LS1-2D 67
(off Schofields Cen.)
King Clo. LS17-1B 26
King Cross Rd. HX1-1B 124
King Cross St. HX1-4C 117
King Dri. LS17-1B 26
King Edward Av. LS18-4D 23
King Edward Cres. LS18-4D 23
King Edward Rd. BD13-4A 54
King Edward St. HX1-4D 117
King Edward St. LS1-3D 67
King Edward Ter. BD13-4A 54
King Edwins Ct. LS8-2C 47
Kingfield. LS20-1B 6
Kingfisher Clo. LS17-1B 28
Kingfisher Way. LS17-1B 28
King George Av. LS7-1A 46
King George Av. LS18-3D 23
King George Av. LS27-2C 109
King George Croft. LS27-3D 109
King George Gdns. LS7-1A 46
King George Gro. LS27-2C 109
King George Rd. LS18-4D 23
King La. LS16 & LS17-2A 12 to 4D 27
King's Av. LS6-1B 66
Kingsbury Pl. HX1-4B 116
Kings Chase. LS26-2B 114
King's Ct. BD16-2B 14
Kings Ct. HX1-4C 117
Kings Ct. LS17-4D 27
King's Croft Gdns. LS17-4A 28
Kingsdale Av. BD11-2B 106
Kingsdale Ct. LS14-2B 48
Kingsdale Cres. BD2-4C 37
Kingsdale Dri. BD2-4C 37
Kingsdale Gdns. BD11-2B 106
Kingsdale Gro. BD2-4C 37
King's Dri. BD2-2B 36
Kings Dri. LS16-1C 11
King's Ga. BD1-2B 58
Kings Gro. BD16-2C 15
Kings Gro. BD17-3B 16
Kings Lea. HX3-3D 125
Kingsley Av. BD2-4A 36
Kingsley Av. BD11-3C 105
Kingsley Av. LS16-1C 25
Kingsley Clo. BD11-3C 105
Kingsley Cres. BD11-3C 105
Kingsley Cres. BD17-3D 17
Kingsley Dri. BD11-3C 105
Kingsley Dri. LS16-4C 11
Kingsley Pl. HX1-4C 117
Kingsley Rd. LS16-4C 11
Kingsmead. LS14-4B 30
Kings Mead. LS26-2B 114
Kingsmead Dri. LS14-4B 30
King's Mt. LS17-4D 27
King's Pl. LS6-3A 44
King's Rd. BD1 & BD2-1B 58
King's Rd. LS6-1B 66
Kings Rd. LS16-1C 11
King's Sq. LS6-2B 44
Kingston Clo. BD15-3A 32
Kingston Clo. HX1-4B 116
Kingston Ct. HX1-4B 116
Kingston Dri. HX1-4B 116
Kingston Gdns. LS15-1C 71
Kingston Gro. BD10-3D 19
Kingston Rd. BD10-3D 19
Kingston St. HX1-4B 116
Kingston Ter. HX1-4B 116
Kingston Ter. LS2-1C 67
King St. BD2-2D 37
King St. BD8-3A 58
King St. BD11-2B 106
King St. HX1-3A 118
King St. LS1-3C 67
King St. LS19-1C 21
(Little London)
King St. LS19-3D 7
(Yeadon)
King St. LS27-4C 109
King St. LS28-2A 62
Kingsway. BD2-1B 36
Kingsway. BD11-2B 106
Kingsway. BD16-2C 15
Kingsway. LS15-2D 71
Kingsway. LS25-4D 73
Kingsway Ct. LS17-4D 27
Kingsway Garth. LS25-4D 73
Kingswear Clo. LS15-1A 72
Kingswear Cres. LS15-2A 72
Kingswear Garth. LS15-2A 72
Kingswear Glen. LS15-2A 72
Kingswear Gro. LS15-2A 72
Kingswear Pde. LS15-2D 71
Kingswear Rise. LS15-2A 72
Kingswear View. LS15-2A 72
Kingswood Av. LS8-2C 29
Kingswood Cres. LS8-2B 28
Kingswood Dri. LS8-2B 28
Kingswood Gdns. LS8-2B 28
Kingswood Gro. LS8-2B 28
Kingswood Pl. BD7-2C 79
Kingswood Rd. LS12-4D 65
Kingswood St. BD7-2C 79
Kingswood Ter. BD7-2C 79
Kinross Ho. BD4-3B 82
Kipling Ct. BD10-1A 38
Kippax Mt. LS9-3B 68
Kippax Pl. LS9-4B 68
Kipping La. BD13-4A 54
Kipping Pl. BD13-4A 54
Kirk Beston Clo. LS11-3B 88
Kirkbourne Gro. BD17-3B 18
Kirkburn Pl. BD7-4D 57
Kirkdale Av. LS12-2C 87
Kirkdale Cres. LS12-2C 87
Kirkdale Dri. LS12-2C 87
Kirkdale Gdns. LS12-2C 87
Kirkdale Gro. LS12-2C 87
Kirkdale Mt. LS12-2C 87
Kirkdale Ter. LS12-2D 87
Kirkdale View. LS12-2C 87
Kirk Dri. BD17-2A 18
Kirkfield Dri. LS15-3D 71
Kirkfield Gdns. LS15-3A 72
Kirkfields. BD17-2A 18
Kirkfield View. LS15-3D 71
Kirkgate. BD1-3A 58
Kirk Ga. BD11-2C 105
Kirkgate. BD18-1C 35
Kirkgate. LS2 & LS1-3D 67
Kirkgate Cen. BD1-3A 58
Kirkgate Mkt. LS2-3D 67
Kirkham Rd. BD7-4C 57
Kirkham St. LS13-3B 40
Kirklands Av. BD17-2A 18
Kirklands Clo. BD17-2B 18
Kirklands Clo. LS19-3C 7
Kirklands Gdns. BD17-2B 18
Kirklands La. BD17-2A 18
Kirklands Rd. BD17-2A 18
Kirkland Vs. LS28-4A 62
Kirk La. HX3-3D 119
Kirk La. LS19-3B 6
Kirklees Clo. LS28-3A 40
Kirklees Croft. LS28-4A 40
Kirklees Dri. LS28-3A 40
Kirklees Garth. LS28-3A 40
Kirklees Rise. LS28-3A 40
Kirklees Rd. BD15-3D 55
Kirkley Av. BD12-2D 121
Kirkstall Av. LS5-4B 42
Kirkstall Gro. BD8-3A 56
Kirkstall Hill. LS5 & LS4-4C 43
Kirkstall La. LS5 & LS6-4C 43
Kirkstall Mt. LS5-4B 42
Kirkstall Rd. LS4 & LS3-4C 43
Kirkstone St. BD7-4A 58
Kirkwall Av. LS9-3C 69
Kirkwall Dri. BD4-2A 82
Kirkwood Av. LS16-1A 24
Kirkwood Clo. LS16-1A 24
Kirkwood Cres. LS16-4A 10
Kirkwood Dri. LS16-4A 10
Kirkwood Gdns. LS16-4A 10
Kirkwood Gro. LS16-1A 24
Kirkwood La. LS16-1A 24
Kirkwood Rise. LS16-4A 10
Kirkwood View. LS16-1A 24
Kirkwood Way. LS16-4A 10
Kitchener Av. LS9-1C 69
Kitchener Gro. LS9-1D 69
Kitchener Mt. LS9-1C 69
Kitchener St. BD12-3C 103
Kitchener St. LS9-1D 69
Kitchener St. LS26-2D 115
Kitson Clo. LS12-4D 65
Kitson Gdns. LS12-4D 65
Kitson La. HX6-4A 124
Kitson Rd. LS10-1A 90
Kitson St. BD18-1D 35
Kitson St. LS9-4B 68
Kitten Clough. HX2-2B 116
Kliffen Pl. HX3-2A 126
Knights Clo. LS15-3D 71
Knightscroft Av. LS26-2A 114
Knightscroft Dri. LS26-2A 114
Knight's Fold. BD7-2C 79
Knightshill. LS15-2D 71
Knight St. HX1-4B 116
Knightsway. LS15-2D 71
Knoll Gdns. BD17-3D 17
Knoll Pk. Dri. BD17-3C 17
Knoll Ter. BD17-3D 17
Knoll, The. BD10-4A 20
Knoll View. BD17-3C 17
Knoll Wood Pk. LS18-4A 24
Knott La. LS19-4A 22
Knowle Av. BD4-3A 82
Knowle Av. LS4-4D 43
Knowle Gro. LS4-4A 44
Knowle La. BD12-1A 122
Knowle Mt. LS4-4A 44
Knowle Pl. LS4-4A 44
Knowle Rd. LS4-4A 44
Knowles La. BD4-3D 81
Knowles La. BD19-4C 105
Knowles St. BD4-3D 81
Knowles St. BD13-2A 52
Knowles View. BD4-3A 82
Knowle Ter. LS4-4D 43
Knowle Top Dri. HX3-3B 120
Knowle Top Rd. HX3-3B 120
Knowsley St. BD3-4C 59
Knowsthorpe Cres. LS9-4B 68
Knowsthorpe Ga. LS9-1C 91
Knowsthorpe (Knostrop) LS9
-1B 90 to 3B 92
Knowsthorpe Rd. LS9-1D 91
Knowsthorpe Way. LS9-1C 91
Knox St. LS13-2A 40
Knutsford Gro. BD4-3B 82
Kyffin Av. LS15-3B 70
Kyffin Pl. BD4-1A 82

Labcastre Gro. LS5-4B 42
Laburnham Dri. BD17-1A 18
Laburnum Gro. HX3-4C 121
Laburnum Pl. BD8-2D 57
Laburnum Pl. BD10-4B 20
Laburnum Rd. BD18-2A 36
Laburnum St. BD8-2D 57
Laburnum St. LS28-3D 61
(Delph End)
Laburnum St. LS28-1A 62
(Stanningley)
Laburnum Ter. HX3-1C 121
(off Rookes La.)
Ladbroke Gro. BD4-4B 82
Ladderbanks La. BD17-1A 82
Ladybeck Clo. LS2-2A 68
Ladyfield. BD13-4A 54
Lady La. BD16-1C 15
Lady La. LS2-2D 67
Lady Pk. Av. BD16-1C 15
Lady Pit La. LS11-2C 89
Ladyroyd Dri. BD4-2B 104
Ladyship Ter. HX3-1C 117
Ladysmith Rd. BD13-1D 97
Ladywell Clo. BD5-2B 80
Ladywood Grange. LS8-2A 48
Ladywood Mead. LS8-2A 48
Lady Wood Rd. LS8-1D 47
Ladywood Ter. HX1-3C 117
Laisterdyke. BD4-4A 60
Laisteridge La. BD5 & BD7-1D 79
Laith Clo. LS16-2B 24
Laithe Gro. BD6-3C 79
Laithe Rd. BD6-3C 79
Laith Gdns. LS16-2C 25
Laith Garth. LS16-2B 24
Laith Grn. LS16-2B 24
Laith Rd. LS16-2B 24
Laith Wlk. LS16-2B 24
Lake Gro. LS10-3A 90
Lakeland Cres. LS17-3B 12
Lakeland Dri. LS17-3C 13
Lake Pl. LS10-3A 90
(off Athrington Pl.)
Lakeside Chase. LS19-1D 21
Lakeside Ct. LS10-3A 90
Lakeside Gdns. LS19-1D 21
Lakeside Ter. LS19-1D 21
Lakeside View. LS19-1D 21
Lakeside Wlk. LS19-1D 21
Lake St. BD4-1D 81
Lake St. LS10-3A 90
Lake Ter. LS10-3D 89
Lake View. HX3-2D 117
Lakeview Ct. LS8-4D 29
Lambert Av. LS8-1B 46
Lambert Dri. LS8-2B 46
Lambert's Arc. LS1-3D 67
Lamberts Yd. LS26-3B 114
Lambert Ter. LS18-1C 41
Lambourne Av. BD10-3A 38
Lambrigg Cres. LS14-3C 49
Lambton Gro. LS8-4B 46
Lambton Pl. LS8-4B 46
Lambton St. LS8-4B 46
Lambton Ter. LS8-4B 46
Lambton View. LS8-4B 46
Lampards Clo. BD15-1C 55
Lanark Dri. LS18-1C 23
Lancaster Pl. LS26-3B 114
Lancastre Av. LS5-4B 42
Land End Pl. LS11-1C 89
Landscove Av. BD4-3B 82
Landseer Av. LS13-4A 42
Landseer Clo. LS13-4A 42
Landseer Cres. LS13-4A 42
Landseer Dri. LS13-4A 42
Landseer Gdns. LS13-4A 42
Landseer Grn. LS13-4A 42
Landseer Gro. LS13-4A 42
Landseer Mt. LS13-4A 42
Landseer Rise. LS13-4A 42
Landseer Rd. LS13-4A 42
Landseer Ter. LS13-4A 42
Landseer View. LS13-4A 42
Landseer Wlk. LS13-4A 42
Landseer Way. LS13-4A 42
Lands Head La. HX3-3B 98
Lands La. BD10-2D 37
Lands La. LS1-3D 67
Lands La. LS20-1B 6
Landsmoor Gro. BD16-1D 15
Land St. LS28-4A 40
Lane End. BD13-4A 54
Lane End. BD17-2D 17
Lane End. LS28-3B 62
Lane End Ct. LS17-4B 12
Lane End Croft. LS17-4B 12
Lane End Mt. LS28-2B 62
Lane Ends. HX3-1B 116
Lane Ends Clo. BD8-3B 56
Lane Ends Grn. HX3-3D 119
Lane Ends Ter. HX3-3D 119
Lane Fox Ct. LS19-3C 7
Lane Head La. HX2-4A 74
Lane Side. BD13-2A 76
Laneside. LS27-2C 109
Lane Side Clo. BD12-3D 101
Laneside M. LS27-2C 109
Laneside Ter. LS27-2C 109
Lanes, The. LS28-2B 62
Lane, The. LS9-3A 68
Lane, The. LS17-4C 13
Lane Top. BD13-1A 52
(Denholme)
Lane Top. BD13-3A 76
(Queensbury)
Langbar App. LS14-2A 50
Langbar Av. BD9-4A 34
Langbar Clo. LS14-2A 50
Langbar Gdns. LS14-2A 50
Langbar Garth. LS14-2A 50
Langbar Grange. LS14-2D 49
Langbar Grn. LS14-2A 50
Langbar Gro. LS14-2A 50
Langbar Pl. LS14-2A 50
Langbar Rd. LS14-2A 50
Langbar Sq. LS14-2A 50
Langbar Towers. LS14-2A 50
Langbar View. LS14-2D 49
Langdale Av. BD8-2A 56
Langdale Av. BD12-2A 122
Langdale Av. LS6-3D 43
Langdale Ct. BD16-1C 15
Langdale Cres. HX2-2B 116
Langdale Dri. BD13-4A 76
Langdale Gdns. LS6-3D 43
Langdale Rd. BD10-3A 38
Langdale Rd. LS26-2C 115
Langdale Ter. LS6-3D 43
Langlands Rd. BD16-1C 33
Lang La. BD2-3A 36
(in two parts)
Langlea Ter. HX3-2D 119
Langley Av. BD4-4D 81
Langley Av. BD16-1C 15
Langley Av. LS13-4C 41
Langley Clo. LS13-3C 41
Langley Cres. BD17-2A 18
Langley Cres. LS13-4C 41
Langley Garth. LS13-3C 41
Langley Gro. BD16-1C 15
Langley La. BD17-1A 18
Langley Mt. LS13-4C 41
Langley Pl. LS13-3C 41

Langley Rd. BD16-1C 15
Langley Rd. LS13-3C 41
Langley Ter. LS13-3C 41
Langport Clo. BD13-4B 76
Langthorne Cres. LS27-4D 109
Langton Av. BD4-4D 81
Langtons Wharf. LS2-3A 68
Lansdale Ct. BD4-3B 82
Lansdowne Clo. BD17-2B 18
Lansdown Pl. BD5-4A 58
Lansdown St. LS12-4D 65
Lanshaw Clo. LS10-2A 112
Lanshaw Cres. LS10-3A 112
Lanshaw Pl. LS10-2A 112
Lanshaw Rd. LS10-2A 112
Lanshaw Ter. LS10-2A 112
Lanshaw View. LS10-2A 112
Lanshaw Wlk. LS10-2A 112
Lansholme Ct. BD4-3B 82
Lapage St. BD3-3D 59
Lapage Ter. BD3-4D 59
Larch Dri. BD6-1A 102
Larchfield Dene. LS10-1A 90
Larchfield Rd. LS10-1A 90
Larch Gro. BD16-1B 14
Larch Gro. BD17-3A 16
Larch Hill. BD6-1A 102
Larch Hill Cres. BD6-1A 102
Larchmont. BD14-1D 77
Larchwood. LS19-3D 21
Larkfield. BD9-4B 34
Larkfield Av. LS19-1D 21
Larkfield Cres. LS19-1D 21
Larkfield Dri. LS19-1D 21
Larkfield Mt. LS19-1D 21
Larkfield Rd. LS19-1D 21
Larkfield Rd. LS28-2A 62
Lark Hill Av. BD19-4C 123
Lark Hill Clo. BD19-4C 123
Larkhill Clo. LS8-4B 28
Lark Hill Dri. BD19-4C 123
Larkhill Grn. LS8-4A 28
Larkhill Rd. LS8-4A 28
Larkhill View. LS8-4B 28
Larkhill Wlk. LS8-4B 28
Larkhill Way. LS8-4B 28
Lark St. BD16-2C 15
Larwood Av. BD10-3A 38
Lascelles Mt. LS8-4B 46
Lascelles Pl. LS8-4B 46
Lascelles Rd. E. LS8-4B 46
Lascelles Rd. W. LS8-4B 46
Lascelles St. LS8-4B 46
Lascelles Ter. LS8-4B 46
Lascelles View. LS8-4B 46
Lastingham Grn. BD6-4B 78
Lastingham Rd. LS13-3B 40
Latchmere Av. LS16-4B 24
Latchmere Clo. LS16-4C 25
Latchmere Crest. LS16-4B 24
Latchmere Cross. LS16-4B 24
Latchmere Dri. LS16-4B 24
Latchmere Gdns. LS16-4C 25
Latchmere Grn. LS16-4B 24
Latchmere Rd. LS12-2A 88
Latchmere Rd. LS16-4B 24
Latchmere View. LS16-4B 24
Latchmere Wlk. LS16-4C 25
Latchmore Rd. Ind. Est. LS12-2A 88
Latham La. BD19-4B 104
Latimer St. BD3-4A 60
Launceston Dri. BD4-3A 82
Launton Way. BD5-2A 80
Laural Bank Clo. HX2-2C 97
Laura St. HX3-2D 117
Laura St. LS12-4B 66
Laurel Bank. BD12-2D 121
Laurel Bank. LS15-3A 50
Laurel Bank Ct. LS6-3D 43
Laurel Ct. BD5-3A 80
Laurel Cres. HX2-4B 96
Laurel Fold. LS12-3D 65
Laurel Gro. BD16-1A 14
Laurel Gro. LS12-3D 65
Laurel Hill Av. LS15-3A 72
Laurel Hill Croft. LS15-3A 72
Laurel Hill Gdns. LS15-3A 72
Laurel Hill Gro. LS15-4D 72
Laurel Hill View. LS15-3A 72
Laurel Hill Way. LS15-4A 72
Laurel Mt. HX1-1C 125
Laurel Mt. LS7-3A 46
Laurel Mt. LS28-2A 62
Laurel Pl. LS12-3D 65
Laurels, The. LS8-1B 46
Laurel St. BD3-4D 59
Laurel St. HX1-1C 125
Laurel St. LS12-3D 65
Laurel Ter. LS12-3D 65
Laurel Ter. LS28-2A 62
Laurence Ct. LS26-2D 115
Lavender Hill. BD10-2D 37
Lavender Wlk. LS9-3B 68
Laverack Field. BD12-1D 121
Laverton Rd. BD4-2C 81
Lavinia Ter. BD14-2A 78
Lawefield Av. LS26-2D 113
Law La. HX3-1B 126
Lawns Av. LS12-2A 86
Lawns Clo. LS12-2A 86
Lawns Cres. LS12-2A 86
Lawns Croft. LS12-2A 86
Lawns Dene. LS12-2A 86
Lawns Dri. LS12-2A 86
Lawns Grn. LS12-2A 86
Lawns Hall Clo. LS16-2D 25
Lawns La. LS10-2A 90
Lawns La. LS12-1A 86
Lawns Mt. LS12-2A 86
Lawn Sq. LS12-2A 86
Lawns Ter. LS12-2A 86
Lawnswood Gdns. LS16-3C 25
Lawrence Av. LS8-3D 47
Lawrence Ct. LS28-4A 62
Lawrence Cres. LS8-3D 47
Lawrence Dri. BD7-3B 78
Lawrence Gdns. LS8-3D 47
Lawrence Rd. HX3-3D 125
Lawrence Rd. LS8-3D 47
Lawrence St. HX3-2C 117
Lawrence Wlk. LS8-3D 47
Lawson St. BD3-2B 58
Lawson St. LS12-3D 65
Law St. BD4-3D 81
Layburn Gro. BD18-1C 35
Laycock Pl. LS7-4A 46
Lay Garth. LS26-3A 114
Lay Garth Clo. LS26-3A 114
Lay Garth Ct. LS26-3A 114
Lay Garth Fold. LS26-3A 114
Lay Garth Gdns. LS26-3A 114
Lay Garth Grn. LS26-3A 114
Lay Garth Mead. LS26-3A 114
Lay Garth Pl. LS26-3A 114
Lay Garth Sq. LS26-3A 114
Layton Av. LS19-2A 22
Layton Clo. LS19-3A 22
Layton Cres. LS19-2A 22
Layton Dri. LS19-2A 22
Layton La. LS19-3A 22
Layton Mt. LS19-2A 22
Layton Pk. Av. LS19-2A 22
Layton Pk. Clo. LS19-2A 22
Layton Pk. Croft. LS19-3A 22
Layton Pk. Dri. LS19-2A 22
Layton Rise. LS18-2B 22
Layton Rd. LS19 & LS18-2B 22
Lea Av. HX3-3D 125
Leadenhall St. HX1-1B 124
Leadwell La. WF3 & LS26-4C 113
Lea Farm Cres. LS5-2B 42
Lea Farm Dri. LS5-1B 42
Lea Farm Gro. LS5-2B 42
Lea Farm Mt. LS5-1B 42
Lea Farm Pl. LS5-2B 42
Lea Farm Rd. LS5-1B 42
Lea Farm Row. LS5-2B 42
Lea Farm Wlk. LS5-1B 42
Leafield Av. BD2-4D 37
Leafield Clo. LS17-3D 27
Leafield Cres. BD2-4D 37
Leafield Dri. BD2-4D 37
Leafield Dri. LS17-3D 27
Leafield Dri. LS28-4B 62
Leafield Grange. LS17-3D 27
Leafield Gro. BD2-4D 37
Leafield Pl. LS19-3B 6
Leafield Ter. BD2-4D 37
Leafield Towers. LS17-3C 27
Leafield Vs. LS19-3B 6
(off Leafield Pl.)
Leafield Way. BD2-4D 37
Leafland St. HX1-4C 117
Leah Pl. LS12-4B 66
Leah Row. LS11-4B 66
Lea Mill Pk. Clo. LS19-3C 7
Lea Mill Pk. Dri. LS19-3C 7
Leamington Dri. BD10-4D 19
Leamington St. BD9-1D 57
Leamside Wlk. BD4-3B 82
Lea Pk. Clo. LS10-1B 112
Lea Pk. Croft. LS10-1C 113
Lea Pk. Dri. LS10-1B 112
Lea Pk. Gdns. LS10-1B 112
Lea Pk. Garth. LS10-1B 112
Lea Pk. Gro. LS10-1B 112
Lea Pk. Vale. LS10-1B 112
Leaside Dri. BD13-3A 54
Leasowe Av. LS10-3A 90
Leasowe Clo. LS10-3A 90
Leasowe Ct. LS10-3A 90
(off Woodhouse Hill Rd.)
Leasowe Gdns. LS10-3B 90
Leasowe Garth. LS10-3B 90
Leasowe Rd. LS10-3A 90
Lea Ter. LS16-3D 27
Leathley Rd. LS10-1D 89
Leaventhorpe Av. BD8-3A 56
Leaventhorpe Clo. BD8-3A 56
Leaventhorpe Gro. BD13-4D 55
Leaventhorpe La. BD13 & BD8-4D 55
Leaventhorpe Way. BD8-3A 56
Lea View. LS18-3D 23
Leavington Clo. BD6-2C 101
Ledbury Av. LS10-3B 112
Ledbury Clo. LS10-3B 112
Ledbury Croft. LS10-3B 112
Ledbury Dri. LS10-3B 112
Ledbury Grn. LS10-3B 112
Ledbury Gro. LS10-3B 112
Ledbury Pl. BD5-1C 81
Ledgard Way. LS12-2D 65
Lee Bank. HX3-2C 117
Lee Bri. HX3-2C 117 & 3D 117
Lee Bldgs. HX3-3D 119
Leeds & Bradford Airport. LS19-3B 8
Leeds & Bradford Rd. LS28, LS13 & LS5 -1B 62 to 4B 42
Leeds Bus. Pk. LS27-3A 108
Leeds La. LS26-1C 95
Leeds Old Rd. BD3-3A 60
Leeds Rd. BD1 & BD3-3B 58 to 2B 60
Leeds Rd. BD2-4D 37
Leeds Rd. BD18 & BD10-4A 18
Leeds Rd. HX3-2C 119
Leeds Rd. LS15-3A 50 to 1D 51
Leeds Rd. LS16-1B 10
Leeds Rd. LS19-2D 21
Leeds Rd. LS20-2B 6
Leeds Rd. LS26-1B 114
Leeds Rd. WF3-4C 113
Lee La. BD16-1A 32
Lee La. HX3-4D 97
Lee La. LS18-2C 23
Lee La. E. LS18-3C 23
Lee La. W. LS18-3B 22
Leeming St. BD1-3B 58
Lee Mt. Gdns. HX3-2C 117
Lee Mt. Rd. HX3-2C 117
Lees La. HX3-2B 120
Lees La. LS28-4A 40
Lee St. BD1-4A 58
Lee St. BD13-4A 76
Lee Ter. BD12-3B 102
Legrams Av. BD7-1B 78
Legrams La. BD7-4C 57
Legrams Mill La. BD7-4C 57
Legrams St. BD7-3D 57
Legrams Ter. BD7-3D 57
Legwell Ter. LS12-3C 65
Leicester Clo. LS7-1D 67
Leicester Gro. LS7-1D 67
Leicester Pl. LS2 & LS7-1C 67
Leicester St. BD4-1C 81
Leicester Ter. HX3-2D 125
Leicester Ter. LS2-1C 67
Leigh St. HX6-1A 124
Leighton La. LS1-2C 67
Leighton La. LS2-2C 67
Leighton Pl. LS1-2C 67
Leighton St. LS1-2C 67
Lemington Av. HX1-4C 117
Lemon St. BD5-3D 79
Lemon St. HX1-4B 116
Lenham Clo. LS27-4C 109
Lenhurst Av. LS12-4B 42
Lennon Dri. BD8-2C 57
Lennox Rd. LS4-2A 66
Lennox St. LS4-2A 66
Lennox Ter. LS4-2A 66
Lens Dri. BD17-1D 17
Lentilfield Gro. HX3-1C 117
Lentilfield St. HX3-1C 117
Lenton Dri. LS11-3D 89
Lenton Vs. BD10-4C 19
Leonard Pl. BD16-3C 15
Leonard St. BD12-4A 102
Leonard St. BD16-3C 15
Leopold Gdns. LS7-4A 46
Leopold Gro. LS7-4A 46
Leopold St. LS7-4A 46
Lepton Pl. LS27-1A 108
Leslie Av. LS19-2D 7
Leslie Ter. LS6-4C 45
Lesmere Gro. BD7-3B 78
Lessarna Ct. BD4-1D 81
Levens Bank. LS15-4A 70
Levens Clo. LS15-4A 70
Levens Garth. LS15-4A 70
Levens Pl. LS15-4A 70
Leventhorpe Ct. LS26-3D 115
Leventhorpe Way. LS26-3D 115
Lever St. BD6-4C 79
Levisham Clo. BD10-2A 38
Levita Gro. BD4-1A 82
Levita Pl. BD4-1A 82
Levita Pl. LS15-3B 70
Lewisham Ct. LS27-4C 109
Lewisham Gro. LS27-3D 109
Lewisham St. LS27-4B 108
Lewis St. HX1-3D 117
Leyburn Av. HX3-3A 120
Leyburne St. BD8-2D 57
Leyburn Gro. BD16-1C 15
Leyden Rise. BD15-2C 55
Leyfield. BD17-2C 17
Ley Fleaks Rd. BD10-1C 37
Leylands Av. BD9-4B 34
Leylands Gro. BD9-4B 34
Leylands La. BD9-4B 34
Leylands Rd. LS2-2A 68
Leylands Ter. BD9-4B 34
Ley La. LS12-3A 66
Leysholme Cres. LS12-4C 65
Leysholme Dri. LS12-4C 65
Leysholme Ter. LS12-4C 65
Leysholme View. LS12-4C 65
Leyside Dri. BD15-1C 55
Leys, The. BD17-1D 17
Leyton Cres. BD10-1C 37
Leyton Dri. BD10-1C 37
Leyton Gro. BD10-1C 37
Leyton Ter. BD10-1C 37
Ley Top La. BD15-2D 55
Lichfield Mt. BD2-3B 36
Lickless Av. LS18-3A 24
Lickless Dri. LS18-4A 24
Lickless Gdns. LS18-4A 24
Lickless Ter. LS18-3A 24
Lidget Av. BD7-1B 78
Lidget Hill. LS28-3A 62
Lidget Pl. BD7-1C 79
Lidgett Av. LS8-1B 46
Lidgett Ct. LS8-4B 28
Lidgett Cres. LS8-4B 28
Lidget Ter. BD7-1B 78
Lidgett Gro. LS8-1B 46
Lidgett Hill. LS8-1B 46
Lidgett La. LS17 & LS8-3A 28 to 1B 46
Lidgett Mt. LS8-4B 28
Lidgett Pk. Av. LS8-4B 28
Lidgett Pk. Ct. LS8-4B 28
Lidgett Pk. Gdns. LS8-4B 28
Lidgett Pk. Gro. LS8-4B 28
Lidgett Pk. M. LS8-4C 29
Lidgett Pk. Rd. LS8-4B 28
Lidgett Pk. View. LS8-4B 28
Lidgett Pl. LS8-4B 28
Lidgett Wlk. LS8-1B 46
Lifton Pl. LS2-1C 67
Lightowler Clo. HX1-3C 117
Lightowler Rd. HX1-3C 117
Lightowler St. BD6-4D 79
Lilac Gro. BD4-4A 60
Lilac Gro. BD18-2A 36
Lilacs, The. LS20-1B 6
Lilac St. HX3-2C 117
Lilac St. LS2-2A 68
Lilian St. BD4-2D 81
Lilly La. HX1-4A 118
Lilycroft. BD8-1C 56
Lilycroft Rd. BD9-1C 57
Lilycroft Wlk. BD9-1C 57
Lily St. BD8-1D 57
Lilythorne Av. BD10-4D 19
Limcombe Mt. LS8-4A 28
Lime Gro. LS19-1C 21
Limes Av. HX3-2D 125
Lime St. BD7-1C 79
Lime St. BD16-2B 14
Lime St. BD19-4D 123
Lime Tree Av. LS17-3A 28
Limetree Gro. BD11-1C 105
Limewood App. LS14-1C 49
Limewood Rd. LS14-2C 49
Lincoln Clo. BD8-2D 57
Lincoln Ct. LS28-1A 62
Lincoln Grn. Rd. LS9-2A 68
Lincoln Mt. LS9-1B 68
Lincoln Rd. BD8-2D 57
Lincoln Rd. LS9-2A 68
Lincoln St. BD15-2D 55
Lincoln Ter. LS9-1B 68
Lincoln Towers. LS9-2B 68
Lincombe Bank. LS8-4A 28
Lincombe Dri. LS8-4A 28
Lincombe Rise. LS8-1A 46
Lincroft Cres. LS13-4A 42
Lindale Clo. LS10-1A 112
Linden Av. BD3-2B 60
Linden Av. LS11 2D 89
Linden Ct. LS16-1A 44
Linden Gro. LS11-2D 89
Linden Mt. LS11-2D 89
Linden Pl. LS11-2D 89
Linden Rd. HX3-2D 125
Linden Rd. LS11-2D 89
Linden St. LS11-2D 89
Linden Ter. LS11-2D 89
Lindholme Gdns. BD15-3C 55
Lindisfarne Rd. BD18-1B 34
Lindley Dri. BD7-3B 78
Lindley Rd. BD5-2A 80
Lindrick Gro. HX2-1B 96
Lindrick Wlk. HX2-1B 96
Lindrick Way. HX2-1B 96
Lindsey Ct. LS9-2B 68
Lindsey Gdns. LS9-2A 68
Lindsey Mt. LS9-2B 68
Lindsey Rd. LS9-2B 68
Lingard St. BD1-3B 58
Ling Bob. HX2-3A 116
Ling Bob Clo. HX2-2A 116
Ling Bob Croft. HX2-2A 116
Lingcroft Grn. BD5-3C 81
Lingdale Rd. BD6-2C 101
Lingfield App. LS17-2C 27
Lingfield Bank. LS17-2C 27
Lingfield Clo. LS17-2D 27
Lingfield Cres. BD13-3D 77
Lingfield Cres. LS17-2C 27
Lingfield Dri. LS17-2D 27
Lingfield Gdns. LS17-2D 27
Lingfield Ga. LS17-2D 27
Lingfield Grn. LS17-2C 27
Lingfield Gro. BD15-3A 32
Lingfield Gro. LS17-2D 27
Lingfield Hill. LS17-2D 27
Lingfield Mt. LS17-2D 27
Lingfield Rd. BD15-3A 32
Lingfield Rd. LS17-2D 27
Lingfield Ter. BD13-3D 77
Lingfield View. LS17-2C 27
Lingfield Wlk. LS17-2C 27
Ling Pk. App. BD15-3A 32
Ling Pk. Av. BD15-3A 32
Ling Royd Av. HX2-3A 116
Lingwell Av. LS10-3D 111
Lingwell Cres. LS10-3D 111
Lingwell Gro. LS10-3D 111
Lingwell Rd. LS10-3D 111
Lingwell Sq. LS10-3D 111
Lingwood Av. BD8-2B 56
Lingwood Rd. BD8-2B 56
Lingwood Ter. BD8-2B 56
Link, The. LS26-4B 94
Linkway. BD16-1C 33
Linnhe Av. BD6-2B 100
Lintilfield St. HX3-1C 117
Linton Av. LS17-1B 28
Linton Clo. LS17-1A 28
Linton Cres. LS17-1B 28
Linton Dri. LS17-1B 28
Linton Gro. LS17-1B 28
Linton Rise. LS17-1B 28
Linton Rd. LS17-1B 28
Linton St. BD4-1B 80
Linton View. LS17-1B 28
Lisbon Sq. LS1-3C 67
Lisbon St. LS1-3C 67
Lister Av. BD4-2C 81
Lister Hill. LS18-3D 23
Listerhills Rd. BD7-4D 57
Lister La. BD2-1B 58 to 4C 37
Lister La. HX1-4C 117 & 4D 117
Lister Rd. HX3-3A 118
Lister St. BD4-3D 81
(Dudley Hill)
Lister St. BD4-4A 82
(Tong Street)
Lister St. HX1-3A 118
Lister View. BD8-2D 57
Lister Ville. BD15-3A 32
Litsonshiels. BD4-1C 103
Lit. Baines St. HX1-3C 117
Littlebeck Dri. BD16-2D 15
Lit. Cross St. BD5-3A 80
Lit. Cross St. LS1-3D 67
(off Bank St.)
Littlefield Wlk. BD6-4C 79
Lit. Fountain St. LS27-4C 109
Lit. Horton Grn. BD5-1A 80
Lit. Horton La. BD5-3D 79 to 4A 58
Lit. King St. LS1-3C 67
Littlelands. BD16-1C 33
Littlelands Ct. BD16-1C 33
Little La. BD9-1B 56
Little La. HX3-3C 119
Little La. LS27-1D 109
(Churwell)
Little La. LS27-3C 109
(Morley)
Little La. WF3-4A 114
Little La. Ct. LS27-1D 109
Lit. Moor. BD13-4C 77
Littlemoor Cres. LS28-4B 62
Littlemoor Cres. S. LS28-4A 62
Littlemoor Gdns. HX2-2B 96
Littlemoor Gdns. LS28-4B 62
Lit. Moor Pl. LS12-3C 65
Littlemoor Rd. HX2-2B 96
Littlemoor Rd. LS28-4B 62
Littlemoor View. LS28-4B 62
Lit. Neville St. LS1-3D 67
Little Pk. BD10-3B 20
Lit. Queen St. LS1-3C 67
Little Way. LS17-4D 27
Littlewood Clo. BD6-1D 101
Lit. Woodhouse St. LS2-2C 67
Littondale Clo. BD17-1B 18
Litton Way. LS14-4C 31
Liversedge Row. BD7-2C 79
Livina Gro. LS7-1D 67
Livingstone Clo. BD2-2B 36
Livingstone Rd. BD2-3A 36
(Bolton Woods)
Livingstone Rd. BD2-2B 36
(Idle Moor)
Livingstone Rd. BD18-1A 36
Livingstone St. HX3-2C 117
Livingstone St. N. HX2-3C 97
Lloyds Dri. BD12-2A 102
Locarno Av. BD9-1B 56
Locherbie Grn. BD15-2C 55
Lochy Rd. BD6-2B 100
Lock St. HX3-4A 118
Lock View. BD16-1B 14
(off Bailey Hills Rd.)
Lockwood Clo. LS11-4D 89
Lockwood Ct. LS11-4D 89
Lockwood Pk. LS11-4D 89
Lockwood St. BD12-3B 102
Lockwood St. BD18-4B 16
Lockwood Way. LS11-4D 89
Lode Pit La. BD16-1A 16
Lodge Hill. BD17-2B 16
Lodge La. LS11-2C 89
Lodge Rd. LS28-2A 62
Lodge Row. LS15-1D 71
Lodge St. LS2-1C 67
(in two parts)
Lodge Ter. LS11-3C 89
Lodore Av. BD2-4C 37
Lodore Pl. BD2-4C 37
Lodore Rd. BD2-4C 37
Lofthouse Pl. LS2-1D 67
Lofthouse Ter. LS2-1D 67
Loft St. BD8-2B 56
Lombard St. HX1-1B 124
Lombard St. LS15-3B 70
Lombard St. LS19-1C 21
Lomond Av. LS18-1C 23
Londesboro Gro. LS9-3C 69
Londesboro Ter. LS9-3C 69
London La. LS19-1C 21
London Rd. HX6-2A 124
London Sq. LS19-1C 21
London St. LS19-1C 21
Longbottom Ter. HX3-2A 126
Long Causeway. BD13-3A 52
Long Causeway. HX2 & BD13-2A 74
Long Causeway. LS9-4B 68
Long Causeway. LS16-3A 26
Long Clo. BD12-3D 101
Long Clo. La. LS9-3B 68
Longcroft Pl. BD1-3A 58
(Chain St.)
Longcroft Pl. BD1-3A 58
(Wigan St.)
Longfield Av. HX3-2C 119
Longfield Av. LS28-3B 62
Longfield Ct. LS28-3B 62
Longfield Dri. LS13-3B 40
Longfield Garth. LS13-3B 40
Longfield Gro. LS28-3B 62
Longfield Mt. LS28-3B 62
Longfield Rd. LS28-3B 62
Longfield Ter. LS28-3B 62
Longfield View. LS28-4A 40
Longford Ter. BD7-1B 78
Longhouse Dri. BD13-2A 52
Longhouse La. BD13-2A 52
Long Ho. Rd. HX2-2A 96
Longlands Av. BD13-2A 52
Longlands St. BD1-3A 58
Long La. BD9-3A 34
Long La. BD13-1A 98
Long La. BD15-1A 54
Long La. HX3-1A 116
Longley's Yd. LS10-3A 90
Long Lover La. HX2 & HX1-3B 116
Long Meadows. BD2-4B 36
Long Meadows. LS16-1B 10
Long Row. BD5-2B 80
Long Row. BD12-3A 102
Long Row. BD13-3D 53
Long Row. LS18-3D 23
Longroyd Av. LS11-2D 89
Longroyd Cres. LS11-2D 89
Longroyd Cres. N. LS11-2D 89
Longroyd Gro. LS11-2D 89
Longroyd Pl. LS11-2D 89
Longroyd St. LS11-2D 89
Longroyd St. N. LS11-2D 89
Longroyd Ter. LS11-2D 89
Longroyd View. LS11-2D 89
Longside Hall. BD7-4D 57
Longside Ind. Est. LS9-1A 68
Longside La. BD7-4D 57
Long St. BD4-1C 81
Longwood Av. BD16-1A 14
Longwood Clo. LS17-1C 29
Longwood Cres. LS17-1C 29
Longwood View. BD16-1B 14
Longwood Way. LS17-1C 29
Lonsdale St. BD3-3C 59
Lordsfield Pl. BD4-4A 82
Lord St. HX1-4D 117
Lord St. LS12-4B 66
Lord Ter. LS12-4B 66
Loris St. BD4-3A 82
Lorne St. BD4-2D 81
Lorry Bank. LS7-3D 45
Loughrigg St. BD5-2A 80
Louisa St. BD10-4C 19
Louis Av. BD5-1D 79
Louis Ct. LS7-4A 46
Louis Gro. LS7-4A 46
Louis Le Prince Ct. LS8-4B 44
(off Bayswater Pl.)
Louis St. LS7-4A 46
Love La. HX1-1D 125
Love La. LS26-3B 114
Lovell Pk. Clo. LS7-1A 68
Lovell Pk. Ct. LS7-1D 67
Lovell Pk. Ga. LS7-1D 67
Lovell Pk. Grange. LS7-1D 67
Lovell Pk. Heights. LS7-1D 67
Lovell Pk. Hill. LS7-2D 67
Lovell Pk. Rd. LS7 & LS2-1D 67
Lovell Pk. Towers. LS7-1D 67
Lovell Pk. View. LS7-1A 68
Low Ash Av. BD18-1A 36
Low Ash Cres. BD18-1A 36
Low Ash Dri. BD18-1A 36
Low Ash Gro. BD18-1A 36
Low Ash Rd. BD18-1A 36
Low Bank St. LS28-4D 39
Low Clo. BD16-3D 15
Low Clo. St. LS2-4C 45
Lowell Av. BD7-1B 78
Lowell Gro. LS13-3C 63
Lowell Pl. LS13-3C 63
Lwr. Ainley. HX2-2B 96
Lwr. Ashgrove. BD5-4A 58
Lwr. Balfour St. BD4-1C 81
Lwr. Bankhouse. LS28-1A 84
Lwr. Basinghall St. LS1-3D 67
Lwr. Bright St. BD7-4D 57
Lwr. Brunswick St. LS2-2A 68
Lwr. Claypits. HX1-3B 116
Lwr. Clifton St. HX6-2A 124
Lwr. Cobden St. BD7-4D 57
Lwr. Copy. BD15-2D 55
Lwr. Cross St. HX1-3A 118

r. Crow Nest Dri. HX3-4C 121
r. Finkil St. HD6-4B 120
r. Fleet. BD13-4A 76
r. Fold. HX1-4D 117
. George St. BD6-4D 79
. Globe St. BD8-3D 57
r. Grange Clo. BD8-3D 55
r. Grattan Rd. BD1-3A 58
r. Grn. BD12-2D 121
ver Grn. BD17-3C 17
r. Green Av. BD19-2B 122
r. Heights Rd. BD13-2D 53
r. Holme. BD17-4D 17
r. Kipping La. BD13-4A 54
r. Kirkgate. HX1-4A 118
ver La. BD4-2D 81
r. La. BD12-3D 121
r. Lark Hill. BD19-4C 123
r. Rayleigh St. BD4-1C 81
r. Rushton Rd. BD3-3A 60
r. School St. BD12-2D 101
r. School St. BD18-4B 16
r. Town St. LS13-4A 42
r. Westfield Rd. BD9-1C 57
r. Wortley Rd. LS12-1C 87
weswater Av. BD6-2B 100
wfield Clo. BD12-2B 102
w Fields Av. LS12-2A 88
w Fields Rd. LS11-2B 88
w Fields Rd. LS12-1A 88
w Fields Way. LS12-2B 88
w Fold. BD2-4B 36
w Fold. BD13-3A 76
w Fold. BD17-1D 17
w Fold. BD19-3B 122
w Fold. LS9-4A 68
w Fold. LS18-1C 41
w Fold. LS19-1C 21
w Gipton Cres. LS8-4D 47
w Grange Cres. LS10-4A 90
w Grange View. LS10-4B 90
w Grn. Ter. BD7-2C 79
w Hall Pl. LS11-4B 66
w Hall Rd. LS18-1A 40
w La. BD13-2D 75
w La. BD14-1C 77
w La. HD6-4D 121
w La. LS18-3D 23 to 4A 24
w Mills Rd. LS12-1C 87
w Moor Side. LS12-2A 86
w Moorside Clo. LS12-2A 86
w Moor Side La. LS12-3D 85
w Moor St. BD12-2A 102
w Moor Ter. HX2-4A 116
w Moor Ter. LS11-3C 89
wood La. WF17-4B 106
w Rd. LS10-1A 90
w Shop's La. LS26-2D 113
wther Cres. LS26-3B 94
wther Dri. LS26-3B 94
wther St. BD2-1D 59
wther St. LS8-4B 46
wther Ter. LS15-4C 73
wtown. LS28-3B 62
w Well Rd. BD5-2A 80
w Whitehouse Row. LS10-1A 90
as Pl. LS6-3C 45
as St. LS6-4D 45
uslingthorpe)
as St. LS6-3C 45
Woodhouse Cliff)
y Av. LS15-2B 70
y Hall Dri. BD17-2B 16
y St. HX3-3A 118
dendon Pl. BD13-3D 75
gate Hill. LS2-3D 67
lam St. BD5-1B 80
olf Dri. LS17-1B 30
e Rd. BD5-2D 79
worth Av. LS15-2A 72
worth Clo. LS15-2A 72
worth Cres. LS15-2A 72
worth Dri. LS15-2A 72
worth Garth. LS15-2A 72
worth Gro. BD4-3A 82
worth View. LS15-2A 72
worth Wlk. LS15-2A 72
nb Bottom. BD11-1B 106
nb La. BD8-2D 57
nb La. HX3-1C 117
nbrook Clo. HX3-1D 119
nby Clo. LS28-4B 62
nby La. LS28-4B 62
nby St. BD10-4D 19
nley Av. LS4-4A 44
nley Gro. LS4-4A 44
nley Mt. LS4-4A 44
nley Pl. LS4-4A 44
nley Rd. LS4-4A 44
nley St. LS4-4A 44
nley Ter. LS4-4A 44
nley View. LS4-4A 44
nley Wlk. LS4-4A 44
an Pl. LS8-3B 46
an Ter. LS8-3B 46
d St. BD8-3B 56
d St. BD16-2C 15
ton Av. LS9-2C 69
ton Flats. LS6-2A 44
ton's Bldgs. LS12-3C 65
ton St. BD8-2A 58
ton St. LS10-2A 90
ner St. LS13-2A 40
ner Way. BD2-4B 36
on St. HX1-3B 116
rell Clo. LS16-3C 25
rell Cres. LS16-3C 25
rell Gdns. LS16-3C 25
rell Pl. LS16-3C 25
rell Rd. LS16-3C 25
or Av. LS8-4B 46
or Rd. LS8-4B 46
or St. LS8-4B 46
or View. LS8-4B 46
brook Pk. HX3-4C 125
don Ter. LS2-1C 67
gate. HX3-1C 119
gate. LS9-1B 68
gate Pk. HX3-3A 120
gate Pl. LS28-1C 39
gate St. LS28-1C 39
a Ct. LS2-2A 68
e Chase. LS14-1B 70
ington Dri. BD4-2A 82
croft. BD2-3B 36

Lyndale Dri. BD18-1B 36
Lyndale Rd. BD16-1D 15
Lynden Av. BS18-4B 18
Lyndhurst Clo. LS15-1B 50
Lyndhurst Cres. LS15-1B 50
Lyndhurst Gro. BD15-2D 55
Lyndhurst Rd. LS15-1B 50
Lyndhurst View. LS15-2B 50
Lyndon Ter. BD16-2C 15
Lyndsey Ct. BD5-3A 80
Lynfield Av. BD18-4B 18
Lynfield Dri. BD9-4D 33
Lynfield Dri. BD19-4D 123
Lynfield Mt. BD18-4B 18
Lynnfield Gdns. LS15-2B 50
Lynthorne Rd. BD9-3D 35
Lynton Av. BD9-1B 56
Lynton Dri. BD9-1B 56
Lynton Dri. BD18-1C 35
Lynton Gro. BD9-1B 56
Lynton Gro. HX2-4C 75
Lynton Ter. BD19-3D 123
Lynton Vs. BD9-1B 56
Lynwood Av. BD18-4B 18
Lynwood Av. LS12-1D 87
Lynwood Av. LS26-2D 115
Lynwood Clo. BD11-3D 105
Lynwood Cres. HX1-1B 124
Lynwood Cres. LS12-1D 87
Lynwood Gdns. LS28-4D 61
Lynwood Garth. LS12-1D 87
Lynwood Gro. LS12-1D 87
Lynwood Mt. LS12-1D 87
Lynwood Rise. LS12-1D 87
Lynwood View. LS12-1D 87
Lyons St. BD13-4B 76
Lyon St. BD13-3A 54
Lytham Dri. BD13-3D 77
Lytham Gro. LS12-1C 87
Lytham Pl. LS12-1C 87
Lytham St. HX1-3B 116
Lytton Rd. BD8-2B 56
Lytton St. HX3-2D 117
Lytton St. LS10-2A 90

Mabel Royd. BD7-1B 78
Mabgate. LS9-2A 68
Mabgate Grn. LS2-2A 68
Macaulay St. LS9-2A 68
McBurney Clo. HX3-1D 117
Mackintosh St. HX1-4C 117
McMahon Dri. BD13-3D 77
Mac Turk Gro. BD8-2C 57
Maddocks St. BD18-4C 17
Madison Av. BD4-3B 82
Madni Clo. HX1-4C 117
Mafeking Av. LS11-4C 89
Mafeking Gro. LS11-4C 89
Mafeking Mt. LS11-4C 89
Mafeking Ter. BD18-3A 36
Magdalene Clo. LS16-2C 25
Magpie La. LS27-4A 110
Mahim Cres. BD17-3A 18
Maidstone Cres. LS28-4B 62
Maidstone St. BD3-3D 59
Mail Clo. LS15-4A 50
Main Rd. BD13-2A 52
Main St. BD12-2A 102
Main St. BD15-3A 32
Main St. BD16-2B 14
(Bingley)
Main St. BD16-2C 33
(Cottingley)
Main St. BD17-4D 5
Main St. LS15-2B 50
Main St. LS17-1A 30 to 1C 31
Main St. LS20-2B 4
Main St. WF3-4A 114
Maitland Clo. BD15-3C 55
Maitland Pl. LS11-1C 89
Malham Av. BD9-4D 33
Malham Clo. LS14-3C 49
Mallard Clo. BD10-3D 37
Mallard Clo. LS10-1B 112
Mallard Way. LS27-4A 110
Mallory Clo. BD7-4B 56
Malmesbury Clo. BD4-3B 82
Malmesbury Clo. LS12-4D 65
Malmesbury Gro. LS12-4D 65
Malmesbury Pl. LS12-4D 65
Malmesbury St. LS12-4D 65
Malmesbury Ter. LS12-4D 65
Maltby Ct. LS15-3D 71
Maltby Rd. BD4-4D 59
Malting Clo. WF3-4C 113
Malting Rise. WF3-4C 113
Maltings Ct. LS11-2D 89
Maltings Rd. HX2-1A 116
Maltings Rd. LS11-2D 89
Maltings, The. LS6-1A 66
Maltings, The. WF3-4C 113
Maltkiln. BD14-2D 77
(off Park Side)
Malt Kiln La. BD13-1D 75
Malton St. HX3-1D 117
Malt Shovel Yd. BD10-4C 19
Malvern Brow. BD9-1A 56
Malvern Gro. BD9-1A 56
Malvern Gro. LS11-2C 89
Malvern Rise. LS11-2C 89
Malvern Rd. BD9-1A 56
Malvern Rd. LS11-2C 89
Malvern St. BD3-4C 59
Malvern St. LS11-2B 88
Malvern View. LS11-2C 89
Manchester Rd. BD5-4A 80
Mandale Gro. BD6-4A 78
Mandale Rd. BD6-4A 78
Mandarin Way. LS10-1B 112
Mandela Ct. LS7-3A 46
Mandeville Cres. BD6-1B 100
Manitoba Pl. LS7-2A 46
Mannheim Rd. BD9-1C 57
Manningham La. BD8 & BD1-1A 58
Mann's Ct. BD1-3B 58
Mannville Ter. BD7-4A 58
Manor Av. LS6-3A 44
Manor Clo. BD8-2A 56
Manor Clo. HX3-2D 125
Manor Clo. LS19-3C 7
Manor Clo. LS26-2A 114
Manor Ct. BD16-1C 33
Manor Ct. LS17-1B 30
Manor Cres. LS26-2A 114

Manor Croft. LS15-3D 71
Manor Dri. BD16-1C 33
Manor Dri. HX3-1D 125
Manor Dri. LS6-4A 44
Manor Farm Clo. BD16-2C 33
Manor Farm Clo. LS10-2D 111
Manor Farm Cres. LS27-4D 87
Manor Farm Dri. LS10-2D 111
Manor Farm Dri. LS27-4D 87
Manor Farm Gdns. LS10-2D 111
Manor Farm Grn. LS10-2D 111
Manor Farm Gro. LS10-2D 111
Manor Farm Rise. LS10-2A 112
Manor Farm Rd. LS10-2D 111
Manor Farm Wlk. LS10-2A 112
Manor Farm Way. LS10-2D 111
Manorfield. LS11-2B 88
Manor Garth. LS15-3D 71
Manor Gro. LS7-2D 45
Manor Heath Rd. HX3-2D 125
Manor Hill La. LS11-4A 88
Manor Ho. Croft. LS16-2A 26
Manor Ho. La. LS17-1B 28
Manor Ho. Rd. BD15-2A 32
Manor Ho. St. LS28-3B 62
Manor La. BD18-1C 35
(in two parts)
Manor La. LS26-3D 115
Manorley La. BD6-2B 100
Manor Pk. BD8-2A 56
Manor Pk. Gdns. BD19-4C 105
Manor Rd. BD16-1C 33
Manor Rd. LS11-4C 67
Manor Rd. LS18-1C 41
Manor Rd. LS26-2A 114
Manor Rd. LS27-1D 109
Manor Row. BD1-3A 58
Manor Row. BD12-2D 101
Manor Royd. HX3-1D 125
Manor Sq. LS19-3C 7
Manor St. BD2-4C 37
Manor St. BD19-4B 122
Manor St. HX3-2C 117
Manor St. LS7-1A 68
Manor St. Ind. Est. LS7-1A 68
Manor Ter. BD2-4D 37
Manor Ter. LS6-3A 44
Manor Ter. LS19-3C 7
Manor View. LS6-3A 44
Manor View. LS28-3B 62
Manscombe Rd. BD15-2D 55
Mansel M. BD4-3A 82
Mansfield Av. BD16-1D 15
Mansfield Pl. LS6-2A 44
Mansfield Rd. BD8-1D 57
Mansion La. LS8-3C 29
Manston App. LS15-4D 49
Manston Av. LS15-4D 49
Manston Cres. LS15-1D 71
Manston Dri. LS15-4D 49
Manston Gdns. LS15-4D 49
Manston Gro. LS15-1D 71
Manston La. LS15-1A 72 to 1C 73
Manston Rise. LS15-4D 49
Manston Ter. LS15-4A 50
Manston Towers. LS14-3A 50
Manston Way. LS15-4D 49
Maple Av. BD3-3B 60
Maple Ct. LS11-3B 88
Maple Croft. LS17-2A 28
Maple Gro. BD17-3B 16
Maple Rise. LS26-3B 114
Maple St. HX1-1B 124
Maple Ter. LS19-3B 6
Maple Way. LS14-4D 31
Marbridge Ct. BD6-3D 79
Marchbank Rd. BD3-3D 59
March Cote La. BD16-2C 33
Marchwood Gro. BD14-1A 78
Mardale Cres. LS14-4B 48
Margaret Clo. LS27-2D 109
Margaret St. HX1-4C 117
Margate. LS26-2D 115
Margate Rd. BD4-1C 81
Margery Av. BD4-1D 103
Margetson Rd. BD11-3C 107
Marian Gro. LS11-2C 89
Marian Rd. LS6-4C 45
Marian Ter. LS6-4C 45
Marina Cres. LS27-4B 108
Marina Gdns. HX6-1A 124
Marion Dri. BD18-1D 35
Marion St. BD7-3D 57
Marion St. BD16-2C 15
Maris St. LS9-3A 68
Mark Clo. BD10-1D 37
Market Bldgs. LS2-3D 67
(off Kirkgate Mkt.)
Market Ct. BD13-4B 54
Market Hall. LS2-3D 67
(off Kirkgate Mkt.)
Market Hall. LS27-4C 109
Market Pl. BD18-1D 35
Market Pl. LS28-3B 62
Market Sq. BD18-1D 35
Market Sq. LS14-3C 49
Market St. BD1-4A 58
Market St. BD6-4D 79
Market St. BD13-4A 54
Market St. BD16-2B 14
Market St. BD18-1D 35
Market St. HX1-4D 117
Market St. Arc. LS1-3D 67
Markfield Av. BD12-3D 101
Markfield Clo. BD12-3D 101
Markfield Cres. BD12-3D 101
Markfield Dri. BD12-3D 101
Markham Av. LS8-4B 46
Markham Av. LS19-1D 21
Markham Cres. LS19-1D 21
Markham Croft. LS19-4D 7
Mark La. LS2-2D 67
Mark St. BD5-2B 80
Marlborough Av. HX3-2D 125
Marlborough Gdns. LS2-1C 67
Marlborough Grange. LS1-2C 67
Marlborough Gro. LS2-1C 67
Marlborough Rd. BD8-1D 57
Marlborough Rd. BD10-4D 19
Marlborough Rd. BD18-1C 35
Marlborough St. LS1-2C 67
Marlborough Towers. LS1-2C 67
Marldon Rd. HX3-2C 119
Marley Clo. BD8-2A 56
Marley Gro. LS11-2B 88

Marley Pl. LS11-2B 88
Marley St. BD3-3C 59
Marley St. LS11-2B 88
Marley Ter. LS11-2B 88
Marley View. LS11-2B 88
Marlott Rd. BD18-4A 18
Marlowe Ct. LS20-2A 6
Marmion Av. BD8-3D 55
Marne Av. BD14-2D 77
Marne Cres. BD10-1D 37
Marriner's Dri. BD9-4D 35
Marsden Av. LS11-3B 88
Marsden Gro. LS11-3C 89
Marsden Memorial Homes. LS28-1A 62
Marsden Mt. LS11-3C 89
Marsden Pl. LS11-3C 89
Marsden St. LS12-4B 64
Marsden Ter. LS20-2A 6
Marsden View. LS11-3C 89
Marsett Way. LS14-4C 31
Marsh. LS28-3D 61
Marshall Av. LS15-1A 72
Marshall Clo. LS27-3C 109
Marshall St. LS11-4C 67
Marshall St. LS15-1D 71
Marshall St. LS19-3D 7
Marshall St. LS27-3C 109
Marshall Ter. LS15-1D 71
Marsh Delves La. HX3-4B 118
Marshfield Pl. BD5-2A 80
Marshfield St. BD5-2A 80
Marsh Gro. BD5-3D 79
Marsh La. BD11-3C 105
Marsh La. HX3-4B 118
Marsh La. LS9-3A 68
Marsh Rise. LS28-3D 61
Marsh St. BD5-3A 80
Marsh St. LS6-4C 45
Marsh St. LS26-3B 114
Marsh Ter. LS28-3D 61
Marsh, The. BD4-1B 104
Marsh Vale. LS6-4C 45
Marshway. HX1-3C 117
Marsland Pl. BD3-3A 60
Marston Av. LS27-4C 109
Marston Clo. BD13-4B 76
Marston Mt. LS9-2A 68
Marten Rd. BD5-2D 79
Martin Ct. LS15-3A 72
Martin Ter. LS4-1D 65
Martlett Dri. BD5-3B 80
Marwood Rd. LS12-3A 64
Maryfield Av. LS15-1C 71
Maryfield Clo. LS15-1C 71
Maryfield Ct. LS15-2C 71
Maryfield Cres. LS15-1C 71
Maryfield Gdns. LS15-1C 71
Maryfield Grn. LS15-1C 71
Maryfield M. LS15-1C 71
Maryfield Vale. LS15-2C 71
Mary St. BD4-1D 81
Mary St. BD12-4D 101
Mary St. BD13-2A 52
Mary St. BD18-4B 16
Mary St. LS28-3A 40
Mary Sunley Ho. LS8-4B 46
(off Banstead Ter. W.)
Masefield Av. BD9-4D 33
Masefield St. LS20-2B 6
Masham Ct. LS6-2A 44
Masham Gro. LS12-3A 66
Masham Pl. BD9-1B 56
Masham St. LS12-3A 66
Masonic St. HX1-4B 116
Mason Sq. HX2-4B 96
Master La. HX2-1B 124
Matlock St. HX3-2C 117
Matty La. LS26-3C 113
Maud Av. LS11-3C 89
Maude Av. BD17-3D 17
Maude St. HX3-4C 97
Maude St. LS2-3A 68
Maud Pl. LS11-3C 89
Maudsley St. BD3-3C 59
Maud St. BD3-4C 59
Mavis Av. LS16-4A 10
Mavis Gro. LS16-4B 10
Mavis La. LS16-4A 10
Mavis St. BD3-3C 59
Mawcroft Clo. LS19-1C 21
Mawcroft Grange Dri. LS19-1C 21
Mawson St. BD18-4B 16
Maw St. BD4-1B 80
Maxwell Rd. BD6-1B 100
Maxwell St. LS27-4B 108
May Av. BD13-4B 54
Maybrook Ind. Pk. LS12-1A 66
Mayfair. BD5-2A 80
Mayfair Way. BD4-1A 82
Mayfield. HX3-2D 119
Mayfield Av. BD12-4A 102
Mayfield Av. HD6-3D 121
Mayfield Av. HX1-4C 117
Mayfield Dri. HX1-4C 117
Mayfield Gdns. HX1-4C 117
Mayfield Gdns. HX6-1A 124
Mayfield Gro. BD17-2A 18
Mayfield Gro. HD6-3D 121
Mayfield Gro. HX1-4C 117
Mayfield Mt. HX1-4C 117
Mayfield Pl. BD12-4D 101
Mayfield Rise. BD12-4A 102
Mayfield Rd. LS15-2C 71
Mayfield St. HX1-1C 125
Mayfield Ter. BD12-4A 102
Mayfield Ter. BD14-2D 77
Mayfield Ter. HX1-3B 116
Mayfield Ter. S. HX1-1C 125
(off Hyde Pk. Rd.)
Mayfield View. BD12-4A 102
Mayflower St. LS10-3C 91
Mayo Av. BD5-3A 80
Mayo Clo. LS8-2D 47
Mayo Cres. BD5-4A 80
Mayo Dri. BD5-4A 80
Mayo Gro. BD5-4A 80
Mayo Rd. BD5-4A 80
May St. BD19-2D 123
May St. HX3-2C 117
May Ter. LS9-4B 68
Maythorne Cres. BD14-2A 78
Maythorne Dri. BD14-1A 78
Mayville Av. LS6-4A 44
Mayville Pl. LS6-4A 44
Mayville Rd. LS6-4A 44

Mayville St. LS6-4A 44
Mayville Ter. LS6-4A 44
Meadowbank Av. BD15-1C 55
Meadow Clo. HX3-2A 100
Meadow Cres. HX3-1A 116
Meadowcroft. BD5-4B 80
Meadow Croft. LS11-1C 89
Meadowcroft Clo. BD10-1B 36
Meadowcroft M. LS9-3B 68
Meadow Dri. HX3-1B 116
Meadow End. LS16-1B 10
Meadow Garth. LS16-1B 10
Meadowhurst Gdns. LS28-3A 62
Meadowlands. BD19-2B 122
Meadow La. HX3-1A 116
Meadow La. LS11-4D 67
Meadow Pk. Cres. LS28-1C 61
Meadow Pk. Dri. LS28-1C 61
Meadow Rd. BD10-1A 38
Meadow Rd. LS11-4D 67
Meadowside Rd. BD17-1A 18
Meadows, The. LS16-2D 25
Meadow Valley. LS17-4C 13
Meadow View. BD10-2D 121
Meadow View. LS6-4A 44
Meadow Wlk. HX3-1B 116
Meadow Way. LS17-4C 13
Mead View. BD4-2A 82
Meadway. BD6-2B 100
Meanwood Clo. LS7-3D 45
Meanwood Gro. LS6-4A 26
Meanwood Rd. LS6 & LS7
-2B 44 to 1A 68
Meanwood St. LS7-1D 67
Meanwood Towers. LS6-4C 27
Meanwood Valley Dri. LS7-2B 44
Meanwood Valley Grn. LS7-2B 44
Meanwood Valley Gro. LS7-2B 44
Meanwood Valley Mt. LS7-2B 44
Meanwood Valley Rd. LS7-2B 44
Meanwood Valley Wlk. LS7-2B 44
Mearclough Rd. HX6-2A 124
Medeway. LS28-1D 61
Medley La. HX3-3B 98
Medway. BD13-4B 76
Meggison Gro. BD5-1D 79
Melba Rd. BD5-2D 79
Melbourne Gro. BD3-2A 60
Melbourne Gro. LS13-1D 63
Melbourne Mill Yd. LS27-4C 109
(off Melbourne St.)
Melbourne Pl. BD5-4A 58
(in two parts)
Melbourne Pl. LS28-1B 62
Melbourne St. BD18-4C 17
Melbourne St. HX3-2C 117
Melbourne St. LS2-2A 68
Melbourne St. LS13-1D 63
Melbourne St. LS27-4C 109
Melbourne St. LS28-1A 62
Melbourne Ter. BD5-4A 58
Melbourne Ter. LS28-1B 62
Melcombe Wlk. BD4-2A 82
Melford St. BD4-3D 81
Mellor St. HX1-1C 125
Mellor Ter. HX1-1C 125
Melrose Gro. LS18-4A 24
Melrose Pl. LS18-4A 24
Melrose Pl. LS28-4A 62
Melrose St. BD7-1C 79
Melrose St. HX3-2C 117
Melrose Ter. LS18-4A 24
Melrose Wlk. LS18-4A 24
Melton Av. LS10-3B 112
Melton Clo. LS10-3B 112
Melton Garth. LS10-3B 112
Melton Ho. BD4-3A 82
Melton Ter. BD10-3A 38
Melville Clo. LS6-4C 45
Melville Gdns. LS6-4D 45
Melville Ho. BD7-3D 57
Melville Pl. LS6-3C 45
Melville Rd. LS6-4C 45
Melville St. BD7-3D 57
Memorial Dri. LS6-1B 44
Mendip Way. BD12-2D 101
Menin Dri. BD17-1D 17
Menstone St. BD8-3D 57
Mentieth Ho. BD4-3B 82
Merchants Ct. BD4-1C 81
Mercia Way. LS15-4A 50
Merlin Gro. BD8-3D 55
Merlinwood Dri. BD17-1A 18
Merrion Cen. LS2-2D 67
Merrion Cres. HX3-1B 126
Merrion Pl. LS2 & LS1-2D 67
Merrion St. HX3-1B 126
Merrion St. LS2 & LS1-2D 67
Merrion Way. LS2-2D 67
Merrivale Rd. BD15-3C 55
Merriville. LS18-1A 42
Merrydale Rd. BD4-2C 103
Merton Av. LS28-1D 61
Merton Dri. LS28-1D 61
Merton Fold. BD5-2B 80
Merton Gdns. LS28-1D 61
Merton Rd. BD7-4A 58
Merville Av. BD17-1D 17
Metcalfe St. BD5-1D 81
Methley Dri. LS7-2D 45
Methley Gro. LS7-2D 45
Methley La. LS7-2D 45
Methley La. LS26-4D 115
Methley Mt. LS7-2A 46
Methley Pl. LS7-2D 45
Methley Ter. LS7-2D 45
Methley View. LS7-2A 46
Methuen Oval. BD12-2D 121
Mexborough Av. LS7-3A 46
Mexborough Dri. LS7-4A 46
Mexborough Gro. LS7-3A 46
Mexborough Pl. LS7-4A 46
Mexborough Rd. BD2-3A 36
Mexborough Rd. LS7-4A 46
Mexborough St. LS7-4D 45
Meynell App. LS11-1C 89
Meynell Av. LS26-3B 114
Meynell Clo. LS11-1C 89
Meynell Heights. LS11-1C 89
Meynell Mt. LS26-3B 114
Meynell Rd. LS15-4A 72
Meynell Sq. LS11-1C 89
Meynell St. LS11-1C 89
Meynell Wlk. LS11-1C 89
Miall St. HX1-3C 117

Mickledore Clo. BD7-3A 78
Mickledore Ridge. BD7-3A 78
Micklefield Ct. LS19-2D 21
Micklefield La. LS19-2C 21
Micklefield Rd. LS19-2D 21
Micklethwaite Dri. BD13-1A 98
Mickley St. LS12-3D 65
Middlebrook Clo. BD8-3A 56
Middlebrook Cres. BD8-4A 56
Middlebrook Dri. BD8-3A 56
Middlebrook Hill. BD8-3A 56
Middlebrook Rise. BD8-3A 56
Middlebrook View. BD8-3A 56
Middlebrook Wlk. BD8-4A 56
Middlebrook Way. BD8-4A 56
Middlecroft Clo. LS10-1B 112
Middlecroft Rd. LS10-1B 112
Middle Cross St. LS12-3A 66
Middle Fold. LS9-2A 68
Middle La. BD14-1D 77
Middlemoor. LS14-4D 31
Middle St. BD1-3B 58
Middleton Av. LS9-2B 68
Middleton Av. LS26-3C 113
Middleton Clo. LS27-4D 109
Middleton Cres. LS11-3D 89
Middleton Gro. LS11-3C 89
Middleton Gro. LS27-4D 109
Middleton La. LS26-3C 113
Middleton La. WF3-4D 111
Middleton Pk. Av. LS10-3D 111
Middleton Pk. Cir. LS10-3D 111
Middleton Pk. Ct. LS10-3C 111
Middleton Pk. Cres. LS10-3D 111
Middleton Pk. Grn. LS10-3C 111
Middleton Pk. Gro. LS10-3C 111
Middleton Pk. Mt. LS10-3D 111
Middleton Pk. Pl. LS10-3D 111
Middleton Pk. Rd. LS10-3C 111
Middleton Pk. Sq. LS10-4D 111
Middleton Pk. Sq. N. LS10-4D 111
Middleton Pk. Sq. S. LS10-4D 111
Middleton Pk. Ter. LS10-3D 111
Middleton Rd. LS10-1B 112
Middleton Rd. LS27-4D 109
Middleton St. BD8-2D 57
Middleton Ter. LS27-4D 109
Middleton Way. LS10-2B 112
Middle Wlk. LS8-4D 29
Midgeley Rd. BD17-3C 17
Midgley Gdns. LS6-4C 45
Midgley Pl. LS6-4C 45
Midgley Row. BD4-4D 81
Midgley Ter. LS6-4C 45
Midland Clo. LS10-2B 90
Midland Cres. LS10-3B 90
Midland Garth. LS10-2B 90
Midland Hill. BD16-2B 14
Midland Pas. LS6-4B 44
Midland Pl. LS11-4C 67
Midland Rd. BD8 & BD1-1A 58
Midland Rd. BD9-3D 35
Midland Rd. BS17-3A 18
Midland Rd. LS6-4B 44
Midland Rd. LS10-2A 90
Midland St. LS26-2D 115
Midland Ter. BD9-3D 35
Midway Av. BD16-1C 33
Milan Rd. LS8-4B 46
Milan St. LS8-4B 46
Mildred St. BD3-2C 59
Mile Cross Gdns. HX1-4B 116
Mile Cross Pl. HX1-4B 116
Mile Cross Rd. HX1-4B 116
Mile Cross Ter. HX1-4B 116
Miles Hill Av. LS7-2C 45
Miles Hill Cres. BD4-4D 81
Miles Hill Cres. LS7-2C 45
Miles Hill Dri. BD4-4D 81
Miles Hill Gro. LS7-2C 45
Miles Hill Mt. LS7-1C 45
Miles Hill Pl. LS7-1C 45
Miles Hill Rd. LS7-1C 45
Miles Hill Sq. LS7-2C 45
Miles Hill St. LS7-2D 45
Miles Hill Ter. LS7-2C 45
Miles Hill View. LS7-2C 45
Mile Thorn St. HX1-4B 116
Milford Gro. BD19-4C 105
Milford Pl. BD9-4C 35
Milford Pl. LS4-2A 66
Millbank Ct. LS28-4B 62
Millbank View. LS28-4B 62
Mill Carr Hill Rd. BD12-3C 103
Millergate. BD1-4A 58
Millersdale Clo. BD4-2C 103
Millgarth St. LS2-3A 68
Millgate. BD16-2B 14
Mill Grn. LS11-4B 66
Mill Grn. Clo. LS14-3D 49
Mill Grn. Gdns. LS14-2D 49
Mill Grn. Garth. LS14-3D 49
Mill Grn. iew. LS14-2D 49
Mill Grn. Pl. LS14-3D 49
Mill Grn. Rd. LS14-3D 49
Mill Hill. LS1-3D 67
Mill Hill. LS26-3A 114
Mill Hill. LS28-1B 84
Mill Hill Grn. LS26-3A 114
Mill Hill Sq. LS26-3A 114
Milligan Av. BD2-3B 36
Mill La. BD4-3B 84
Mill La. BD5 & BD4-1B 80
Mill La. BD6-2B 100
Mill La. BD11-2C 105
Mill La. BD13-3D 75
Mill La. BD19-4A 104
Mill La. HX2-2S 96
Mill La. HX3-1C 117
Mill La. LS13-4C 41
Mill La. LS20-3A 4
Mill La. LS27-1A 108
Mill Pit La. LS26-1D 113
Millshaw. LS11-4A 88
(in two parts)
Millshaw Mt. LS11-1B 110
Millshaw Pk. Av. LS11-4A 88
Millshaw Pk. Clo. LS11-4A 88
Millshaw Pk. Dri. LS11-4A 88
Millshaw Pk. La. LS11-4A 88
Millshaw Pk. Way. LS11-4A 88
Millshaw Rd. LS11 & LS27-1B 110
Mill St. BD1-3B 58
Mill St. BD4-1D 81
Mill St. BD6-4C 79
Mill St. HX3-4C 125
Mill St. LS9-3A 68
Mill St. LS27-4C 109
Millwright St. LS2-2A 68
Milner Fold. LS28-4A 62
Milner Gdns. LS9-4B 68
Milner Ing. BD12-3D 101
Milner La. WF3-4C 113
Milner Rd. BD17-3C 17
Milner Royd La. HX6-2A 124
Milner's Rd. LS19-3B 6
Milner St. HX1-3C 117
Milnes St. LS12-4B 66
Milnes Ter. LS12-4B 66
Milne St. BD7-3D 57
Milton Dri. LS15-1B 50
Milton Pl. HX1-4C 117
Milton St. BD7-3D 57
Milton St. BD13-2A 52
Milton Ter. BD19-3D 123
Milton Ter. HX1-3C 117
Milton Ter. LS5-3C 43
Milton Ter. LS19-3B 6
Minorca Mt. BD13-2A 52
Mint St. BD2-1D 59
Mirfield Av. BD2-2C 37
Miry La. LS19-3C 7
Mistral Clo. BD12-1D 121
Mistress La. LS12-3D 65
Mitcham Dri. BD9-1C 57
Mitchell Clo. BD10-4D 19
Mitchell La. BD10-4D 19
Mitchell Sq. BD5-2B 80
Mitchell Ter. BD16-3B 14
Mitford Pl. LS12-3A 66
Mitford Rd. LS12-3A 66
Mitford Ter. LS12-3A 66
Mitford View. LS12-3A 66
Mitton St. BD5-2D 79
Mitton St. BD16-1D 33
Mixenden Ct. HX2-3A 96
Mixenden La. HX2-2A 96
Mixenden Rd. HX2-3A 96
Modder Av. LS12-3D 65
Modder Pl. LS12-3D 65
Model Av. LS12-3A 66
Model Rd. LS12-3A 66
Model Ter. LS12-3D 65
Moffat Clo. BD6-1B 100
Moffatt Clo. HX3-1B 116
Mond Av. BD3-2A 60
Monk Barn Clo. BD16-1C 15
Monk Bri. Av. LS6-2B 44
Monk Bri. Dri. LS6-2B 44
Monk Bri. Gro. LS6-2B 44
Monk Bri. Mt. LS6-2B 44
Monk Bri. Pl. LS6-2B 44
Monk Bri. Rd. LS6-2A 44
Monk Bri. St. LS6-2B 44
Monk Bri. Ter. LS6-2B 44
Monk St. BD7-3D 57
Monkswood. LS5-2B 42
Monkswood Av. LS14-1B 48
Monkswood Bank. LS14-4B 30
Monkswood Clo. LS14-1B 48
Monkswood Dri. LS14-4B 30
Monkswood Ga. LS14-1C 49
Monkswood Grn. LS14-4B 30
Monkswood Hill. LS14-1B 48
Monkswood Rise. LS14-4B 30
Monkswood Wlk. LS14-4B 30
Monson Av. LS28-2D 39
Montagu Av. LS8-3D 47
Montagu Ct. LS8-2D 47
Montagu Cres. LS8-2D 47
Montagu Dri. LS8-2D 47
Montague Ct. LS12-3C 65
Montague St. BD5-2D 79
Montague View. LS8-2D 47
Montagu Gdns. LS8-3D 47
Montagu Gro. LS8-3D 47
Montagu Pl. LS8-2D 47
Montagu Rise. LS8-3D 47
Montcalm Cres. LS10-3B 90
Montford Clo. LS18-2C 23
Mont Gro. BD5-2A 80
Montpelier Ter. LS6-3B 44
Montreal Av. LS7-2A 46
Montreal Ter. LS13-3C 63
Montrose Pl. BD13-3D 75
Montrose St. BD2-3A 36
Montserrat Rd. BD4-4B 82
Moody St. BD4-1B 80
Moor Allerton Av. LS17-3B 28
Moor Allerton Cen. LS17-3C 27
Moor Allerton Cres. LS17-3B 28
Moor Allerton Dri. LS17-3B 28
Moor Allerton Gdns. LS17-3A 28
Moor Allerton Way. LS17-3B 28
Moor Av. LS15-3B 70
Moor Bank. BD11-1C 105
Moorbank Ct. LS6-3A 44
Moorbottom. BD19-4D 123
Moor Bottom La. BD16-2C 15
Moor Bottom La. HX4-4C 125
Moor Bottom Rd. HX2-2B 96
Moor Clo. LS10-3A 90
Moor Clo. Av. BD13-1D 97
Moor Clo. Farm M. BD13-4D 75
Moor Clo. La. BD13-4D 75
Moor Clo. Pde. BD13-4A 76
Moor Clo. Rd. BD13-4A 76
Moor Cres. Chase. LS11-1D 89
Moorcroft. BD16-1D 15
Moorcroft Av. BD3-2A 60
Moorcroft Dri. BD4-4B 82
Moorcroft Rd. BD4-4B 82
Moorcroft Ter. BD4-4B 82
Moor Dri. LS6-2A 44
Moor Dri. LS28-4B 62
Moore Av. BD7 & BD6-3B 78
Moorehouse Gro. LS9-1A 68
Moorehouse Mt. LS9-1A 68
Moorehouse View. LS9-1A 68
Moor End. HX6-3A 124
Moor End Av. HX2-2A 116
Moor End Gdns. HX2-2A 116
Moor End Rd. HX2-2A 116
Moor End View. HX2-2B 116
Moore View. BD7-3B 78
Moor Farm Gdns. LS7-1D 45
Moorfield. LS27-1D 107
Moorfield Av. BD3-2A 60
Moorfield Av. BD19-4B 122
Moorfield Av. LS12-3C 65
Moorfield Bus. Pk. LS19-3A 8
Moorfield Clo. LS19-3A 8
Moorfield Ct. LS19-4A 8
Moorfield Cres. LS12-2C 65
Moorfield Cres. LS19-3D 7
Moorfield Cres. LS28-4D 61
Moorfield Croft. LS19-4A 8
Moorfield Dri. BD17-1D 17
Moorfield Dri. LS19-4A 8
Moorfield Gdns. LS28-4D 61
Moorfield Gro. LS12-3C 65
Moorfield Gro. LS28-4D 61
Moorfield Ind. Est. LS19-3A 8
Moorfield Pl. BD10-1D 37
Moorfield Rd. BD16-1C 33
Moorfield Rd. LS12-3C 65
Moorfield Rd. LS19-3A 8
Moorfields. LS13-4D 41
Moorfields. LS17-2A 28
Moorfield St. HX1-1C 125
Moorfield St. LS2-4C 45
Moorfield St. LS12-2C 65
Moorfield Ter. HX1-1C 125
(off Moorfield St.)
Moorfield Ter. LS19-3D 7
Moorfield Way. BD19-4B 122
Moor Flatts Av. LS10-3D 111
Moor Flatts Rd. LS10-3D 111
Moor Garth Av. BD3-1A 60
Moorgate. BD17-1D 17
Moorgate Av. BD2-1D 59
Moorgate St. HX1-1B 124
Moor Grange. LS19-3A 8
Moor Grange Ct. LS16-4B 24
Moor Grange Dri. LS16-4C 25
Moor Grange Rise. LS16-4C 25
Moor Grange View. LS16-1C 43
Moor Gro. HX3-1D 99
Moor Gro. LS28-1B 84
Moor Haven Ct. LS17-2C 27
Moorhead Cres. BD18-1A 34
Moorhead La. BD18-1B 34
Moorhead Ter. BD18-1A 34
Moorhead Vs. LS27-4D 85
Moorhouse Av. BD2-3C 37
Moorhouse Av. LS11-4B 88
Moorhouse Dri. BD11-1B 104
Moorhouse La. BD11-1B 104
Moorings, The. LS17-1A 28
Moorland Av. BD3-1A 60
Moorland Av. BD11-1C 105
Moorland Av. BD16-1D 15
Moorland Av. BD17-1A 18
Moorland Av. HX2-4B 96
Moorland Av. LS6-1B 66
Moorland Av. LS20-1A 6
Moorland Av. LS27-1D 107
Moorland Clo. HX2-1B 116
Moorland Clo. LS17-3A 28
Moorland Clo. LS27-1D 107
Moorland Cres. BD17-1A 18
Moorland Cres. LS17-3D 27
Moorland Cres. LS20-1B 6
Moorland Cres. LS27-1D 107
Moorland Cres. LS28-2C 61
Moorland Cres. LS29-1D 5
Moorland Dri. BD11-2C 105
Moorland Dri. LS17-3D 27
Moorland Dri. LS20-1B 6
Moorland Dri. LS28-2C 61
Moorland Gdns. LS17-3D 27
Moorland Garth. LS17-3D 27
Moorland Gro. LS17-3D 27
Moorland Gro. LS28-2C 61
Moorland Ings. LS17-3D 27
Moorland Leys. LS17-3D 27
Moorland Mt. BD19-4C 123
Moorland Pl. BD12-3B 102
Moorland Rise. LS17-3D 27
Moorland Rd. BD11-2A 106
Moorland Rd. LS6-1B 66
Moorland Rd. LS16-1C 9
Moorland Rd. LS28-2C 61
Moorlands Av. LS19-4A 8
Moorlands Cres. HX2-1B 116
Moorlands Dri. HX3-1B 116
Moorlands Dri. LS19-4A 8
Moorlands Pl. HX1-1D 125
Moorlands Rd. BD11-1C 105
Moorlands, The. LS17-2B 28
Moorlands View. HX1-1D 125
Moorland View. BD12-3A 102
Moorland View. BD15-4A 32
Moorland View. LS17-3D 27
Moorland Wlk. LS17-3D 27
Moor La. BD11 & BD19-4D 105
Moor La. HX2-4B 96
Moor La. LS20-1B 6
Moorlea Dri. BD17-2A 18
Moor Pk. Av. LS6-2A 44
Moor Pk. Clo. BD3-3D 59
Moor Pk. Dri. BD3-2A 60
Moor Pk. Dri. LS6-2A 44
Moor Pk. Mt. LS6-1A 44
Moor Pk. Rd. BD3-3D 59
Moor Pk. Vs. LS6-2A 44
Moor Rd. LS6-2A 44
Moor Rd. LS10-2A 90
Moor Rd. LS11-2D 89
Moor Rd. LS16-1A 10
Moor Royd. HX3-2C 125
Moorside. BD9-1A 56
Moorside. BD19-4C 123
Moorside App. BD11-3B 106
Moorside Av. BD2-1D 55
Moorside Av. BD11-1C 105
Moorside Clo. BD2-4D 37
Moorside Clo. BD11-3B 106
Moorside Cres. BD11-3B 106
Moorside Croft. BD2-4D 37
Moorside Dri. BD11-3B 106
Moorside Dri. LS13-4D 41
Moorside Gdns. BD2-4D 37
Moorside Gdns. BD11-3B 106
Moorside Gdns. HX3-4C 97
Moorside Grn. BD11-2B 106
Moorside La. BD3-3A 60
Moorside Maltings. LS11-2D 89
Moorside M. BD2-4D 37
Moorside Mt. BD11-3B 106
Moorside Pde. BD11-3B 106
Moorside Pl. BD3-3A 60
Moorside Pl. BD10-2C 37
Moorside Rise. BD19-3D 123
Moorside Rd. BD2-3D 37
Moorside Rd. BD3-3A 60
Moorside Rd. BD11-3B 106
Moorside Rd. BD15-3A 32
Moorside St. BD12-2D 101
Moorside St. LS13-3D 41
Moorside Ter. BD2-1A 60
Moorside Ter. BD11-3B 106
Moorside Ter. LS13-3D 41
Moorside Vale. BD11-2B 106
Moorside View. BD11-3B 106
Moorside Wlk. BD11-2B 106
Moor St. BD13-4B 76
Moor Ter. BD2-1D 59
Moorthorpe Av. BD3-2A 60
Moor Top. BD11-2A 106
Moor Top. LS12-3D 85
Moor Top Gdns. HX3-1B 96
Moor Top Rd. BD12-2D 101
Moor View. BD11-1C 105
Moor View. LS6-4B 44
Moor View. LS11-1C 89
Moor View. LS12-3C 65
Moor View. LS19-3A 8
Moor View Av. BD18-1C 35
Moor View Cres. BD16-2B 32
Moor View Dri. BD16-2B 32
Moor View Dri. BD18-1B 36
Moorville Av. BD3-2A 60
Moorville Clo. LS11-1C 89
Moorville Ct. LS11-1C 89
Moorville Dri. BD11-2C 105
Moorville Gro. LS11-1C 89
Moorville Rd. LS11-1C 89
Moorway. LS20-2D 5
Moorwell Pl. BD2-3D 37
Moravian Pl. BD5-1A 80
Moresby Rd. BD6-2B 100
Moresdale La. LS14-4B 48
Morley Av. BD3-2A 60
Morley Bottoms. LS27-3C 109
Morley Carr Rd. BD12-3A 102
Morley St. BD7-4A 58
Morley View. HX3-3A 126
Morningside. BD8-1D 57
Morningside. BD13-1A 52
Mornington Rd. BD16-2C 15
Mornington Vs. BD8-2A 58
Morpeth Pl. LS9-4A 68
Morpeth St. BD7-3D 57
Morpeth St. BD13-4B 76
Morphet Ter. LS7-1D 67
Morris Av. LS5-2C 43
Morris Gro. LS5-3C 43
Morris La. LS5-3C 43
Morris Mt. LS5-3C 43
Morris Pl. LS27-3B 108
Morris View. LS5-3C 43
Morritt Av. LS15-2C 71
Morritt Dri. LS15-2B 70
Morritt Gro. LS15-3B 70
Mortimer Av. BD3-2A 60
Mortimer Row. BD3-4A 60
Mortimer St. BD8-3B 56
Morton Rd. BD4-4A 60
Mortons Clo. HX3-3B 126
Morton Ter. LS20-2A 6
Morwick Gro. LS15-2B 50
Morwick Ter. LS14-1A 50
Moseley Pl. LS6-4D 45
Moseley Wood App. LS16-1A 24
Moseley Wood Av. LS16-4A 10
Moseley Wood Bank. LS16-4A 10
Moseley Wood Clo. LS16-1A 24
Moseley Wood Cres. LS16-1A 24
Moseley Wood Croft. LS16-1D 23
Moseley Wood Dri. LS16-4A 10
Moseley Wood Gdns. LS16-1A 24
Moseley Wood Grn. LS16-4A 10
Moseley Wood Gro. LS16-4A 10
Moseley Wood La. LS16-4A 10
Moseley Wood Rise. LS16-4A 10
Moseley Wood View. LS16-4A 10
Moseley Wood Wlk. LS16-1A 24
Moseley Wood Way. LS16-4A 10
Moser Av. BD2-3C 37
Moser Cres. BD2-3C 37
Moss Bri. Rd. LS13-3B 40
Mosscar St. BD3-4C 59
Mossdale Av. BD9-4D 33
Moss Dri. HX2-2B 96
Moss Gdns. LS17-4C 13
Moss La. HX2-2B 96
Moss Lea. LS27-1D 13
Moss Rise. LS17-4C 13
Moss Side. BD9-1A 56
Moss St. BD13-3A 54
Moss Valley. LS17-1C 27
Mostyn Gro. BD6-1C 101
Mostyn Mt. HX3-4C 97
Motley La. LS20-1B 6
Motley Row. LS20-1B 6
Moulson Ter. BD13-2A 52
(off Longhouse La.)
Mountain View. BD18-2A 36
Mount Ash. BD2-3D 37
Mountbatten Ct. BD5-3B 80
Mt. Cliffe View. LS27-1D 109
Mount Cres. BD19-2D 123
Mount Cres. HX2-3A 116
Mount Dri. LS17-4C 13
Mountfields. HX3-2A 120
Mountfields. LS2-1B 66
Mount Gdns. BD19-2D 123
Mount Gdns. LS17-4C 13
Mount Gro. BD2-2D 37
Mountleigh Clo. BD4-2C 103
Mt. Pellon. HX2-2B 116
Mt. Pellon Rd. HX2-2B 116
Mount Pl. BD18-4C 17
Mt. Pleasant. BD6-1B 100
Mt. Pleasant. BD13-3A 52
Mt. Pleasant. LS10-3D 111
Mt. Pleasant. LS13-4D 41
Mt. Pleasant. LS18-4A 24
(off Broadgate La.)
Mt. Pleasant. LS20-1B 6
Mt. Pleasant. LS28-1A 62
(off Westbourne Pl.)
Mt. Pleasant Av. HX1-3C 117
Mt. Pleasant Av. LS8-3B 46
Mt. Pleasant Rd. LS28-3B 62
Mt. Pleasant St. BD13-4B 76
Mt. Pleasant St. LS28-2B 62
Mt. Preston St. LS2-1C 67
Mount Rise. LS17-4C 13
Mount Rd. BD2-3D 37
Mount Rd. BD6-4C 79
Mt. Royal. LS18-4D 23
Mt. Royd. BD8-1A 58
Mount St. BD2-3D 37
Mount St. BD3 & BD4-4C 59
Mount St. BD19-3D 123
Mount St. HX1-4D 117
Mount St. W. HX2-2A 116
Mt. Tabor St. LS28-3D 61
Mount Ter. BD2-3D 37
Mount Ter. HX2-2A 116
Mount, The. BD17-2A 18
Mount, The. LS15-2C 71
Mount, The. LS17-4C 13
Mount, The. LS26-1B 114
Mt. Vernon Rd. LS19-1D 21
Mt. View. BD13-3A 76
Mount View. BD16-2C 15
Mount View. LS27-2D 109
Mowbray Cres. LS14-4C 49
Mozeley. HX2-2B 96
Mozeley Dri. HX2-2A 96
Muff St. BD4-1C 81
Muff Ter. BD6-4C 79
Muir Ct. LS6-3A 44
Muirhead Dri. BD4-3B 82
Mulberry Av. LS16-2A 26
Mulberry Garth. LS16-2A 26
Mulberry Rise. LS16-1A 26
Mulberry St. LS28-3A 62
Mulberry View. LS16-2A 26
Mulcture Hall Rd. HX1-3A 118
Mulgrave St. BD3-4C 59
Mumford St. BD5-3A 80
Munby St. BD8-3B 56
Munster St. BD4-2D 81
Murdstone Clo. BD5-2A 80
Murgatroyd St. BD5-3A 80
(in two parts)
Murgatroyd St. BD18-4C 17
Murray St. BD5-2D 79
Murton Clo. LS14-3C 49
Museum Ct. BD2-1D 59
Museum St. LS9-1B 68
Musgrave Bank. LS13-1B 64
Musgrave Bldgs. LS28-3B 62
Musgrave Dri. BD2-1D 59
Musgrave Gro. BD2-1D 59
Musgrave Mt. BD2-1D 59
Musgrave Mt. LS13-1B 64
Musgrave Rise. LS13-1B 64
Musgrave Rd. BD2-1D 59
Musgrave View. LS13-1B 64
Mushroom St. LS9-1A 68
Musselburgh St. BD7-3D 57
Mutton La. BD15-1A 54
Myers Av. BD2-3C 37
Myers La. BD2-4C 37
Myrtle Av. BD16-3B 14
Myrtle Av. HX2-3B 96
Myrtle Ct. BD16-3B 14
Myrtle Dri. HX2-3B 96
Myrtle Gdns. HX2-3B 96
Myrtle Gro. BD13-1D 97
Myrtle Gro. BD16-2B 14
Myrtle Gro. HX2-4B 96
Myrtle Pl. BD16-2B 14
Myrtle Pl. BD18-4B 16
Myrtle Pl. HX2-4B 96
Myrtle Sq. LS6-4B 26
Myrtle St. BD3-4D 59
Myrtle St. BD16-2C 15
Myrtle St. BD18-4B 16
Myrtle Wlk. BD16-2B 14

Nab End. BD13-3D 77
Nab La. BD18-1A 34
Nab La. WF17-4C 107
Naburn App. LS14-4C 31
Naburn Chase. LS14-1D 49
Naburn Clo. LS14-1D 49
Naburn Ct. LS14-4D 31
Naburn Dri. LS14-1D 49
Naburn Fold. LS14-1D 49
Naburn Gdns. LS14-1D 49
Naburn Grn. LS14-1D 49
Naburn Pl. LS14-1D 49
Naburn Rd. LS14-1D 49
Naburn View. LS14-1D 49
Naburn Wlk. LS14-1D 49
Nab Wood Bank. BD18-1A 34
Nab Wood Clo. BD18-1A 34
Nab Wood Cres. BD18-1A 34
Nab Wood Dri. BD18-2A 34
Nab Wood Gdns. BD18-1A 34
Nab Wood Gro. BD18-1A 34
Nab Wood Mt. BD18-1A 34
Nab Wood Pl. BD18-1A 34
Nab Wood Rise. BD18-1A 34
Nab Wood Rd. BD18-2A 34
Nab Wood Ter. BD18-1A 34
Nancroft Cres. LS12-3D 65
Nancroft Mt. LS12-3D 65
Nancroft Ter. LS12-3D 65
Nansen Av. LS13-1D 63
Nansen Gro. LS13-1D 63
Nansen Mt. LS13-1D 63
Nansen Pl. LS13-1D 63
Nansen St. LS13-1C 63
Nansen Ter. LS13-1D 63
Nansen View. LS13-1D 63
Napier Rd. BD3-3A 60
Napier St. BD3-3A 60
Napier St. BD13-4B 76
Napier Ter. BD3-3A 60
Naples St. BD8-2C 57
Nasby Ho. BD4-3B 82
Naseby Gdns. LS9-2A 68
Naseby Garth. LS9-2A 68
Naseby Grange. LS9-2A 68
Naseby Pl. LS9-2A 68
Naseby Rise. BD13-4B 76
Naseby Ter. LS9-2A 68
Naseby View. LS9-2A 68
Naseby Wlk. LS9-2A 68
Nassau Pl. LS7-4A 46
(in two parts)
Natty Fields Clo. HX2-2B 96
Natty La. HX2-1A 96
Navigation Rd. HX3-4A 118
Navigation Wlk. LS10-3D 67
Naylor Pl. LS11-2C 89
Naylor St. HX1-3B 116

al St. BD5-4A 58
arcliffe Rd. BD9-1C 57
ar Royd. HX3-1C 117
ath Gdns. LS9-4A 48
cropolis Rd. BD7-1B 78
d Hill Rd. HX2-3B 74
d La. BD4-1B 82
edless Inn La. LS26-2D 115
son Croft. LS25-4D 73
son Pl. BD13-4A 76
son Pl. HX6-1A 124
son Pl. LS27-3C 109
son St. BD1 & BD5-4B 58
son St. BD13-4A 76
son St. BD15-2D 55
son St. HX6-1A 124
ne St. BD5-2D 79
pshaw La. LS27-3B 108
pshaw La. N. LS27-3A 108
pshaw La. S. LS27-3A 108
ptune St. LS9-3A 68
sfield Clo. LS10-2B 112
sfield Cres. LS10-2B 112
sfield Gdns. LS10-2B 112
sfield Garth. LS10-2B 112
sfield Grn. LS10-2B 112
sfield Rd. LS10-2B 112
sfield St. BD1-2A 58
sfield View. LS10-2B 112
sfield Wlk. LS10-2B 112
therby St. BD3-3D 59
hercliffe Cres. LS20-1A 6
hercliffe Rd. LS20-1A 6
hercope Ter. LS28-4A 40
therfield Clo. LS19-3C 7
therfield Ct. LS20-1A 6
herfield Dri. LS20-1A 6
herfield Rise. LS20-1A 6
herfield Rd. LS20-1A 6
herfield Ter. LS19-3C 7
herfield Ter. LS20-1A 6
therhall Rd. BD17-2A 18
therlands Av. BD6 & BD12-1D 101
therlands Sq. BD12-2A 102
her Moor View. BD16-2C 15
her St. LS28-4A 40
tle Gro. HX3-2C 119
tleton Clo. BD4-3A 84
tleton Ct. LS15-3D 71
ville App. LS9-4D 69
ville Av. BD4-4D 81
ville Av. LS9-4D 69
ville Clo. LS9-4D 69
ville Ct. BD18-1B 34
ville Cres. LS9-3A 70
ville Garth. LS9-4D 69
ville Gro. LS9-4D 69
ille Gro. LS26-3C 95
ville Mt. LS9-4D 69
ville Pde. LS9-4D 69
ville Pl. LS9-3D 69
ville Rd. BD4-1D 81
ville Rd. LS9 & LS15-3A 70
ville Row. LS9-4D 69
ville Sq. LS9-3D 69
ville St. LS1-3D 67
ville Ter. LS9-4D 69
ville View. LS9-4D 69
ville Wlk. LS9-4D 69
vill Gro. BD9-4A 34
v Adel Av. LS16-2C 25
v Adel Gdns. LS16-2C 25
v Adel La. LS16-2C 25
vall Sq. LS28-4A 62
vall St. BD5-1A 80
vark Rd. BD16-1B 14
vark St. BD4-1C 81
v Augustus St. BD1-4B 58
v Bank. HX3-3A 118
v Bank St. LS27-3C 109
v Bond St. HX1-4D 117
v Briggate. LS2 & LS1-2D 67
v Brighton. BD16-2D 33
v Brighton. LS13-1A 64
v Brunswick St. HX1-3D 117
vburnholme Wlk. BD10-2D 37
vburn Rd. BD7-1C 79
vby Garth. LS17-1C 29
vby St. BD5-1A 80
v Caravan Ga. LS11-1D 89
vcastle Clo. BD11-2A 106
v Clo. BD13-1C 75
v Clo. Rd. BD18-1D 33
v Clough Rd. HX6-3A 124
v Cres. LS18-4C 23
v Croft. LS18-4D 23
v Cross St. BD5-3A 80 & 3B 80
v Cross St. BS12-3C 103
v Farmer's Hill. LS26-1D 115
vfield Cottage. HX2-3A 74
v Fold. BD6-1B 100
vforth Gro. BD5-3D 79
v Grange View. HX2-4B 74
vhall Bank. LS10-3A 112
vhall Chase. LS10-2A 112
vhall Clo. LS10-2A 112
vhall Cres. LS10-2A 112
vhall Croft. LS10-2A 112
vhall Dri. BD6-4B 80
vhall Gdns. LS10-3A 112
vhall Garth. LS10-2A 112
vhall Ga. LS10-2A 112
vhall Grn. LS10-2A 112
vhall Mt. BD6-4B 80
vhall Mt. LS10-3A 112
vhall Rd. BD4-4C 81
vhall Rd. LS10-2A 112
vhall Wlk. LS10-2A 112
v Hey Rd. BD4-2C 81
v Ho. La. BD13-4C 77
ill Clo. BD5-3C 81
ington St. BD8-3D 57
Inn St. LS12-3C 65
v John St. BD1-3A 58
v Kirkgate. BD18-1C 35
v Laithe Rd. BD6-4C 79
vlaithes Gdns. LS18-1C 41
vlaithes Garth. LS18-2C 41
vlaithes Rd. LS18-1C 41
vlands. LS28-1A 62
vlands Av. BD3-1A 60
vlands Av. HX3-4C 99
vlands Av. LS19-3C 7
vlands Cres. HX3-4C 99
vlands Cres. LS27-3A 110

Newlands Dri. HX3-4C 99
Newlands Dri. LS27-3A 110
Newlands Gro. HX3-4C 99
Newlands Pl. BD3-2C 59
Newlands Rise. LS19-3C 7
Newlands View. HX3-4C 99
New La. BD4-4A 60
New La. BD11-1C 107
New La. BD19-4C 123
New La. HX3-2A 126
(Siddal)
New La. HX3-3C 125
(Skircoat)
New La. LS10-3C 111
New La. LS11-4D 67
Newlay Bridle Path. LS18-1D 41
Newlay Clo. BD10-1B 38
Newlay Gro. LS18-2C 41
Newlay La. LS13-3D 41
Newlay La. LS18-1D 41
Newlay La. Pl. LS13-3D 41
Newlay Mt. LS18-2C 41
Newlay Wood Av. LS18-1D 41
Newlay Wood Clo. LS18-1D 41
Newlay Wood Cres. LS18-1D 41
Newlay Wood Dri. LS18-1D 41
Newlay Wood Gdns. LS18-1D 41
Newlay Wood Rise. LS18-1D 41
Newlay Wood Rd. LS18-1D 41
Newley Wood Fold. LS18-1D 41
New Line. BD10-1A 38
Newman St. BD4-3D 81
Newmarket App. LS9-4C 69
Newmarket Grn. LS9-4C 69
Newmarket La. LS9-4D 69
New Market St. LS1-3D 67
New Occupation La. LS28-4D 61
New Otley Rd. BD3-2C 59
New Pk. Av. LS28-4A 40
New Pk. Clo. LS28-4A 40
New Pk. Croft. LS28-4A 40
New Park Gro. LS28-4A 40
New Pk. Pl. LS28-4B 40
New Pk. Rd. BD13-3A 76
New Pk. St. LS27-4B 108
New Pk. Vale. LS28-4A 40
New Pk. View. LS28-4A 40
New Pk. Wlk. LS28-4A 40
New Pk. Way. LS28-4A 40
New Pepper Rd. LS10-2B 90
New Popplewell La. BD19-3B 122
Newport Av. LS13-1C 63
Newport Cres. LS6-4A 44
Newport Gdns. LS6-4A 44
Newport Mt. LS6-4A 44
Newport Pl. BD8-2D 57
Newport Rd. BD8-2D 57
Newport Rd. LS6-4A 44
Newport View. LS6-4A 44
New Princess St. LS11-1C 89
New Rd. BD13-3A 52
New Rd. HX1-4D 117
New Rd. LS19-3B 6
New Rd. WF3-4D 113
New Rd. E. BD19-2B 122
New Rd. Side. LS18-1C 41
New Rd. Side. LS19-1C 21
New Row. BD9-1A 56
New Row. BD12-1A 22
New Row. BD16-1C 33
New Row. LS15-4A 72
Newroyd Rd. BD5-3A 80
Newsam Ct. LS15-3C 71
Newsam Grn. Rd. LS26-3A 94
New Station St. LS1-3D 67
Newstead Av. HX1-3B 116
Newstead Gdns. HX1-4B 116
Newstead Gro. HX1-3B 116
Newstead Heath. HX1-3B 116
Newstead Pl. HX1-3B 116
Newstead Ter. HX1-3B 116
Newstead Wlk. BD5-2A 80
New St. BD4-4D 81
New St. BD10-4D 19
New St. BD12-3C 103
New St. BD13-2A 52
New St. HD6-4D 121
New St. HX2-2A 116
New St. LS18-4C 23
New St. LS28-1A 62
(Farsley)
New St. LS28-4A 62
(Pudsey)
New St. Clo. LS28-4B 62
New St. Gdns. LS28-4B 62
New St. Gro. LS28-4A 62
New Temple Ga. LS15-4C 71
New Toftshaw. N. BD4-1A 104
Newton Clo. LS26-4D 113
Newton Ct. LS8-2D 47
Newton Ct. LS26-4D 113
Newton Garth. LS7-3A 46
Newton Gro. LS7-3A 46
Newton Hill Rd. LS7-2A 46
Newton Lodge Clo. LS7-2D 45
Newton Lodge Dri. LS7-2D 45
Newton Pde. LS7-3A 46
Newton Pk. HD6-4B 120
Newton Pk. Ct. LS7-3A 46
Newton Pk. Dri. LS7-3A 46
Newton Pk. View. LS7-3A 46
Newton Pl. BD5-2A 80
Newton Rd. LS7-3A 46
Newton Sq. LS12-2A 86
Newton St. BD5-2A 80
(Chester Rd.)
Newton St. BD5-2A 80
(St Stephen's Rd.)
Newton Ter. LS7-1D 45
Newton View. LS7-3A 46
Newton Vs. LS7-1D 45
Newton Wlk. LS7-3A 46
Newton Way. BD17-1D 17
New Wlk. LS8-4C 29
New Way. LS20-1D 5
New Windsor Dri. LS26-2B 114
New Works Rd. BD12-3A 102
New York Cotts. LS19-3A 22
New York La. LS19-3A 22
New York Rd. LS2 & LS9-2D 67
New York St. LS2-3D 67
Nice Av. LS8-3B 46
Nice St. LS8-3B 46
Nice View. LS8-4B 46
Nicholas Clo. BD7-3B 56

Nickleby Rd. LS9-2C 69
Nidderdale Wlk. BD17-1A 18
Nidd St. BD3-4D 59
Nile St. LS2-2A 68
Nina Rd. BD7-2B 78
Nineveh Gdns. LS11-1C 89
Nineveh Pde. LS11-1C 89
Nineveh Rd. LS11-4C 67
Nippet La. LS9-2B 68
Nixon Av. LS9-3C 69
Noble St. BD7-1D 79
Nook Gdns. LS15-1B 50
Nook Rd. LS15-1B 50
Nooks, The. LS27-2A 108
Nook, The. LS17-1A 28
Nora Pl. LS13-4C 41
Nora Rd. LS13-4C 41
Nora Ter. LS13-4C 41
Norbury Rd. BD10-3B 38
Norcliffe La. HX3-4C 119
Norcroft Brow. BD7-4A 58
Norcroft St. BD7 & BD1-3D 57
Norfolk Clo. LS7-1A 46
Norfolk Clo. LS26-3D 115
Norfolk Dri. LS26-3D 115
Norfolk Gdns. BD1-4B 58
Norfolk Gdns. LS7-1A 46
Norfolk Grn. LS7-1A 46
Norfolk Mt. LS7-1A 46
Norfolk Pl. HX1-4C 117
Norfolk Pl. LS7-1A 46
Norfolk St. BD16-2C 15
Norfolk Ter. LS7-1A 46
Norfolk View. LS7-1A 46
Norfolk Wlk. LS7-1A 46
Norham Gro. BD12-1A 122
Norland Rd. HX6 & HX4-4A 124
Norland St. BD7-2B 78
Norland Town Rd. HX6-3A 124
Norland View. HX2-2C 125
Norland View. HX6-1A 124
Norman Av. BD2-3C 37
Norman Cres. BD2-3C 37
Norman Gro. BD2-3C 37
Norman Gro. LS5-3C 43
Norman La. BD2-2C 37
Norman Mt. BD2-3C 37
Norman Mt. LS5-3C 43
Norman Pl. LS8-2C 29
Norman Row. LS5-3C 43
Norman St. BD16-2C 15
Norman St. BD18-1A 36
Norman St. HX1-1B 124
Norman St. LS5-3C 43
Norman Ter. BD2-2D 37
Norman Ter. LS8-3C 29
Normanton Gro. LS11-2C 89
Normanton Pl. LS11-1C 89
Norman Towers. LS16-1C 43
Norman View. LS5-3C 43
Norr Grn. Ter. BD15-2A 32
Nortech Clo. LS7-1A 68
Northallerton Rd. BD3-2B 58
Northampton St. BD3-2B 58
North Av. BD8-4A 36
N. Bank Rd. BD16-3C 33
N. Bolton. HX2-1A 96
North Bri. HX1 & HX3-3D 117
North Bri. St. HX1-3D 117
N. Broadgate La. LS18-3D 23
Northbrook Pl. LS7-1D 45
N. Brook St. BD1-3B 58
Northbrook St. LS7-1D 45
N. Byland. HX2-2A 96
N. Cliffe Av. BD13-4B 54
N. Cliffe Clo. BD13-4B 54
N. Cliffe Dri. BD13-4B 54
N. Cliffe Gro. BD13-4B 54
N. Cliffe La. BD13-4B 54
Northcliffe La. HX3-3D 119
North Clo. LS8-2A 48
Northcote Cres. LS11-1D 89
Northcote Dri. LS11-1C 89
Northcote Grn. LS11-1C 89
Northcote Rd. BD2-1D 59
Northcote St. LS28-1A 62
North Ct. LS2-2D 67
Northcroft Rise. BD8-2B 56
Northdale Cres. BD5-3D 79
Northdale Mt. BD5-3D 79
Northdale Rd. BD9-3D 35
N. Dean Rd. HX3-4C 125
North Dri. LS16-1B 10
N. Edge La. HX3-2D 119
Northedge Meadow. BD10-1C 37
Northedge Pk. HX3-2A 120
Northern Clo. BD7-3B 78
Northern St. BD13-3A 76
Northern St. LS1-3C 67
N. Farm Rd. LS8 & LS9-4D 47
Northfield Av. LS26-4D 113
Northfield Cres. BD16-1C 33
Northfield Gdns. BD6-4D 79
Northfield Gro. BD6-4D 79
Northfield Pl. BD8-1D 57
Northfield Pl. LS26-4D 113
Northfield Rd. BD6-4D 79
N. Fold. BD10-4D 19
Northgate. BD1-3A 58
Northgate. BD17-1D 17
Northgate. HX1-3D 117
Northgate. LS26-2D 115
N. Grange M. LS6-3B 44
N. Grange Mt. LS6-3B 44
N. Grange Rd. LS6-3B 44
N. Grove Clo. LS8-2D 47
N. Grove Dri. LS8-2D 47
N. Grove Rise. LS8-2A 48
N. Hall Av. BD10-3C 19
N. Hall Ter. LS3-2B 66
N. Hill Clo. LS8-2D 47
N. Hill Ct. LS6-3B 44
N. Hill Rd. LS6-3B 44
N. Holme St. BD1-3B 78
N. John St. BD13-4A 76
North La. LS6-3A 44
North La. LS8-1D 47
North La. LS26-2D 115
North La. Gdns. LS8-2D 47
Northlea Av. BD10-3C 19
N. Lingwell Rd. LS10-3D 111
N. Mead. LS16-1B 10
Northolme Av. LS16-1C 43
Northolme Cres. LS16-1C 43
Northowram Grn. HX3-4C 99

North Pde. BD1-3A 58
North Pde. BD15-1C 55
North Pde. HX1-3D 117
North Pde. LS16-4C 25
North Pde. LS27-4C 109
N. Park Av. LS8-4B 28
N. Park Gro. LS8-4B 28
N. Park Pde. LS8-4B 28
N. Park Rd. BD9-4C 35
N. Park Rd. LS8-4C 29
N. Park Ter. BD9-1D 57
N. Parkway. LS14-3B 48
North Rd. BD6-4D 79
North Rd. LS9-2D 91
North Rd. LS15-1D 71
North Rd. LS18-2C 23
North Rd. E. LS9-2A 92
Northrop Yd. LS28-3A 62
N. Royd. HX3-2D 119
Northside Av. BD7-4C 57
Northside Bus. Pk. LS7-1A 68
(off Sheepscar Ct.)
Northside Rd. BD7-4B 56
Northside Ter. BD7-4B 56
North St. BD1-3B 58
North St. BD10-3D 19
North St. BD12-3C 103
North St. BD16-3C 15
North St. LS2 & LS7-2D 67
North St. LS19-1D 21
North St. LS28-2B 62
North Ter. BD16-2C 15
(off Leonard St.)
North Ter. LS15-1D 71
North Ter. LS19-3C 7
N. View. BD15-1C 55
N. View. LS8-1A 48
N. View. LS26-3B 114
N. View Rd. BD3-1B 58
N. View Rd. BD4-1C 105
N. View St. LS28-1B 62
N. View Ter. LS28-1B 62
North Way. LS8-2A 48
Northwest Bus. Pk. LS6-4D 45
N. Wing. BD3-3B 58
Northwood Clo. LS26-1D 115
Northwood Clo. LS28-1B 84
Northwood Cres. BD10-1D 37
Northwood Falls. LS26-1D 115
Northwood Mt. LS28-1B 84
Northwood Pk. LS26-1D 115
Northwood View. LS28-1B 84
Norton Rd. LS8-2C 29
Norville Ter. LS6-3A 44
Norwich Av. LS10-3A 90
Norwood Av. BD11-4D 105
Norwood Av. BD18-2D 35
Norwood Cres. BD11-4D 105
Norwood Cres. LS28-1B 62
Norwood Croft. LS28-1B 62
Norwood Dri. BD11-4D 105
Norwood Grn. Hill. HX3-1B 120
Norwood Gro. BD11-4D 105
Norwood Gro. LS6-4A 44
Norwood Mt. LS6-4A 44
Norwood Pl. BD18-2C 35
Norwood Pl. LS6-4A 44
Norwood Rd. BD18-2C 35
Norwood Rd. LS6-4A 44
Norwood St. BD5-3A 80
Norwood St. BD18-2D 35
Norwood Ter. BD18-2C 35
Norwood Ter. HX3-1C 121
Norwood Ter. LS6-4A 44
Norwood View. LS6-4A 44
Nostell Clo. BD8-2A 58
Noster Gro. LS11-2B 88
Noster Hill. LS11-2B 88
Noster Pl. LS11-2B 88
Noster Rd. LS11-2B 88
Noster St. LS11-2B 88
Noster Ter. LS11-2B 88
Noster View. LS11-2B 88
Nottingham St. BD3-3A 60
Nowell App. LS9-1C 69
Nowell Av. LS9-2C 69
Nowell Clo. LS9-2C 69
Nowell Cres. LS9-2D 69
Nowell End Row. LS9-2C 69
Nowell Gdns. LS9-2C 69
Nowell Gro. LS9-2C 69
Nowell La. LS9-1C 69
Nowell Mt. LS9-2C 69
Nowell Pde. LS9-1C 69
Nowell Pl. LS9-2C 69
Nowell St. LS9-2C 69
Nowell Ter. LS9-2C 69
Nowell View. LS9-2D 69
Nowell Wlk. LS9-1C 69
Nunlea Royd. HX3-4C 121
Nunnington Av. LS12-2D 65
Nunnington St. LS12-2D 65
Nunnington Ter. LS12-2D 65
Nunnington View. LS12-2D 65
Nunroyd Av. LS17-3A 28
Nunroyd Av. LS20-2B 6
Nunroyd Gro. LS17-3A 28
Nunroyd Lawn. LS17-3A 28
Nunroyd Rd. LS17-3A 28
Nunroyd St. LS17-3A 28
Nunroyd Ter. LS17-3A 28
Nunthorpe Rd. LS13-3B 40
Nurser La. BD5-2D 79
Nurser Pl. BD5-2D 79
Nursery Av. HX3-4B 96
Nursery Clo. HX3-1B 116
Nursery Clo. LS17-2D 27
Nursery Gro. HX3-4B 96
Nursery Gro. LS17-1C 27
Nursery La. HX3-1B 116
Nursery La. LS17-1C 27
Nursery Mt. LS10-3A 90
Nursery Mt. Rd. LS10-3A 90
Nursery Rd. BD7-3B 78
Nursery Rd. BD14-1D 77
Nursery Rd. LS20-1A 6
Nussey Av. WF17-4B 106
Nuttall Rd. BD3-3C 59
Nutter St. BD19-3D 123
Nutting Gro. Ter. LS12-1B 86

Oak Av. BD8-1D 57
Oak Av. BD16-3B 14
Oak Av. LS27-4D 109

Oak Bank. BD16-3C 15
Oak Bank. BD17-3D 17
Oak Bank. BD18-2A 36
Oak Cres. LS15-3B 70
Oakdale. BD16-1C 15
Oakdale Av. BD6-4C 79
Oakdale Av. BD18-2A 36
Oakdale Clo. BD10-4A 38
Oakdale Clo. HX3-1C 117
Oakdale Cres. BD6-4C 79
Oakdale Dri. BD10-4A 38
Oakdale Dri. BD18-2A 36
Oakdale Garth. LS14-4C 31
Oakdale Gro. BD18-2A 36
Oakdale Meadow. LS14-3C 31
Oakdale Rd. BD18-2A 36
Oakdale Ter. BD6-4C 79
Oakdene. LS26-1D 115
Oakdene Clo. LS28-1B 84
Oakdene Ct. LS17-1C 29
Oakdene Gdns. LS17-1C 29
Oakdene Vale. LS17-1C 29
Oakdene Way. LS17-1C 29
Oak Dri. LS16-2C 25
Oakenshaw La. BD12 & BD19-4C 103
Oakfield. LS6-3A 44
Oakfield Av. BD16-3D 15
Oakfield Av. LS26-2A 114
Oakfield Dri. BD17-3A 18
Oakfield Gro. BD9-1D 57
Oakfield Ter. BD18-1A 36
Oakfield Ter. LS18-4A 24
(off Broadgate La.)
Oak Fold. BD5-2B 80
Oakford Ter. LS18-4A 24
Oak Gro. LS27-4D 109
Oakhampton Ct. LS8-1D 47
Oakham Wlk. BD4-1C 81
Oakhurst Av. LS11-4B 88
Oakhurst Gro. LS11-4B 88
Oakhurst Mt. LS11-4B 88
Oakhurst Rd. LS11-4B 88
Oakhurst St. LS11-4B 88
Oaklands. BD10-4C 19
Oaklands Av. HX3-4C 99
Oaklands Av. LS13-2A 40
Oaklands Clo. LS13-3A 40
Oaklands Gro. LS13-2A 40
Oaklands Rd. LS13-2A 40
Oak La. BD9-1D 57
Oak La. BD15 & BD8-3D 55
Oak La. HX1-3C 117
Oaklea Gdns. LS16-3D 25
Oaklea Hall Clo. LS16-3A 26
Oaklea Rd. LS15-2B 50
Oakleigh Av. BD14-2C 77
Oakleigh Av. HX3-2D 125
Oakleigh Clo. BD14-2D 77
Oakleigh Gdns. BD14-2C 77
Oakleigh Gro. BD14-2C 77
Oakleigh Rd. BD14-2C 77
Oakleigh Ter. BD14-2C 77
Oakley Gro. LS11-3D 89
Oakley St. BD13-4A 76
Oakley Ter. LS11-3D 89
Oakley View. LS11-3D 89
Oak Mt. BD8-1A 58
Oak Mt. HX3-3B 120
Oak Pl. BD17-1B 18
Oak Pl. HX1-4C 117
Oakridge Ct. BD16-1C 15
Oak Rd. LS7-3A 46
Oak Rd. LS12-3A 66
Oak Rd. LS15-3B 70
Oak Rd. LS27-4B 108
Oakroyd. LS26-4B 114
Oakroyd Av. BD6-4D 79
Oakroyd Clo. BD11-3C 105
Oakroyd Dri. BD11-3C 105
Oakroyd Mt. LS28-2B 62
Oakroyd Rd. BD6-4D 79
Oakroyd Ter. BD8-1A 58
Oakroyd Ter. BD17-3A 18
Oakroyd Ter. LS27-1D 109
Oakroyd Ter. LS28-2B 62
Oakroyd Vs. BD8-1A 58
Oaks Dri. BD15-3D 55
Oaks Royd. HX3-3D 125
Oaks, The. LS20-1A 6
Oaks, The. LS27-1C 109
Oak St. BD14-2D 77
Oak St. BD15-4A 32
Oak St. LS27-1D 109
Oak St. LS28-3D 61
Oak Ter. HX1-3C 117
Oak Ter. LS15-4D 49
Oak Tree Clo. LS9-4D 47
Oak Tree Cres. LS9-4D 47
Oak Tree Dri. LS8-4D 47
Oak Tree Gro. LS9-4D 47
Oak Tree Mt. LS9-4D 47
Oak Tree Pl. LS9-4D 47
Oak Tree Wlk. LS9-4D 47
Oak Vs. BD8-1A 58
Oak Vs. LS17-2B 28
Oakway. BD11-4C 105
Oakwell Av. LS8-2C 47
Oakwell Clo. BD11-3C 107
Oakwell Cres. LS8-2C 47
Oakwell Dri. LS8-2C 47
Oakwell Gdns. LS8-2C 47
Oakwell Gro. LS13-4D 41
Oakwell Ind. Pk. WF17-4C 107
Oakwell Mt. LS8-2C 47
Oakwell Oval. LS8-2C 47
Oakwell Rd. BD11-3C 107
Oakwell Ter. LS28-4A 40
Oakwell Way. WF17-4C 107
Oakwood Av. BD2-3A 36
Oakwood Av. BD11-3C 105
Oakwood Av. LS8-2C 47
Oakwood Boundary Rd. LS8-2C 47
Oakwood Ct. BD8-2D 57
Oakwood Ct. LS8-2D 47
Oakwood Dri. BD16-1B 14
Oakwood Dri. LS8-2C 47
Oakwood Dri. LS26-2A 114
Oakwood Gdns. LS8-2C 47
Oakwood Garth. LS8-2D 47
Oakwood Grange. LS8-2D 47
Oakwood Grange La. LS8-2D 47
Oakwood Grn. LS8-2D 47
Oakwood Gro. BD8-1C 57
Oakwood Gro. LS8-2C 47
Oakwood La. LS8 & LS9-2C 47 to 4A 48

Oakwood Mt. LS8-2C 47
Oakwood Nook. LS8-2C 47
Oakwood Pl. LS8-2D 47
Oakwood Rise. LS8-2D 47
Oakwood Ter. LS28-4A 62
Oakwood View. LS8-2D 47
Oakwood Wlk. LS8-2D 47
Oast Ho. Croft. WF3-4C 113
Oastler Pl. BD12-2A 102
Oastler Rd. BD18-4B 16
Oatland Clo. LS7-1D 67
Oatland Ct. LS7-1D 67
Oatland Dri. LS7-1D 67
Oatland Gdns. LS7-1D 67
Oatland Grn. LS7-1D 67
Oatland La. LS7-1D 67
Oatland Pl. LS7-4D 45
Oatland Rd. LS7-1D 67
Oatland Towers. LS7-1D 67
Oban Pl. LS12-3C 65
Oban St. LS12-3C 65
Oban Ter. LS12-3C 65
Occupation La. HX2-2B 96
Occupation La. LS16-1C 9
Occupation La. LS28-4D 61
Octagon Ter. HX2-2B 124
Odda La. LS20-1A 4
Oddfellows Ct. BD1-4A 58
Oddfellows St. BD19-3B 122
Oddfellow St. LS27-4C 109
Oddy Pl. BD6-4D 79
Oddy Pl. LS6-2A 44
Oddy's Fold. LS6-4B 26
Oddy St. BD4-4A 82
Odsal Rd. BD6-4A 80
Ogden Cres. BD13-1A 52
Ogden Ho. BD4-2B 82
Ogden La. BD13-1A 52
Ogden La. HX2-3A 74
Ogden View Clo. HX2-1A 96
O'Grady Sq. LS9-3B 68
Old Allen Rd. BD13 & BD15-1C 53
Old Bank. HX3-3A 118
(in two parts)
Old Barn Clo. LS17-4B 12
Old Bell Ct. HX1-4D 117
Old Brandon La. LS17-1B 30
Old Canal Rd. BD1-2B 58
Old Causeway. HX6-2A 124
Old Clo. LS11-4D 87
Old Cock Yd. HX1-4D 117
Old Corn Mill La. BD7-1B 78
Old Farm App. LS16-1B 43
Old Farm Clo. LS16-4C 25
Old Farm Cross. LS16-4B 24
Old Farm Dri. LS16-4B 24
Old Farm Garth. LS16-4C 25
Oldfarm Pde. LS16-1B 42
Old Farm Wlk. LS16-4B 24
Oldfield Av. LS12-4D 65
Oldfield La. LS12-4D 65
Oldfield St. HX3-4C 97
Oldfield St. LS12-4D 65
Old Fold. LS28-4A 40
Old Godley La. HX3-2B 118
Old Guy Rd. BD13-3D 75
Old Hollins Hill. BD17-4D 5
Old La. BD11-2C 105
Old La. HX3-1C 117 to 2D 11
Old La. LS11-3B 88
Old La. LS20-2A 4
Old Langley La. BD17-1A 18
Old Lee Bank. HX3-2C 117
Old Main St. BD16-2B 14
Old Mkt. HX1-3D 117
Old Marsh. LS8-3D 61
Old Mill La. LS10-2B 90
Old Mill Rd. BD17-4C 17
Old Oak Clo. LS16-1C 43
Old Oak Dri. LS16-1B 42
Old Oak Garth. LS16-1B 42
Old Oak Lawn. LS16-1B 42
Old Pk. Rd. BD10-1D 37
Old Pk. Rd. LS8-1C 47 to 3C 29
Old Popplewell La. BD19-2A 122
Old Rd. BD7-3A 78
Old Rd. BD13-2A 52
Old Rd. LS27-1D 109
Old Rd. LS28-1D 61
Oldroyd Cres. LS11-3B 88
Old Run Rd. LS10-4A 90
Old Well Head. HX1-1D 125
Old Whack Ho. La. LS19-4B 7
Olive Gro. BD8-3B 56
Olive Pl. BD13-4B 76
Oliver Hill. LS18-1D 41
Oliver's Mt. LS5-3C 43
Oliver St. BD4-1C 81
Olive Ter. BD16-2C 15
Ollerdale Av. BD15-4C 33
Ollerdale Clo. BD15-1C 55
Olympic Ct. BD12-3A 102
Onslow Cres. BD4-3C 81
Ontario Pl. LS7-2A 46
Orange St. BD3-4D 59
Orange St. HX1-3D 117
Orchard Clo. HX2-4A 116
Orchard Gro. BD10-1A 38
Orchard La. LS20-1B 6
Orchard Mt. LS15-1D 71
Orchard Rd. LS15-1D 71
Orchard Sq. LS15-1C 71
Orchards, The. BD16-1C 15
Orchards, The. LS15-1D 71
Orchard View. LS15-1D 71
Orchard Way. LS20-1A 6
Orchard Way. LS26-2B 114
Organ Yd. LS10-2B 90
Oriental St. LS12-3D 65
Orion Cres. LS10-1B 112
Orion Dri. LS10-1B 112
Orion Gdns. LS10-1B 112
Orion View. LS10-1B 112
Orion Wlk. LS10-1B 112
Orleans St. BD6-1B 100
Ormonde Dri. BD15-2D 55
Ormonde Pl. LS7-4D 45
Ormond Rd. BD6-4C 79
Ormond Royd Av. BD6-1D 101
Ormond St. BD7-2C 79
Orville Gdns. LS6-3B 44
Osborne Gro. HX3-3A 120
Osborne St. BD5-1A 80
Osborne St. HX1-3B 116
Osbourne Ct. LS13-1A 64
Osmondthorpe Cotts. LS9-3D 69
Osmondthorpe La. LS9-3D 69
Osmondthorpe Ter. LS9-2C 69
Osprey Clo. LS17-1B 28
Osprey Ct. BD8-3D 55
Osprey Gro. LS17-1B 28
Osprey Meadow. LS27-4A 110
Osterley Gro. BD10-2A 38
Oswald St. BD8-3C 57
Oswald St. BD18-1A 36
Oswaldthorpe Av. BD3-2A 60
Otley La. LS19-3C 7
Otley Old Rd. LS16-4B 10 to 3C 25
Otley Old Rd. LS18 & LS16-1C 9
Otley Rd. BD3 & BD2-2C 59
Otley Rd. BD16-1D 15
Otley Rd. BD18 & BD17-1C 35
Otley Rd. LS16 & LS6-2C 11 to 3D 25
Otley Rd. LS20-1D 5
Otley St. HX1-3B 116
Ottawa Pl. LS7-2A 46
Otterburn Clo. BD5-1A 80
Otterburn Gdns. LS16-2C 25
Oulton Dri. LS26-4D 115
Oulton La. LS26-3B 114
(Rothwell)
Oulton La. LS26-2D 115
(Woodlesford)
Oulton Ter. BD7-4D 57
Out Gang. LS13-4A 42
Out Gang La. LS13-4A 42
Outwood Av. LS18-1D 41
Outwood La. LS18-1D 41
Outwood Wlk. LS18-1D 41
Oval, The. BD8-2B 56
Oval, The. BD16-3D 15
Oval, The. BD17-3D 17
Oval, The. LS14-1B 70
Oval, The. LS20-2D 5
Oval, The. LS26-3B 114
Ovenden Av. HX3-2C 117
Ovenden Clo. HX3-2C 117
Ovenden Cres. HX3-2C 117
Ovenden Grn. HX3-1C 117
Ovenden Rd. HX3 & HX1
-4C 97 to 3D 11
Ovenden Rd. Ter. HX3-1C 117
Ovenden Ter. HX3-1C 117
Ovenden Way. HX3-1B 116
Ovenden Wood Rd. HX2-1A 116
Overdale Av. LS17-1C 29
Overdale Dri. BD18-3B 18
Overdale Mt. HX6-1A 124
Overdale Ter. LS15-2C 71
Overend St. BD6-4C 79
Overland Trading Est. LS27-3D 107
Over La. LS19-2D 21
Overton Dri. BD6-3A 78
Ovington Dri. BD4-3B 82
Owlcotes Cen. LS28-2D 61
Owlcotes Dri. LS28-3D 61
Owlcotes Gdns. LS28-3D 61
Owlcotes Garth. LS28-3D 61
Owlcotes La. LS28-1D 61
Owlcotes Rd. LS28-2C 61
Owlcotes Shopping Cen. LS28-2A 62
Owlcotes Ter. LS28-3D 61
Owler La. WF17-4B 106
Owlet Grange. BD18-2D 35
Owlet Rd. BD18-1D 35
Oxford Av. LS20-1A 6
Oxford Clo. BD13-1D 97
Oxford Cres. BD14-1C 77
Oxford Cres. HX3-2A 126
Oxford La. HX3-2A 126
Oxford Pl. BD3-2B 58
Oxford Pl. BD17-3A 18
Oxford Pl. LS1-2C 67
Oxford Pl. LS28-2A 62
Oxford Rd. BD2-1C 59
Oxford Rd. BD13-1D 97
Oxford Rd. BD19-4C 105
Oxford Rd. HX1-4D 117
Oxford Rd. LS7-4D 45
Oxford Rd. LS20-2A 6
Oxford Row. LS1-2C 67
Oxford St. BD14-1D 77
Oxford St. HX6-1A 124
Oxford St. LS20-1B 6
Oxford Ter. BD17-3A 18
Oxford Vs. LS20-2A 6
Oxley Gdns. BD12-2D 101
Oxley St. BD8-3D 57
Oxley St. LS9-3B 68
Oxton Clo. LS9-2B 68
Oxton Gdns. LS9-2B 68
Oxton Mt. LS9-2B 68
Oxton Pl. LS9-2B 68
Oxton Way. LS9-2B 68

Pack Horse Yd. LS1-3D 67
(off Lands La.)
Packington St. BD13-3D 53
Padan St. HX3-2A 126
Paddock. BD9-3D 35
Paddock Clo. BD11-3B 106
Paddock Clo. BD12-2D 121
Paddock Corner. LS15-3D 71
Paddock Dri. BD11-3B 106
Paddock La. HX2-3A 116
Paddock Rd. HX3-3B 98
Paddock, The. BD17-1B 18
Paddock, The. BD19-3B 122
Paddock, The. LS6-1B 44
Paddock, The. LS26-3A 114
Padgum. BD17-2D 17
Padstow Av. LS10-2B 110
Padstow Clo. LS10-3B 110
Padstow Gdns. LS10-3C 111
Padstow Pl. LS10-3C 111
Padstow Row. LS10-3C 111
Page Hill. HX2-1A 116
Paisley Gro. LS12-3C 65
Paisley Pl. LS12-3C 65
Paisley Rd. LS12-3C 65
Paisley St. LS12-3C 65
Paisley Ter. LS12-3C 65
Paisley View. LS12-3C 65
Pakington St. BD5-1A 80
Paley Pl. BD4-1C 81
Paley Rd. BD4-1C 81
Paley Ter. BD4-1C 81
Palin Av. BD3-2A 60
Palm Clo. BD6-1D 101
Palmer Rd. BD3-2D 59
Palm St. HX3-1D 117
Pannal St. BD7-2C 79
Parade, The. BD4-2A 82
Parade, The. BD16-1C 33
Parade, The. LS6-3A 44
Parade, The. LS9-3A 68
Parade, The. LS19-4B 6
Paradise Fold. BD7-1B 78
Paradise Pl. LS18-4A 24
Paradise Rd. BD9-4C 35
Paradise Row. HX1-1C 125
Paradise St. BD1-3A 58
Paradise St. HX1-4D 117
Paradise St. LS28-4A 40
Park Av. BD10-3C 19
Park Av. BD11-2A 106
Park Av. BD16-3B 14
Park Av. BD18-4C 17
Park Av. HX6-1A 124
(off Gas Works Rd.)
Park Av. LS8-1C 47
Park Av. LS12-2C 65
Park Av. LS15-1D 71
Park Av. LS19-1D 21
(Rawdon)
Park Av. LS19-3C 7
(Yeadon)
Park Av. LS26-4C 95
Park Av. LS27-4B 108
Park Av. LS28-3A 62
(off Tofts Rd.)
Park Bottom. BD12-3D 101
Park Cliffe Rd. BD2-1C 59
Park Clo. BD10-2D 37
Park Clo. BD11-2A 106
Park Clo. BD13-4A 76
Park Clo. BD16-1C 15
Park Clo. HX3-3B 120
Park Clo. LS13-4D 41
Park Cotts. LS8-3C 29
Park Cres. BD3-1C 59
Park Cres. HX3-2C 117
Park Cres. LS8-3C 29
Park Cres. LS12-2C 65
Park Cres. LS20-3D 5
Park Cres. LS26-2C 115
Park Cres. LS27-2A 108
Park Cross St. LS1-3C 67
Park Dene. HX1-4C 117
Park Dri. BD9-3C 35
Park Dri. BD16-1C 15
Park Dri. HX2-1A 124
Park Dri. LS18-4B 22
Park Edge Clo. LS8-1D 47
Park Farm Ind. Est. LS11-4C 89
Parkfield Av. LS11-2C 89
Parkfield Clo. LS28-3A 62
Parkfield Ct. LS14-4B 48
Parkfield Dri. BD13-4A 76
Parkfield Gro. LS11-2B 88
Parkfield La. HX6-2A 124
Parkfield Mt. LS11-2B 88
Parkfield Mt. LS28-3A 62
Parkfield Pl. LS11-2C 89
Parkfield Rd. BD8-1A 58
Parkfield Rd. BD18-1B 34
Parkfield Rd. LS11-2B 88
Parkfield Row. LS11-2B 88
Parkfield St. LS11-1D 89
Parkfield Ter. LS28-3A 62
(Pudsey)
Parkfield Ter. LS28-2A 62
(Stanningley, in two parts)
Parkfield View. LS11-2C 89
Parkfield Way. LS14-4B 48
Park Gdns. HX6-1A 124
Park Ga. BD1-3B 58
Park Ga. Clo. LS18-4C 23
Park Ga. Cres. LS20-2A 6
Park Gro. BD9-3D 35
Park Gro. BD13-4A 76
Park Gro. BD18-4B 16
Park Gro. HX3-2B 118
Park Gro. LS6-2A 44
Park Gro. LS18-4B 22
Park Gro. LS19-3C 7
Park Gro. LS26-4C 95
Park Gro. LS27-2A 108
Park Gro. Ct. BD9-3D 35
Parkhead Clo. BD6-2C 101
Park Hill Clo. BD8-2A 56
Park Hill Dri. BD8-2A 56
Park Hill Gro. BD16-2C 15
Park Holme. LS7-3B 46
Park Ho. Clo. BD12-1B 102
Park Ho. Cres. BD12-2A 102
Park Ho. Gro. BD12-1A 102
Park Ho. Rd. BD12-2A 102
Park Ho. Wlk. BD12-1B 102
Parkingson St. BD5-2A 80
Parkin La. BD10-4B 20
Parkinson La. HX1-4B 116
Parkinson Rd. BD13-2A 52
Parkland Av. LS27-4B 108
Parkland Cres. LS6-4C 27
Parkland Dri. BD10-1D 37
Parkland Dri. LS6-4C 27
Parkland Gdns. LS6-4C 27
Parklands. BD16-1D 15
Parkland Ter. LS6-4C 27
Park La. BD5-2A 80
Park La. BD13-4B 76
Park La. BD14-1D 77
Park La. BD17-1B 18
Park La. HX3-3A 126
Park La. LS3 & LS1-2B 66
Park La. LS8-3C 29
Park La. LS20-3D 5
Park La. LS26-3B 114
Park La. M. LS17-1D 29
Park Lea. LS10-3D 111
Park Mead. BD10-3D 19
Park Mt. LS12-2C 65
Park Mt. Av. BD17-2A 18
Park Pde. LS9-4C 69
Park Pde. LS27-4B 108
Park Pl. BD10-3D 19
Park Pl. HX1-4C 117
Park Pl. LS1-3C 67
Park Pl. E. HX3-3A 120
Park Pl. W. HX3-3A 120
Park Rise. LS13-4D 41
Park Rd. BD5-1A 80
Park Rd. BD10-3D 37 & 2A 38
Park Rd. BD12-1D 101
Park Rd. BD16-2B 14
Park Rd. BD18-1D 35
Park Rd. HX1-4C 117
Park Rd. HX5-4B 126
Park Rd. HX6-1A 124
Park Rd. LS12-2C 65
Park Rd. LS13-4D 41
Park Rd. LS15-4D 71
Park Rd. LS19-1D 21
(Rawdon)
Park Rd. LS19-3C 7
(Yeadon)
Park Rd. LS20-3D 5
Park Row. LS1-3D 67
Park Row. LS28-2A 62
Park Side. BD14-2D 77
Parkside. BD16-1C 15
Parkside. HX3-2D 125
Park Side. LS18-1C 41
Parkside Av. BD13-4A 76
Parkside Av. LS6-1B 44
Parkside Clo. LS6-4B 26
Parkside Cres. LS6-1B 44
Parkside Dri. BD9-4C 35
Parkside Gdns. LS6-1B 44
Parkside Grn. LS6-1B 44
Parkside Gro. BD9-4C 35
Parkside Gro. LS11-4C 89
Parkside Ind. Est. LS11-3D 89
Parkside La. LS11-3D 89
Parkside Mt. LS11-4C 89
Parkside Pde. LS11-4C 89
Parkside Pl. LS6-4B 26
Parkside Rd. BD5-3A 80
Parkside Rd. LS6-3A 26
Parkside Rd. LS28-1A 62
Parkside Row. LS11-4C 89
Parkside View. LS6-4B 26
Parkside Wlk. LS8-1A 62
Park Spring Gdns. LS13-2D 63
Park Spring Rise. LS13-2D 63
Park Sq. BD6-4C 79
Park Sq. HX3-1C 119
Park Sq. LS1-2C 67
Park Sq. LS28-3A 62
Park Sq. E. LS1-3C 67
Park Sq. N. LS1-2C 67
Park Sq. S. LS1-3C 67
Park Sq. W. LS1-2C 67
Parkstone Av. LS16-4C 25
Parkstone Dri. BD10-2D 37
Parkstone Grn. LS16-3C 25
Parkstone Gro. LS16-3C 25
Parkstone Mt. LS16-3C 25
Parkstone Pl. LS16-3C 25
Park St. BD18-4C 17
Park St. BD19-4C 123
Park St. HX6-2A 124
Park St. LS1-2C 67
Park St. LS12-2C 65
Park St. LS15-2C 71
Park St. LS19-3C 7
Park St. LS27-1D 109
Park Ter. BD12-2D 101
Park Ter. BD18-4C 17
Park Ter. HX1-4C 117
Park Ter. HX3-3A 120
(Hipperholme)
Park Ter. HX3-2C 119
(Stump Cross)
Park Ter. LS6-2A 4
Park Top. LS28-2A 62
Park View. BD11-3C 105
Park View. BD13-3A 76
Park View. BD14-1D 77
Park View. BD19-4D 123
Park View. HX1-4C 117
Park View. HX3-3A 120
Park View. LS11-2C 89
Park View. LS13-4D 41
Park View. LS16-1D 25
Park View. LS19-3B 6
Park View. LS26-4C 95
Park View. LS28-3A 62
Park View Av. HX3-2C 119
Park View Av. LS4-4A 44
Park View Av. LS19-1D 21
Parkview Ct. BD18-1C 35
Parkview Ct. LS8-3C 29
Park View Cres. LS8-3C 29
Park View Gro. LS4-4A 44
Park View Rd. BD9-4C 35
Park View Rd. LS4-1A 66
Park View Ter. BD9-4D 35
Park View Ter. LS15-2C 71
Park View Ter. LS19-1D 21
Park Villa Ct. LS8-3C 29
Park Vs. LS8-3C 29
Parkville Pl. LS13-4D 41
Parkville Rd. LS13-4D 41
Parkway. BD5-3B 80
Parkway. BD13-4A 76
Park Way. BD17-3B 16
Parkway. LS27-2D 107
Parkway Clo. LS14-4B 48
Parkway Ct. LS14-4A 48
Parkway Grange. LS14-4B 48
Parkway M. LS14-2C 49
Parkways. LS26-2C 115
Parkways Av. LS26-2D 115
Parkways Clo. LS26-2C 115
Parkways Ct. LS26-2D 115
Parkways Dri. LS26-2D 115
Parkways Garth. LS26-3D 115
Parkways Gro. LS26-2C 115
Parkway Towers. LS14-4A 48
Parkway Vale. LS14-4B 48
Park W. LS26-3B 114
Parkwood Av. LS8-1C 47
Park Wood Av. LS11-1B 110
Park Wood Clo. LS11-1B 110
Parkwood Ct. LS8-1C 47
Park Wood Cres. LS11-1B 110
Park Wood Dri. LS11-1B 110
Parkwood Gdns. LS8-1C 47
Parkwood Gdns. LS28-2C 39
Parkwood Rd. BD18-1B 34
Park Wood Rd. LS11-1B 110
Parkwood Rd. LS28-2C 39
Parkwood Way. LS8-1C 47
Parliament Pl. LS12-3A 66
Parliament Rd. LS12-3A 66
Parliament St. LS27-3B 108
Parma St. BD5-1B 80
Parnaby Av. LS10-3B 90
Parnaby Rd. LS10-3B 90
Parnaby St. LS10-3B 90
Parnaby Ter. LS10-3B 90
Parratt Row. BD3-3A 60
Parrot St. BD4-3A 82
Parry La. BD4-1D 81
Parsonage Rd. BD4-1A 82
Parsonage Rd. BD5-2B 80
(in two parts)
Parsonage St. HX3-2A 118
Parsons Rd. BD9-3C 35
Partridge Clo. LS27-4A 110
Pasture Av. LS7-1A 46
Pasture Clo. BD14-2A 78
Pasture Cres. LS7-1A 46
Pasture Gro. LS7-1A 46
Pasture La. BD14-2D 77
Pasture La. LS7-1A 46
Pasture Mt. LS12-2C 65
Pasture Pde. LS7-1A 46
Pasture Pl. LS7-1A 46
Pasture Rise. BD14-2A 78
Pasture Rd. BD17-2A 18
Pasture Rd. LS8-3B 46
Pastureside Ter. E. BD14-1A 78
Pastureside Ter. W. BD14-2A 78
Pasture St. LS7-1A 46
Pasture Ter. LS7-1A 46
Pasture View. LS12-2C 65
Pasture View Rd. LS26-3A 114
Pasture Wlk. BD14-2D 77
Patchett Sq. BD13-3C 77
Patent St. BD9-1C 57
Paternoster La. BD7-2C 79
Pavement La. HX2-1A 96
Paw La. BD13-1B 98
Pawson St. BD4-4A 60
Pawson St. LS27-4B 108
Peabody St. HX3-2C 117
Peace St. BD4-4D 59
Peace St. Ind. Est. BD4-4D 59
Peach Wlk. BD4-1C 81
Pearson Av. LS6-4B 44
Pearson Fold. BD12-4B 102
Pearson Gro. LS6-4B 44
Pearson La. BD9-2A 56
Pearson Rd. BD6-4A 80
(in two parts)
Pearson Row. BD12-1A 122
Pearson St. BD3-4D 59
Pearson St. BD19-4C 123
Pearson St. LS10-1D 89
Pearson St. LS28-1C 39
Pearson Ter. LS6-4B 44
Pear St. HX1-4B 116
Peaseland Av. BD19-3D 123
Peaseland Clo. BD19-3D 123
Peaseland Rd. BD19-3D 123
Peashill Clo. LS19-1D 21
Peashill Pk. LS19-1D 21
Peckover Dri. LS28-2B 60
Peckover St. BD1-3B 58
Peel Clo. BD4-4A 60
Peel Ho. BD16-3D 15
Peel Pk. Dri. BD2-1C 59
Peel Pk. Ter. BD2-1C 59
Peel Pk. View. BD3-1C 59
Peel Sq. BD8-3A 58
Peel Sq. LS5-4C 43
Peel St. BD1-4B 58
Peel St. BD13-3B 76
Peel St. BD15-3A 32
Peel St. BD16-2C 15
Peel St. LS27-4C 109
Peel St. LS28-4A 62
Pelham Pl. LS7-1D 45
Pelham Rd. BD2-4C 37
Pellon La. HX2 & HX1-2B 116
Pellon New Rd. HX2 & HX1-2B 116
Pellon Ter. BD10-4D 19
Pellon Wlk. BD10-4D 19
Pemberton Dri. BD7-4A 58
Pembroke Dri. LS28-2A 62
Pembroke Grange. LS9-1A 70
Pembroke Rd. LS28-2A 62
Pembroke St. BD5-2B 80
Pembroke Towers. LS9-4A 48
Pembury Mt. LS15-4B 50
Penarth Rd. LS15-1D 71
Penda's Dri. LS15-1A 72
Penda's Gro. LS15-4A 50
Penda's Wlk. LS15-1A 72
Penda's Way. LS15-1A 72
Pendil Clo. LS15-3D 71
Pendle Rd. BD16-2D 15
Pendragon. BD2-4C 37
Pendragon La. BD2-4C 37
Pendragon Ter. LS20-2A 6
Penfield Gro. BD14-2D 77
Penfield Rd. BD11-2B 106
Pengarth. BD16-1D 15
Penlands Cres. LS15-3A 72
Penlands Lawn. LS15-3A 72
Penlands Wlk. LS15-3A 72
Pen La. HX2-1A 96
Penn Dri. BD19-4D 123
Penn Gro. BD19-4D 123
Pennine Clo. BD13-2A 98
Pennine View. WF17-4C 107
Pennington Gro. LS6-4C 45
Pennington Pl. LS6-4C 45
Pennington St. LS6-4C 45
Pennington Ter. BD5-2D 79
Pennington Ter. LS6-4C 45
Pennithorne Av. BD17-1D 17
Penn St. HX1-3C 117
Pennwell Croft. LS14-3A 50
Pennwell Dean. LS14-3A 50
Pennwell Fold. LS14-3A 50
Pennwell Garth. LS14-2A 50
Pennwell Ga. LS14-3A 50
Pennwell Grn. LS14-3A 50
Pennwell Lawn. LS14-3A 50
Penny St. BD3-4C 59
Penraevon Av. LS7-4D 45
Penraevon Ind. Est. LS7-4D 45
Penrith Gro. LS12-4D 65
Penrose Pl. HX3-1C 119
Pentland Av. BD14-2D 77
Penuel Pl. HX3-3A 126
Pepper Hills. LS17-1A 28
Pepper La. LS10-2B 90
Pepper La. LS13-3A 42
Pepper Rd. LS10-3B 90

ercival St. BD3-4C 59
ercival St. LS2-2D 67
ercy St. BD13-3D 75
ercy St. BD16-2C 15
ercy St. LS12-4D 65
eregrine Av. LS27-3A 110
ereril Mt. BD2-4D 37
erkin La. BD10-4B 18
erseverance La. BD7-2C 79
erseverance Rd. HX2 & BD13-2C 75
erseverance St. BD12-4D 101
erseverance St. BD17-1A 18
erseverance St. LS11-2B 88
erseverance St. LS28-3D 61
erseverance Ter. HX1-1C 125
erseverance Ter. LS26-4A 114
erth Av. BD2-4B 36
erth Mt. LS18-2C 23
eterborough Pl. BD2-4D 37
eterborough Rd. BD2-1D 59
eterborough Ter. BD2-4D 37
etergate. BD1-3B 58
eter La. LS27-3A 110
etersfield Av. LS10-1A 112
etersgarth. BD18-1B 34
etrie Cres. LS13-3A 40
etrie Gro. BD3-3A 60
etrie Rd. BD3-3A 60
etrie St. LS13-2A 40
everell Clo. BD4-3A 82
easant Dri. WF17-4C 107
il May Ct. LS12-4A 66
oebe La. HX3-2A 126
oebe La. Ind. Est. HX3-2A 126
ccadilly. BD1-3B 58
ccadilly. BD17-4D 17
ckard Ct. LS15-3D 71
ckering Mt. LS12-2A 66
ckerings, The. BD13-1A 98
ckering St. LS12-2A 66
ckles La. BD7-3B 78
ckpocket La. LS26-1C 115
ckwood La. HX6-4A 124
cton St. BD8-2A 58
ece Hall Yd. BD1-3B 58
ece Wood Rd. LS16-2A 24
geon Cote Clo. LS14-2C 49
geon Cote Rd. LS14-2B 48
ot St. LS9-1A 68
nder Av. LS12-1B 86
nder Gro. LS12-1B 86
nder St. LS12-1B 86
nder View. LS12-1B 86
ne Ct. LS2-3D 67
nedale. BD16-1C 15
ne St. BD1-3B 58
ne St. HX1-4D 117
nfold Ct. LS15-2C 71
nfold Gro. LS15-3C 71
nfold Hill. LS15-3C 71
nfold La. LS12-3D 65
nfold La. LS15-2C 71
nfold La. LS16-3B 10
nfold Mt. LS15-3C 71
nfold Rd. LS15-3C 71
nfold Sq. LS15-2C 71
nnacle. BD14-1D 77
nnar La. HX3-1B 126
pe & Nook La. LS12-4B 64
ie Clo. BD2-4B 36
tfall St. LS1-3D 67
tfield Rd. WF3-4A 114
t La. BD3-3C 59
t La. BD6-2B 100
t La. BD13-2A 52
s La. BD19-4B 122
t Row. LS1-3D 67
ts St. BD4-2A 82
ace's Rd. LS9-3B 68
aid Row. LS2-3A 68
ains La. HX5-4B 126
ane Tree Av. LS17-1B 28
ane Tree Clo. BD19-4A 104
ane Tree Clo. LS17-1B 28
ane Tree Croft. LS17-1B 28
ane Tree Gdns. LS17-1B 28
ane Tree Gro. LS19-3A 8
ane Tree Nest. HX2-1B 124
ane Tree Nest La. HX2-1A 124
ane Tree Rise. LS17-1B 28
ane Trees Clo. BD19-4A 104
anetrees Rd. BD4-4D 59
anetrees St. BD15-1C 55
ane Tree View. LS17-1B 28
antation Av. LS15-3B 70
antation Av. LS17-1C 29
antation Gdns. LS17-1C 29
antation Pl. BD4-2A 82
antation Way. BD17-2A 18
ayfair Rd. LS10-3A 90
ayground. LS12-2A 86
easance, The. LS26-4C 95
easant Mt. LS11-1B 88
easant Pl. BD15-1C 55
easant Pl. LS11-1B 88
easant Row. BD13-1D 97
easant St. BD7-1C 79
easant St. LS11-1B 88
easant Ter. LS11-1B 88
easant View. LS11-1B 88
easant Views. BD13-2A 52
easant View Ter. LS26-4C 113
evna St. LS10-3C 91
evna Ter. BD16-1B 14
imsoll St. BD4-1C 81
oughcroft La. HX3-1D 117
over St. BD5-2D 79
umpton Av. BD2-2B 36
umpton Clo. BD2-2C 37
umpton Dri. BD2-2B 36
umpton End. BD2-2C 37
umpton Gdns. BD2-2B 36
umpton Lea. BD2-2B 36
umpton Mead. BD2-2B 36
umpton St. BD8-3C 57
umpton Wlk. BD2-2B 36
m St. HX1-4B 116
mouth Gro. HX1-3C 117
(off Summerscale St.)
ets Pl. LS18-3D 23
gson's Cotts. LS14-2D 49
lman St. HX1-1B 124
lard Av. BD16-1D 15
lard La. BD2-2C 59
lard La. LS13-2D 41
Pollard St. BD4-1B 80
Pollard St. BD16-1D 33
Pollard St. N. HX3-3A 118
Pollark Pk. BD3-2C 59
Pond Farm Dri. HD6-4A 120
Pond Ter. HD6-4A 120
Pontefract Av. LS9-3B 68
Pontefract La. LS9 & LS15 -3B 68 to 3A 94
Pontefract La. Clo. LS9-3B 68
Pontefract Rd. LS10 & LS26 -3C 91 to 2C 11
Pontefract St. LS9-3B 68
Poole Cres. LS15-1C 71
Poole Mt. LS15-1C 71
Poole Rd. LS15-1C 71
Poole Sq. LS15-1C 71
Poplar Av. BD7-3B 78
Poplar Av. BD18-2D 35
Poplar Av. LS15-1D 71
Poplar Ct. BD7-4C 57
Poplar Ct. LS13-2B 64
Poplar Cres. BD18-2D 35
Poplar Cres. HX2-1B 96
Poplar Croft. LS13-2A 64
Poplar Dri. BD18-2D 35
Poplar Dri. LS18-4B 22
Poplar Gdns. LS13-2B 64
Poplar Garth. LS13-2B 64
Poplar Grn. LS13-2B 64
Poplar Gro. BD7 & BD6-3B 79
Poplar Gro. BD17-3B 16
Poplar Gro. BD18-2D 35
Poplar Gro. BD19-4D 123
Poplar Mt. LS13-2B 64
Poplar Pl. LS28-3D 61
Poplar Rise. LS13-2A 64
Poplar Rd. BD7-3C 79
Poplar Rd. BD18-2D 35
Poplars Pk. Rd. BD2-4A 36
Poplars, The. LS6-3B 44
Poplars, The. LS16-1B 10
Poplars, The. LS20-1B 6
Poplar St. HX3-2D 117
Poplar View. BD7-3B 78
Poplar View. HX3-4C 121
Poplar View. LS13-2B 64
Poplar Way. LS13-2A 64
Popples Dri. HX2-1B 96
Popular Sq. LS28-1A 62
Porrit St. BD19-2D 123
Portage Av. LS15-3B 70
Portage Cres. LS15-3B 70
Portland Cres. LS1-2D 67
Portland Ga. LS1-2D 67
Portland Pl. BD16-2C 15
Portland Pl. HX1-4D 117
Portland Rd. HX3-3A 118
Portland Rd. LS12-4D 65
Portland St. BD5-4B 58
Portland St. HX1-3D 117
Portland St. LS1-2C 67
Portland St. LS28-3C 63
Portland Way. LS1-2C 67
Portman St. LS28-2C 39
Portsmouth Av. BD3-2C 59
Portwood St. BD9-1A 56
Post Hill Ct. LS12-3A 64
Post Office Rd. BD2-3D 37
Pothouse Rd. BD6-4D 79
Potternewton Av. LS7-2C 45
Potternewton Ct. LS7-2D 45
Potternewton Cres. LS7-2C 45
Potternewton Gdns. LS7-2D 45
Potternewton Gro. LS7-2C 45
Potternewton Heights. LS7-2D 45
Potternewton La. LS7-2C 45 to 2D 45
Potternewton Mt. LS7-2C 45
Potternewton View. LS7-2D 45
Pottery La. LS26-1D 115
Pottery Rd. LS10-1D 89
Poulton Pl. LS11-2D 89
Powell Av. BD5-2D 79
Powell Rd. BD16-2C 15
Powell Rd. BD18-3A 36
Powell St. HX1-4D 117
(in two parts)
Powell St. LS10-2A 90
Pratt La. BD18-1D 35
Prescott St. HX1-4D 117
Prescott Ter. BD15-2D 55
Preston Bldgs. BD19-2B 122
Preston La. HX2-1A 116
Preston Pde. LS11-3C 89
Preston Pl. HX1-4C 117
Preston St. BD7-3D 57
Preston Ter. BD16-1B 14
(off Sleningford Rd.)
Preston View. LS26-4C 95
Pretoria Rd. BD3-3A 60
Pretoria Ter. HX2-3A 116
Priesthorpe Av. LS28-1D 61
Priesthorpe Clo. BD16-1C 15
Priesthorpe Ct. LS28-4A 40
Priesthorpe La. BD16-1C 15
Priesthorpe La. LS28-4C 39
Priesthorpe Rd. BD16-2C 15
Priesthorpe Rd. LS28-4C 39
Priestley Av. BD6-1D 101
Priestley Clo. LS28-2B 62
Priestley Dri. LS28-2B 62
Priestley Fold. BD6-4D 79
Priestley Gdns. LS28-2B 62
Priestley Hill. BD13-2D 97
Priestley St. BD1-3B 58
Priestley St. BD13-4A 54
Priestley View. LS28-2B 62
Priestley Wlk. LS28-2B 62
Priestman St. BD8-2D 57
Primitive St. WF3-4A 114
Primley Gdns. LS17-1D 27
Primley Pk. Av. LS17-1D 27
Primley Pk. Clo. LS17-1A 28
Primley Pk. Ct. LS17-1D 27
Primley Pk. Cres. LS17-1D 27
Primley Pk. Cres. E. LS17-1A 28
Primley Pk. Dri. LS17-1D 27
Primley Pk. Garth. LS17-1D 27
Primley Pk. Grn. LS17-1A 28
Primley Pk. Gro. LS17-1D 27
Primley Pk. La. LS17-1D 27
Primley Pk. Mt. LS17-1A 28
Primley Pk. Rise. LS17-1A 28
Primley Pk. Rd. LS17-1D 27 to 4D 13
Primley Pk. View. LS17-1D 27
Primley Pk. Wlk. LS17-1A 28
Primley Pk. Way. LS17-1D 27
Primrose Av. LS15-2C 71
Primrose Av. LS26-4C 95
Primrose Bank. BD16-3D 15
Primrose Clo. LS15-3B 70
Primrose Ct. LS20-1A 6
Primrose Cres. LS15-2C 71
Primrose Dri. BD16-3D 15
Primrose Dri. LS15-2C 71
Primrose Gdns. LS15-2C 71
Primrose Garth. LS15-3B 70
Primrose Gro. LS15-2C 71
Primrose Hill. BD16-3D 15
Primrose Hill. LS28-2A 62
Primrose Hill Clo. LS26-4C 95
Primrose Hill Dri. LS26-4C 95
Primrose Hill Gdns. LS26-4C 95
Primrose Hill Garth. LS26-4C 95
Primrose Hill Grn. LS26-4C 95
Primrose Hill Gro. LS26-4C 95
Primrose La. BD2-3A 36
Primrose La. BD16-3D 15
Primrose La. LS11-2D 89
Primrose La. LS15-3B 70
Primrose Rd. LS15-2C 71
Primrose Row. BD17-1B 18
Primrose Wlk. LS27-4D 87
Primrose Way. HX3-1A 100
Primrose Yd. LS26-3D 115
Prince Albert Sq. BD13-3C 77
Prince Edward Gro. LS12-2C 87
Prince Edward Rd. LS12-2C 87
Princeroyd Way. BD7-3C 57
Prince's Av. LS8-1C 47
Prince's Ct. LS17-4D 27
Prince's Cres. BD2-4A 36
Prince's Ga. HX3-2D 125
Prince's Gro. LS6-2A 44
Princess Ct. LS17-2A 28
Princess Field Pl. LS11-4C 67
Princess St. HX1-3D 117
Princess St. LS19-1C 21
Prince's St. BD6-1B 100
(Buttershaw)
Prince's St. BD6-1D 101
(Wibsey)
Prince St. BD4-3D 81
Princes View. BD5-4A 58
Prince's Way. BD1 & BD5-4A 58
Princeville Rd. BD7-3C 57
Princeville St. BD7-3C 57
Priory Clo. BD16-1C 15
Priory Ct. BD8-2A 58
Priory Ct. BD16-1C 15
Priory Gro. BD16-1C 15
Privilege St. LS12-4D 65
Proctor Sq. BD4-3A 82
Proctor St. BD4-3A 82
Proctor Ter. BD4-3A 82
Prod La. BD17-2A 16
Prospect Av. BD18-1D 35
Prospect Av. HX2-1A 124
Prospect Av. LS13-4D 41
Prospect Av. LS28-3A 62
Prospect Clo. BD18-1D 35
Prospect Clo. HX2-2B 124
Prospect Cres. LS10-3A 90
Prospect Gro. BD18-1D 35
Prospect Gro. LS28-3A 62
Prospect Ho. BD13-4B 76
(off Sand Beds)
Prospect La. BD11-3C 105
Prospect Mt. BD18-1D 35
Prospect Pl. BD2-1D 59
Prospect Pl. BD9-1B 56
Prospect Pl. BD13-4A 76
Prospect Pl. HX2-4B 96
Prospect Pl. HX3-1C 121
(off Village St.)
Prospect Pl. LS13-4D 41
(Bramley)
Prospect Pl. LS13-2B 40
(Rodley)
Prospect Pl. LS18-4C 23
Prospect Pl. LS26-3B 114
Prospect Rd. BD3-2B 58
(in two parts)
Prospect Rd. BD16-1D 15
Prospect Rd. BD19-3D 123
Prospect Row. HX2-4B 96
Prospect Sq. LS28-1A 62
Prospect St. BD4-1C 81
Prospect St. BD6-2B 100
(Buttershaw)
Prospect St. BD6-4D 79
(Wibsey)
Prospect St. BD10-2D 37
Prospect St. BD13-4A 54
Prospect St. BD18-1D 35
Prospect St. BD19-3D 123
Prospect St. HX3-2A 118
Prospect St. LS13-4D 41
Prospect St. LS19-2D 21
Prospect St. LS28-3D 61
(Delph End)
Prospect St. LS28-4A 40
(Farsley)
Prospect Ter. BD15-2D 55
Prospect Ter. BD19-3D 123
Prospect Ter. LS9-3B 68
Prospect Ter. LS13-4D 41
Prospect Ter. LS18-4D 23
Prospect Ter. LS26-3B 114
Prospect Ter. LS28-1A 62
Prospect View. BD13-1D 97
(off Halifax Rd.)
Prospect View. LS13-4D 41
Prospect Wlk. BD18-1D 35
Prosper St. LS10-1A 90
Providence Av. BD17-1D 17
Providence Av. LS6-4C 45
Providence Ct. LS27-3C 109
Providence Mt. LS27-3C 109
Providence Pl. BD12-4D 101
Providence Pl. LS2-2D 67
Providence Pl. LS15-4C 73
Providence Pl. LS27-4A 108
Providence Pl. LS28-2A 62
Providence Rd. LS6-4C 45
Providence Row. BD17-1D 17
Providence Row. HX2-4B 96
Providence St. BD1-3A 58
Providence St. BD19-2B 122
Providence St. LS9-3A 68
Providence St. LS28-1A 62
Providence Ter. BD13-4A 54
Providence Vs. BD19-2B 122
Provost St. LS11-4D 67
Prune Pk. La. BD15-4B 32
Pudsey Rd. LS28, LS13 & LS12-3D 63
Pule Grn. La. HX3-1D 117
Pullan Av. BD2-3D 37
Pullan Dri. BD2-3D 37
Pullan Gro. BD2-3D 37
Pullan La. BD17-4D 5
Pullan St. BD5-1A 80
Pulmans Pl. HX3-3D 125
Pulmans Yd. HX3-3D 125
Pump La. HX3-3C 119
Pump St. BD4-4A 60
Punch Bowl Yd. BD19-3D 123
Purley Wlk. BD6-4D 79
Pye Nest Av. HX2-1A 124
Pye Nest Dri. HX2-1B 124
Pye Nest Gdns. HX2-1A 124
Pye Nest Gro. HX2-1A 124
Pye Nest Rise. HX2-1B 124
Pye Nest Rd. HX6 & HX2-1A 124
Pyn St. LS10-1A 90
Pyrah Fold. BD12-4D 101
Pyrah Rd. BD12-2A 102
Pyrah St. BD12-4A 102

Quaker La. BD5-2D 79
Quaker La. BD19-4D 123
Quaker's La. LS19-1C 21
Quaker Ter. BD5-2D 79
Quarrie Dene Ct. LS7-1D 45
Quarry Bank Ct. LS5-2B 42
Quarry Cotts. LS18-4D 23
Quarry Dene Ct. LS7-1D 45
Quarry Gdns. LS17-4C 13
Quarry Hill. LS26-2D 115
Quarry Hill. LS28-4A 40
Quarry La. BD19-4D 123
Quarry La. LS27-4C 109
Quarry Mt. LS6-3C 45
Quarry Mt. LS19-3D 7
(off King St.)
Quarry Mt. Pl. LS6-4C 45
Quarry Mt. St. LS6-4C 45
Quarry Mt. Ter. LS6-4C 45
Quarry Pl. BD2-1C 59
Quarry Pl. LS6-4C 45
Quarry Rd. BD19-4D 123
Quarry Rd. HX3-1B 116
Quarry Rd. LS26-2D 115
Quarry St. BD9-4C 35
Quarry St. LS6-4C 45
Quarry Ter. LS18-4D 23
Quarry, The. LS17-4C 13
Quarry View Ter. LS13-2D 63
Quebec. BD16-2D 33
Quebec St. BD1-4A 58
Quebec St. LS1-3C 67
Queen's Arc. LS1-3D 67
Queen's Av. BD2-4B 36
Queensbury Rd. HX3-4C 97
Queensbury Sq. BD13-3A 76
Queens Clo. BD16-2D 15
Queen's Clo. LS7-1D 45
Queens Ct. BD16-2B 14
Queen's Ct. BD18-1B 34
Queen's Ct. LS1-3D 67
Queens Ct. LS14-3C 49
Queens Ct. LS17-4D 27
Queenscourt. LS27-3C 109
(off Queensway)
Queens Dri. WF3-4D 113
Queensgate. BD1-3B 58
Queen's Ga. HX3-1D 125
Queens Gro. LS27-4B 108
Queenshill App. LS17-3D 27
Queenshill Av. LS17-3D 27
Queenshill Clo. LS17-3D 27
Queenshill Ct. LS17-3D 27
Queenshill Cres. LS17-2D 27
Queenshill Dri. LS17-3D 27
Queenshill Gdns. LS17-3D 27
Queenshill Garth. LS17-2D 27
Queenshill Rd. LS17-3D 27
Queenshill View. LS17-3D 27
Queenshill Wlk. LS17-3D 27
Queenshill Way. LS17-3D 27
Queens Pde. LS14-3C 49
Queen's Pl. BD18-4B 16
Queen's Pl. LS27-4C 109
Queen's Prom. LS27-3C 109
Queen Sq. LS2-2D 67
Queen's Rise. BD2-4B 36
Queen's Rd. BD8 & BD2-1A 58
Queen's Rd. BD18-1B 34
Queen's Rd. HX1-3B 116 & 4B 116
Queen's Rd. HX3-1B 120
Queen's Rd. LS6-1B 66
Queens Rd. LS27-4B 108
Queens Ter. LS20-2A 6
Queensthorpe Av. LS13-2A 64
Queensthorpe Clo. LS13-2A 64
Queensthorpe Rise. LS13-2A 64
Queen St. BD6-1B 100
Queen St. BD10-1A 38
Queen St. BD15-3A 32
Queen St. BD16-2B 14
Queen St. BD17-3D 117
Queen St. LS1-3C 67
Queen St. LS10-3B 90
Queen St. LS19-1C 21
Queen St. LS27-3C 109
Queen St. WF3-4D 113
Queensview. LS14-3C 49
Queensway. BD16-2D 15
Queensway. HX1-3B 116
Queensway. LS15-3D 71
Queensway. LS20 & LS19 -1B 6 to 3C 7
Queensway. LS26-2B 114
Queensway. LS27-4C 109
Queenswood Clo. LS6-1C 43
Queenswood Ct. LS6-3D 43
Queenswood Dri. LS6-1C 43
Queenswood Gdns. LS6-3D 43
Queenswood Grn. LS6-1C 43
Queenswood Heights. LS6-3D 43
Queenswood Mt. LS6-2C 43
Queenswood Rise. LS6-3D 43
Queenswood Rd. LS6-2C 43
Queen Victoria Cres. HX3-4C 99
Queen Victoria St. LS1-3D 67
Quincy Clo. BD2-3D 37
Quinsworth St. BD14-1D 81

Raby Av. LS7-4D 45
Raby St. LS7-4D 45
Raby Ter. LS7-4D 45
Radcliffe Av. BD2-3C 37
Radcliffe Gdns. LS28-4A 62
Radcliffe Gro. LS28-2B 62
Radcliffe La. LS28-4A 62
Radcliffe Ter. LS28-4B 62
Radfield Dri. BD6-4B 80
Radfield Rd. BD6-4B 80
Radwell Dri. BD5-4A 58
Raeburn Dri. BD6-1C 101
Raglan Dri. BD3-3A 60
Raglan Rd. LS2-4C 45
Raglan Rd. LS6-4C 45
Raglan St. BD3-3A 60
Raglan St. BD13-4B 76
Raglan St. HX1-3C 117
Raglan Ter. BD3-3A 60
Raikes La. BD4-1A 104
Raikes La. WF17-4B 106
Raikes Wood Dri. BD4-1A 104
Railsfield Cliff. LS13-1D 63
(off Bath La.)
Railsfield Mt. LS13-1D 63
Railsfield Rise. LS13-1D 63
Railsfield Way. LS13-1D 63
Railway Pl. BD10-1D 37
Railway Rd. BD10-4D 19
Railway Rd. LS15-1D 71 & 1A 72
Railway St. BD4-3D 81
Railway St. BD13-3A 76
Railway St. LS9-3A 68
Railway Ter. BD12-3B 102
Railway Ter. HX3-4C 125
Raincliffe Gro. LS9-3C 69
Raincliffe Mt. LS9-3C 69
Raincliffe Rd. LS9-3C 69
Raincliffe St. LS9-3C 69
Raincliffe Ter. LS9-3C 69
Raistrick Way. BD18-1A 36
Rakehill Rd. LS15-1B 50
Raleigh St. HX1-1B 124
Rampart Rd. LS6-4C 45
Ramsden Av. BD7-1B 78
Ramsden Ct. BD7-2C 79
Ramsden Pl. BD14-1D 77
Ramsden St. HX3-1B 116
Ramsey St. BD5-2A 80
Ramsgate St. HX1-3B 116
Ramshead App. LS14-2C 49
Ramshead Clo. LS14-1B 48
Ramshead Cres. LS14-1B 48
Ramshead Dri. LS14-1B 48 to 2C 49
Ramshead Gdns. LS14-1B 48
Ramshead Gro. LS14-2C 49
Ramshead Heights. LS14-1C 49
Ramshead Hill. LS14-2B 48
Ramshead Pl. LS14-1B 48
Ramshead View. LS14-2C 49
Randall Pl. BD9-4C 35
Randall Well St. BD7-4A 58
Randolph St. BD3-2A 60
Randolph St. HX3-2D 117
Randolph St. LS13-1C 63
Rand Pl. BD7-1D 79
Rand St. BD7-4D 57
Ranelagh Av. BD10-3A 38
Range Bank. HX3-2D 117
Range Ct. HX3-2D 117
(off All Souls' St.)
Range Gdns. HX3-2D 117
Range La. HX3-2D 117
Range Mt. HX3-2D 117
Range Pk. HX3-2D 117
Range St. HX3-2D 117
Ransdale Dri. BD5-2A 80
Ransdale Gro. BD5-2A 80
Ransdale Rd. BD5-2A 80
Rathmell Rd. LS15-3B 70
Rathmell St. BD5-4A 80
Ravenham Wlk. BD4-3B 82
Raven Rd. LS6-4A 44
Ravenscar Av. LS8-2C 47
Ravenscar Mt. LS8-2C 47
Ravenscar Pl. LS8-2C 47
Ravenscar Ter. LS8-2C 47
Ravenscar View. LS8-2C 47
Ravenscar Wlk. LS8-2C 47
Ravenscliffe Av. BD10-3A 38
Ravenscliffe Rd. LS28-2B 38
Ravens Mt. LS28-3B 62
Raven St. BD16-2C 15
Raven St. HX1-3C 117
Ravensworth Clo. LS15-4B 50
Ravensworth Way. LS15-4B 50
Raven Ter. BD8-3D 55
Rawdon Dri. LS19-2C 21
Rawdon Hall Dri. LS19-2D 21
Rawdon Rd. LS18-3A 22
Rawdon Sq. BD10-4C 19
Raw La. HX2-3A 96
Rawling Av. BD4-1D 103
Raw Nook. BD12-3B 102
Rawson Av. BD3-2A 60
Rawson Av. HX3-3D 125
Rawson Pl. BD1-3A 58
Rawson Pl. LS11-2D 89
Rawson Rd. BD1-3A 58
Rawson Rd. HX3-2C 117
Rawson Sq. BD1-3A 58
Rawson Sq. BD10-4C 19
Rawson St. BD12-3A 102
Rawson St. HX1-4D 117
Rawson St. N. HX3-2D 117
Rawson Ter. LS11-2D 89
Raygill Clo. LS17-1C 29
Raylands Clo. LS10-2B 112
Raylands Garth. LS10-2B 112
Raylands La. LS10-2B 112
Raylands Pl. LS10-2B 112
Raylands Rd. LS10-2B 112
Raylands Way. LS10-3B 112
Rayleigh St. BD4-1C 81
Raymond Dri. BD5-3A 80
Raymond St. BD5-3A 80
Raynbron Cres. BD5-3B 80
Raynel App. LS16-2B 24
Raynel Clo. LS16-2B 24
Raynel Dri. LS16-2C 25

Raynel Gdns. LS16-1C 25
Raynel Garth. LS16-2C 25
Raynel Grn. LS16-2C 25
Raynel Mt. LS16-1B 24
Raynel Way. LS16-2B 24
Rayner Mt. BD15-3C 55
Rayners Av. BD8-2B 56
Rayner Ter. LS28-2B 62
Raynville App. LS13-4A 42
Raynville Av. LS13-4B 42
Raynville Clo. LS13-4B 42
Raynville Ct. LS13-1B 64
Raynville Cres. LS12-1B 64
Raynville Dene. LS12-4B 42
Raynville Dri. LS13-4A 42
Raynville Grange. LS13-1B 64
Raynville Grn. LS13-1A 64
Raynville Gro. LS13-4B 42
Raynville Mt. LS13-4B 42
Raynville Pl. LS13-1B 64
Raynville Rise. LS13-1A 64
Raynville Rd. LS13 & LS12-4A 42
Raynville St. LS13-4B 42
Raynville Ter. LS13-4B 42
Raynville Wlk. LS13-1A 64
Raywood Clo. LS19-2C 7
Rebecca St. BD1-3A 58
Recreation Av. LS11-1C 89
Recreation Cres. LS11-1B 88
Recreation Gro. LS11-1B 88
Recreation Mt. LS11-1B 88
Recreation Pl. LS11-1B 88
Recreation Rd. LS11-3B 88
Recreation Row. LS11-1B 88
Recreation St. LS11-1B 88
Recreation Ter. LS11-1B 88
Recreation View. LS11-1B 88
Rectory St. LS9-1B 68
Redbeck Cotts. LS18-4A 22
Red Beck Rd. HX3-2B 118
Redburn Av. BD18-2C 35
Redburn Dri. BD18-2C 35
Redburn Rd. BD18-2C 35
Redcar Rd. BD10-2A 38
Redcar St. HX1-3B 116
Redcote La. LS12 & LS4-2C 65
Redesdale Gdns. LS16-2C 25
Red Hall App. LS14-4C 31
Red Hall Av. LS17-4B 30
Red Hall Chase. LS14-4C 31
Redhall Clo. LS11-4B 88
Red Hall Ct. LS14-4C 31
Redhall Cres. LS11-4B 88
Red Hall Croft. LS14-4C 31
Red Hall Dri. LS14-3C 31
Red Hall Gdns. LS17-4B 30
Red Hall Garth. LS14-4C 31
Redhall Ga. LS11-4B 88
Red Hall Grn. LS14-4C 31
Red Hall La. LS17 & LS14-3B 30
Red Hall Vale. LS14-4C 31
Red Hall View. LS14-4C 31
Red Hall Wlk. LS14-4C 31
Red Hall Way. LS14-4C 31
Red La. LS28-4D 39
Red Lodge Clo. LS8-3A 48
Redmire Dri. LS14-3C 49
Redmire St. BD3-3A 60
Redmire View. LS14-3C 49
Redshaw Rd. LS12-4A 66
Redvers Clo. LS16-4C 25
Redwood Clo. LS19-3B 6
Redwood Gro. LS19-3B 6
Redwood Way. LS19-3B 6
Reed Rd. LS12-4D 65
Reedsdale Av. LS27-2D 107
Reedsdale Dri. LS27-1D 107
Reedsdale Gdns. LS27-1D 107
Rees Way. BD3-2B 58
Reevy Av. BD6-1B 100
Reevy Cres. BD6-1B 100
Reevy Dri. BD6-1C 101
Reevylands Dri. BD6-4C 79
Reevy Rd. BD6-4B 78
Reevy Rd. W. BD6-1A 100
Reevy St. BD6-4C 79
Regal Pde. LS15-1D 71
Regency Ct. LS6-4A 44
Regency Pk. Gro. LS28-1A 84
Regency Pk. Rd. LS28-1A 84
Regency View. BD2-1C 59
Regency Way. BD2-1C 59
Regent Av. LS18-1D 41
Regent Clo. LS18-1D 41
Regent Ct. LS1-3D 67
(off Briggate)
Regent Ct. LS18-1D 41
Regent Cres. LS18-1D 41
Regent Pk. Av. LS6-4B 44
Regent Pk. Ter. LS6-4B 44
Regent Pl. BD10-3C 19
Regent Rd. LS18-1D 41
Regent St. BD10-1A 38
Regent St. BD13-4B 76
Regent St. HX1-4D 117
Regent St. LS2-2A 68
Regent St. LS7-1D 45
Regent Ter. LS6-1B 66
Regent Ter. LS7-1D 45
Regina Dri. LS7-2A 46
Reginald Mt. LS7-3D 45
Reginald Pl. LS7-3A 46
Reginald Row. LS7-3D 45
Reginald St. BD5-2A 80
Reginald St. LS7-3A 46
Reginald Ter. LS7-3A 46
Reginald View. LS7-3D 45
Reighton Croft. BD10-2B 38
Rein Rd. LS18-1D 41
Reins Av. BD17-3D 17
Rein, The. LS14-2B 48
Reinwood Av. LS8-3A 48
Renee Clo. BD4-1D 103
Renshaw St. BD10-3D 19
Renton Av. LS20-2A 6
Renton Dri. LS20-2A 6
Renton Lea. LS20-2A 6
Reservoir Pl. BD13-3D 75
Reservoir Rd. HX2-3B 116
Reservoir View. BD13-4A 54
Restmore Av. LS20-1A 6
Retford Pl. BD7-1D 79
Reva Syke Rd. BD14-2D 77
Reve Clo. BD16-1D 15
Revie Rd. LS11-2B 88
Reydon Wlk. BD6-4B 78
Reyhill Gro. BD5-4B 58
Reynolds Av. BD7-1B 78
Rhine St. BD4-1C 81
Rhodesia Av. BD15-2D 55
Rhodesia Av. HX3-2D 125
Rhodes Pl. BD17-4D 17
Rhodes St. BD18-4C 17
Rhodesway. BD8-3A 56
Rhondda Pl. HX1-4B 116
Rhum Clo. BD6-2B 100
Rhylstone Mt. BD7-4B 56
Ribbleton Gro. BD3-2C 59
Ricard St. LS12-4B 66
Riccall Nook. BD10-2A 38
Richardshaw Dri. LS28-2A 62
Richardshaw La. LS28-2A 62
Richardshaw Rd. LS28-2B 62
Richardson Av. BD6-4D 79
Richardson Cres. LS9-3D 69
Richardson Rd. LS9-3D 69
Richardson St. BD12-3C 103
Richard St. BD3-4C 59
Richmond Av. LS6-4A 44
Richmond Clo. HX1-3D 117
Richmond Clo. LS26-2B 114
Richmond Clo. LS27-4C 109
Richmond Ct. LS9-3B 68
Richmond Ct. LS26-2B 114
Richmond Gdns. LS28-3C 63
Richmond Grn. St. LS9-3A 68
Richmond Hill. LS9-3B 68
Richmond Hill App. LS9-3B 68
Richmond Hill Clo. LS9-3B 68
Richmond M. BD18-1B 34
Richmond Mt. LS6-4A 44
Richmond Pl. BD18-4B 16
Richmond Rd. BD7-3D 57
Richmond Rd. BD18-4B 16
Richmond Rd. HX1-3D 117
Richmond Rd. LS6-4A 44
Richmond Rd. LS28-1D 61
Richmond St. BD19-4D 123
Richmond St. HX1-3D 117
Richmond St. LS9-3A 68
Richmond Ter. LS20-2A 6
Richmond Ter. LS28-3C 63
Rider Rd. LS6-4C 45
Rider St. LS9-3A 68
Ridge Clo. LS20-2D 5
Ridge Gro. LS7-3C 45
Ridge Mt. LS6-3C 45
Ridge Rd. LS7-4D 45
Ridge Ter. LS6-3B 44
Ridge View. LS13-3D 63
Ridge View Gdns. BD10-1D 37
Ridgeway. BD13-4B 76
Ridgeway. BD18-2B 36
Ridge Way. LS8-2B 46
Ridgeway. LS20-2C 5
Ridge Way Clo. LS8-2B 46
Ridgeway Ter. LS6-4C 45
Ridgewood Clo. BD17-2A 18
Riding Hill. HX3-2A 100
Riding La. HX2-1A 116
Rigton App. LS9-2A 68
Rigton Clo. LS9-2B 68
Rigton Dri. LS9-2B 68
Rigton Grn. LS9-2B 68
Rigton Lawn. LS9-2B 68
Rigton St. BD5-2A 80
Riley La. HX2-1B 96
Rillbank La. LS3-1B 66
Rillington Mead. BD10-2A 38
Rilston St. BD7-4C 57
Rimswell Holt. BD10-2A 38
Ringby La. HX3-4D 97
Ring Rd. Adel. LS16-3A 26
Ring Rd. Beeston. LS12 & LS11
-2D 87 to 1B 11
Ring Rd. Bramley. LS13-2D 63
Ring Rd. Cross Gates. LS15-4D 49
Ring Rd. Farnley. LS12-3A 64
Ring Rd. Farsley. LS28 & LS13
-1D 61 to 3A 40
Ring Rd. Halton. LS15-2D 71
Ring Rd. Lower Wortley. LS12-4B 64
Ring Rd. Meanwood. LS16, LS6 & LS17
-3A 26
Ring Rd. Middleton & Roth LS10 & LS26
-3A 112 to 1B 11
Ring Rd. Moortown. LS17 & LS6
-3C 27 to 2D 29
Ring Rd. Seacroft. LS14-4B 30
Ring Rd. Shadwell. LS17-2D 29
Ring Rd. Weetwood. LS16-4D 25
Ring Rd. W. Park. LS16-4B 24
Ringway. LS25-4D 73
Ringwood Av. LS14-4B 30
Ringwood Cres. LS14-4B 30
Ringwood Dri. LS14-4C 31
Ringwood Gdns. LS14-4C 31
Ringwood Mt. LS14-4B 30
Ringwood Rd. BD5-2D 79
Ripley La. LS20-1B 6
Ripley Rd. BD4-1B 80 & 2B 80
Ripley St. BD5-2A 80 to 1B 80
Ripley St. BD15-1C 55
Ripley St. HX3-3C 121
Ripley Ter. BD4-1B 80
Ripon Ho. LS28-4A 40
Ripon St. BD3-2C 59
Ripon St. HX1-4B 116
Ripon Ter. HX3-2D 117
Rise, The. HX3-1C 119
Rise, The. LS5-3C 43
Rishworthian Ct. HX3-4C 125
(off Calder Ter.)
Riverside Ct. LS1-3D 67
Riverside Est. BD17-4C 17
Riverside Ind. Est. BD18-4C 17
River View. LS18-4D 23
Riverwood Dri. HX3-3D 125
Riviera Gdns. LS7-2D 45
Roans Brae. BD10-1A 38
Robb Av. LS11-3C 89
Robb St. LS11-4C 89
Roberts Av. LS9-1D 69
Roberts Bldgs. HX2-3A 116
Roberts Gro. LS9-1D 69
Robertshaw Pl. BD16-3C 15
Roberts Pl. BD1-3A 58
Roberts Pl. BD4-1A 82
Roberts St. BD19-4D 123
Roberts St. LS26-2D 115
Robert St. BD3-4C 59
Robert St. HX3-1C 117
Robert St. LS28-2A 62
Robert St. N. HX3-1D 117
Robin Chase. LS28-3B 62
Robin Clo. BD2-3D 37
Robin Dri. BD2-3D 37
Robin La. LS28-3B 62
Robin's Gro. LS26-3B 114
Robinson Ct. BD7-4B 56
Robin St. BD5-2D 79
Robin Wlk. BD18-2A 36
Robinwood Ct. LS8-3C 29
Rochdale Rd. HX6 & HX2-1A 124
Rocheford Clo. LS10-2B 90
Rocheford Ct. LS10-2B 90
Rocheford Gdns. LS10-2B 90
Rocheford Gro. LS10-2B 90
Rocheford Wlk. LS10-2B 90
Rochester Rd. WF17-4B 106
Rochester St. BD3-3D 59
Rochester St. BD18-2D 35
Rochester Ter. LS6-4A 44
Rochester Wynd. LS17-1C 29
Rockcliffe Av. BD17-3D 17
Rockery Croft. LS18-3D 23
Rockery Rd. LS18-3D 23
Rockfield. LS19-3D 7
Rockfield Ter. LS19-3D 7
Rockhill La. BD4-1C 103
Rockingham Clo. LS15-4B 50
Rockingham Rd. LS15-4B 50
Rockingham Way. LS15-4B 50
Rockland Cres. BD7-1A 78
Rocklands Av. BD17-1D 17
Rocklands Pl. BD17-1D 17
Rock La. BD13-3D 53
Rock La. LS13-3C 41
Rock Lea. BD13-4B 76
Rockley Hall Yd. LS1-2D 67
(off Headrow, The.)
Rocks La. HX2-4A 74
Rocks Rd. HX2-2C 125
Rocks View. HX2-2C 125
Rock Ter. BD13-4A 54
Rock Ter. HX3-3A 120
Rock Ter. LS15-3B 70
Rock Ter. LS27-3D 109
Rockville. LS18-4D 23
Rockville Ter. HX1-1C 125
Rockville Ter. LS19-3C 7
Rockwell La. BD10-2D 37
Rockwood Cres. LS28-4C 39
Rockwood Gro. LS28-4C 39
Rockwood Rd. LS28-1C 61
Roderick St. LS12-3D 65
Rodin Av. BD8-3A 56
Rodley La. LS13-3C 41
Rodley La. LS28 & LS13-2D 39
Rods Mill La. LS27-4C 109
Rods View. LS27-4D 109
Rogers Pl. LS28-2B 62
Roils Head Rd. HX2-3A 116
Rokeby Gdns. BD10-2A 38
Rokeby Gdns. LS6-3D 43
Roker La. LS28-1B 84
Roman Av. LS8-2C 29
Romanby Shaw. BD10-2A 38
Roman Ct. LS8-3C 29
Roman Cres. LS8-3C 29
Roman Dri. LS8-2C 29
Roman Gdns. LS8-3C 29
Roman Gro. LS8-3C 29
Roman Mt. LS8-3C 29
Roman Pl. LS8-3C 29
Roman Ter. LS8-3C 29
Roman View. LS8-3C 29
Rombalds Av. LS12-2D 65
Rombalds Cres. LS12-2D 65
Rombalds Dri. BD16-2D 15
Rombalds Gro. LS12-2D 65
Rombalds Pl. LS12-2D 65
Rombalds St. LS12-2D 65
Rombalds Ter. LS12-2D 65
Rombalds View. LS12-2D 65
Romford Av. LS27-4C 109
Romford Ct. BD6-2B 100
Romney Mt. LS28-4C 63
Romsey Gdns. BD4-2A 82
Ronald Dri. BD7-4C 57
Rookery La. HX3-3A 126
Rookes Av. BD6-4D 79
Rookes La. HX3-2C 121
Rook La. BD4-3D 81
Rooks Av. BD19-2D 123
Rooks Clo. BD12-2A 122
Rook St. BD16-2B 14
Rookwith Pde. BD10-2A 38
Rookwood Av. LS9-2D 69
Rookwood Cres. LS9-2D 69
Rookwood Croft. LS9-3D 69
Rookwood Gdns. LS9-3D 69
Rookwood Gro. LS9-3D 69
Rookwood Hill. LS9-2D 69
Rookwood Mt. LS9-2D 69
Rookwood Pde. LS9-3D 69
Rookwood Pl. LS9-2D 69
Rookwood Rd. LS9-3D 69
Rookwood Sq. LS9-2D 69
Rookwood St. LS9-3D 69
Rookwood Ter. LS9-2D 69
Rookwood Vale. LS9-3D 69
Rookwood View. LS9-2D 69
Rookwood Wlk. LS9-3D 69
Rooley Av. BD6-4A 80
Rooley Clo. BD5-4B 80
Rooley Cres. BD6-4B 80
Rooley La. BD5 & BD4-4A 80 to 3D 81
Rooms Fold. LS27-2C 109
Rooms La. LS27-1B 108
Roper Av. LS8-4B 28
Roper Gdns. HX2-4A 96
Roper Grn. HX2-4A 96
Roper Gro. LS8-4B 28
Roper Ho. HX2-4A 96
Roper La. BD13-2D 75
Roper La. HX2-4B 74
Roscoe St. LS7-1A 68
Roscoe Ter. LS12-3C 65
Rose Av. LS18-1C 41
Rose Bank. BD12-4A 102
Rosebank Cres. LS3-1B 66
Rosebank Gdns. LS3-1B 66
Rose Bank Pl. BD8-3A 56
Rosebank Rd. LS3-1B 66
Roseberry Ter. HX1-3C 117
Roseberry Ter. LS28-1B 62
Rosebery Av. BD18-1D 35
Rosebery Av. HX3-2A 126
Rosebery Mt. BD18-1A 36
Rosebery Rd. BD8-1D 57
Rosebery St. LS28-3D 61
Rosebud Wlk. LS8-1A 68
Rosecliffe Mt. LS13-1D 63
Rosecliffe Ter. LS13-1D 63
Rose Ct. LS6-4B 44
Rosedale. LS26-2B 114
Rosedale Av. BD15-1B 54
Rosedale Bank. LS10-3A 90
Rosedale Clo. BD17-3C 17
Rosedale Gdns. LS10-4A 90
Rosedale Grn. LS10-4A 90
Rosedale Wlk. LS10-4A 90
Rose Gro. LS26-2A 114
Rose Heath. HX2-2A 96
Rosehill Cres. BD12-3D 101
Roselee Clo. HX3-3B 126
Rosemary Gro. HX3-3B 126
(in two parts)
Rosemary La. HX3-3B 126
Rosemary Ter. HX3-3B 126
Rosemont Av. LS13-1D 63
Rosemont Av. LS28-3B 62
Rosemont Dri. LS28-3B 62
Rosemont Gro. LS13-1D 63
Rosemont La. BD17-3A 18
Rosemont Pl. LS13-1D 63
Rosemont Rd. LS13-1D 63
Rosemont St. LS13-1D 63
Rosemont St. LS28-3B 62
Rosemont Ter. LS13-1D 63
Rosemont Ter. LS28-3B 62
Rosemont View. LS13-1D 63
Rosemont Vs. LS28-3B 62
Rosemont Wlk. LS13-1D 63
Rose Mt. BD2-4C 37
Rose Mt. BD4-1C 105
Rose Mt. HX2-2C 125
Rose Mt. Pl. LS12-4A 66
Roseneath Pl. LS12-4A 66
Roseneath St. LS12-4A 66
Roseneath Ter. LS12-4A 66
Rose St. BD8-1D 57
Rose St. HX1-4C 117
Rose St. LS18-1C 41
Rose Ter. HX1-3C 117
(off Battinson Rd.)
Rose Ter. HX2-2C 125
Rose Ter. LS18-1C 41
Rosetta Dri. BD8-3B 56
Roseville Rd. LS8-1A 68
Roseville St. LS8-1A 68
Roseville Ter. LS15-4D 49
Roseville Way. LS8-1A 68
Rosewood Ct. LS26-1B 114
Rosewood Gro. BD4-1A 82
Rosgill Dri. LS14-3B 48
Rosgill Grn. LS14-2C 49
Rosgill Wlk. LS14-3B 48
Rosley Mt. BD6-2B 100
Roslyn Pl. BD7-4D 57
Rossall Gro. LS8-3B 46
Rossall Rd. LS8-3B 46
Rossefield App. LS13-1A 64
Rossefield Av. LS13-1A 64
Rossefield Chase. LS13-1A 64
Rossefield Clo. LS13-1A 64
Rossefield Dri. LS13-1A 64
Rossefield Gdns. LS13-1A 64
Rossefield Garth. LS13-1A 64
Rossefield Grn. LS13-1A 64
Rossefield Gro. LS13-1D 63
Rossefield Lawn. LS13-1A 64
Rossefield Pde. LS13-1A 64
Rosse Field Pk. BD9-4C 35
Rossefield Pl. LS13-1A 64
Rossefield Rd. BD9-4C 35
Rossefield Ter. LS13-1A 64
Rossefield View. LS13-1A 64
Rossefield Wlk. LS13-1A 64
Rossefield Way. LS13-1D 63
Rossendale Pl. BD18-1C 35
Rosse St. BD8-3C 57
Rosse St. BD18-4C 17
Ross Gro. LS13-3C 41
Rossington Gro. LS8-4B 46
Rossington Pl. LS8-4B 46
Rossington Rd. LS8-3C 47
Rossington St. LS2-2D 67
Rossmore Dri. BD15-1D 55
Ross Ter. LS13-3C 41
Rothbury Gdns. LS16-2C 25
Rothesay Ter. BD7-4D 57
Rothwell Dri. HX1-1D 125
Rothwell La. LS26-2C 115
Rothwell Mt. HX1-1C 125
Rothwell Rd. HX1-1C 125
Roundell Av. BD4-1D 103
Roundhay Av. LS8-3B 46
Roundhay Cres. LS8-3B 46
Roundhay Gdns. LS8-3B 46
Roundhay Gro. LS8-3B 46
Roundhay Mt. LS8-3B 46
Roundhay Pk. La. LS17-1D 29
Roundhay Pl. LS8-3B 46
Roundhay Rd. LS7 & LS8-1A 68
Roundhay View. LS8-3B 46
Round Hill. HX2-2B 96
Roundhill Av. BD16-1C 33
Round Hill Clo. BD13-3D 77
Round Hill Clo. HX2-2B 96
Roundhill Mt. BD16-1D 33
Roundhill Pl. BD1-3A 58
Round Hill Pl. BD13-3D 77
Roundhill St. BD5-2A 80
Round St. BD5-2B 80
Round Thorn Pl. BD8-2C 57
Roundway, The. LS27-4B 108
Roundwood. BD18-1B 34
Roundwood Av. BD10-3A 38
Roundwood Av. BD17-2B 18
Roundwood Glen. BD10-2B 38
Roundwood Rd. BD17-2B 18
Roundwood View. BD10-2B 38
Rouse Fold. BD4-4B 58
Rowan Av. BD3-3B 60
Rowanberry Clo. BD2-3D 37
Rowan Ct. LS19-4C 7
Rowans, The. BD17-2B 16
Rowans, The. LS13-4B 40
Rowans, The. LS16-1B 10
Rowantree Av. BD17-1D 17
Rowantree Dri. BD10-2D 37
Rowland Pl. LS11-3D 89
Rowland Rd. LS11-2C 89
Rowland Ter. LS11-2D 89
Rowlestone Rise. BD10-2A 38
Rowley Lea. BD10-2A 38
Row, The. LS19-2C 21
Rowton Thorpe. BD10-2A 38
Roxburgh Gro. BD15-2C 55
Roxby Clo. LS9-2B 68
Roxby St. BD5-2A 80
Roxholme Av. LS7-2B 46
Roxholme Gro. LS7-2A 46
Roxholme Pl. LS7-2B 46
Roxholme Rd. LS7-2B 46
Roxholme Ter. LS7-2B 46
Royal Clo. LS10-3A 90
Royal Ct. LS10-3A 90
Royal Dri. LS10-3A 90
Royal Gdns. LS10-3A 90
Royal Gro. LS10-3A 90
Royal Pk. Av. LS6-4B 44
Royal Pk. Gro. LS6-4B 44
Royal Pk. Mt. LS6-4B 44
Royal Pk. Rd. LS6-1A 66
Royal Pk. Ter. LS6-4B 44
Royal Pk. View. LS6-4B 44
Royal Pl. LS10-3A 90
Royd Av. BD16-2D 15
Royd Cres. HX1-3B 116
Royd End. BD15-3A 32
Royden Gro. BD9-1C 57
Roydlands Ter. HX3-3A 120
Royd La. HX3-4C 97
Royd Mt. HX3-1D 117
Royd Pl. HX3-1D 117
Royds Av. BD11-3C 105
Royds Av. HD6-3D 121
Roydscliffe Dri. BD9-4B 34
Roydscliffe Rd. BD9-4B 34
Royds Clo. LS12-2D 87
Royds Cres. HD6-3D 121
Roydsdale Way. BD4-2C 103
Royds Farm Rd. LS12-3D 87
Royds Hall Av. BD6-4D 79
Royds Hall La. BD6-2C 101
Royds Hall La. BD12-4C 101
Royds Hall Mt. LS12-2D 87
Royds Hall Rd. LS12-2D 87
Royds La. LS12-2D 87
Royds La. LS26-3B 114
Royds Pk. Cres. BD12-4A 102
Roydstone Rd. BD3-2A 60
Roydstone Ter. BD3-2A 60
Royd St. BD12-3D 101
Royd St. BD13-4A 54
Royd St. BD15-3A 32
Royd Ter. HX3-2C 125
Royd View. LS28-4D 61
Royland St. HX3-3A 120
Roy Rd. BD6-4A 78
Ruby St. LS9-1A 68
Rudby Haven. BD10-2B 38
Rudding Av. BD15-1C 55
Rudding Cres. BD15-1C 55
Rudd St. BD7-2C 79
Ruffield Side. BD12-3D 101
Rufford Av. LS19-3C 7
Rufford Bank. LS19-4D 7
Rufford Clo. LS19-4D 7
Rufford Ct. LS19-4D 7
Rufford Cres. LS19-4D 7
Rufford Dri. LS19-4D 7
Rufford Pl. HX3-1D 125
Rufford Ridge. LS19-4D 7
Rufford Rise. LS19-4D 7
Rufford Rd. HX3-1D 125
Rufford St. BD3-3D 59
Rufford Vs. HX3-1D 125
Rufus St. BD5-2D 79
Rugby Av. HX3-4B 96
Rugby Dri. HX3-1B 116
Rugby Gdns. HX3-4B 96
Rugby Mt. HX3-1B 116
Rugby Pl. BD7-4C 57
Rugby Sq. BD17-1D 17
Rugby Ter. HX3-4B 96
Runnymeade Ct. BD10-1D 37
Runswick Av. LS11-1B 88
Runswick Gro. BD5-4A 80
Runswick Pl. LS11-1B 88
Runswick St. BD5-3A 80
Runswick St. LS11-1B 88
Runswick Ter. BD5-3A 80
Runswick Ter. LS11-1B 88
Rushcroft Ter. BD17-2D 17
Rushdene Ct. BD12-2D 121
Rushholme Dri. LS28-4D 39
Rushmoor Rd. BD4-3A 82
Rusholme St. BD4-3D 81
Rushton Av. BD3-2A 60
Rushton Hill. HX2-2A 116
Rushton Rd. BD3-2A 60
Rushton St. HX1-3C 117
Rushton St. LS28-2C 39
Rushton Ter. BD3-3A 60
Rushworth St. HX3-2C 117
Ruskin Av. BD9-4A 34
Ruskin Cres. LS20-2B 6
Ruskin St. LS28-1D 61
Ruskin Ter. HX3-2C 117
Russell Av. BD13-4A 76
Russell Gro. BD11-2C 105
Russell Hall La. BD13-4A 76
Russell Rd. BD13-4A 76
Russell St. BD5-1A 80
Russell St. BD13-4B 76
Russell St. BD18-2D 35
Russell St. HX1-4D 117
Russell St. LS1-3D 67
Ruswarp Cres. BD10-2A 38
Ruthven View. LS8-4C 47
Rutland Ct. LS28-3A 62
Rutland Ho. BD16-2C 15
(off Mornington Rd.)
Rutland Mt. LS3-2B 66
Rutland St. BD4-1C 81
Rutland St. LS3-2B 66
Rutland Ter. LS3-2B 66
Ryan St. BD5-2A 80
Ryburn Ct. HX1-3B 116
Ryburn Ter. HX1-3B 116
Ryburn View. HX2-1B 124

ycroft Av. BD16-1C 33
ycroft Av. LS13-2C 63
ycroft Clo. LS13-2C 63
ycroft Ct. LS13-2C 63
ycroft Dri. LS13-2C 63
ycroft Grn. LS13-2C 63
ycroft Pl. LS13-2C 63
ycroft Sq. LS13-2C 63
ycroft St. BD18-2A 36
ycroft Towers. LS13-2C 63
ydal Av. BD9-3D 35
ydal Av. BD17-3A 16
ydal Cres. LS27-3A 110
ydal Dri. LS27-3A 110
ydall Pl. LS11-1B 88
ydall St. LS11-1B 88
ydall Ter. LS11-1B 88
yder Gdns. LS8-1C 47
yecroft Cres. HX2-2A 116
yecroft La. HX2-2A 116
yecroft Ter. HX2-2A 116
yedale Av. LS12-1D 87
yedale Ct. LS14-3B 48
yedale Holt. LS12-2D 87
yedale Way. BD15-1C 55
yefield Av. BD14-1D 77
yelands Gro. BD9-3A 34
ye La. HX2-2A 116
ye Pl. LS14-2B 70
ylands Av. BD16-2D 15
ylstone Gdns. BD3-1C 59
ylstone Lawn. LS10-1A 90
ylstone Rd. BD17-2B 16
yton Dale. BD10-2B 38

able Cres. BD2-3B 36
ackville App. LS7-4D 45
ackville St. BD1-3A 58
ackville St. LS7-4D 45
ackville Ter. LS7-4D 45
addler St. BD12-4D 101
affrom Dri. BD15-2C 55
agar Pl. LS6-3A 44
age St. BD5-2D 79
Abbs Clo. BD6-1D 101
Abbs Dri. BD6-1D 101
Abbs Fold. BD6-1D 101
Abbs Ga. BD6-1D 101
Abbs Wlk. BD6-1D 101
Abbs Way. BD6-1D 101
Alban App. LS9-2D 69
Alban Clo. LS9-2D 69
Alban Cres. LS9-2D 69
Alban Gro. LS9-2D 69
Alban Mt. LS9-2D 69
Alban Rd. LS9-2D 69
Alban's Av. HX3-3D 125
Alban's Pl. LS2-2D 67
Alban's Rd. HX3-3D 125
Alban View. LS9-2D 69
Aldan's Rd. BD17-3A 18
Andrew's Av. LS27-4B 108
Andrew's Clo. HX2-3C 97
Andrew's Clo. LS13-3B 40
Andrew's Clo. LS19-3D 7
Andrew's Clo. LS27-4B 108
Andrews Ct. LS3-2B 66
Andrew's Ct. LS19-3D 7
Andrew's Cres. BD12-4C 103
Andrews Croft. LS17-1D 27
Andrews Dri. LS17-1D 27
Andrew's Gro. LS27-4B 108
Andrew's Pl. BD7-4D 57
Andrew's Pl. LS3-2B 66
Andrew's Rd. LS19-3D 7
Andrew's St. LS3-2B 66
Andrew's Vs. BD7-3D 57
Andrews Wlk. LS17-1D 27
Anne's Dri. LS4-4D 43
Anne's Grn. LS4-4D 43
Anne's Pl. HX1-3C 117
Anne's Rd. HX3-3D 125
Anne's Rd. LS6-2D 43
Anne's Sq. LS9-3A 68
(off Shannon St.)
Anne's Ter. BD17-3A 18
Ann's Av. LS4-1D 65
Ann's Clo. LS4-4D 43
Ann's Ct. HX2-3A 96
Ann's Gdns. LS4-4D 43
Ann's La. LS4-4D 43
Ann's Mt. LS4-1A 66
Ann's Rise. LS4-4D 43
Ann's Sq. LS4-4D 43
Ann St. LS2-2D 67
Ann's Way. LS4-4D 43
Anthony's Dri. LS11-3B 88
Anthony's Rd. LS11-3B 88
Anthonys Ter. LS11-3B 88
Augustine's Ct. LS8-4B 46
(off Harehills Pl.)
Augustine's Ter. BD3-2C 59
Augustine's Ter. HX1-3C 117
Baise Ct. BD5-4B 58
Barnabas' Rd. LS11-4D 67
Bartholomew's Clo. LS12-3D 65
Bevan's Rd. HX3-3D 125
Catherine's Cres. LS13-3A 42
Catherine's Dri. LS13-3A 42
Catherine's Grn. LS13-3A 42
Catherine's Hill. LS13-3A 42
Catherine's Wlk. LS8-2C 47
Chad's Av. HD6-4B 120
Chad's Av. LS6-2D 43
Chad's Dri. LS6-2D 43
Chad's Gro. LS6-2D 43
Chads Pde. LS16-1D 43
Chad's Rise. LS6-2D 43
Chad's Rd. BD8-2C 57
Chad's Rd. LS16-1D 43
Chad's View. LS6-2D 43
Christopher's Av. LS26-2B 114
Clare's Av. BD2-1A 60
Clement's Av. LS26-3A 114
Clement's Clo. LS26-3A 114
Clement's Rise. LS26-3A 114
Cyprian's Gdns. LS9-1C 69
Elmo Gro. LS9-3C 69
Eloi Av. BD17-1D 17
Enoch's Rd. BD6-4C 79
Francis' Pl. LS11-4C 67
George's Av. LS26-1D 113
George's Cres. LS26-1D 113
George's Pl. BD4-1C 81

St George's Pl. BD5-4A 58
St George's Rd. HX3-2C 117
St George's Rd. LS1-2C 67
St George's Sq. HX3-2C 117
St George's St. BD3-4C 59
St George's Ter. HX3-2C 117
St Giles Clo. HD6-4B 120
St Giles Ct. HX3-3A 120
St Giles Rd. HX3 & HD6-4A 120
St Helena Rd. BD6-4C 79
St Helen's Av. LS16-2A 26
St Helen's Clo. LS16-2A 26
St Helens Croft. LS16-2D 24
St Helen's Gdns. LS16-2D 25
St Helens Gro. LS16-2D 24
St Helens La. LS16-2D 25
St Helen's St. LS10-1A 90
St Helen's Way. LS16-2A 26
St Helier Gro. BD17-1A 18
St Hilda's Av. LS9-4B 68
St Hilda's Cres. LS9-4B 68
St Hilda's Gro. LS9-4B 68
St Hilda's Mt. LS9-4B 68
St Hilda's Pl. LS9-4B 68
St Hilda's Rd. LS9-4B 68
St Hilda's Ter. BD3-2A 60
St Ives Gdns. HX3-3D 125
St Ives Gro. BD16-3A 14
St Ives Gro. LS12-3C 65
St Ives Mt. LS12-3C 65
St Ives Rd. BD16-3A 14
St Ive's Rd. HX3-3D 125
St James App. LS14-3C 49
St James Av. LS18-3D 23
St James Bus. Pk. BD1-4B 58
St James Ct. HX1-3D 117
St Jame's Ct. LS9-1B 68
St James Cres. LS28-3D 61
St James Dri. LS18-3A 24
St James Rd. BD17-1B 18
St James' Rd. HX1-3D 117
St James' Sq. HX3-1C 119
St James's St. BD5-1B 80
St James St. HX1-3D 117
St James Ter. LS18-3A 24
St James Wlk. LS18-3A 24
St John's Av. LS6-1B 66
St John's Av. LS28-1A 62
St Johns Cen. LS2-2D 67
St John's Clo. LS6-1B 66
St John's Ct. BD17-3A 18
St John's Ct. LS7-3A 46
St John's Ct. LS19-4C 7
St John's Cres. BD8-2B 56
St John's Dri. LS19-4C 7
St John's Gro. LS6-1B 66
St John's La. HX1-4D 117
St John's Pl. BD11-2C 105
St John's Pl. HX1-4D 117
St John's Pl. LS5-3C 43
St John's Rd. LS3-1B 66
St John's Rd. LS19-4C 7
St John's St. LS26-3D 115
St John's Ter. LS3-1B 66
St John's Way. LS19-4C 7
St Johns Yd. LS26-4D 115
St Jude's Pl. BD1-2A 58
St Jude's St. BD8-2A 58
St Jude's St. HX1-1C 125
St Lawrence Clo. LS28-3A 62
St Lawrence's Clo. BD2-3A 36
St Lawrence St. LS7-2A 46
St Lawrence Ter. LS28-4B 62
St Leonard's Gro. BD8-2B 56
St Leonard's Rd. BD8-2B 56
St Luke's Cres. LS11-1C 89
St Luke's Grn. LS11-2C 89
St Luke's Rd. LS11-2C 89
St Luke's St. LS11-2C 89
St Luke's Ter. BD19-3D 123
St Luke's View. LS11-2C 89
St Margaret's Av. BD4-3A 82
St Margaret's Av. LS8-2B 46
St Margaret's Av. LS18-3D 23
St Margaret's Clo. LS18-3D 23
St Margaret's Dri. LS8-2C 47
St Margaret's Dri. LS18-3D 23
St Margaret's Gro. LS8-2B 46
St Margaret's Pl. BD7-1D 79
St Margaret's Rd. BD7-4C 57
St Margaret's Rd. LS18-3D 23
St Margaret's Ter. BD7-1D 79
St Margaret's View. LS8-2B 46
St Mark's Av. BD12-3D 101
St Mark's Av. LS2-1C 67
St Mark's Flats. LS2-4C 45
St Mark's Pl. BD12-3D 101
St Mark's Rd. LS2 & LS6
-4C 45 to 1C 67
St Mark's St. LS2-4C 45
St Mark's Ter. BD12-3D 101
St Martin's Av. LS7-2D 45
St Martin's Cres. LS7-2A 46
St Martin's Dri. LS7-2D 45
St Martin's Gdns. LS7-3D 45
St Martin's Gro. LS7-2A 46
St Martin's Rd. LS7-2A 46
St Martin's Ter. LS7-3A 46
St Martin's View. LS7-3A 46
St Mary's Av. BD12-1D 121
St Mary's Av. LS26-4C 95
St Mary's Clo. BD12-1D 121
St Mary's Clo. LS7-3A 46
St Mary's Clo. LS12-4A 66
St Mary's Ct. HX2-3A 96
St Mary's Ct. LS7-3A 46
St Mary's Cres. BD12-1D 121
St Mary's Dri. BD12-1D 121
St Mary's Gdns. BD12-1D 121
St Mary's Heights. HX2-3A 96
St Mary's La. LS9-2A 68
St Mary's Mt. BD12-1D 121
St Mary's Rd. BD4-1A 82
St Mary's Rd. BD9 & BD8-1D 57
St Mary's Rd. LS7-3A 46
St Mary's Sq. BD12-1D 121
St Mary's Sq. LS27-3C 109
St Mary's St. LS9-2A 68
St Mary St. HX1-4D 117
St Matthew's Dri. HX3-1C 119
St Matthew's Rd. BD5-3A 80
St Matthew's St. LS11-1C 89
St Matthew's Wlk. LS7-1D 45
St Matthias' Ct. LS4-1A 66
St Matthias' Gro. LS4-1A 66

St Matthias' St. LS4-1A 66
St Michael Ct. LS13-4D 41
St Michael's Clo. BD16-2D 33
St Michael's Ct. LS6-3A 44
St Michael's Cres. LS6-3A 44
St Michael's Gro. LS6-3A 44
St Michael's La. LS4 & LS6-4D 43
St Michael's Rd. BD8-3D 57
St Michael's Rd. LS6-3A 44
St Michael's Ter. LS6-3A 44
St Michael's Vs. LS6-3A 44
St Oswald's Garth. LS20-2B 6
St Oswalds Ter. LS20-2B 6
St Paul's Av. BD6-1C 101
St Paul's Av. BD11-3C 105
St Paul's Gro. BD6-1C 101
St Paul's Pl. LS1-3C 67
St Paul's Rd. BD6-4D 79
St Paul's Rd. BD8-1D 57
St Paul's Rd. BD11-3C 105
St Paul's Rd. BD18-1C 35
St Paul's Rd. HX1-1B 124
St Paul's St. LS1-3C 67
St Paul's St. LS27-4C 109
St Peter's Av. LS26-3B 114
St Peter's Bldgs. LS9-3A 68
(off St Peter's Sq.)
St Peter's Ct. LS11-2D 89
St Peter's Ct. LS13-4A 42
St Peter's Cres. LS27-2C 109
St Peter's Gdns. LS13-4D 41
St Peter's Mt. LS13-1D 63
St Peter's Pl. LS9-3A 68
St Peter's Sq. LS9-3A 68
St Peter's St. LS9-3A 68
St Peter St. HX3-1D 117
St Peters View. LS27-2C 109
(off Rooms La.)
St Philip's Av. LS10-3D 111
St Stephen's Ct. HX3-4C 125
St Stephen's Rd. BD5-2A 80
St Stephen's Rd. LS9-2B 68
St Stephen's Rd. LS28-1C 39
St Stephen's St. HX3-4C 125
Saint St. BD7-2C 79
St Thomas's Rd. BD1-3A 58
St Thomas's Row. LS2-2A 68
St Vincent Rd. LS28-4B 62
St Wilfrid's Av. LS8-4C 47
St Wilfrid's Cir. LS8-4C 47
St Wilfrid's Clo. BD7-1B 78
St Wilfrid's Cres. BD7-1B 78
St Wilfrid's Cres. LS8-4C 47
St Wilfrid's Dri. LS8-4C 47
St Wilfrid's Garth. LS8-4C 47
St Wilfrid's Gro. LS8-4C 47
St Wilfrid's Rd. BD7-1B 78
St Wilfrid's St. LS28-1C 39
St Winifred's Clo. HX2-3A 96
Salam St. BD1-3A 58
Salam St. BD13-4A 76
Salcombe Pl. BD4-3A 82
Salem Pl. LS10-4D 67
Salisbury Av. BD17-2D 17
Salisbury Av. LS12-2D 65
Salisbury Ct. LS18-3A 24
Salisbury Gro. LS12-2D 65
Salisbury M. LS18-3A 24
Salisbury Pl. HX3-2D 117
Salisbury Pl. LS28-1C 39
Salisbury Rd. BD9-3D 35
Salisbury Rd. BD12-2D 101
Salisbury Rd. BD19-3B 122
Salisbury Rd. LS12-2D 65
Salisbury St. LS19-1C 21
Salisbury St. LS28-2C 39
Salisbury Ter. HX3-2D 117
Salisbury Ter. LS12-2D 65
Salisbury View. LS12-2D 65
Salisbury View. LS18-3A 24
Salmon Cres. LS18-4D 23
Sal Nook Clo. BD12-1A 102
Sal Royd Rd. BD12-2A 102
Saltaire Rd. BD16-1A 16
Saltaire Rd. BD18-4B 16
Saltburn Pl. BD9-1B 56
Saltburn St. HX1-3B 116
Salterhebble Hill. HX3-3A 126
Salt Horn Clo. BD12-3B 102
Salt St. BD8-2D 57
Salt St. HX1-3C 117
Sandacre Clo. BD10-4A 38
Sandale Wlk. BD6-2B 100
Sandal Magna. HX3-1A 100
Sandals Rd. BD17-2D 17
Sandbed Ct. LS15-4D 49
Sandbed La. LS15-4D 49
Sandbed Lawns. LS15-4D 49
Sand Beds. BD13-4B 76
(Queensbury)
Sandbeds Cres. HX2-2A 116
Sandbeds Rd. HX2-3A 116
Sandbeds Ter. HX2-2A 116
Sanderling Ct. BD8-3D 55
Sanderling Garth. LS10-3A 112
Sanderling Way. LS10-3A 112
Sandfield Av. LS6-2A 44
Sandfield Garth. LS6-2A 44
Sandfield Rd. BD10-2D 37
Sandfield View. LS6-2A 44
Sandford Pl. LS5-4B 42
Sandford Rd. BD3-3D 59
Sandford Rd. LS5-4C 43
Sandforth Av. HX3-1D 117
Sandforth Dri. HX2-1D 117
Sandgate Wlk. BD4-3B 82
Sandhall Av. HX2-3A 116
Sandhall Cres. HX2-3A 116
Sandhall Dri. HX2-3A 116
Sandhall Grn. HX2-3A 116
Sandhall La. HX2-3A 116
Sandhill Ct. LS17-2A 28
Sandhill Cres. LS17-1A 28
Sandhill Dri. LS17-1A 28
Sandhill Gro. LS17-1A 28
Sand Hill La. LS17-2A 28
Sandhill Lawns. LS17-2A 28
Sandhill Mt. BD10-2D 37
Sandhill Mt. LS17-1A 28
Sandhill Oval. LS17-1A 28
Sandholme Cres. HX3-3A 120
Sandholme Dri. BD10-2D 37
Sandhurst Av. LS8-4C 47
Sandhurst Gro. LS8-4C 47
Sandhurst Mt. LS8-4C 47

Sandhurst Pl. LS8-4C 47
Sandhurst Rd. LS8-4C 47
Sandhurst St. LS28-1C 39
Sandhurst Ter. LS8-4C 47
Sandiford Clo. LS15-4A 50
Sandiford Ter. LS15-4A 50
Sandleas Way. LS15-1B 72
Sandlewood Clo. LS11-1C 89
Sandlewood Grn. LS11-1C 89
Sandmead Clo. BD4-2A 82
Sandmead Clo. LS27-2C 109
Sandmead Croft. LS27-2C 109
Sandmoor Chase. LS17-4D 13
Sandmoor Clo. BD13-4B 54
Sandmoor Clo. LS17-4D 13
Sandmoor Ct. LS17-1A 28
Sandmoor Dri. LS17-4D 13
Sandmoor Gdns. HX3-3C 99
Sandmoor Garth. BD10-4D 19
Sandmoor Grn. LS17-4D 13
Sandmoor La. LS17-4D 13
Sandmoor M. LS17-1A 28
Sandon Gro. LS10-3A 90
Sandon Mt. LS10-3A 90
Sandon Pl. LS10-3A 90
Sandown Av. HX2-4A 96
Sandown Rd. HX2-4A 96
Sandpiper M. BD8-3D 55
Sandringham App. LS17-2A 28
Sandringham Clo. BD14-1A 78
Sandringham Ct. BD14-1A 78
Sandringham Cres. LS17-2A 28
Sandringham Cres. LS28-4B 62
Sandringham Dri. LS17-2A 28
Sandringham Gdns. LS17-2A 28
Sandringham Grn. LS17-2A 28
Sandringham Mt. LS17-2A 28
Sandringham Rd. BD14-1A 78
Sandringham Way. LS17-2A 28
Sandsend Clo. BD9-4A 34
Sandside Clo. BD5-3B 80
Sandway. LS15-1C 71
Sandway Gdns. LS15-1C 71
Sandway Gro. LS15-1C 71
Sandyacres. LS26-2B 114
Sandyacres Cres. LS26-2B 114
Sandyacres Dri. LS26-2B 114
Sandy Bank Av. LS26-2B 114
Sandy Bank La. LS26-3B 114
Sandygate Ter. BD4-1A 82
Sandy Gro. LS26-2B 114
Sandy Wlk. LS16-1B 10
Sandy Way. LS19-3C 7
Sandywood Ct. LS18-1D 41
Sangster Way. BD5-3C 81
Santa Monica Cres. BD10-1C 37
Santa Monica Gro. BD10-1C 37
Santa Monica Rd. BD10-1C 37
Sapgate La. BD13-4A 54
Sapling Gro. Cotts. HX2-2B 124
Sardinia St. LS10-1A 90
Savile Av. BD10-2D 37
Savile Av. LS7-4A 46
Savile Cres. HX1-4D 117
Savile Dri. HX1-1C 125
Savile Dri. LS7-4D 45
Savile Glen. HX1-1D 125
Savile Grn. HX1-4D 117
Savile Lea. HX1-1D 125
Savile M. HX1-1D 125
Savile Mt. HX1-1C 125
Savile Mt. LS7-4A 46
Savile Pde. HX1-1C 125
Savile Pk. BD19-4A 104
Savile Pk. HX1 & HX3-1C 125
Savile Pk. Gdns. HX1-1C 125
Savile Pk. Rd. HX1-1C 125
Savile Pk. St. HX1-1C 125
Savile Pk. Ter. HX1-1C 125
(off Savile Pk.)
Savile Pl. LS7-4A 46
Savile Rd. HX1-4D 117
Savile Rd. LS7-4A 46
Savile Royd. HX1-1D 125
Savile St. BD19-2D 123
Savile Ter. HX1-1C 125
Saville Grn. LS9-2B 68
Saville's Sq. LS27-3C 109
Saw Mill St. LS11-4C 67
Sawrey Pl. BD5-4A 58
Saxon Ct. LS17-2C 27
Saxon Ga. LS17-2C 27
Saxon Grn. LS17-3C 27
Saxon Gro. LS17-2C 27
Saxon Mt. LS17-2C 27
Saxon Rd. LS17-3C 27
Saxon St. BD8-3D 57
Saxon St. HX1-3B 116
Saxton Av. BD6-4B 78
Saxton La. LS9-3A 68
Sayers Clo. LS5-3D 43
Sayle Av. BD4-4D 81
Sayner La. LS10-4A 68
Sayner Rd. LS10-4A 68
Scales La. BD4-1D 103
Scaley St. BD3-3A 60
Scandinavia Ter. BD19-2D 123
(off Savile St.)
Scarborough Gro. BD18-1C 35
Scarborough Junct. LS13-1D 63
Scarborough Rd. BD18-1C 35
Scargill Bldgs. LS27-3A 110
Scargill Clo. LS9-2B 68
Scargill Grange. LS9-2B 68
Scarlet Heights. BD13-4B 76
Scarr Bottom. HX2-2B 124
Scarth Av. LS9-1B 68
Scarth Gdns. LS27-3C 109
Scarwood Clo. BD16-2C 15
Scatcherd Gro. LS27-4B 108
Scatcherd La. LS27-4B 108
Scatcherd's Bldgs. LS27-2C 109
Scathcherd Pk. Av. LS27-3C 109
Schofield Ct. LS27-3C 109
Schofields Cen. LS1-2D 67
Scholebrooke Ct. BD4-4A 82
Scholebrook La. BD4-2D 83
Scholemoor Av. BD7-1B 78
Scholemoor La. BD7-1B 78
Scholemoor Rd. BD7-1B 78
Scholes La. BD19-2B 122 to 4B 12
Scholes La. HX4-4C 125
Scholes La. LS15-1B 50
Scholes St. BD5-3A 80
School Clo. HX2-2B 96

School Clo. LS12-2A 86
School Cres. HX2-2B 96
School Croft. LS26-2A 114
School Fold. BD12-2D 101
School Grn. BD13-4C 55
School Grn. LS16-1A 10
School Grn. Av. BD13-4C 55
School La. BD5-3A 80
School La. BD6-4D 79
School La. HX2-2B 96
School La. LS6-2A 44
School La. LS7-1D 45
School La. LS15-4A 72
(Colton)
School La. LS15-3C 71
(Graveleythorpe)
School Pl. BD12-4D 101
School Pl. LS28-1B 62
School Ridge. BD13-3D 53
School St. BD1-3B 58
(in two parts)
School St. BD4-2D 81
School St. BD6-1B 100
School St. BD12-2D 101
School St. BD13-2A 52
School St. BD14-1D 77
School St. BD15-2A 32
School St. BD16-1D 33
School St. BD19-4D 123
School St. HX1-4A 118
School St. LS27-1D 109
(Churwell)
School St. LS27-4C 109
(Town End)
School St. LS28-4A 40
(Farsley)
School St. LS28-4A 62
(Pudsey)
School Ter. BD19-2B 122
(off New Rd. E.)
School View. LS6-4A 44
Score Hill. HX3-4C 99
Scoresby St. BD1-3B 58
Scotchman Rd. BD9-1B 56
Scotch Pk. Ind. Est. LS12-2A 66
Scotland Clo. LS18-2C 23
Scotland La. LS18-2C 9
Scotland Mill La. LS6-3B 26
Scotland Way. LS18-1C 23
Scotland Wood Rd. LS17-3B 26
Scott Clo. LS26-4C 95
Scott Grn. LS27-1D 107
Scott Grn. Cres. LS27-1D 107
Scott Grn. Dri. LS27-1D 107
Scott Grn. Gro. LS27-1D 107
Scott Grn. Mt. LS27-1D 107
Scott Grn. View. LS27-1D 107
Scott Hall Av. LS7-3D 45
Scott Hall Cres. LS7-2D 45
Scott Hall Dri. LS7-4D 45
Scott Hall Grn. LS7-3D 45
Scott Hall Gro. LS7-3D 45
Scott Hall Pl. LS7-2D 45
Scott Hall Rd. LS7 & LS17
-4D 45 to 2A 28
Scott Hall Row. LS7-3D 45
Scott Hall Sq. LS7-3D 45
Scott Hall St. LS7-3D 45
Scott Hall Ter. LS7-3D 45
Scott Hall Wlk. LS7-3D 45
Scott Hall Way. LS7-2D 45
Scott La. LS12-4B 64
Scott La. WF17 & LS27-4A 108
Scotts Almshouses. LS10-3B 90
Scotts Bldgs. LS6-2A 44
Scott Sq. LS12-4B 64
Scott St. BD6-4A 80
Scott St. HX3-2C 117
Scott St. LS28-4B 62
Scott Wood La. LS7-3D 45
Seacroft Arc. LS14-2C 49
Seacroft Av. LS14-3C 49
Seacroft Chase. LS14-3C 49
Seacroft Clo. LS14-2C 49
Seacroft Cres. LS14-2C 49
Seacroft Ga. LS14-2C 49
(in two parts)
Seacroft Ind. Est. LS14-1C 49
Seaforth Av. LS9-4C 47
Seaforth Gro. LS9-4C 47
Seaforth Mt. LS9-4C 47
Seaforth Pl. LS9-4C 47
Seaforth Rd. LS9-4C 47
Seaforth Ter. LS9-4C 47
Seaton St. BD3-3C 59
Second Av. BD3-2D 59
Second Av. HX3-2D 125
Second Av. LS12-3A 66
Second Av. LS19-1D 21
Second Av. LS26-1B 114
Second St. BD12-2A 102
Sedburgh Clo. LS15-3A 70
Sedburgh Rd. HX3-1A 126
Sedgefield Ter. BD1-3A 58
Sedgewick Clo. BD8-3A 58
Seed Hill Ter. HX2-2A 96
Seed La. N. BD6-2C 101
Seed St. BD12-2A 102
See Mill La. HX3-1D 117
Sefton Av. HD6-4B 120
Sefton Av. LS11-2C 89
Sefton Ct. LS6-2A 44
Sefton Cres. HD6-4B 120
Sefton Dri. HD6-4B 120
Sefton Gro. BD2-4C 37
Sefton Pl. BD2-4C 37
Sefton St. HX1-3C 117
Sefton St. LS11-2C 89
Sefton Ter. HX1-3C 117
Sefton Ter. LS11-2C 89
Selborne Gro. BD9-4D 35
Selborne Ter. BD9-1D 57
Selborne Ter. BD18-1C 35
Selborne Vs. BD14-2D 77
Selbourne Mt. BD9-1D 57
Selby. HX2-2A 96
Selby Av. LS9-2A 70
Selby Rd. LS9, LS15 & LS25
-2A 70 to 4D 73
Seldon St. BD5-2D 79
Selkirk St. BD2-4C 37
Sellerdale Av. BD12-2A 122
Sellerdale Dri. BD12-1A 122
Sellerdale Rise. BD12-2A 122
Sellerdale Way. BD12-1A 122

Sellers Fold. BD7-1C 79
Seminary St. LS2-2C 67
Semon Av. BD2-3B 36
Senior Way. BD5-4A 58
Servia Dri. LS7-4D 45
Servia Gdns. LS7-4D 45
Servia Hill. LS6 & LS7-4C 45
Servia Rd. LS7-4D 45
Service Rd. LS9-3D 91
Sevenoaks Mead. BD15-2C 55
Seventh Av. LS26-2C 115
Severn Rd. BD2-4C 37
Severn Rd. LS10-2B 90
Severn Way. LS10-2B 90
Sewage Works Rd. LS9-2D 91
Sewell Rd. BD3-4D 59
Seymour St. BD3-4C 59
Shadwell La. LS17-3A 28 to 1D 29
Shadwell Pk. Av. LS17-1D 29
Shadwell Pk. Clo. LS17-1D 29
Shadwell Pk. Ct. LS17-1D 29
Shadwell Pk. Dri. LS17-1D 29
Shadwell Pk. Gdns. LS17-1D 29
Shadwell Pk. Gro. LS17-1D 29
Shadwell Wlk. LS17-2B 28
Shaftesbury Av. BD9-1A 56
Shaftesbury Av. BD18-1D 35
Shaftesbury Av. LS8-3C 29
Shaftesbury Rd. LS8-3C 29
Shafton La. LS11-1B 88
Shafton Pl. LS11-1B 88
Shafton St. LS11-1B 88
Shafton View. LS11-1B 88
Shakespeare App. LS9-1B 68
Shakespeare Av. LS9-2B 68
Shakespeare Clo. LS9-1B 68
Shakespeare Clo. LS20-2B 6
Shakespeare Ct. LS9-1B 68
Shakespeare Gdns. LS9-2B 68
Shakespeare Grange. LS9-1B 68
Shakespeare Lawn. LS9-2B 68
Shakespeare Rd. LS20-2B 6
Shakespeare St. HX1-4D 117
Shakespeare St. LS9-1B 68
Shakespeare Towers. LS9-1B 68
Shakespeare Vale. LS9-1B 68
Shakespeare Wlk. LS9-2B 68
Shannon Rd. LS9-3B 68
Shannon St. LS9-3A 68
Shann St. BD2-3A 36
Sharp Av. BD6-4D 79
Sharpe St. BD5-4A 58
Sharp Ho. Rd. LS10-3B 112
Sharp La. LS10 & WF3
-3A 112 to 4C 11
Sharp Row. LS28-4B 62
Sharp St. BD6-4D 79
Shaw Clo. LS20-2B 6
Shaw Hill. HX1-1A 126
Shaw Hill La. HX3-1A 126
Shaw La. BD13-2B 98
Shaw La. HX3-1A 126
Shaw La. HX6-4A 124
Shaw La. LS6-2A 44
Shaw La. LS20-2B 6
Shaw La. Gdns. LS20-2B 6
Shaw Leys. LS19-2C 7
Shaw Royd. LS19-2C 7
Shaw Royd Ct. LS19-2C 7
Shaw St. BD12-2D 101
Shaw St. BD19-4D 123
Shaw Vs. LS20-2B 6
Shay Clo. BD9-3B 34
Shay Cres. BD9-4B 34
Shay Dri. BD9-4B 34
Shayfield La. WF3-4D 113
Shay Fold. BD9-4B 34
Shay Ga. BD15-4A 32
Shay Gro. BD9-4B 34
Shay La. BD4-2B 82
Shay La. BD9-3B 34
Shay La. BD15-3A 32
Shay La. HX3 & HX2-4C 97
Shay St. LS6-4C 45
Shay Syke. HX1-1A 126
Sheaf St. LS10-4D 67
Shearbridge Pl. BD7-4D 57
Shearbridge Rd. BD7-4D 57
Shearbridge Ter. BD7-4D 57
Sheep Hill La. BD13-3C 77
Sheepscar Ct. LS7-1A 68
Sheepscar Gro. LS7-1A 68
Sheepscar Row. LS7-1A 68
Sheepscar St. N. LS7-4D 45
Sheepscar St. S. LS7-1A 68
Sheepscar Way. LS7-4D 45
Sheldrake Av. BD8-3D 55
Shelf Hall La. HX3-3D 99
Shelf Moor. HX3-2D 99
Shelf Moor Rd. HX3-2D 99
Shelldrake Dri. LS10-3A 112
Shelley Cres. LS26-4D 115
Shell La. LS28-2D 39
Shelly Gro. BD8-2B 56
Shepcote Clo. LS16-2B 24
Shepcote Cres. LS16-2B 24
Shepherd's Gro. LS7-3B 46
Shepherd's La. LS7 & LS8-3B 46
Shepherd's Pl. LS8-3B 46
Shepherd St. BD7-1C 79
Sherborne Rd. BD7-4A 58
Sherborne Rd. BD10-4C 19
Sherbrooke Av. LS15-3B 70
Sherburn App. LS14-2D 49
Sherburn Clo. BD11-2C 105
Sherburn Clo. LS14-2D 49
Sherburn Ct. LS14-2D 49
Sherburn Gro. BD11-2C 105
Sherburn Pl. LS14-2D 49
Sherburn Rd. LS14-2D 49
Sherburn Rd. N. LS14-4C 31
Sherburn Row. LS14-2D 49
Sherburn Sq. LS14-2D 49
Sherburn Wlk. LS14-2D 49
Sheridan St. BD4-2C 81
Sheriff La. BD16-1D 15
Sherwell Gro. BD15-2D 55
Sherwell Rise. BD15-2D 55
Sherwood Clo. BD16-1D 15
Sherwood Grn. WF3-4C 113
Sherwood Gro. BD18-1B 34
Sherwood Ind. Est. WF3-4C 113
Sherwood Pl. BD2-1D 59
Sherwood Rd. BD16-1D 15
Shetcliffe La. BD4-1D 103
Shetcliffe Rd. BD4-1D 103
Shetland Clo. BD2-3B 36
Shibden Grange Dri. HX3-2B 118
Shibden Hall Rd. HX3-3B 118
Shibden Head La. BD13-1D 97
Shibden Pl. HX1-3D 117
Shibden View. BD13-2A 98
Shield Clo. LS15-4A 50
Shipley Airedale Rd. BD3 & BD1-2B 58
Shipley Fields Rd. BD18-3D 35
Shipton M. LS27-4D 109
Ship Yd. LS1-3D 67
(off Lands La.)
Shire Oak Ct. LS6-3A 44
Shire Oak Rd. LS6-3A 44
Shire Oak St. LS6-3A 44
Shirley Av. BD12-2D 121
Shirley Cres. BD12-2D 121
Shirley Dri. LS13-3D 41
Shirley Gro. HX3-4C 121
Shirley Pl. BD12-2D 121
Shirley Rd. BD4-4A 82
Shirley Rd. BD7-4D 57
Shirley St. BD13-2A 52
Shirley St. BD18-4B 16
Sholebroke Av. LS7-3A 46
Sholebroke Mt. LS7-3D 45
Sholebroke Pl. LS7-3D 45
Sholebroke St. LS7-3D 45
Sholebroke Ter. LS7-3D 45
Sholebroke View. LS7-3D 45
Shoreham Rd. LS12-4D 65
Short Clo. BD12-3D 101
Short La. LS7-1D 45
Short Row. BD12-2A 102
Shortway. BD13-4C 55
Shortway. LS28-1C 61
Shroggs Rd. HX3-2C 117
Shroggs St. HX1-3C 117
Shroggs Vue Ter. HX1-3C 117
Shuttleworth La. BD8-3A 56
Shutts La. HX3-1B 120
Siddal Gro. HX3-2A 126
Siddal La. HX3-2A 126
Siddall St. LS11-4C 67
Siddal New Rd. HX3-1A 126
Siddal Pl. HX3-3A 126
Siddal St. HX3-2A 126
Siddal Top La. HX3-2A 126
Siddal View. HX3-2A 126
Sidings, The. BD18-4D 17
Sidlaw Ter. LS8-4B 46
Sidney St. LS2-3D 57
Siegen Clo. LS27-4C 109
Siegen Mnr. LS27-4C 109
Silk Mill App. LS16-3A 24
Silk Mill Av. LS16-2A 24
Silk Mill Bank. LS16-2A 24
Silk Mill Clo. LS16-2A 24
Silk Mill Dri. LS16-3A 24
Silk Mill Gdns. LS16-3A 24
Silk Mill Grn. LS16-2A 24
Silk Mill Rd. LS16-3A 24
Silk Mill Way. LS16-3A 24
Silkstone Ct. LS15-2D 71
Silkstone Way. LS15-2D 71
Silk St. BD9-1C 57
Silson La. BD17-1A 18
Silver Birch Av. BD12-1A 122
Silver Birch Clo. BD12-1A 122
Silver Birch Dri. BD12-1A 122
Silver Birch Gro. BD12-1A 122
Silver Ct. LS13-2B 62
Silverdale Av. LS17-1C 29
Silverdale Av. LS20-2A 6
Silverdale Clo. LS20-3A 6
Silverdale Cres. LS20-3A 6
Silverdale Dri. LS20-3A 6
Silverdale Grange. LS20-3A 6
Silverdale Gro. LS20-3A 6
Silverdale Mt. LS20-3A 6
Silverdale Rd. BD5-3A 80
Silverdale Rd. LS20-3A 6
Silverhill Av. BD3-2A 60
Silverhill Dri. BD3-2A 60
Silverhill Rd. BD3-2A 60
Silver La. LS19-3C 7
Silver Royd Av. LS12-4B 64
Silver Royd Clo. LS12-4B 64
Silver Royd Dri. LS12-4B 64
Silver Royd Garth. LS12-4B 64
Silver Royd Gro. LS12-4B 64
Silver Royd Hill. LS12-4B 64
Silver Royd Pl. LS12-4B 64
Silver Royd Rd. LS12-4B 64
Silver Royd St. LS12-4B 64
Silver Royd Ter. LS12-4B 64
Silver St. BD8-1D 57
Silver St. HX1-4D 117
Silver St. LS11-4C 67
Silverwood Av. HX2-2A 116
Silverwood Wlk. HX2-2A 116
Silwood Dri. BD2-4D 37
Simes St. BD1-3A 58
Simm Carr La. HX3-3A 98
Simmonds La. HX1-1A 126
Simms Dene. BD15-3C 33
Simon Clo. BD4-3B 82
Simon Fold. BD12-1D 121
Simpson Gro. BD10-4D 19
Simpson Gro. LS12-3A 66
Simpson St. HX3-1D 117
Sinclair Rd. BD2-2B 36
Sinden M. BD10-3C 19
Single Row. BD2-1D 59
Singleton St. BD1-2B 58
Sion Hill. HX3-2A 126
Sir George Martin Dri. LS16-2A 26
Sir Karl Cohen Sq. LS12-3C 65
Sir Wilfred Pl. BD10-4D 19
Sissons Av. LS10-4C 111
Sissons Cres. LS10-4C 111
Sissons Dri. LS10-4C 111
Sissons Grn. LS10-3C 111
Sissons Gro. LS10-4C 111
Sissons La. LS10-4C 111
Sissons Mt. LS10-4C 111
Sissons Pl. LS10-3C 111
Sissons Rd. LS10-4C 111
Sissons Row. LS10-4C 111
Sissons St. LS10-4D 111
Sissons Ter. LS10-4C 111
Sissons View. LS10-4C 111
Sixth Av. BD3-2D 59
Sixth Av. LS26-2C 115
Sizers Ct. LS19-4C 7
Skelton Av. LS9-2C 69
Skelton Cres. LS9-3C 69
Skelton Grange Cotts. LS9-2D 91
Skelton Grange Rd. LS10-3C 91
Skelton Mt. LS9-2C 69
Skelton Rd. LS9-2D 69
Skeltons La. LS14-3C 31
Skelton St. LS9-2C 69
Skelton Ter. LS9-2C 69
Skelton Wlk. BD10-1A 38
Skelwith App. LS14-1C 71
Skelwith View. LS14-1C 71
Skelwith Wlk. LS14-1C 71
Skinner La. BD8-1D 57
Skinner La. LS7-2A 68
Skinner St. LS1-3C 67
Skircoat Grn. HX3-3D 125
Skircoat Grn. Rd. HX3-2D 125
Skircoat Moor Clo. HX1-2C 125
Skircoat Moor Rd. HX1 & HX3-1B 124
Skircoat Rd. HX1-4D 117
Skirrow St. BD16-1C 33
Slack Bottom Rd. BD6-1C 101
Sladdin Row. BD13-1D 97
Slade Ho. BD2-1A 60
Slaid Hill Ct. LS17-1D 29
Slaters Rd. LS28-1A 62
Sledmere Croft. LS14-2D 49
Sledmere Garth. LS14-2D 49
Sledmere Grn. LS14-2D 49
Sledmere La. LS14-2D 49
Sledmere Pl. LS14-2D 49
Sledmere Sq. LS14-2D 49
Sleningford Gro. BD16-4A 16
Sleningford Rise. BD16-1B 14
Sleningford Rd. BD16-1B 14
Sleningford Rd. BD18-4A 16
Sleningford Ter. BD16-1B 14
Sleningford Vs. BD16-1B 14
Slippy La. HX2-3A 96
Sloan Sq. BD8-2C 57
Sloan Sq. E. BD8-2C 57
Sloan Sq. W. BD8-2C 57
Smalewell Clo. LS28-4A 62
Smalewell Dri. LS28-4D 61
Smalewell Gdns. LS28-4D 61
Smalewell Grn. LS28-4A 62
Smalewell Rd. LS28-4D 61
Smallpage. BD13-4A 76
(off Albert Rd.)
Small Page Fold. BD13-3A 76
Smeaton App. LS15-4A 50
Smeaton Gro. LS26-3C 95
Smiddles La. BD5-3A 80
Smith Av. BD6-4D 79
Smith Bldgs. LS27-4A 108
Smithfield Av. HX3-3A 120
Smith Ho. Av. HD6-4C 121
Smith Ho. Cres. HD6-4C 121
Smith Ho. La. HD6 & HX3-4C 121
Smith La. BD9-1B 56
Smith Rd. BD7-2C 79
Smiths Cotts. LS6-1A 44
(off Bk. Glebe Ter.)
Smithson St. LS26-3B 114
Smiths Ter. HX3-4C 97
Smith St. BD4-4D 81
Smith St. BD7-3A 58
Smith St. BD16-1D 33
Smithy Ct. BD19-2B 122
Smithy Fold. BD13-3D 77
Smithy Hill. BD6-4D 79
Smithy Hill. BD13-4B 52
Smithy La. LS16-4A 10
Smithy Mills La. LS16 & LS6-3A 26
Smithy St. HX1-3A 118
Smools La. LS27-1C 109
Snake Hill. BD12-3C 103
Snake La. LS9-4C 69
Snape Dri. BD7-3A 78
Snelsins La. BD19-2D 123
Snelsins Rd. BD19-2D 123
Snowden App. LS13-4A 42
Snowden Clo. LS13-1A 64
Snowden Cres. LS13-1A 64
Snowden Fold. LS13-1A 64
Snowden Gdns. LS13-1A 64
Snowden Grn. LS13-1A 64
Snowden Gro. LS13-1A 64
Snowden Lawn. LS13-1A 64
Snowden Rd. BD18-1A 36
Snowden Royd. LS13-4A 42
Snowden St. BD1-3A 58
Snowdens Wlk. BD14-1A 78
Snowden Vale. LS13-1A 64
Snowden Wlk. LS13-4A 42
Snowden Way. LS13-4A 42
Soaper Ho. La. HX3-1D 119
Soaper La. HX3 & BD6-1A 100
Sod Ho. Grn. HX3-4C 97
Soho St. BD1-3A 58
Soho St. HX1-4C 117
Somerdale Clo. LS13-2A 64
Somerdale Gdns. LS13-2A 64
Somerdale Gro. LS13-2A 64
Somerdale Wlk. LS13-2A 64
Somerset Av. BD17-1D 17
Somerset Rd. LS28-3A 62
Somerset St. LS2-3A 68
Somers Pl. LS1-2C 67
(off Somers Ter.)
Somers St. LS1-2C 67
Somerton Dri. BD4-3A 82
Somerville Av. BD6-1D 101
Somerville Av. LS14-1B 70
Somerville Dri. LS14-4B 48
Somerville Grn. LS14-1B 70
Somerville Gro. LS14-4B 48
Somerville Mt. LS14-1B 70
Somerville Pk. BD6-1D 101
Somerville View. LS14-1B 70
Sonning Rd. BD15-2C 55
Sorrin Clo. BD10-1C 37
S. Accommodation Rd. LS10 & LS9
-1A 90
Southampton St. BD3-2B 58
S. Bank. BD13-4B 76
S. Bolton. HX2-1A 96
S. Brook Ter. BD7-4A 58
S. Cliffe. BD13-4A 54
S. Cliffe. HX3-1B 126
Southcliffe Dri. BD17-3D 17
Southcliffe Way. BD17-3D 17
South Clo. LS20-2D 5
Southcote Pl. BD10-4D 19
Southcote St. LS28-1A 62
(off Northcote St.)
S. Croft Av. BD11-2C 105
S. Croft Dri. BD11-2C 105
S. Croft Ga. BD11-2C 105
Southcroft Grn. LS10-3A 112
Southdown Clo. BD9-1B 56
Southdown Rd. BD17-4D 17
South Dri. LS20-2C 5
South Dri. LS28-4A 40
S. Edge. BD18-1B 34
Southedge Clo. HX3-3D 119
S. Edge. Ter. HX3-3A 120
S. End Av. LS13-1A 64
S. End Gro. LS13-1A 64
S. End Mt. LS13-1A 64
S. End Ter. LS13-1A 64
S. Farm Cres. LS9-1D 69
S. Farm d. LS9-1D 69
Southfield. LS16-1B 10
Southfield Av. BD6-1D 101
Southfield Av. LS17-3A 28
Southfield Dri. LS17-3A 28
Southfield La. BD7 & BD5-2C 79
Southfield Mt. LS10-3A 90
Southfield Mt. LS12-3D 65
Southfield Rd. BD5-3D 79
Southfield Rd. BD16-3C 15
Southfield Sq. BD8-2D 57
Southfield St. LS12-3D 65
Southfield Ter. BD11-2C 105
Southfield Ter. HX3-2D 119
Southgate. BD1-4A 58
Southgate. HX1-4D 117
Southgate. LS20-3D 5
Southgate. LS26-2D 115
South Gro. BD18-1A 34
S. Hill Clo. LS10-1B 112
S. Hill Croft. LS10-1B 112
S. Hill Dri. BD16-2D 15
S. Hill Gdns. LS10-1B 112
S. Hill Gro. LS10-1B 112
S. Hill ise. LS10-1B 112
S. Hill Way. LS10-1B 112
Southlands. BD17-3D 17
Southlands. HX2-4B 74
Southlands. LS18-4D 23
Southlands Av. BD13-4D 55
Southlands Av. BD16-3C 15
Southlands Av. LS17-4D 27
Southlands Av. LS19-3A 22
Southlands Clo. LS17-4D 27
Southlands Cres. LS17-4D 27
Southlands Dri. LS17-4D 27
Southlands Gro. BD13-4D 55
Southlands Gro. BD16-3C 15
South La. HX3-1D 99
Southlea Clo. BD12-3C 103
S. Lee. LS18-3C 23
Southleigh Av. LS11-1C 111
Southleigh Cres. LS11-1C 111
Southleigh Croft. LS11-1C 111
Southleigh Dri. LS11-1C 111
Southleigh Gdns. LS11-1C 111
Southleigh Garth. LS11-1C 111
Southleigh Grange. LS11-1C 111
Southleigh Gro. LS11-1C 111
Southleigh Rd. LS11-1C 111
Southleigh View. LS11-1C 111
S. Mead. LS16-1B 10
Southmere Av. BD7-2C 79
Southmere Cres. BD7-2C 79
Southmere Dri. BD7-2B 78
(Horton Rd.)
Southmere Dri. BD7-3C 79
(Southmere Rd.)
Southmere Gro. BD7-2C 79
Southmere Oval. BD7-3B 78
Southmere Rd. BD7-2C 79
Southmere Ter. BD7-2C 79
S. Nelson St. LS27-3C 109
Southolme Clo. LS5-2B 42
Southowram Bank. HX3-3A 118
S. oyd Av. HX3-2D 125
South Pde. BD8-2A 58
South Pde. BD19-3D 123
South Pde. HX1-4A 118
South Pde. LS1-2D 67
South Pde. LS6-3A 44
South Pde. LS27-4D 109
South Pde. LS28-4A 62
South Pde. Clo. LS28-4A 62
S. Park Ter. LS28-2B 84
S. Parkway. LS14-4B 48
S. Parkway App. LS14-4A 48
South Pl. LS27-4D 109
S. Queen St. LS27-4C 109
South Rd. BD9-3D 35
S. Row. LS18-3D 23
Southroyd Pde. LS28-1B 84
Southroyd Pk. LS28-1B 84
Southroyd Rise. LS28-1B 84
Southroyd Vs. LS28-1B 84
(off Southroyd Rise)
S. Selby. HX2-2A 96
South Sq. BD13-4A 54
South St. BD5-2D 79
South St. BD12-3C 103
South St. BD13-2A 52
South St. HX1-4D 117
South St. LS19-1D 21
South St. LS27-4C 109
South Ter. HX3-1C 119
S. View. BD9-3D 35
S. View. BD10-1A 38
S. View. BD13-3D 75
S. View. BD15-3A 32
S. View. BD19-4B 122
S. View. HX2-3C 97
S. View. HX3-1A 126
S. View. LS15-1D 71
S. View. LS18-1D 41
S. View. LS19-3B 6
S. View. LS20-2A 6
S. View. LS26-2A 114
S. View. LS27-1D 109
S. View. LS28-1D 61
(Farsley)
S. View. LS28-3B 62
(Pudsey)
S. View Clo. BD4-1B 104
S. View Clo. LS19-3B 6
S. View Cres. LS19-3B 6
S. View Dri. BD4-2B 104
S. View Rd. BD4-1B 104
S. View Rd. LS10-4A 90
S. View Rd. LS19-3D 7
S. View Ter. BD16-1D 15
S. View Ter. BD17-2D 17
S. View Ter. HX1-3B 116
S. View Ter. LS19-3D 7
Southwaite Clo. LS14-3B 48
Southwaite Garth. LS14-3B 48
Southwaite La. LS14-4B 48
Southwaite Lawn. LS14-3B 48
Southwaite Pl. LS14-3B 48
South Way. BD4-2B 104
Southway. BD16-1D 15
Southway. BD18-1A 34
Southway. LS18-2C 23
Southway. LS20-2C 5
Southwood Clo. LS14-3D 49
Southwood Cres. LS14-3D 49
Southwood Ga. LS14-4D 49
Southwood Rd. LS14-3D 49
Sovereign St. HX1-4D 117
Sovereign St. LS1-3D 67
Sowden Bldgs. BD2-1C 59
Sowden La. HX3 & BD12-1B 120
Sowden Rd. BD9-4A 34
Sowden St. BD7-2C 79
Sowerby Croft La. HX6-3A 124
Sowood St. LS4-1D 65
Spa Ind. Est. LS7-4D 45
Spa La. BD16-1C 15
Spalding Towers. LS9-2A 68
Sparable La. BD16-2D 15
Spark Ho. La. HX6-3A 124
Spartan Rd. BD12-3A 102
Speedwell Mt. LS6-4D 45
Speedwell St. LS7-4C 45
Speeton Av. BD7-3A 78
Speeton Gro. BD7-3A 78
Spen App. LS16-1B 42
Spen Bank. LS16-1B 42
Spence La. LS12-4B 66
Spenceley St. LS2-4C 45
(in two parts)
Spencer Av. BD7-1C 79
Spencer Mt. LS8-4B 46
Spencer Pl. LS7-4B 46
Spencer Rd. BD7-1B 78 to 4C 57
Spen Clo. BD4-1D 103
Spen Cres. LS16-1B 42
Spen Dri. LS16-4C 25
Spen Gdns. LS16-4C 25
Spen Grn. LS16-1B 42
Spen La. LS5, LS6 & LS16-2B 42 to 3C
Spen Lawn. LS16-1B 42
Spen M. LS16-1C 43
Spennithorne Av. LS16-3C 25
Spennithorne Dri. LS16-3C 25
Spen Rd. LS16-4C 25
Spenser Rise. LS20-2B 6
Spenser Rd. LS20-2B 6
Spen View La. BD4-1D 103
Spen Wlk. LS16-1B 42
Spibey Cres. LS26-2A 114
Spibey La. LS26-2A 114
Spicer St. BD5-2D 79
Spindle St. HX2-3C 97
Spink Pl. BD8-3A 58
Spinks Gdns. LS14-3D 49
Spink St. BD8-3A 58
Spinkwell Clo. BD3-2B 58
Spinney, The. LS9-3B 69
Spinney, The. LS17-3A 28
Spinney, The. LS19-2C 21
Spout Ho. La. HD6-4A 120
Spring Av. LS27-1D 107
Springbank. LS25-4D 73
Springbank Av. LS27-1D 107
Springbank Av. LS28-4A 40
Springbank Clo. LS28-4A 40
Spring Bank Cres. LS6-3A 44
Springbank Cres. LS25-4D 73
Springbank Cres. LS27-1D 107
Springbank Dri. LS28-4A 40
Springbank Gro. LS28-4A 40
Spring Bank Pl. BD8-1A 58
Springbank Rise. LS28-4A 40
Springbank Rd. LS27-1D 107
Springbank Rd. LS28-4A 40
Spring Bank Ter. LS20-2A 6
Springcliffe. BD8-1D 57
Springcliffe St. BD8-1D 57
Spring Clo. BD16-3D 15
Spring Clo. Av. LS9-4B 68
Spring Clo. Gdns. LS9-4B 68
Spring Clo. St. LS9-4B 68
Spring Clo. Wlk. LS9-4B 68
Springdale Cres. BD10-1D 37
Spring Edge. HX1-1C 125
Spring Edge N. HX1-1C 125
Spring Edge W. HX1-1B 124
Springfield. BD13-3A 76
Springfield Av. BD7-1B 78
Springfield Av. LS27-2B 108
Springfield Clo. LS18-4A 24
Springfield Ct. LS19-2C 7
Springfield Cres. LS27-2C 109
Springfield Gdns. LS18-4A 24
Springfield Gdns. LS28-4B 62
Springfield Grn. LS10-3A 90
Springfield Gro. BD16-2C 15
Springfield La. BD4-3B 84
Springfield La. LS27-2C 109
Springfield Mt. LS2-1C 67
Springfield Mt. LS12-3C 65
Springfield Mt. LS18-4A 24
Springfield Pde. LS26-3B 114
Springfield Pl. BD1-2A 58
Springfield Pl. BD10-1C 37
Springfield Pl. LS10-3A 90
Springfield Pl. LS20-2A 6
Springfield Pl. LS25-4D 73
Springfield Rise. LS18-4A 24
Springfield Rise. LS26-3B 114
Springfield Rd. BD17-1D 17
Springfield Rd. LS20-2A 6
Springfield Rd. LS27-2C 109
Springfield St. BD8-2D 57
Springfield St. BD13-4A 54
Springfield St. LS26-3B 114
Springfield Ter. BD19-2B 122
Springfield Ter. HX3-3D 119
Springfield Ter. LS13-2D 63
Springfield Ter. LS17-1B 28
Springfield Ter. LS20-2A 6

jfield Ter. LS28-3B 62
ılsey)
jfield Ter. LS28-1A 62
nningley)
jfield Vs. LS27-4C 85
jfield Wlk. LS18-4A 24
j Gdns. BD1-2A 58
j Gdns. BD11-2B 106
j Gdns. HX2-1A 116
j Gdns. Rd. BD9-4C 35
j Garden St. BD13-4A 76
j Gro. HX1-3B 116
j Gro. Av. LS6-1B 66
j Gro. Ter. LS6-1A 66
j Gro. View. LS6-1A 66
j Gro. Wlk. LS6-1A 66
j Hall Clo. HX3-3C 99
j Hall Ct. HX1-3B 116
Clay Pits La.)
j Hall Dri. HX2-4A 116
j Hall Gdns. HX2-3B 116
j Hall Gro. HX2-3B 116
j Hall La. HX2 & HX1-4A 116
j Hall La. HX3-2A 126
j Hall Pl. HX1-4B 116
j Head. HX3-3D 99
j Head Rd. BD13-4B 54
jhead Rd. LS26-2B 114
j Hill. BD17-2B 16
j Hill. BD18-1B 36
j Hill. LS7-4D 45
j Hill. LS16-1A 26
g Hill Cotts. LS6-2B 44
ghill Ter. LS6-2B 44
j Holes La. BD13-3D 53
jhurst Rd. BD18-1C 35
jlodge Pl. BD8-2A 58
j Mill St. BD5-1B 80
two parts)
g Pk. Rd. BD15-2A 32
g Pl. BD7-4D 57
g Ram Bus. Pk. WF17-4C 107
g Rd. LS6-3A 44
g Row. BD13-4A 76
groyd Ter. BD8-2B 56
gs Rd. LS19-4A 6
g St. BD10-1C 37
g St. BD15-4C 33
gswood Av. BD18-1C 35
gswood Pl. BD18-1C 35
gswood Rd. BD18-1C 35
g Ter. HX3-3A 118
j Valley. LS28-1A 62
g Valley Av. LS13-2D 63
g Valley Clo. LS13-2D 63
g Valley Ct. LS13-2D 63
g Valley Cres. LS13-2D 63
g Valley Croft. LS13-2D 63
g Valley Dri. LS13-2D 63
g Valley View. LS13-2D 63
g Valley Wlk. LS13-2D 63
g View. LS27-1D 107
gville Ter. BD10-1D 37
gwell Av. LS26-4C 95
gwell Clo. LS19-3D 7
gwell Ct. LS12-4B 66
gwell Rd. LS12-4B 66
gwell Rd. LS26-4C 95
gwell St. LS12-4B 66
gwell Ter. LS12-4B 66
gwell View. LS12-4C 67
gwood Av. BD5-2B 80
g Wood Av. HX3-3C 125
gwood Ct. LS8-2D 47
g Wood Dri. HX3-3C 125
g Wood Gdns. BD5-3B 80
g Wood Gdns. HX3-4D 125
gwood Gdns. LS8-2D 47
gwood Gro. LS8-2D 47
gwood Pl. BD2-1B 56
gwood Rd. LS8-2D 47
gwood Rd. LS19-2C 21
gwood Ter. BD2-1B 58
Dri. LS15-4A 50
re. HX1-4A 118
re Rd. HX1-4A 118
re St. BD4-1C 81
re, The. BD8-3D 55
re, The. HX3-1B 126
e Grn. BD8-2B 56
e La. BD8-2B 56
rel La. BD13-1B 74
e La. HX3-2C 117
um Rd. BD6-1A 102
um Way. LS11-2B 88
ord Av. HX3-2D 135
ord Chase. LS10-1A 90
ord Pde. HX3-2D 125
ord Pl. HX3-2D 125
ord Rd. HX3-2D 125
ord Sq. HX3-2A 126
ord St. BD4-1C 81
ord St. LS10-1A 90
beck Av. LS7-1B 44
beck Corner. LS7-1D 44
f Stainbeck La.)
beck Gdns. BD6-1A 100
beck Gdns. LS7-1C 45
beck La. LS7-1C 45
beck Rd. LS7-2B 44 to 4D 27
beck Wlk. LS7-1C 45
burn Av. LS17-4A 28
burn Cres. LS17-4A 28
burn Dri. LS17-4A 28
burn Gdns. LS17-4A 28
burn Mt. LS17-4A 28
burn Pde. LS17-4A 28
burn Rd. LS17-4A 28
burn Sq. LS9-3B 68
burn Ter. LS17-4A 28
burn View. LS17-4A 28
land Rd. HX3-4A 126
more Clo. LS14-4C 49
more Pl. LS14-4C 49
ton Clo. BD6-4B 78
ton La. WF3-4A 114
foot Clo. LS16-1A 26
Foot La. LS16 & LS17-4A 12
foot View. LS16-1A 26
foot Wlk. LS16-1A 26
he Av. LS10-3A 112
he Clo. LS10-3D 111
he Gdns. LS10-3A 112
hgate La. BD6 & BD4-4B 80
abras St. BD8-2D 57

Stamford St. BD4-1C 81
Stanacre Pl. BD3-2B 58
Stanage La. HX3-1D 99
Standale Av. LS28-2A 62
Standale Cres. LS28-2A 62
Standale Rise. LS28-2A 62
Standard Vs. LS12-1D 87
Stanhall Av. LS28-2A 62
Stanhope Av. LS18-3D 23
Stanhope Clo. LS18-3D 23
Stanhope Dri. LS18-1D 41
Stanks App. LS14-3A 50
Stanks Av. LS14-3A 50
Stanks Clo. LS14-3A 50
Stanks Cross. LS14-3A 50
Stanks Dri. LS14-3A 50
Stanks Gdns. LS14-3A 50
Stanks Garth. LS14-3A 50
Stanks Grn. LS14-3A 50
Stanks Gro. LS14-3A 50
Stanks La. N. LS14-2D 49
Stanks La. S. LS14-3A 50
Stanks Pde. LS14-3A 50
Stanks Rise. LS14-3A 50
Stanks Rd. LS14-3A 50
Stanks Way. LS14-3A 50
Stanley Av. LS9-1B 68
Stanley Ct. HX1-3B 116
Stanley Dri. LS8-3C 29
Stanley Gro. LS20-2B 6
Stanley Pl. LS9-1C 69
Stanley Rd. BD2-4A 36
Stanley Rd. HX1-1B 124
Stanley Rd. LS7-4D 45
Stanley Rd. LS9-1B 68
Stanley St. BD10-1A 38
Stanley St. BD16-2C 15
Stanley St. BD18-2D 35
Stanley St. BD19-3D 123
Stanley St. HX6-2A 124
Stanley St. N. HX2-3C 97
Stanley Ter. LS9-1B 68
Stanley Ter. LS12-3D 65
Stanley View. LS12-3D 65
Stanmore Av. LS4-4D 43
Stanmore Cres. LS4-4D 43
Stanmore Gro. LS4-4D 43
Stanmore Hill. LS4-4A 44
Stanmore Mt. LS4-4D 43
Stanmore Pl. BD7-4C 57
Stanmore Pl. LS4-4D 43
Stanmore Rd. LS4-4D 43
Stanmore St. LS4-4D 43
Stanmore Ter. LS4-4D 43
Stanmore View. LS4-4D 43
Stannary. HX1-3D 117
Stannary Pl. HX1-3D 117
Stanningley By-Pass. LS28 & LS13 -2D 61 to 2A 64
Stanningley Ct. LS28-1B 62
Stanningley Field Clo. LS13-1C 63
Stanningley Ind. Cen. LS28-2A 62
Stanningley Rd. LS28, LS13 & LS12 -1B 62 to 3D 65
Stansfield Clo. HX1-3C 117
Stansfield Fold. LS18-3D 23
(off Rockery Rd.)
Stansfield Pl. BD10-4C 19
Stanwick Ho. BD2-3A 36
Star St. BD5-2D 79
Starting Post. BD10-1B 36
Station App. HX1-4A 118
Station App. LS1-3C 67
Station Av. LS13-1D 63
Station Ct. BD1-4B 58
Station Ct. LS15-1D 71
Station Cres. LS12-3C 65
Station Gro. LS13-1D 63
Station La. BD11-2C 105
Station La. LS26-1D 115
Station Mt. LS13-1D 63
Station Pde. LS5-3C 43
Station Pl. LS13-1D 63
Station Rd. BD1-1A 58
Station Rd. BD10-4D 5
Station Rd. BD11-3A 106
Station Rd. BD12-3A 102
Station Rd. BD13-3B 76
Station Rd. BD14-1D 77
Station Rd. BD17-2A 18
Station Rd. BD18-1D 35
Station Rd. HX3-3D 119
Station Rd. LS12-3C 65
(in two parts)
Station Rd. LS15-1D 71
Station Rd. LS18-2D 23
Station Rd. LS20-2A 6
Station Rd. LS27-3C 109
Station St. LS28-4A 62
Station Ter. LS13-1D 63
Station View. LS15-1D 71
Station Way. LS12-3C 65
Staups La. HX3-2B 118
Staveley Ct. BD16-2C 15
Staveley Dri. BD18-1A 34
Staveley Rd. BD7-4C 57
Staveley Rd. BD16-2C 15
Staveley Rd. BD18-1A 34
Staverton St. HX2-3B 116
Staybrite Av. BD16-1C 33
Staygate Grn. BD6-4B 80
Steadman St. BD3-4D 59
Steadman Ter. BD3-4D 59
Stead Rd. BD4-4B 82
Stead St. BD17-1D 35
Stead St. HX1-3D 117
Stead's Yd. LS18-2D 23
Steander La. LS9-3A 68
Steel Ter. LS26-3B 114
Steerforth Clo. BD5-3A 80
Stephen Clo. HX3-2C 119
Stephen Cres. BD2-4B 36
Stephen Rd. BD6-3B 78
Stephen Row. HX3-1C 119
Stephenson Rd. BD15-1A 54
Stephenson St. BD7-2C 79
Stephenson Way. LS12-2A 86
Steps La. HX6-1A 124
Sterne Hill. HX2-2B 124
Stewart Clo. BD2-3D 37
Stewart Pl. LS11-2C 89
Sticker La. BD4-2D 81
Stillington Ho. BD2-3A 36
Stirling Cres. BD4-2A 82
Stirling Cres. LS18-2C 23

Stirling St. HX1-4D 117
Stirrup Gro. BD2-3B 36
Stirton St. BD5-2A 80
Stockhill Fold. BD10-1A 38
Stockhill Rd. BD10-1A 38
Stock La. HX2-4A 116
Stocks App. LS14-3D 49
Stocks Hill. LS11-4C 67
Stocks Hill. LS12-3D 65
Stocks La. BD13-3D 77
Stocks Rise. LS14-3D 49
Stocks Rd. LS14-3D 49
Stocks St. LS7-4D 45
Stogden Hill. BD13-4C 77
Stone Acre Ct. BD5-3B 80
Stonebridge App. LS12-4A 64
Stonebridge Av. LS12-4B 64
Stonebridge Gro. LS12-4A 64
Stonebridge La. LS12-4A 64
Stone Brig Grn. LS26-4A 114
Stone Brig La. LS26-3A 114
Stone Cliffe. HX3-1C 125
(off Wakefield Ga.)
Stonecliffe Bank. LS12-4A 64
Stonecliffe Clo. LS12-4A 64
Stonecliffe Cres. LS12-4A 64
Stonecliffe Dri. LS12-4A 64
Stonecliffe Gdns. LS12-4A 64
Stonecliffe Garth. LS12-4A 64
Stonecliffe Grn. LS12-4A 64
Stonecliffe Gro. LS12-4A 64
Stonecliffe Lawn. LS12-4A 64
Stonecliffe Mt. LS12-4A 64
Stonecliffe Pl. LS12-4A 64
Stonecliffe Ter. LS12-4A 64
Stonecliffe View. LS12-4A 64
Stonecliffe Wlk. LS12-4A 64
Stonecliffe Way. LS12-4A 64
Stonecroft. BD2-3D 37
Stonefield Clo. BD10-2D 37
Stonefield St. BD19-4C 123
Stonefield Ter. LS27-1D 109
Stone Fold. BD17-3C 17
Stonegate. BD16-1C 15
Stonegate. LS7-4D 45
Stonegate Av. LS7-1B 44
Stonegate Clo. LS17-2D 27
Stonegate Farm Clo. LS7-1B 44
Stonegate Farm Rd. LS7-1B 44
Stonegate Rd. BD10-2D 37
Stonegate Rd. LS6 & LS17 -1B 44 to 2A 28
Stonegate St. LS7-1B 44
Stonegate View. LS7-1B 44
Stonegate Wlk. LS7-1B 44
Stonegate Way. LS7-1B 44
Stone Hall M. BD2-3D 37
Stone Hall Rd. BD2-3D 37
Stone Hill. BD16-1D 15
Stonehurst. LS14-4A 50
Stonehurst. LS15-4A 50
Stoneleigh. BD13-4B 76
Stone Pits La. LS27-2A 108 & 3A 108
Stone St. BD1-3B 58
Stone St. BD13-3D 75
Stone St. BD15-4C 33
Stone St. BD17-3A 18
Stone St. BD19-4D 123
Stone Ter. HX3-1C 119
Stone Vs. LS6-2A 44
Stoneycroft. LS18-4C 23
Stoneycroft. LS19-1D 21
Stoneyhurst Sq. BD4-2A 82
Stoneyhurst Way. BD4-2A 82
Stoney La. HX2-1B 124
Stoney La. HX3-4C 97
Stoney La. HX4-4C 125
Stoney La. LS17-1C 31
Stoney La. LS18-4C 23
Stoney Ridge Av. BD9-3D 33
Stoney Ridge Rd. BD9 & BD16-3D 33
Stoney Rise. LS18-4C 23
Stoney Rock Ct. LS9-2B 68
Stoney Rock Gro. LS9-2B 68
Stoney Rock La. LS9-2B 68
Stoney Royd. LS28-4D 39
Stoney Royd Ter. HX3-1A 126
Stoneythorpe. LS18-4C 23
Stony La. BD2-3D 37
Stony La. BD15-1B 54
Stoodley Ter. HX2-1B 124
Storey Pl. LS14-2B 70
Stormer Hill La. HX6-3A 124
Storr Hill. BD12-4D 101
Storr Hill Ter. BD12-4D 101
Stott Hill. BD1-3B 58
Stott Rd. LS6-4A 44
Stott's Pl. HX3-4A 118
Stott St. LS12-3A 66
Stott Ter. BD2-3A 38
Stowe Gro. LS9 3D 69
Stowell Mill St. BD5-2A 80
Stradmore Rd. BD13-2A 52
Straight La. BD10-2A 38
Straight La. HX2-3A 96
Strand, The. BD16-2D 33
Stratford Av. LS11-3C 89
Stratford Ct. LS7-1D 45
Stratford Rd. BD7-1C 79
Stratford St. LS11-3C 89
Stratford Ter. LS11-3C 89
Strathallan Dri. BD17-2A 18
Strathmore Av. LS9-1C 69
Strathmore Clo. BD2-4C 37
Strathmore Dri. BD17-1D 17
Strathmore Dri. LS9-4C 47
Strathmore St. LS9-1C 69
Strathmore Ter. LS9-4C 47
Strathmore View. LS9-1C 69
Stratton View. BD4-1B 82
Stratton Wlk. BD15-3C 55
Strawberry La. LS12-3D 65
Strawberry Rd. LS12-3D 65
Stray, The. BD10-2C 37
Stream Head. BD13-1D 53
Stream Head Rd. BD13-1D 53
Streamside. LS6-2B 44
Street La. LS17 & LS8-3D 27 to 3C 29
Street La. LS27-3D 107
Strensall Grn. BD6-1A 100
Stretchgate La. HX2-2A 116
Strickland Av. LS17-1B 30
Strickland Clo. LS17-1B 30
Strickland Cres. LS17-1B 30
Stubbings Rd. BD17-3B 16

Stubbing Way. BD18-2D 35
Stub Thorn La. HX3-4B 118
Studdley Cres. BD16-2D 15
Studio Rd. LS3-2B 66
Studley Av. BD6-1C 101
Studley Rd. BD3-1B 58
Studley Ter. LS28-3B 62
Stunsteads Rd. BD19-3D 123
Sturges Gro. BD2-1D 59
Sturton Gro. HX2-2A 96
Sturton La. HX2-2B 96
Styebank La. LS26-2B 114
Suffolk Ct. LS19-3D 7
Sugar Hill Clo. LS26-4D 115
Sugar Well App. LS7-3C 45
Sugar Well Mt. LS7-2C 45
Sugar Well Rd. LS7-3C 45
Sugden Bank. HX6-2A 124
Sugden Pl. BD6-1B 100
Sugden St. BD1-3A 58
Sugden St. BD12-3B 102
Sulby Gro. BD10-1A 38
Summerbridge Cres. BD10-2A 38
Summerbridge Dri. BD10-3A 38
Summerfield Av. HD6-4C 121
Summerfield Av. LS13-4C 41
Summerfield Clo. BD17-2C 17
Summerfield Dri. BD17-2C 17
Summerfield Dri. LS13-4C 41
Summerfield Gdns. LS13-4C 41
Summerfield Grn. BD17-2C 17
Summerfield Grn. LS13-4C 41
Summerfield Gro. BD17-2C 17
Summerfield Pk. BD17-2C 17
Summerfield Pl. LS13-4C 41
Summerfield Pl. LS28-2A 62
Summerfield Rd. BD10-2D 37
Summerfield Rd. LS13-4B 40
Summerfield Wlk. LS13-4C 41
Summergate Pl. HX1-4B 116
Summergate St. HX1-1B 124
Summer Hall Ing. BD12-3D 101
Summerhill Gdns. LS8-2C 29
Summerhill Pl. LS8-2C 29
Summer Hill St. BD7-1C 79
Summerlands Gro. BD5-3C 81
Summerland Ter. HX6-2A 124
(off Wakefield Rd.)
Summerscale St. HX1-3C 117
Summerseat. LS19-2A 22
Summerseat Pl. BD7-4D 57
Summersgill Sq. LS18-4C 23
Summer St. HX1-1B 124
Summerville Rd. BD7-4D 57
Summerville Rd. LS28-1D 61
Sunbeam Av. LS11-2C 89
Sunbeam Gro. LS11-2C 89
Sunbeam Pl. LS11-2C 89
Sunbeam Ter. LS11-2C 89
Sunbridge Rd. BD1-3D 57 to 3B 58
Sunderland Chase. BD12-2D 101
Sunderland Rd. BD9-1D 57
Sunderland St. HX1-4D 117
Sundown Av. BD7-2A 78
Sun Field. LS28-1A 62
Sunfield Clo. LS28-1A 62
Sunfield Dri. LS28-1A 62
Sunfield Gdns. LS28-1A 62
Sunfield Pl. LS28-1A 62
Sun Fold. HX1-4A 118
Sunhill Dri. BD17-2B 16
Sunningdale. BD8-2A 56
Sunningdale Av. LS17-1C 27
Sunningdale Clo. LS17-1B 26
Sunningdale Dri. LS17-1C 27
Sunningdale Grn. LS17-1C 27
Sunningdale Wlk. LS17-1C 27
Sunningdale Way. LS17-1C 27
Sunny Bank. BD12-4A 102
Sunny Bank. BD13-3B 76
Sunny Bank. BD18-1C 35
Sunny Bank. LS8-2B 46
Sunny Bank. LS27-1D 109
(off Sunny Gro.)
Sunnybank. LS28-4A 40
Sunnybank Av. BD3-2B 60
Sunnybank Av. BD5-4A 80
Sunnybank Av. LS18-1C 41
Sunnybank Clo. BD19-4B 122
Sunnybank Ct. LS19-3A 8
Sunnybank Cres. LS19-3A 8
Sunny Bank Dri. HX6-2A 124
Sunnybank Gro. BD3-2B 60
Sunny Bank Gro. LS8-2B 46
Sunnybank La. BD3-1B 60
Sunny Bank La. HX3-4C 119
Sunnybank Rd. BD5-4A 80
Sunnybank Rd. LS18-1D 41
Sunny Bank St. HX6-2A 124
Sunnybank St. LS18-1D 41
Sunny Bank Ter. HX3-2D 117
Sunny Bank Ter. LS18-1D 41
Sunny Bank View. LS8-2B 46
Sunny Brae Cres. BD16-3D 15
Sunny Brow La. BD9-1A 56
Sunnydene. LS14-2B 70
Sunny Gro. LS27-1D 109
Sunny Mt. HX3-4D 119
Sunnyridge Av. LS28-3C 61
Sunny Side. HX3-3A 120
Sunny Side La. BD3-2B 58
Sunnyside Rd. LS13-1D 63
Sunny Side St. HX3-2D 117
Sunnyview Av. LS11-3B 88
Sunnyview Gdns. LS11-2B 88
Sunny View Ter. BD13-1D 97
Sunnyview Ter. LS11-2B 88
Sunset Av. LS6-1B 44
Sunset Cres. HX3-1B 126
Sunset Dri. LS6-1B 44
Sunset Hill Top. LS6-4B 26
Sunset Mt. LS6-1B 44
Sunset Rise. LS6-1B 44
Sunset Rd. LS6-1A 44
Sunset Views. LS6-4B 26
Sun St. BD1-3B 58
Sun St. LS19-3D 7
Sun St. LS28-1A 62
Sun Way. HX3-1B 126
Sun Wood Av. HX3-3D 99
Sun Wood Ter. HX3-3D 99
Surrey Gro. BD5-2B 80
Surrey Gro. LS28-2A 62
Surrey Rd. LS28-2A 62

Surrey St. HX1-4B 116
(in two parts)
Sussex App. LS10-2B 90
Sussex Av. LS10-2B 90
Sussex Av. LS18-2D 23
Sussex Gdns. LS10-2B 90
Sussex Grn. LS10-2B 90
Sussex Pl. LS10-2B 90
Sussex St. LS9-3B 68
(in two parts)
Sutcliffe Ct. HX3-1B 126
Sutcliffe Pl. BD6-4A 80
Sutcliffe Rd. HX3-4D 119
Sutcliffe St. HX2-2A 116
Sutcliffe Ter. HX3-2D 117
(off Amblers Ter.)
Sutcliffe Wood La. HX3-4D 119
Sutherland Av. LS8-3C 29
Sutherland Cres. LS8-3C 29
Sutherland Mt. LS9-1C 69
Sutherland Rd. HX3-3A 120
Sutherland Rd. LS9-1C 69
Sutherland St. LS12-4A 66
Sutherland Ter. LS9-1C 69
Sutton App. LS14-2B 70
Sutton Av. BD2-3B 36
Sutton Cres. BD4-1A 82
Sutton Cres. LS14-2B 70
Sutton Gro. BD4-1B 82
Sutton Gro. LS27-4C 109
Sutton Rd. BD4-1A 82
Sutton St. LS12-4B 66
Swaine Hill Cres. LS19-3C 7
Swaine Hill St. LS19-3C 7
Swaine Hill Ter. LS19-3C 7
Swain Ho. Cres. BD2-2C 37
Swain Ho. Rd. BD2-3C 36
Swain Mt. BD2-2C 37
Swales Moor Rd. HX3-3D 97
Swallow Av. LS12-4C 65
Swallow Clo. LS17-1B 28
Swallow Cres. LS12-4B 64
Swallow Dri. LS17-1B 28
Swallow Fold. BD8-3D 55
Swallow Mt. LS12-4C 65
Swallow Vale. LS27-4A 110
Swan Bank La. HX3-1A 126
Swan Hill. BD9-3D 35
Swan La. LS16-1A 12
Swan St. BD5-4A 58
Swan St. LS1-2D 67
Swarcliffe. LS14-3D 49
Swarcliffe App. LS14-3D 49
Swarcliffe Av. LS14-3D 49
Swarcliffe Bank. LS14-3D 49
Swarcliffe Dri. LS14-3D 49
Swarcliffe Dri. E. LS14-3A 50
Swarcliffe Grn. LS14-3A 50
Swarcliffe Pde. LS14-3D 49
Swarcliffe Rd. LS14-3D 49
Swardale Grn. LS14-4D 49
Swardale Rd. LS14-3D 49
Swarland Gro. BD5-1A 80
Sweet St. LS11-4C 67
Sweet St. W. LS11-4C 67
Swift St. HX3-3A 126
Swillington La. LS26 & LS15 -4B 94 to 4C 73
Swincar Av. LS19-3C 7
Swincliffe Clo. BD19-4C 105
Swincliffe Cres. BD19-4C 105
Swinegate. LS1-3D 67
Swine Mkt. HX1-3D 117
Swinnow Av. LS13-2C 63
Swinnow Clo. LS13-2C 63
Swinnow Cres. LS28-1C 63
Swinnow Dri. LS13-2C 63
Swinnow Gdns. LS13-2C 63
Swinnow Garth. LS13-2C 63
Swinnow Grn. LS28-2C 63
Swinnow Gro. LS13-2C 63
Swinnow La. LS28 & LS13 -1C 63 to 2D 63
Swinnow Pl. LS28-1C 63
Swinnow Rd. LS28 & LS13-3B 62
Swinnow View. LS13-1C 63
Swinnow Wlk. LS13-2C 63
Swinton Pl. BD7-4D 57
Swinton Ter. HX1-1B 124
Swires Rd. BD2-1D 59
Swires Rd. HX1-4C 117
Swires Ter. HX1-4D 117
Swithen's Ct. LS26-4B 114
Swithen's Dri. LS26-4B 114
Swithen's Gro. LS26-4B 114
Swithen's La. LS26-3B 114
Swithen's St. LS26-3B 114
Sycamore Av. BD7-4B 56
Sycamore Av. BD16-3B 14
Sycamore Av. LS8-3B 46
Sycamore Av. LS15-2C 71
Sycamore Chase. LS28-3B 62
Sycamore Clo. BD3-2C 59
Sycamore Clo. LS6-3C 45
Sycamore Clo. LS16-1B 10
Sycamore Clo. LS26-4D 115
Sycamore Ct. LS8-2D 47
Sycamore Croft. LS11-2C 89
Sycamore Dri. BD19-2C 123
Sycamore Dri. HX3-4C 121
Sycamore Fold. LS11-2C 89
Sycamore Row. LS13-4C 41
Sycamores, The. LS16-1B 10
Sycamores, The. LS20-1A 6
Sycamore Wlk. LS28-1A 62
Sycamore Wlk., The. LS15-1C 93
Sydenham Pl. BD3-1C 59
Sydenham Rd. LS11-4B 66
Sydenham St. LS11-4B 66
Sydney St. BD16-2C 15
Sydney St. LS26-2D 115
Sydney St. LS28-1A 62
Syke La. BD13-1B 98
Syke La. HX2-3A 74
Syke La. HX3-2A 120
Syke Rd. BD9-4C 35
Sykes La. BD12-4C 103
Sykes St. BD19-3D 123
Sylvan Av. BD13-4A 76
Sylvan View. LS18-4D 23
Syringa Av. BD15-3C 33

Tabbs Ct. BD19-2A 122
Tabbs La. BD19-2B 122

Tafford Av. LS9-1C 69
Talbot Av. LS4-4D 43
Talbot Av. LS17 & LS8-3B 28
Talbot Cres. LS8-3B 28
Talbot Gdns. LS8-3B 28
Talbot Gro. LS8-3B 28
Talbot Mt. LS4-4D 43
Talbot Rise. LS17-3B 28
Talbot Rd. LS8-3B 28
Talbot St. BD7-3D 57
Talbot Ter. LS4-4D 43
Talbot Ter. LS26-4A 114
Talbot View. LS4-4D 43
Tamar St. BD5-2D 79
Tanhouse Hill. HX3-3D 119
Tanhouse Hill. LS18-4A 24
Tan Ho. La. HX3-3C 99
Tanhouse Pk. HX3-3D 119
Tan Ho. Yd. LS27-4D 87
Tan La. BD4-2D 103
Tannerbrook Clo. BD14-1A 78
Tanner Hill Rd. BD7-2A 78
Tanner St. BD19-4C 123
Tannery Sq. LS6-1A 44
Tannet Grn. BD5-3B 80
Tanton Cres. BD14-1A 78
Tanton Wlk. BD14-1A 78
Tarnside Dri. LS14-4B 48
Tarn View Rd. LS19-3A 8
Tatham Way. LS8-2D 47
Taunton St. BD18-4C 17
Taverngate. LS20-2B 4
Tawny Clo. LS27-3A 110
Tay Ct. BD2-3D 37
Taylor La. HX2-3C 75
Taylor La. LS15-2D 51
Taylor Rd. BD6-4A 80
Taylors Clo. LS14-3C 49
Taylor St. BD19-4D 123
Taylor St. HX1-3C 117
Taylor's Yd. LS14-3C 49
Tealby Clo. LS16-3A 24
Teal Dri. LS27-4A 110
Teal La. HX3-3B 98
Teasdale St. BD4-2D 81
Teasel Clo. BD12-3C 103
Techno Cen. LS18-2D 23
Tees St. BD5-2D 79
Telephone Pl. LS9-2A 68
Telford Clo. LS10-3A 90
Telford Gdns. LS10-3A 90
Telford Pl. LS10-3A 90
Telford St. LS10-3A 90
Telford Ter. LS10-3A 90
Telford Wlk. LS10-3A 90
Telscombe Dri. BD4-3A 82
Temperance Ct. LS18-4C 23
Temperance Field. BD12-1D 121
Temperance Field. BD19-2B 122
Temperance St. LS28-1A 62
(off Spring Valley)
Tempest Pl. LS11-2C 89
Tempest Rd. LS11-2C 89
Templar La. LS2-2D 67
Templar La. LS15-4A 50
Templar Pl. LS2-2A 68
Templar St. LS2-2D 67
Templars Way. BD8-2A 56
Temple Av. LS15-4C 71
Temple Av. LS26-1B 114
Temple Clo. LS15-4C 71
Temple Ct. LS15-3B 70
Temple Ct. LS26-1B 114
Temple Cres. LS11-2C 89
Temple Ga. LS15-3C 71
Templegate Av. LS15-4C 71
Templegate Clo. LS15-3C 71
Templegate Cres. LS15-4C 71
Templegate Dri. LS15-3C 71
Templegate Grn. LS15-3C 71
Templegate Rise. LS15-4C 71
Templegate Rd. LS15-4C 71
Templegate View. LS15-4C 71
Templegate Wlk. LS15-3C 71
Templegate Way. LS15-4C 71
Temple Grn. LS26-1C 115
Temple Gro. LS15-3B 70
Temple La. LS15-3D 71
Temple Lawn. LS26-1B 114
Temple Lea. LS15-3C 71
Templenewsam Rd. LS15-3B 70
Templenewsam View. LS15-4B 70
Temple Pk. Clo. LS15-3C 71
Temple Pk. Gdns. LS15-3C 71
Temple Pk. Grn. LS15-3C 71
Temple Rhydding. BD17-3D 17
Temple Rhydding Dri. BD17-3D 17
Temple Rise. LS15-4C 71
Templestowe Cres. LS15-2D 71
Templestowe Dri. LS15-2D 71
Templestowe Gdns. LS15-2C 71
Templestowe Hill. LS15-2D 71
Temple St. BD9-1C 57
Temple View. LS26-1A 114
Temple View Gro. LS9-3B 68
Temple View Pl. LS9-3B 68
Temple View Rd. LS9-3B 68
Temple View Ter. LS9-3B 68
Temple Vue. LS6-2A 44
(off Mansfield Pl.)
Temple Wlk. LS15-2C 71
Tenbury Fold. BD4-2B 82
Tenby Ter. HX1-3B 116
Tennis Av. BD4-4A 82
Tennis Way. BD17-3C 17
Tennyson Clo. LS28-4B 62
Tennyson Pl. BD3-2C 59
Tennyson Pl. BD19-3D 123
Tennyson Pl. HX3-2D 119
Tennyson Rd. BD6-4C 79
Tennyson St. HX3-2C 117
Tennyson St. LS20-2B 6
Tennyson St. LS27-4D 109
Tennyson St. LS28-1A 62
(Farsley)
Tennyson St. LS28-4B 62
(Pudsey)
Tennyson Ter. LS27-4D 109
Tenter Croft. BD17-1D 17
Tentercroft Pl. BD17-1D 17
Tenterden Way. LS15-4B 50
Tenter Hill. BD14-1D 77
Tenter La. LS1-3D 67
Ten Yards La. BD13-1B 52
Terminus Pde. LS15-1D 71
Ternhill Gro. BD5-1A 80
Tern St. BD5-2D 79
Terrace Gdns. HX3-2D 117
Terrace, The. BD3-1C 59
Terrace, The. LS28-1A 84
Terrington Crest. BD14-1A 78
Terry Rd. BD12-3B 102
Tetley Dri. BD11-3C 105
Tetley La. HX3-1C 119
Tetley Pl. BD2-1B 58
Tetley St. BD1-3A 58
Tewit Clo. HX2-2B 96
Tewit Gdns. HX2-2B 96
Tewit Grn. HX2-1B 96
Tewit Hall Gdns. HX2-2B 96
Tewit Hall Rd. BD3-2D 59
Tewit La. HX2-1B 96
Thackeray Rd. BD10-3A 38
Thackley Av. BD10-3C 19
Thackley Old Rd. BD18-4D 17
Thackley Rd. BD10-3C 19
Thackley View. BD10-3C 19
Thackray St. HX2-3A 116
Thackray St. LS27-4B 108
Thane Way. LS15-4A 50
Theaker La. LS12-2C 65
Theakston Mead. BD14-1D 77
Thealby Clo. LS9-2A 68
Thealby Lawn. LS9-2A 68
Thealby Pl. LS9-2A 68
Thearne Grn. BD14-1A 78
Theatre Wlk. LS1-2D 67
(off Schofields Cen.)
Theodore St. LS11-3C 89
Third Av. BD3-2D 59
Third Av. HX3-2D 125
Third Av. LS12-4A 66
Third Av. LS26-1B 114
Third St. BD12-2A 102
Thirkhill Ct. BD5-2B 80
Thirkleby Royd. BD14-1D 77
Thirlmere Av. BD12-2A 122
Thirlmere Clo. LS11-4B 88
Thirlmere Gdns. BD2-1C 59
Thirlmere Gdns. LS11-4B 88
Thirlmere Gro. BD17-3B 16
Thirsk Grange. BD14-1A 78
Thirsk Row. LS1-3C 67
Thirteen Av. WF15-4D 123
Thistle Way. LS27-3A 108
Thomas Ct. BD6-3D 79
Thomas St. HX1-4A 118
Thomas St. LS6-4C 45
Thomas St. S. HX1-4C 117
Thomas St. W. HX1-1C 125
Thompson Av. BD2-3B 36
Thompson Grn. BD17-3C 17
Thompson La. BD17-3C 17
Thompson St. BD18-1C 35
Thompson St. HX1-3D 117
Thoresby Gro. BD7-2B 78
Thoresby Pl. LS1-2C 67
Thornaby Dri. BD14-2D 77
Thornacre Cres. BD18-1B 36
Thornacre Rd. BD18-1A 36
Thorn Av. BD9-4D 33
Thornberry Dri. BD19-4C 123
Thornbury Av. BD3-3A 60
Thornbury Cres. BD3-3A 60
Thornbury Dri. BD3-3A 60
Thornbury Gro. BD3-3A 60
Thornbury Rd. BD3-3A 60
Thornbury St. BD3-3A 60
Thorncliffe Rd. BD8-2A 58
Thorn Clo. BD18-1B 36
Thorn Clo. LS8-4D 47
Thorn Cres. LS8-4D 47
Thorncroft Rd. BD6-4B 78
Thorn Cross. LS8-4D 47
Thorndale Rise. BD2-3B 36
Thorndene Way. BD4-1C 105
Thorn Dri. BD9-4A 34
Thorn Dri. BD13-1A 98
Thorn Dri. LS8-4D 47
Thorne Clo. LS28-2C 61
Thorne Gro. LS26-2B 114
Thorner La. LS14-1A 50
Thornes Pk. BD18-2A 36
Thornfield. BD16-1B 14
Thornfield Av. BD6-4A 80
Thornfield Av. LS28-4D 39
Thornfield Pl. BD2-4D 37
Thornfield Rd. LS16-1C 43
Thornfield Sq. BD2-4D 37
Thorn Gro. BD9-4A 34
Thorn Gro. LS8-4D 47
Thornhill Av. BD18-3A 36
Thornhill Clo. LS28-1C 39
Thornhill Ct. LS12-4D 65
Thornhill Croft. LS12-4D 65
Thornhill Dri. BD18-3A 36
Thornhill Dri. LS28 & BD10-4B 20
Thornhill Gro. BD18-3A 36
Thornhill Gro. LS28-1C 39
Thornhill Ho. BD3-3A 60
Thornhill Pl. BD3-3A 60
Thornhill Pl. LS12-4D 65
Thornhill Rd. LS12-4D 65
Thornhill St. LS12-4D 65
Thornhill St. LS28-1C 39
Thornhill Ter. BD3-3A 60
Thorn La. BD9-3D 33 & 3A 34
Thorn La. LS8-2B 46
Thornlea Clo. LS19-4B 6
Thornleigh Gro. LS9-4B 68
Thornleigh Mt. LS9-4B 68
Thornleigh St. LS9-4B 68
Thornleigh View. LS9-4B 68
Thornmead Rd. BD17-3A 18
Thorn Mt. LS8-4D 47
Thorn Royd Dri. BD4-3B 82
Thornsgill Av. BD4-2D 81
Thorn St. BD8-2C 57
Thorn Ter. LS8-4D 47
Thornton Av. LS12-3C 65
Thornton Clo. WF17-4B 106
Thornton Gdns. LS12-3C 65
Thornton Gro. LS12-3C 65
Thornton La. BD5-2D 79
Thornton Old Rd. BD8-3A 56
Thornton Rd. BD13, BD8 & BD1 -1A 74 to 4A 58
Thornton's Arc. LS1-3D 67
Thornton Sq. BD5-3A 80
Thornton St. BD1-3D 57
Thornton St. BD19-4C 123
Thornton St. HX1-1B 124
Thornton Ter. HX1-1B 124
Thornton View Rd. BD14-2D 77
Thorn Tree St. HX1-1B 124
Thorn View. HX3-1D 117
Thorn View. LS8-4D 47
Thornville. LS27-1C 109
Thornville Av. LS6-4A 44
Thornville Cres. LS6-4A 44
Thornville Gro. LS6-4A 44
Thornville Mt. LS6-4A 44
Thornville Pl. LS6-1B 66
Thornville Rd. LS6-1A 66
Thornville Row. LS6-1B 66
Thornville St. LS6-1A 66
Thornville Ter. LS6-4A 44
Thornville View. LS6-1B 66
Thorn Wlk. LS8-4D 47
Thorpe Av. BD13-4C 55
Thorpe Clo. LS20-2D 5
Thorpe Cres. LS10-4D 111
Thorpe Dri. LS20-1D 5
Thorpe Gdns. LS10-4D 111
Thorpe Garth. LS10-4C 111
Thorpe Gro. BD13-4C 55
Thorpe Gro. LS10-4D 111
Thorpe La. LS10-4D 111
Thorpe La. LS20-2C 5
Thorpe Lwr. La. WF3-4B 112
Thorpe Mt. LS10-4D 111
Thorpe Pl. LS10-4D 111
Thorpe Rd. BD13-4C 55
Thorpe Rd. LS10-3D 111
Thorpe Rd. LS28-2A 62
Thorpe Sq. LS10-4D 111
Thorpe St. HX3-1D 117
Thorpe St. LS10-4D 111
Thorpe St. LS15-2C 71
Thorpe Ter. LS10-4D 111
Thorpe View. LS10-4D 111
Thorp Garth. BD10-1D 37
Thorverton Dri. BD4-4B 82
Thorverton Gro. BD4-4B 82
Threelands Grange. BD11-2C 105
Threshfield. BD17-2D 17
Threshfield Cres. BD11-2C 105
Thrift Way. BD16-2B 14
Throstle Av. LS10-4C 111
Throstle Bank. HX2-1B 124
Throstle Dri. LS10-4C 111
Throstle Gro. LS10-4D 111
Throstle Hill. LS10-4C 111
Throstle La. LS10-4C 111
Throstle Mt. LS10-4D 111
Throstle Nest View. LS18-1D 41
Throstle Pde. LS10-4C 111
Throstle Pl. LS10-4D 111
Throstle Rd. LS10-3B 112
(Belle Isle)
Throstle Rd. LS10-4D 111
(Middleton)
Throstle Row. LS10-4C 111
Throstle Sq. LS10-4D 111
Throstle St. LS10-4C 111
Throstle Ter. LS10-4D 111
Throstle View. LS10-4A 112
Throstle Wlk. LS10-4C 111
Throxenby Way. BD14-1D 77
Thrum Hall La. HX1-3B 116
Thryberg St. BD3-3C 59
Thurley Dri. BD4-3C 81
Thurley Rd. BD4-3C 81
Thurnscoe Rd. BD1-2A 58
Thursby St. BD3-3C 59
Thurston Gdns. BD15-2D 55
Thwaite Ga. LS10-2B 90
Thwaite La. LS10-2C 91
Tichborne Rd. BD5-2B 80
Tichborne Rd. W. BD5-2A 80
Tickhill St. BD3-4C 59
Tilbury Av. LS11-2B 88
Tilbury Gro. LS11-1B 88
Tilbury Mt. LS11-2B 88
Tilbury Pde. LS11-1B 88
Tilbury Rd. LS11-1B 88
Tilbury Row. LS11-2B 88
Tilbury Ter. LS11-2B 88
Tilbury View. LS11-2B 88
Tile La. LS16-2A 26
Tile St. BD8-2D 57
Tiley Sq. BD5-2B 80
Till Carr La. HX3-3C 121
Timber Pl. LS9-4B 68
Timble Dri. BD16-1D 15
Tinshill Av. LS16-2A 24
Tinshill Clo. LS16-2A 24
Tinshill Cres. LS16-1B 24
Tinshill Dri. LS16-1B 24
Tinshill Garth. LS16-1A 24
Tinshill Gro. LS16-1B 24
Tinshill La. LS16-2A 24
Tinshill Mt. LS16-2A 24
Tinshill Rd. LS16-2A 24
Tinshill View. LS16-1B 24
Tinshill Wlk. LS16-4A 10
Tintern Av. BD8-3A 56
Tisma Dri. BD4-4D 81
Titus St. BD18-4B 16
Tiverton Wlk. BD4-3A 82
Tivoli Pl. BD5-2D 79
Toby La. BD7-1C 79
Todd Ter. BD7-1C 79
Todwell La. BD5-2D 79
Toft Ho. Clo. LS28-3A 62
Tofts Av. BD12-1D 121
Toftshaw Fold. BD4-4A 82
Toftshaw La. BD4-1A 104
Toftshaw New Rd. BD4-4A 82
Tofts Rd. LS28-3A 62
Toft St. LS12-4D 65
Toller Dri. BD9-4B 34
Toller Gro. BD9-4B 34
Toller La. BD9 & BD8-4B 34
Toller Pk. BD9-4B 34
Tolworth Fold. BD15-2C 55
Tomlinson Bldgs. BD10-4C 19
Tonbridge Clo. BD6-1B 100
Tonbridge St. LS1-1C 67 & 2C 67
Tong App. LS12-4A 64
Tong Dri. LS12-3A 64
Tong Ga. LS12-3A 64
Tong Grn. LS12-4A 64
Tong La. BD4-1D 105
Tong Pk. BD17-1B 18
Tong Rd. LS12-2D 85 to 4A 66
Tong St. BD4-3D 81
Tongue La. LS6-4B 26
Tong Wlk. LS12-3A 64
Tong Way. LS12-3A 64
Topcliffe Av. LS27-4A 110
Topcliffe Ct. LS27-4A 110
Topcliffe Garth. LS27-4A 110
Topcliffe Grn. LS27-4A 110
Topcliffe La. LS27 & WF3-4D 109
Topcliffe Mead. LS27-4A 110
Topcliffe Mt. LS27-4A 110
Top Fold. LS12-4D 65
Top Moor Side. LS11-1C 89
Tor Av. BD12-2D 121
Torbay Av. LS11-4B 66
Torbay Gro. LS11-4B 66
Torbay St. LS11-4B 66
Tordoff Av. BD7-1B 78
Tordoff Grn. BD6-4D 79
Tordoff Pl. LS5-3C 43
Tordoff Rd. BD12-2A 102
Tordoff Ter. LS5-3C 43
Toronto Pl. LS7-2A 46
Toronto St. LS1-3C 67
Torre Clo. LS9-2C 69
Torre Cres. BD6-4A 78
Torre Cres. LS9-2C 69
Torre Dri. LS9-2C 69
Torre Gdns. LS9-2B 68
Torre Grn. LS9-2B 68
Torre Gro. BD6-4A 78
Torre Gro. LS9-2C 69
Torre Hill. LS9-2C 69
Torre La. LS9-2C 69
Torre Mt. LS9-2C 69
Torre Pl. LS9-2C 69
Torre Rd. BD6-4A 78
Torre Rd. LS9-2B 68
Torre Rd. N. BD6-4A 78
Torre Sq. LS9-2C 69
Torre View. LS9-2C 69
Torre Wlk. LS9-2C 69
Torridon Cres. BD6-2B 100
Tower Gdns. HX2-1B 124
Tower Gro. LS12-3C 65
Tower Ho. St. LS2-2D 67
Tower La. LS12-2C 65
Tower Pl. LS12-3B 64
Tower Rd. BD18-4B 16
Tower Rd. LS9-2D 91
Towers Gdns. HX2-1B 124
Towers Sq. LS6-4C 27
Tower St. BD2-1D 59
Towers Way. LS6-4C 27
Town Clo. LS18-4D 23
Town End. BD7-1C 79
Town End. LS27-1A 108
Town End. LS27-1A 108
(Gildersome)
Town End. LS27-4C 109
(Morley)
Town End Rd. BD14-1D 77
Townend Rd. LS12-1D 87
Town End Yd. LS13-1A 64
Town Ga. BD10-4C 19
Town Ga. BD12-1D 121
Towngate. BD14-1D 77
Town Ga. BD18-1A 36
Town Ga. BD19-2B 122
Towngate. HX3-1C 119
Towngate. LS11-1C 89
Town Ga. LS20-2B 6
Town Ga. LS28-1D 39
Town Hall Sq. LS19-3D 7
Town Hall St. E. HX1-3D 117
Town Hill St. BD16-1D 33
Town La. BD10-3C 19
Town St. BD11-2C 105
Town St. LS7-1D 45
Town St. LS10-3C 111 to 2A 11
Town St. LS11-4A 88
Town St. LS12-3C 65
Town St. LS13-2B 40
Town St. LS18-4C 23
Town St. LS19-2A 22
(Rawdon)
Town St. LS19-3C 7
(Yeadon)
Town St. LS20-1B 6
Town St. LS27-1D 107
Town St. LS28-1A 62
Town St. WF3-4A 114
Town St. M. LS7-1A 46
Town St. Wlk. LS7-1A 46
Town Wells Dri. LS28-1D 39
Trafalgar St. BD1-2A 58
Trafalgar St. HX1-1C 125
Trafalgar St. LS2-2D 67
Trafford Gro. LS9-4C 47
Trafford Ter. LS9-1C 69
Tranbeck Rd. LS20-1D 5
Tranfield Av. LS20-2D 5
Tranfield Clo. LS20-1D 5
Tranfield Ct. LS20-2D 5
Tranmere Dri. LS20-1D 5
Tranquility. LS15-1D 71
Tranquility Av. LS15-1D 71
Tranquility Ct. LS15-1D 71
Tranquility Wlk. LS15-1D 71
Tranter Gro. BD4-1A 82
Tranter Pl. LS15-3B 70
Tredgold Av. LS16-1B 10
Tredgold Clo. LS16-1B 10
Tredgold Cres. LS16-1B 10
Tredgold Garth. LS16-1B 10
Treefield Ind. Est. LS27-2A 108
Trees St. BD8-1D 57
Trelawn Av. LS6-3A 44
Trelawn Cres. LS6-3A 44
Trelawn Pl. LS6-3A 44
Trelawn St. LS6-3A 44
Trelawn Ter. LS6-3A 44
Tremont Gdns. LS10-3B 90
Trenam Pk. Dri. BD10-3C 19
Trenance Dri. BD18-1B 34
Trenholme Av. BD6-2C 101
Trenic Cres. LS6-4A 44
Trenic Dri. LS6-4A 44
Trentham Av. LS11-3D 89
Trentham Gro. LS11-3D 89
Trentham Pl. LS11-3D 89
Trentham Row. LS11-3C 89
Trentham St. LS11-3C 89
Trentham Ter. LS11-3D 89
Trenton Dri. BD8-2D 57
Trent Rd. LS9-2B 68
Trescoe Av. LS13-2B 64
Triangle Bus. Pk. WF17-4C 107
Trimmingham La. HX2-4A 116
Trimmingham Rd. HX2-4A 116
Trimmingham Vs. HX2-4A 116
Trinity Fold. HX1-4D 117
Trinity Pl. BD16-3C 15
Trinity Pl. HX1-4D 117
Trinity Rd. BD5-1A 80
Trinity Rd. HX1-4D 117
Trinity St. HX1-4D 117
Trinity St. LS1-3D 67
Trinity St. Arc. LS1-3D 67
Trinity View. BD12-2A 102
Trinity View. HX3-4A 118
Trinity Wlk. BD12-2A 102
Tristram Av. BD5-3C 81
Trooper La. HX3-1A 126
Trooper St. HX3-1A 126
Trooper Ter. HX3-1A 126
Troughton Pl. LS28-1B 84
Troughton St. LS28-1B 84
Troutbeck Av. BD17-3B 16
Troydale Gdns. LS28-4C 63
Troydale Gro. LS28-4D 63
Troydale La. LS28 & LS12-4C 63
Troy Hill. LS18-3D 23
Troy Hill. LS27-3C 109
Troy Rise. LS27-3C 109
Troy Rd. LS18-3D 23
Troy Rd. LS27-3C 109
Trueman Ct. BD12-2A 102
Truncliffe. BD5-4A 80
Truro St. LS12-2D 65
Tudor Clo. LS28-1D 61
Tudor Gdns. LS11-3A 88
Tudor Lawns. LS8-1D 47
Tudor St. BD5-1A 80
Tulip St. LS10-2A 90
Tumbling Hill St. BD7-4A 58
Tunnel St. BD13-3A 52
Tunstall Grn. BD4-2A 82
Tunstall Rd. LS11-2D 89
Tunwell La. BD2-3D 37
Tunwell St. BD2-3D 37
Turbary Av. LS28-1A 62
Turbury La. HX4-4A 124
Turkey Hill. LS28-4B 62
Turk's Head Yd. LS1-3D 67
Turnberry Av. LS17-1D 27
Turnberry Clo. LS17-1D 27
Turnberry Dri. LS17-1C 27
Turnberry Gro. LS17-1C 27
Turnberry Pl. LS17-1D 27
Turnberry Rise. LS17-1D 27
Turnberry View. LS17-1D 27
Turnbull Ct. LS8-2A 48
Turner Av. BD7-1B 78
Turner Av. N. HX2-3A 96
Turner Av. S. HX2-3A 96
Turner Ct. HX3-1D 117
Turner La. HX3-2A 118
Turner Pl. BD7-1D 79
Turner Pl. HX2-3A 96
Turner St. LS28-4A 40
Turner's Yd. LS13-1A 64
Turner's Yd. LS28-4A 40
Turner View. HX2-4A 96
Turney St. HX3-1C 117
Turnkey Pk. LS12-2D 87
Turnsteads Av. BD19-3D 123
Turnsteads Clo. BD19-3D 123
Turnsteads Cres. BD19-3D 123
Turnsteads Dri. BD19-2D 123
Turnsteads Mt. BD19-2D 123
Turnways, The. LS6-4D 43
Turton Grn. LS27-2A 108
Turton Vale. LS27-2A 108
Tweedy St. BD15-2A 32
Twinge La. HX3-1B 126
Tyas Gro. LS9-3D 69
Tyersal Av. BD4-4B 60
Tyersal Clo. BD4-4B 60
Tyersal Ct. BD4-4B 60
Tyersal Cres. BD4-4B 60
Tyersal Dri. BD4-4B 60
Tyersal Garth. BD4-4B 60
Tyersal Grn. BD4-4B 60
Tyersal Gro. BD4-4B 60
Tyersal La. BD4-1A 82
Tyersal Pk. BD4-4B 60
Tyersal Rd. BD4-4B 60
Tyersal Ter. BD4-4B 60
Tyersal View. BD4-4B 60
Tyersal Wlk. BD4-4B 60
Tyler Ct. BD10-4D 19
Tynedale Ct. LS7-2B 44
Tyne St. BD3-3B 58
Tynwald Clo. LS17-2C 27
Tynwald Dri. LS17-2B 26
Tynwald Gdns. LS17-2C 27
Tynwald Grn. LS17-2C 27
Tynwald Hill. LS17-3C 27
Tynwald Mt. LS17-2C 27
Tynwald Rd. LS17-3C 27
Tynwald Wlk. LS7-2C 27
Tyris, The. BD1-4B 58
Tyrrel St. BD1-4B 58
Tyson St. BD1-3A 58
Tyson St. HX1-4B 116

Ullswater Cres. LS15-3A 70 to 4B 70
Ullswater Cres. LS26-2D 115
Ullswater Dri. BD6-2B 100
Undercliffe La. BD3-2C 59
Undercliffe Old Rd. BD2-2C 59
Undercliffe Rd. BD2-4D 37
Undercliffe St. BD3-2C 59
Underwood Dri. LS19-3C 21
Union Cross Yd. HX1-3D 117
Union Ho. La. BD13-3D 77
Union La. HX2-4A 74
Union Pl. LS7-2A 46
Union Pl. LS11-4C 67
Union Rd. BD7-1C 79
Union Rd. BD12-1D 101
Union St. BD13-4B 76
Union St. BD17-3A 18
Union St. HX1-4D 117
Union St. HX6-1A 124
Union St. LS2-3D 67
Union St. LS27-1D 109

St. S. HX1-4A 118
Ter. LS7-2D 45
Yd. BD10-4D 19
Clo. LS6-4C 45
St. WF3-4A 114
St. N. BD16-3B 14
St. S. BD16-3B 14
Ter. HX1-4B 116
sity Rd. LS2-1C 67
Pl. BD9-1B 56
d Cres. LS8-3C 47
d Gro. LS8-3C 47
d Rd. LS8-3C 47
ds Av. BD13-3D 77
ds Clo. BD13-3D 77
ds Cres. BD13-3C 77
ds Gro. BD13-3D 77
ccommodation Rd. LS9-3B 68
da St. BD18-4B 16
ddison St. BD4-4B 58
lerton La. BD15-2B 54
asinghall St. LS1-3D 67
ell Hall. HX1-1C 125
olton Brow. HX6-1A 124
arr La. LS28-2C 39
astle St. BD5-1B 80
ross St. LS12-3A 66
erndown Grn. BD15-2C 55
ountaine St. LS2-2D 67
eorge St. BD6-4D 79
range Av. BD15-2D 55
reen. BD7-2C 79
Grn. BD17-3C 17
reen Av. BD19-2B 122
augh Shaw. HX1-1C 125
eights Rd. BD13-3D 53
ouse Cotts. BD13-3C 77
ouse St. BD4-1C 81
oyle Ing. BD13-3B 54
irkgate. HX1-4A 118
La. HX3-4B 98
ombard St. LS19-1C 21
lary St. BD18-4B 16
leadows. BD13-1A 98
moor. LS28-3D 61
moor Clo. LS28-4A 62
losscar St. BD3-3C 59
idd St. BD3-4D 59
orth St. LS2-2D 67
ark Ga. BD1-3B 58
iccadilly. BD1-3A 58
ushton Rd. BD3-1A 60
eymour St. BD3-4C 59
hay. BD15-1A 54
utherland Rd. HX3-3A 120
own St. LS13-4D 41
Vasher La. HX2-1B 124
Vestlock Av. LS9-2C 69
Villow Hall. HX2-4A 116
Voodlands Rd. BD8-1C 57
Voodview Pl. LS11-3D 89
Vortley Dri. LS12-3C 65
Vortley Rd. LS12-4C 65
n's Yd. LS1-3D 67
n Wlk. BD15-2D 55
Cres. BD8-2A 58
r St. BD4-1C 81
y St. HX3-1D 117

Av. LS8-2C 29
Gro. BD13-4B 76
The. LS6-2B 44
y Av. HX3-3C 121
y Clo. LS17-4C 13
y Dri. LS15-2C 71
y Farm Rd. LS26-4C 91
y Farm Way. LS26-4C 91
y Gdns. LS7-1D 45
y Gdns. LS15-2C 71
y Grn. LS28-4B 62
y Gro. HX2-1C 97
y Gro. LS28-4B 62
y Mills Ind. Est. BD10-1A 38
y Mt. LS13-3C 63
y Pde. BD8-2A 58
y Pl. BD1-1A 58
y Rise. LS13-3D 41
y Rd. BD1-1A 58 to 3B 58
y Rd. BD18-1D 35
y Rd. LS13-3D 41
y Rd. LS27-3D 109
y Rd. LS28-4B 62
y Sq. LS28-4B 62
y Ter. LS17-2B 28
y, The. LS17-4C 13
y View. BD17-3D 17
y View. HX2-1B 96
y View Gro. BD2-1C 59
y Way. HX2-2B 96
couver Pl. LS7-2A 46
ey St. LS28-2A 62
ghan St. BD1-3A 58
ghan St. HX1-1B 124
k St. LS10-1A 90
al Cres. HX3-1B 116
nor St. BD3-3C 59
nor Ter. HX3-2D 125
o Clo. BD6-1C 101
un Rd. BD6-1C 101
Sq. BD5-2B 80
St. BD4-1B 80
y Spur. LS9-2A 70
y St. BD4-1B 104
y View. LS9-2A 70
mont St. LS13-1C 63
on Pl. BD2-1D 59
on Pl. LS28-1B 62
on Rd. LS1-1C 67
on St. LS2-2D 67
per Clo. LS5-2B 42
per Ct. LS5-2B 42
per Ct. Dri. LS5-2B 42
per Gdns. LS5-2B 42
per Ga. Cres. LS5-2B 42
per Ga. Dri. LS5-2B 42
per Ga. Mt. LS5-2B 42
per Gro. LS5-3C 43
per La. LS5-2B 42
per Mt. LS5-3C 43
per Pl. LS5-3C 43
per Rise. LS5-2B 42
per Rd. LS5-2A 42
per Ter. LS5-3C 43
per Wlk. LS5-2B 42
Vesper Way. LS5-2A 42
Vestry St. BD4-2D 81
Viaduct Rd. LS4-2A 66
Viaduct St. LS28-2A 62
Vicarage Av. LS5-3C 43
Vicarage Av. LS27-2D 107
Vicarage Clo. BD12-1D 121
Vicarage Dri. LS28-3A 62
Vicarage La. BD11-3C 105
Vicarage Pl. LS5-3C 43
Vicarage Rd. BD18-4B 18
Vicarage Rd. LS6-1B 66
Vicarage St. LS5-3C 43
Vicarage Ter. LS5-3C 43
Vicarage View. LS5-3C 43
Vicar La. BD1-4B 58
Vicar La. LS1 & LS2-3D 67
Vicars Rd. LS8-4B 46
Vicars Ter. LS8-4B 46
Vickerman St. HX1-4B 116
Vickers Av. LS5-4B 42
Vickersdale. LS28-1B 62
Vickersdale Gro. LS28-1B 62
Vickers Pl. LS28-1B 62
Vickers St. LS27-4B 108
Vickers Yd. LS28-1A 62
Victor Dri. LS20-2B 6
Victoria Av. BD2-3B 38
Victoria Av. BD18-1B 34
Victoria Av. HX1-4B 116
Victoria Av. HX6-1A 124
Victoria Av. LS9-3C 69 to 4C 69
Victoria Av. LS18-1C 41
Victoria Av. LS19-3A 8
Victoria Av. LS26-3A 114
Victoria Av. LS27-3C 109
Victoria Clo. LS18-1C 41
Victoria Clo. LS19-3A 8
Victoria Cres. LS18-1C 41
Victoria Cres. LS28-3D 61
Victoria Dri. BD2-3A 38
Victoria Dri. HX3-4C 99
Victoria Dri. LS18-1C 41
Victoria Dri. LS27-2C 109
Victoria Gdns. LS18-1C 41
Victoria Gdns. LS28-3D 61
Victoria Grange Dri. LS27-3C 109
Victoria Grange Way. LS27-3C 109
Victoria Gro. LS9-3C 69
Victoria Gro. LS18-1C 41
Victoria Gro. LS28-3D 61
Victoria Ho. LS5-3C 43
Victoria Ind. Est. BD2-3D 37
Victoria Mt. LS18-1C 41
Victoria Pk. BD18-1B 34
Victoria Pk. Av. LS13 & LS5-4B 42
Victoria Pk. Gro. LS5-4B 42
Victoria Pk. Gro. LS13-4A 42
Victoria Pl. BD10-2D 37
Victoria Pl. HX1-4B 116
Victoria Pl. LS19-3C 7
Victoria Rise. LS28-3D 61
Victoria Rd. BD6-4C 79
Victoria Rd. BD10-2D 37
Victoria Rd. BD18-4B 16
Victoria Rd. HD6-3C 121
Victoria Rd. HX1-3C 117
Victoria Rd. HX3-3A 120
Victoria Rd. LS5-3C 43
Victoria Rd. LS6-4A 44
Victoria Rd. LS11-4D 67
Victoria Rd. LS20-2A 6
Victoria Rd. LS26-2A 114
Victoria Rd. LS27-3C 109
Victoria Rd. LS28-1A 62
(Farsley)
Victoria Rd. LS28-3D 61
(Pudsey)
Victoria Shopping Centre. BD8-3C 57
Victoria Sq. LS1-2C 67
Victoria St. BD1-2A 58
Victoria St. BD2-1A 60
Victoria St. BD10-3C 19
Victoria St. BD13-4B 76
Victoria St. BD14-2D 77
Victoria St. BD15-3A 32
Victoria St. BD15-4C 33
(Allerton)
Victoria St. BD15-3A 32
(Wilsden)
Victoria St. BD16-2B 14
Victoria St. BD17-3D 17
Victoria St. BD19-2D 123
Victoria St. HX1-3D 117
Victoria St. LS2-2B 66
Victoria St. LS7-1D 45
Victoria St. LS27-1D 109
(Churwell)
Victoria St. LS27-3B 108
(Morley)
Victoria St. LS28-2C 39
Victoria St. E. HX1-3A 118
Victoria Ter. BD18-4B 16
Victoria Ter. HX1-4C 117
(off Willow St.)
Victoria Ter. HX2-2C 125
Victoria Ter. HX3-3A 120
Victoria Ter. LS3-2B 66
Victoria Ter. LS5-3C 43
Victoria Ter. LS6-2A 44
Victoria Ter. LS19-3D 7
Victoria Ter. LS20-1B 6
Victoria Ter. LS27-4A 108
Victoria Ter. LS28-1B 62
Victoria Vs. LS28-2B 62
Victoria Wlk. LS1-2D 67
Victoria Wlk. LS18-1C 41
Victor Rd. BD9-1D 57
Victor St. BD3-3A 60
Victor St. BD9-1D 57
Victor Ter. BD9-1D 57
Victor Ter. HX1-3C 117
View Croft Rd. BD17-4D 17
View Row. BD15-2D 55
View, The. LS8-4C 29
View, The. LS17-4C 13
Vignola Ter. BD14-1A 78
Village Av. LS4-1A 66
Village Gdns. LS15-4D 72
Village Gro. BD16-1C 15
Village Pl. LS4-1A 66
Village Rd. LS16-1B 12
Village St. HX3-1B 120
Village St., The. LS4-1A 66
Village Ter. LS4-4A 44
Villa Mt. BD12-2D 121
Villa Rd. BD16-1C 15
Villa St. HX6-1A 124
Villier St. BD15-2D 55
Vincent St. BD1-3A 58
Vincent St. HX1-4B 116
Vine Av. BD19-3D 123
Vine Ct. LS20-2A 6
Vine Cres. BD19-3D 123
Vinery Av. LS9-3C 69
Vinery Gro. LS9-3C 69
Vinery Mt. LS9-3C 69
Vinery Pl. LS9-3C 69
Vinery Rd. LS4-1A 66
Vinery St. LS9-3C 69
Vinery Ter. LS9-3C 69
Vinery View. LS9-3C 69
Vine St. BD7-1C 79
Vine St. BD19-3D 123
Vine St. HX1-4D 117
Vine Ter. BD13-4A 54
Vine Ter. HX1-4D 117
Vine Ter. E. BD8-3B 56
Vine Ter. W. BD8-3B 56
Violet St. HX1-3C 117
Violet St. N. HX1-3C 117
Violet Ter. HX6-1A 124
Virginia St. BD14-2D 77
Virginia Ter. BD14-2D 77
(off Virginia St.)
Vivian Pl. BD7-2C 79
Vivien Rd. BD8-3D 55
Vulcan St. BD4-4A 82
Vulcan St. LS7-1A 68

Wade Ho. Av. HX3-2D 99
Wade Ho. Rd. HX3-2D 99
Wade La. LS2-2D 67
Wade St. BD1-4A 58
Wade St. HX1-3D 117
Wade St. LS28-4A 40
Wadlands Clo. LS28-4D 39
Wadlands Dri. LS28-4D 39
Wadlands Gro. LS28-4D 39
Wadlands Rise. LS28-4D 39
Wadsworth St. HX1-3C 117
Wagon La. BD16-4C 15
Waincliffe Cres. LS11-4B 88
Waincliffe Dri. LS11-4B 88
Waincliffe Garth. LS11-4B 88
Waincliffe Mt. LS11-4B 88
Waincliffe Pl. LS11-4B 88
Waincliffe Rd. HX1-1B 124
Waincliffe Sq. LS11-4B 88
Waincliffe Ter. LS11-4B 88
Wainfleet Ho. BD3-3A 60
Wainhouse Rd. HX1-1B 124
Wainman Sq. BD12-1D 121
(off Carr Rd.)
Wainman St. BD12-4D 101
Wainman St. BD17-1A 18
Wainman St. HX1-3B 116
Wakefield Av. LS14-2B 70
Wakefield Ga. HX3-1B 124
Wakefield Rd. BD4-4B 58
Wakefield Rd. BD11-2B 106
Wakefield Rd. HX3 & HD6-3A 120
Wakefield Rd. HX6 & HX3-2A 124
Wakefield Rd. LS10-3B 90
Wakefield Rd. LS26-4D 115
(Oulton)
Wakefield Rd. LS26-4C 113
(Robin Hood)
Wakefield Rd. LS26 & LS25
(Swillington) -4B 94 to 3D 73
Wakefield Rd. LS27-3D 107
Walden Dri. BD9-4D 33
Walesby Ct. LS16-3A 24
Walford Av. LS9-3C 69
Walford Gro. LS9-2C 69
Walford Mt. LS9-3C 69
Walford Rd. LS9-2C 69
Walford Ter. LS9-2C 69
Walker Av. BD7-1B 78
Walker Dri. BD8-2C 57
Walker La. HX6-2A 124
Walker Pl. BD18-4A 18
Walker Pl. LS27-1D 109
Walker Rd. BD12-3B 102
Walker Rd. LS18-4D 23
Walkers Bldgs. LS28-3B 62
(off Clifton Hill)
Walker's Grn. LS12-1D 87
Walker's La. LS12-1D 87
(in two parts)
Walker's Rd. LS6-2B 44
Walkers Row. LS19-3C 7
Walker St. BD4-1D 103
Walker St. BD19-2B 122
Walker Ter. BD4-1C 81
Walker Wood. BD17-2B 16
Walk, The. LS28-1D 61
Wallace St. HX1-4B 116
Wallingford Mt. BD15-3D 55
Wallis St. BD8-3B 56 & 3C 57
Walmer Gro. LS28-1B 84
Walmer Vs. BD8-1A 58
Walmsley Rd. LS6-4A 44
Walnut Clo. LS14-4D 31
Walnut St. BD3-4D 59
Walnut St. HX1-4C 117
Walshaw St. BD7-2C 79
Walsh La. HX3-2C 117
Walsh La. LS12-3D 85
Walsh's Sq. HX1-1C 125
Walsh St. HX1-3B 116
Walter Clough La. HX3-4C 119
Walter Cres. LS9-3B 68
Walter Pl. LS12-4B 64
Walter St. BD2-3A 36
Walter St. BD10-4C 19
Walter St. LS4-2A 66
Walton Dri. BD11-2B 106
Walton Garth. BD11-3B 106
Walton's Bldgs. HX2-4B 96
Walton St. BD4-1B 80
Walton St. LS10-2A 90
Walton St. LS11-4C 67
Waltroyd Rd. BD19-3D 123
Wansford Clo. BD4-3B 82
Wanstead Cres. BD15-2D 55
Wapping Rd. BD3-2B 58
Warburton Pl. BD6-4D 79
Wardley Centre. BD5-4A 58
Wards End. BD13-2A 54
Ward's End. HX1-4D 117
Ward St. BD7-2C 79
Wareham Corner. BD4-3A 82
Warley Av. BD3-3A 60
Warley Dri. BD3-3A 60
Warley Edge La. HX2-3A 116
Warley Gro. BD3-3A 60
Warley Gro. HX2-4A 116
Warley Rd. HX2 & HX1-4A 116
Warley St. HX1-4C 117
Warley View. HX2-4A 116
Warley View. LS13-3C 41
Warm La. LS19-1C 21
Warnesford Sq. HX2-1C 125
Warnford Gro. BD4-2A 82
Warrel's Av. LS13-4D 41
Warrel's Ct. LS13-1D 63
Warrel's Gro. LS13-1D 63
Warrel's Mt. LS13-1D 63
Warrel's Pl. LS13-4D 41
Warrel's Rd. LS13-4D 41
Warrel's Row. LS13-1D 63
Warrel's St. LS13-1D 63
Warrel's Ter. LS13-1D 63
Warren Av. BD16-1D 15
Warren Dri. BD16-1D 15
Warren Ho. La. LS19-1A 8
Warren La. BD16-1D 15
Warren Pk. HD6-4B 120
Warren Pk. Clo. HD6-4B 120
Warrens La. WF17-4A 106
Warren Ter. BD16-2D 15
Warrenton Pl. BD7-1C 79
Warton Av. BD4-4D 81
Warwick Clo. BD4-2C 81
Warwick Clo. HX3-1D 125
(off Rufford Rd.)
Warwick Ct. LS18-1D 41
Warwick Dri. BD4-2C 81
Warwick Rd. BD4-2C 81
Washer La. HX2-2B 124
Washington Pl. LS13-3C 63
Washington St. BD8-2B 56
Washington St. HX3-2C 117
Washington St. LS3-2B 66
Washington St. LS13-3C 63
Washington Ter. LS13-2C 63
Wastwater Dri. BD6-2B 100
Watercock St. BD4-1C 81
Watergate. HX3-3D 119
Waterhouse Ct. LS18-1D 41
Waterhouse St. HX1-3D 117
Watering La. WF3-4A 110
Water La. BD1-3D 57 & 3A 58
Water La. HX3-1A 126
Water La. LS11 & LS12-4C 67
Water La. LS12-3A 64
Water La. LS18-4B 22
Water La. LS28-4A 40
Waterloo Cres. BD10-4B 20
Waterloo Cres. HX1-1C 125
Waterloo Cres. LS13-4A 42
Waterloo Fold. BD12-1A 122
Waterloo Gro. LS28-3D 61
Waterloo La. LS13-4A 42
Waterloo Mt. LS28-3D 61
Waterloo Rd. BD16-2B 14
Waterloo Rd. LS10-2A 90
Waterloo Rd. LS28-3C 61
Waterloo St. HX3-1C 117
Waterloo St. LS2-4D 67
Waterloo Way. LS13-4A 42
Waterside. BD16-1A 14
Waterside. HX3-4A 118
Waterside Ind. Pk. LS9-3C 91
Waterside Rd. BD8-3C 57
Waterside Rd. LS9-3C 91
Water St. BD12-1D 121
Watford Av. HX3-1B 120
Watkin Av. BD13-4B 54
Watkinson Av. HX2-3C 97
Watkinson Bungalows. HX2-4B 96
Watkinson Dri. HX2-3B 96
Watkinson Rd. HX2-3B 96
Watmough St. BD7-2C 79
Watson Rd. LS14-1B 70
Watson St. LS27-4B 108
Watts St. BD14-2D 77
Watty Hall Av. BD6-3C 79
Watty Hall Rd. BD6-3C 79
Waveney Rd. LS12-4D 65
Waver Grn. LS28-3B 62
Waverley Av. BD7-1D 79
Waverley Cres. HX3-3D 119
Waverley Garth. LS11-2C 89
Waverley Rd. BD7-4C 57
Waverley Ter. BD7-1C 79
Waverley Ter. HX3-3D 119
Waverton Grn. BD6-2B 100
Wavertree Pk. Gdns. BD12-3D 101
Wayland App. LS16-1A 26
Wayland Clo. LS16-1A 26
Wayland Ct. LS16-2A 26
Wayland Croft. LS16-1A 26
Wayland Dri. LS16-1A 26
Wayside Cres. BD2-2C 37
Weardale Clo. BD4-4D 81
Weatherhouse Ter. HX2-2A 116
Weavers Croft. BD10-3C 19
Weavers Croft. LS28-4B 62
Weaver St. LS4-2A 66
Weaverthorpe Rd. BD4-4A 82
Webb Dri. BD2-1C 59
Webb's Ter. HX3-3A 118
Weber Ct. BD3-3D 59
Webster Pl. BD3-3C 59
Webster Row. LS12-4C 65
Webster St. BD3-3C 59
Webton Ct. LS7-1A 46
Wedgemoor Clo. BD12-3D 101
Wedgewood Clo. LS8-4C 29
Wedgewood Dri. LS8-4C 29
Wedgewood Gro. LS8-4C 29
Weetwood Av. LS16-1A 44
Weetwood Ct. LS16-1D 43
Weetwood Cres. LS16-1A 44
Weetwood Grange Gro. LS16-1D 43
Weetwood Ho. Ct. LS16-4D 25
Weetwood La. LS16-3D 25 to 1A 44
Weetwood Mill La. LS16-4A 26
Weetwood Pk. Dri. LS16-1D 43
Weetwood Rd. BD8-2C 57
Weetwood Rd. LS16-1C 43
Weetwood Ter. LS16-4A 26
Weetwood Wlk. LS16-1D 43
Welbeck Dri. BD7-2A 78
Welbeck Rise. BD7-2A 78
Welbeck Rd. LS9-3C 69
Welburn Av. HX3-3A 120
Welburn Av. LS16-1C 43
Welburn Dri. LS16-1D 43
Welburn Gro. LS16-1D 43
Welburn Mt. BD6-4B 78
Welbury Dri. BD8-1D 57
Welham Wlk. BD3-2C 59
Wellands Grn. BD19-4D 123
Wellands La. BD19-3C 123
Wellands Ter. BD3-3D 59
Well Clo. LS2-1D 67
Well Clo. LS19-2D 21
Well Clo. Rise. LS7-1D 67
Well Croft. BD18-1C 35
Wellesley St. BD1-3B 58
Well Field Pl. LS6-3A 44
Wellfield Ter. LS27-1D 107
Well Fold. BD10-4D 19
Wellgarth. HX1-1D 125
Well Garth. LS15-1D 71
Well Garth Bank. LS13-3D 41
Well Garth Mt. LS15-1D 71
Well Garth View. LS13-3D 41
Well Green Ct. BD4-1B 104
Well Green La. HD6-4B 120
Well Gro. HD6-4B 120
Well Head Dri. HX1-4D 117
Well Head La. HX1-1D 125
Well Heads. BD13-4B 52
Well Hill. LS19-3C 7
Well Holme Mead. LS12-2A 86
Well Ho. Av. LS8-2B 46
Well Ho. Cres. LS8-3C 47
Well Ho. Dri. LS8-3B 46
Well Ho. Gdns. LS8-3C 47
Well Ho. Rd. LS8-2C 47
Wellington Bri. St. LS3-3B 66
Wellington Ct. BD11-2C 105
Wellington Ct. HX2-2A 116
Wellington Cres. BD18-1C 35
Wellington Gdns. LS13-4A 42
Wellington Garth. LS13-3A 42
Wellington Gro. BD2-1D 59
Wellington Gro. LS13-3A 42
Wellington Gro. LS28-3D 61
Wellington Hill. LS17-3B 30
Wellington Mt. LS13-3A 42
Wellington Pl. BD2-4D 37
Wellington Pl. HX1-4A 118
Wellington Rd. BD2-4D 37
Wellington Rd. BD15-3A 32
Wellington Rd. LS3 & LS12-4A 66
Wellington St. BD1-3B 58
Wellington St. BD2-4D 37
Wellington St. BD4-4A 60
Wellington St. BD10-1D 37
Wellington St. BD13-4B 76
Wellington St. BD15-2D 55
Wellington St. BD15-3A 32
Wellington St. BD16-2B 14
Wellington St. LS1-3C 67
Wellington St. LS27-4C 109
Wellington St. S. HX1-4A 118
Wellington St. W. HX1-4D 117
Wellington Ter. LS13-3A 42
Well La. BD19-2B 122
Well La. HX1-3A 118
Well La. LS7-1D 45
Well La. LS19-2D 21
Well La. LS20-2A 6
Well Royd Av. HX2-3A 116
Well Royd Clo. HX2-3A 116
Well Royd Cres. HX2-3A 116
Wells Ct. LS19-3C 7
Wells Croft. LS6-1A 44
Wells Gro. LS20-1A 6
Wells Mt. LS20-2A 6
Wells Rd. LS20-2A 6
Wells Ter. LS20-2A 6
Wells, The. HX2-1B 124
Wellstone Av. LS13-2D 63
Wellstone Dri. LS13-2C 63
Wellstone Gdns. LS13-2D 63
Wellstone Garth. LS13-2D 63
Wellstone Grn. LS13-2C 63
Wellstone Rise. LS13-2C 63
Wellstone Rd. LS13-2C 63
Wellstone Way. LS13-2C 63
Well St. BD1-3B 58
Well St. BD13-3A 52
Well St. BD15-2A 32
Well St. LS20-2A 6
(off Wells Rd.)
Well St. LS28-4A 40
Well View. LS20-2A 6
Welton Gro. LS6-4B 44
Welton Mt. LS6-4B 44
Welton Pl. LS6-4B 44
Welton Rd. LS6-4B 44
Welwyn Av. BD18-1B 36
Welwyn Dri. BD17-3D 17
Welwyn Dri. BD18-1B 36
Wembley Av. BD13-4B 54
Wenborough La. BD4-2B 82
Wendel Av. LS15-1D 51
Wendover Ct. LS16-2A 26
Wendron Way. BD10-1C 37
Wenlock St. BD3-4C 59
Wensley Av. BD18-1C 35
Wensley Av. LS7-1D 45
Wensley Bank. BD13-4D 53
Wensley Bank Ter. BD13-4D 53
Wensley Bank W. BD13-4D 53
Wensley Cres. LS7-1D 45
Wensleydale Ct. LS7-1D 45
Wensleydale Rise. BD17-1B 18
Wensleydale Rd. BD3-3A 60
Wensley Dri. LS7-4C 27 to 1D 45
Wensley Gdns. LS7-1C 45
Wensley Grn. LS7-1D 45
Wensley Gro. LS7-1D 45
Wensley Rd. LS7-1D 45
Wensley View. LS7-1D 45
Wentworth Av. LS17-1D 27
Wentworth Cres. LS17-1D 27
Wentworth Dri. HX2-1B 96
Wentworth Gro. HX2-1B 96
Wentworth Ter. LS19-2A 22
Wentworth Way. LS17-1D 27
Wepener Mt. LS9-1D 69
Wepener Pl. LS9-1D 69

Wesleyan Cres. HX3-1C 119
Wesleyan Ter. BD4-2D 81
Wesley App. LS11-3B 88
Wesley Av. BD12-1A 102
Wesley Av. LS12-3D 65
Wesley Clo. LS11-2B 88
Wesley Ct. HX1-3D 117
Wesley Ct. LS11-3B 88
Wesley Croft. LS11-2B 88
Wesley Dri. BD12-1A 102
Wesley Garth. LS11-2B 88
Wesley Grn. LS11-3B 88
Wesley Gro. BD10-4D 19
Wesley Ho. LS11-3B 88
Wesley Pl. BD12-2A 102
Wesley Pl. LS9-3B 68
Wesley Pl. LS12-3D 65
Wesley Rd. LS12-3D 65
Wesley Rd. LS28-1D 61
Wesley Row. LS28-3B 62
Wesley Sq. LS28-3B 62
Wesley St. LS11-2B 88
Wesley St. LS13-3B 40
Wesley St. LS27-4C 109
Wesley St. LS28-4A 40
(Farsley Beck Bottom)
Wesley St. LS28-1A 62
(Stanningley)
Wesley Ter. LS13-4A 42
(Bramley)
Wesley Ter. LS13-3B 40
(Rodley)
Wesley Ter. LS28-3A 62
Wesley View. LS13-3B 40
Wesley View. LS28-3B 62
West Av. BD15-4B 32
West Av. BD17-2D 17
West Av. HX3-2D 125
West Av. LS8-1D 47
West Bank. HX2-3A 96
W. Bolton. HX2-1A 96
Westborough Dri. HX2-4A 116
Westbourne Av. LS11-2C 89
Westbourne Av. LS25-4D 73
Westbourne Cres. LS25-4D 73
Westbourne Dri. LS20-1D 5
Westbourne Dri. LS25-4D 73
Westbourne Gro. HX3-2A 126
Westbourne Gro. LS25-4D 73
Westbourne Mt. LS11-2C 89
Westbourne Pl. LS11-2C 89
Westbourne Pl. LS28-1A 62
Westbourne Rd. BD8-1D 57
Westbourne St. LS11-2C 89
Westbourne Ter. BD13-3A 76
(off Albert Rd.)
Westbourne Ter. HX3-2A 126
Westbourne Ter. LS25-4D 73
Westbrook Clo. LS18-3D 23
Westbrook Ct. HX1-3D 117
Westbrook La. LS18-3C 23
Westbrook St. BD7-4A 58
Westburn Pl. BD19-3D 123
Westbury Clo. BD4-1A 82
Westbury Croft. HX1-4A 116
Westbury Gro. LS10-3B 90
Westbury Mt. LS10-3B 90
Westbury Pl. HX1-4B 116
Westbury Pl. N. LS10-3B 90
Westbury Pl. S. LS10-4B 90
Westbury Rd. BD6-3A 78
Westbury St. BD4-1A 82
Westbury St. LS10-3B 90
Westbury Ter. HX1-4A 116
Westbury Ter. LS10-3B 90
W. Byland. HX2-2A 96
Westcliffe Av. BD17-2D 17
Westcliffe Dri. HX2-3A 116
Westcliffe M. BD18-1C 35
(off Westcliffe Rd.)
Westcliffe Rise. BD19-3D 123
Westcliffe Rd. BD18-1C 35
Westcliffe Rd. BD19-3D 123
Westcombe Av. LS8-2C 29
Westcombe Ct. BD12-3D 101
West Ct. LS8-1D 47
West Ct. LS13-2D 63
W. Croft. BD12-1D 121
Westcroft Av. HX3-4D 99
Westcroft Rd. BD7-1C 79
Westdale Dri. LS28-3A 62
Westdale Gdns. LS28-3A 62
Westdale Gro. LS28-2A 62
Westdale Rise. LS28-2A 62
Westdale Rd. LS28-3A 62
W. End. BD13-4A 76
W. End. LS12-2A 86
W. End. LS27-1D 107
W. End App. LS27-4A 108
W. End Clo. LS18-4B 22
W. End Dri. BD19-4D 123
W. End Dri. LS18-3B 22
W. End Gro. LS18-4B 22
W. End La. LS18-3B 22
W. End Rise. LS18-4B 22
W. End Rd. HX1-4B 116
W. End Rd. LS28-1C 39
W. End St. BD1-3A 58
W. End Ter. BD2-2D 37
W. End Ter. BD18-1C 35
W. End Ter. LS6-4B 44
W. End Ter. LS20-1D 5
Westercroft La. HX3-1C 119
Westercroft View. HX3-1C 119
Westerley Rise. LS12-3D 65
Westerly Croft. LS12-3D 65
Western Gro. LS12-1D 87
Western Mt. LS12-1D 87
Western Pl. BD13-3C 77
Western Rd. LS12-1C 87
Western St. LS12-1D 87
Western Way. BD6-1C 101
W. Farm Av. LS10-3C 111
Westfield. BD13-4C 55
Westfield. HX3-3A 120
Westfield. LS7-1D 45
Westfield. LS28-1A 62
Westfield Av. HX3-3A 120
Westfield Av. LS12-2B 64
Westfield Av. LS19-4B 6
Westfield Clo. LS19-4B 6
Westfield Clo. LS26-4D 113
Westfield Ct. LS3-2B 66
Westfield Ct. LS26-4D 113
Westfield Cres. BD2-2C 59
Westfield Cres. BD18-2B 36
Westfield Cres. LS3-2B 66
(Burley Rd.)
Westfield Cres. LS3-1B 66
(Woodsley Rd.)
Westfield Cres. LS19-4B 6
Westfield Dri. HX3-3A 120
Westfield Dri. LS19-4B 6
Westfield Gdns. HX3-3A 120
Westfield Grn. BD4-1A 82
Westfield Gro. BD10-4C 19
Westfield Gro. BD18-1B 36
Westfield Gro. LS19-4B 6
Westfield Ind. Est. LS19-3C 7
Westfield La. BD12 & BD19-1A 122
Westfield La. BD18 & BD10-2B 36
Westfield M. BD13-4C 55
Westfield Mt. LS19-4B 6
Westfield Oval. LS19-4B 6
Westfield Pl. BD19-2B 122
Westfield Pl. HX1-4C 117
Westfield Pl. LS27-4C 109
Westfield Rd. BD9-1C 57
Westfield Rd. BD14-2C 77
Westfield Rd. LS3-1B 66
Westfield Rd. LS26 & WF3-4D 113
Westfield Rd. LS27-4C 109
Westfield St. HX1-4D 117
Westfield Ter. BD2-2C 59
Westfield Ter. BD14-2C 77
Westfield Ter. BD17-2D 17
Westfield Ter. HX1-3C 117
Westfield Ter. LS3-2B 66
Westfield Ter. LS7-1D 45
Westfield Yd. LS12-1C 87
West Fold. BD17-1D 17
Westgate. BD1-3A 58
Westgate. BD2-3D 37
Westgate. BD17-1D 17
Westgate. BD18-4C 17
Westgate. BD19-4D 123
Westgate. HX1-4D 117
Westgate. LS1-3C 67 & 2C 67
Westgate. LS20-2C 5
Westgate Hill St. BD4-1B 104
Westgate Mkt. HX1-4A 118
Westgate Pl. BD4-1C 105
Westgate Ter. BD4-1C 105
W. Grange Clo. LS10-4A 90
W. Grange Dri. LS10-4A 90
W. Grange Fold. LS10-4A 90
W. Grange Gdns. LS10-4A 90
W. Grange Grn. LS10-4A 90
W. Grange Rd. LS10-4A 90
W. Grange Wlk. LS10-4A 90
West Gro. BD17-1D 17
Westgrove St. BD1-3A 58
W. Grove St. LS28-1A 62
Westgrove Ter. HX1-4D 117
West Hall. LS19-4D 7
W. Hill Av. LS7-1D 45
W. Hill St. HX1-3C 117
W. Hill Ter. LS7-1D 45
Westholme Rd. HX1-4B 116
Westholme St. BD1-4A 58
Westland Ct. LS11-4C 89
Westland Rd. LS11-4C 89
Westlands Dri. BD15-1D 55
Westlands Gro. BD15-2D 55
Westland Sq. LS11-4C 89
West La. BD13-4A 54
West La. BD17-2C 17
West La. HX3-3B 126
West La. LS19-3C 7
W. Lea Clo. LS17-4C 27
W. Lea Cres. LS19-3B 6
W. Lea Dri. LS17-4C 27
W. Lea Gdns. LS17-4C 27
W. Lea Garth. LS17-4C 27
W. Lea Gro. LS19-4B 6
Westleigh. BD16-1C 15
Westleigh Clo. BD17-2C 17
Westleigh Dri. BD17-2C 17
Westleigh Rd. BD17-2C 17
Westleigh Way. BD17-2C 17
Westlock Av. LS9-1B 68
W. Lodge Gdns. LS7-1D 45
Westmead. LS28-1C 61
Westminster Av. BD14-2C 77
Westminster Clo. LS13-3B 40
Westminster Cres. BD14-2C 77
Westminster Cres. LS15-3B 70
Westminster Croft. LS13-3B 40
Westminster Dri. BD14-2C 77
Westminster Dri. LS13-3B 40
Westminster Gdns. BD14-2C 77
Westminster Pl. BD3-2B 58
Westminster Rd. BD3-2B 58
Westminster Ter. BD3-2B 58
Westmoor Av. BD17-2D 17
Westmoor Clo. BD17-2D 17
Westmoor Pl. LS13-4D 41
Westmoor Rise. LS13-4D 41
Westmoor Rd. LS13-4D 41
Westmoor St. LS13-4D 41
Westmoreland Mt. LS13-4A 42
W. Mount Pl. HX1-3C 117
W. Mount St. HX1-3C 117
W. Mount St. LS11-2C 89
Weston Av. BD13-4A 76
Weston Vale Rd. BD13-4A 76
Westover Av. LS13-4D 41
Westover Clo. LS13-4A 42
Westover Gdns. LS28-3D 61
Westover Grn. LS13-4D 41
Westover Gro. LS13-4D 41
Westover Mt. LS13-4D 41
Westover Rd. LS13-4D 41
Westover St. LS13-4D 41
Westover Ter. LS13-4D 41
Westover View. LS13-4D 41
West Pde. HX1-4D 117
West Pde. HX6-1A 124
West Pde. LS16-4C 25
West Pde. LS20-1B 6
West Pde. LS26-3B 114
W. Parade Flats. HX1-4D 117
(off West Pde.)
W. Park. LS20-1D 5
W. Park. LS28-3A 62
W. Park Av. LS8-2C 29
W. Park Chase. LS8-2C 29
W. Park Clo. LS8-2C 29
W. Park Ct. LS17-1B 28
W. Park Cres. LS8-3C 29
W. Park Dri. LS16-4C 25
W. Park Dri. E. LS8-2C 29
W. Park Dri. W. LS8-2B 28
W. Park Gdns. LS8-3C 29
W. Park Gro. LS8-2C 29
W. Park Pl. LS8-3C 29
W. Park Rd. BD8-2B 56
W. Park Rd. LS8-2C 29
W. Park Ter. BD8-2B 56
W. Pasture Clo. LS18-3B 22
West Rd. LS9-2D 91
West Rd. N. LS9-2D 91
W. Royd. HX1-1C 125
Westroyd. LS28-4D 61
W. Royd Av. BD2-3C 37
W. Royd Av. BD18-4A 18
Westroyd Av. BD19-4A 104
W. Royd Av. HX1-1C 125
Westroyd Av. LS28-4D 61
W. Royd Clo. BD18-4A 18
W. Royd Cres. BD18-4B 18
Westroyd Cres. LS28-4D 61
(in two parts)
W. Royd Dri. BD18-4B 18
Westroyd Gdns. LS28-4D 61
W. Royd Gro. BD18-4A 18
W. Royd Mt. BD18-4A 18
W. Royd Rd. BD18-4A 18
W. Royd Ter. BD18-4B 18
W. Royd Vs. HX1-1C 125
W. Royd Wlk. BD18-4B 18
W. Scausby Pk. HX2-1B 96
Westside Ct. BD8-2C 57
W. Side Retail Pk. LS20-3B 6
West St. BD1-4B 58
West St. BD2-4C 37
West St. BD11-3A 106
West St. BD17-1D 17
West St. HD6-4D 121
West St. HX1-3C 117
West St. HX3-3D 99
West St. LS1-3B 66
West St. LS20-2A 6
West St. LS27-4C 109
West St. LS28-2A 62
W. Terrace St. LS28-1A 62
W. Vale. LS12-1A 88
W. View. BD4-2C 81
W. View. BD11-4D 105
W. View. BD16-1D 15
W. View. BD19-3D 123
(Cleckheaton)
W. View. BD19-2B 122
(Scholes)
W. View. HX3-1D 117
W. View. HX6-1A 124
W. View. LS11-2C 89
W. View. LS19-3B 6
W. View. LS26-3D 115
W. View. LS27-3B 108
W. View. LS28-1A 62
W. View Av. BD18-1B 36
W. View Av. HX2-4A 116
W. View Clo. BD18-1B 36
W. View Ct. LS19-3B 6
W. View Cres. HX2-4A 116
W. View Dri. HX2-4A 116
W. View Rd. HX3-1D 117
W. View Ter. HX2-3A 116
W. Villa Rd. LS20-1A 6
W. Ville. BD13-4A 54
Westward Ho. BD13-3A 76
Westward Ho. HX3-4C 97
Westway. BD9-1D 55
Westway. BD16-1D 15
Westway. BD18-1A 34
Westway. LS20-2D 5
Westway. LS25-4D 73
Westway. LS28-4D 39
Westways Dri. LS8-1D 47
Westwinn Garth. LS14-4D 31
Westwinn View. LS14-4D 31
Westwood. BD9-3B 34
Westwood Av. BD2-2C 37
Westwood Clo. LS27-2C 109
Westwood Ct. LS10-3C 111
Westwood Cres. BD16-1C 33
Westwood Gro. BD2-3C 37
Westwood Rise. LS27-2C 109
W. Wood Rd. LS27 & LS10-3B 110
Westwood Side. LS27-1C 109
W. Yorkshire Ind. Est. BD4-4A 82
Wetherby Gro. LS4-1D 65
Wetherby Pl. LS4-1D 65
Wetherby Rd. LS8, LS14, LS17 & LS23 -2C 47 to 1C 31
Wetherby Ter. LS4-1D 65
Weyhill Dri. BD15-3D 55
Weymouth Av. BD15-2C 55
Weymouth St. HX1-3D 117
Whack Ho. LS19-4B 6
Whack Ho. Clo. LS19-3C 7
Whack Ho. La. LS19-3C 7
Whalley La. BD13-1A 52
Wharfe Clo. LS16-1A 26
Wharfedale Av. LS7-3C 45
Wharfedale Ct. LS14-3B 48
Wharfedale Gdns. BD17-1A 18
Wharfedale Gro. LS7-3C 45
Wharfedale Mt. HX3-3D 99
Wharfedale Mt. LS7-3C 45
Wharfedale Pl. LS7-3C 45
Wharfedale Rise. BD9-1D 55
Wharfedale Rd. BD4-1C 103
Wharfedale St. LS7-3C 45
Wharfedale View. LS7-3C 45
Wharf St. BD3-2B 58
Wharf St. BD17-4C 17
Wharf St. HX6-2A 124
Wharf St. LS2-3D 67
Wharncliffe Cres. BD2-4A 38
Wharncliffe Dri. BD2-3A 38
Wharncliffe Gro. BD2-3A 38
Wharncliffe Gro. BD18-2D 35
Wharncliffe Rd. BD18-2D 35
Wharrels Rd. LS28-3B 62
Wharrels Ter. LS28-3B 62
Wharton Sq. BD13-3C 77
Wheater Rd. BD7-1C 79
Wheaters Fold. LS28-1A 62
Wheatfield Ct. LS28-4D 61
Wheatlands. LS28-4D 39
Wheatlands Av. BD9-1B 56
Wheatlands Cres. BD9-1B 56
Wheatlands Dri. BD9-1B 56
Wheatlands Gro. BD9-1B 56
Wheatlands Sq. BD9-1B 56
Wheatley Clo. HX3-2C 117
Wheatley Ct. HX2-3A 96
Wheatley La. HX3-2C 117
Wheatley La. Ends. HX2-1A 116
(off Crag La.)
Wheatley Rd. HX3-1B 116
Wheaton Av. LS15-2C 71
Wheelwright Av. LS12-1C 87
Wheelwright Clo. LS12-1C 87
Whernside Mt. BD7-3A 78
Whetley Clo. BD8-2D 57
Whetley Gro. BD8-2C 57
Whetley Hill. BD8-2D 57
Whetley La. BD8-2C 57
Whetley Ter. BD8-2D 57
Whimbrel Clo. BD8-3D 55
Whinberry Pl. WF17-4B 106
Whinbrook Bank. LS12-1B 86
Whinbrook Ct. LS17-4D 27
Whinbrook Cres. LS17-4D 27
Whinbrook Gdns. LS17-4D 27
Whinbrook Gro. LS17-4D 27
Whincover Clo. LS12-1B 86
Whincover Cross. LS12-1B 86
Whincover Dri. LS12-1A 86
Whincover Gdns. LS12-1B 86
Whincover Grange. LS12-1B 86
Whincover Gro. LS12-1B 86
Whincover Hill. LS12-1B 86
Whincover Mt. LS12-1B 86
Whincover Rd. LS12-1B 86
Whincover View. LS12-1B 86
Whincup Gdns. LS10-3A 90
(off Balm Rd.)
Whiney Hill. BD13-4B 76
(off S. Bank)
Whinfield. LS16-1D 25
Whingate. LS12-3C 65
Whingate Av. LS12-3C 65
Whingate Clo. LS12-3C 65
Whingate Ct. LS12-3C 65
Whingate Grn. LS12-3C 65
Whingate Gro. LS12-3C 65
Whingate Rd. LS12-3C 65
Whingate Shopping Cen. LS12-3C 65
Whinmoor Ct. LS14-4B 30
Whinmoor Cres. LS14-4B 30
Whinmoor Gdns. LS14-4B 30
Whinmoor La. LS17-2A 30
Whinmoor Way. LS14-1D 49 to 3A 50
Whinney Field. HX3-2D 125
Whinney Hill Pk. HD6-4C 121
Whinney Royd La. HX3-3C 99
Whinn Wood Grange. LS14-4D 31
Whiskers La. HX3-4A 98
Whitaker Av. BD2-4D 37
Whitaker Clo. BD2-4D 37
Whitaker St. LS28-1A 62
Whitby Rd. BD8-1C 57 & 2C 57
Whitby Ter. BD8-2C 57
Whitcliffe Rd. BD19-3D 123
White Abbey Rd. BD8-2D 57
Whitebeam La. LS10-1A 112
Whitebeam Wlk. BD2-3D 37
White Birch Ter. HX3-1B 116
Whitebridge Av. LS9-2B 70
Whitebridge Cres. LS9-2B 70
Whitebridge Spur. LS9-2A 70
Whitebridge View. LS9-2B 70
Whitechapel Clo. LS8-2D 47
Whitechapel Cres. LS26-3C 95
Whitechapel Gro. BD19-2C 123
Whitechapel Rd. BD19-2C 123
Whitechapel Way. LS8-2D 47
Whitecliffe Dri. LS26-3B 95
Whitecliffe La. LS26-3C 95
Whitecliffe Rise. LS26-3C 95
Whitecote Gdns. LS13-4D 41
Whitecote Hill. LS13-4D 41
Whitecote Ho. LS13-3D 41
Whitecote La. LS13-3D 41
Whitecote Rise. LS13-4D 41
Whitefield Pl. BD8-2C 57
White Ga. HX2-2A 96
Whitegate. HX3-1A 126
Whitegate Dri. HX3-1A 126
Whitegate Rd. HX3-1A 126
Whitegate Ter. HX3-1A 126
Whitegate Top. HX3-1A 126
White Gro. LS8-1B 46
Whitehall Av. BD12-2D 121
Whitehall Croft. LS26-3B 114
Whitehall Est. LS12-2B 86
Whitehall Gro. BD11-3C 105
(Birkenshaw)
Whitehall Gro. BD11-2A 106
(Drighlington)
Whitehall Rd. BD12 & BD19 -2D 121 to 1D 12
Whitehall Rd. HX3, BD12 & BD19 -2B 120 to 1D 12
Whitehall Rd. LS12 & LS1 -4C 85 to 3C 67
Whitehall Rd. E. BD11-3C 105
Whitehall Rd. W. BD19 & BD11-4B 104
Whitehall St. HX3-3A 120
Whitehaven Clo. BD6-2B 100
Whitehead Gro. BD2-1D 59
Whitehead Pl. BD2-1D 59
Whitehead's Ter. HX1-3C 117
Whitehead St. BD3-4D 59
Whitehill Cotts. HX2-3B 96
Whitehill Cres. HX2-2B 96
Whitehill Dri. HX2-2B 96
Whitehill Grn. HX2-2B 96
Whitehill Rd. HX2-3B 96
White Ho. La. LS19-2A 8
Whitehouse La. LS26-2D 95
Whitehouse St. LS10-1A 90
White Laithe App. LS14-4C 31
White Laithe Av. LS14-4D 31
White Laithe Clo. LS14-4D 31
White Laithe Ct. LS14-4C 31
White Laithe Croft. LS14-4D 31
White Laithe Gdns. LS14-4D 31
White Laithe Garth. LS14-4C 31
White Laithe Grn. LS14-4D 31
White Laithe Gro. LS14-4D 31
White Laithe Rd. LS14-4C 31
White Laithe Wlk. LS14-4D 31
White Lands. LS19-1C 21
Whitelands. LS28-2B 62
Whitelands Cres. BD17-2A 18
Whitelands Rd. BD17-2A 18
White La. BD6-4A 80
Whiteley St. HX1-4D 117
Whitelock St. LS7-1A 68
Whites Clo. BD9-4A 34
White's Ter. BD8-2D 57
Whitestone Cres. LS19-3D 7
White St. LS26-2D 115
White's View. BD8-2D 57
Whiteways. BD2-4B 36
Whitfield Av. LS10-2A 90
Whitfield Gdns. LS10-1A 90
Whitfield Pl. LS10-2A 90
Whitfield Sq. LS10-2A 90
Whitfield St. LS8-4B 46
Whitfield Way. LS10-1A 90
Whitham Rd. BD18-1A 34
Whitkirk Clo. LS15-2A 72
Whitkirk La. LS15-2A 72
Whitlam St. BD18-4B 16
Whitley La. HX3-4C 119
Whitley St. BD3-3C 59
Whitley St. BD16-2B 14
Whittle Cres. BD14-1D 77
Whitwell St. BD4-1C 81
Whitwood La. HD6-3A 122
Whytecote End. BD12-3D 101
Wibsey Bank. BD6-4A 80
Wibsey Pk. Av. BD6-1B 100
Wicken La. BD13-3A 54
Wickets Clo. BD6-1A 102
Wickets, The. LS6-2B 44
Wicket, The. BD10-1D 39
Wickham Av. BD6-1D 101
Wickham St. BD19-2B 122
Wickham St. LS11-2C 89
Wide La. LS27-4C 109 to 4B 11
Wigan St. BD1-3A 58
(in two parts)
Wightman St. BD3-1C 59
Wigton Chase. LS17-1C 29
Wigton La. LS17-1B 28
Wild Gro. BD4-3C 61
Wilfred Av. LS15-2C 71
Wilfred St. BD14-2A 78
Wilfred St. LS12-1C 87
Wilfred Ter. LS12-2C 87
Wilkinson Fold. BD12-1D 121
Wilkinson Ter. BD7-4B 56
Willans Av. LS26-2A 114
William Av. LS15-2B 70
William Henry St. BD18-4B 16
William Hey Ct. LS9-1C 69
William Rise. LS15-2B 70
Williams Ct. LS28-4A 40
Williamson St. HX1-3C 117
William St. BD4-4A 60
William St. BD5-4A 58
William St. BD6-2B 100
William St. BD13-2A 52
William St. LS6-4B 44
William St. LS10-1D 89
William St. LS27-1D 109
William St. LS28-1B 62
William View. LS15-2B 70
Willis St. LS9-3A 68
Willoughby Ter. LS11-1B 88
Willow App. LS4-1A 66
Willow Av. BD2-2C 37
Willow Av. LS4-1A 66
Willow Bank. HX1-1C 125
Willow Clo. BD6-1D 101
Willow Clo. HX2-4A 116
Willow Clo. LS4-1A 66
Willow Cres. BD2-2C 37
Willow Cres. HX6-1A 124
Willow Cres. LS15-3B 70
Willow Croft. BD19-4D 123
Willow Dene Av. HX2-1A 124
Willow Dri. BD6-1D 101
Willow Dri. HX2-4A 116
Willowfield Av. HX2-1A 124
Willowfield Clo. HX2-4A 116
Willowfield Cres. BD2-2C 37
Willowfield Cres. HX2-1A 124
Willowfield Dri. HX2-1A 124
Willowfield Rd. HX2-4A 116
Willowfield St. BD7-3C 57
Willowfield Ter. HX2-1A 124
Willowfield View. HX2-4A 116
Willow Gdns. BD2-2C 37
Willow Garth. LS4-1A 66
Willow Garth Av. LS14-4D 31
Willow Garth Clo. LS14-4D 31
Willow Gro. BD2-2C 37
Willow Hall Dri. HX6-1A 124
Willow Hall Fold. HX6-1A 124
Willow Hall La. HX6-1A 124
Willow La. BD17 & LS20-4B 4 to 3C 5
Willow Mt. HX6-1A 124
Willow Pk. Dri. HX3-2A 100
Willow Rise. HX2-4A 116
Willow Rd. LS4-1A 66
Willow Rd. LS28-1D 61
Willow Sq. LS26-3D 115
Willows, The. LS17-3D 27
Willow St. BD8-2C 57
Willow St. BD19-2D 123
Willow St. HX1-4C 117
Willow St. HX6-2A 124
Willow Ter. HX6-1A 124
Willow Ter. Rd. LS1-2C 67
Willow View. HX6-1A 124
Willow Vs. BD2-2C 37
Willow Well Rd. LS15-2B 70
Wills Gill. LS20-1B 6
Will St. BD4-1A 82
Wilmar Hill. BD6-4D 79
Wilmer Dri. BD9-3C 35
Wilmer Dri. BD18-2C 35
Wilmer Rd. BD9-4C 35
Wilmington Gro. LS7-1D 67
Wilmington St. LS7-1D 67
Wilmington Ter. LS7-1D 67
Wilsden Rd. BD15-4B 32
Wilson Fold. BD12-3A 102
Wilson Rd. BD12-4A 102
Wilson Rd. BD16-1B 14
Wilson Rd. HX1-1B 124
Wilson's Mt. LS12-3C 65
Wilson Sq. BD8-2D 57
Wilson St. BD8-2D 57
Wilsons Yd. LS28-1A 62
Wilton Gro. LS6-2A 44
Wilton St. BD5-4A 58

orne Dri. BD15-2D 55
rook Ter. BD6-4C 79
urg Rd. BD7-1C 79
hester St. LS12-3A 66
ermere Rd. BD7-2A 78
ermere Rd. BD17-3B 16
ermere Ter. BD7-3B 78
hill Old Rd. BD18 & BD10-3B 18
ng Rd. HX1-3D 117
ng Way. LS17-4C 13
e Royd La. HX2-4A 116
mill App. LS10-1B 112
mill Chase. LS26-4A 114
mill Clo. LS10-1B 112
mill Ct. LS14-2D 49
mill Cres. HX3-1C 119
mill Dri. HX3-1B 118
mill Field Rd. LS26-4B 114
mill Fold. LS19-3D 7
mill Grn. LS26-4B 114
mill Hill. BD6-4C 79
mill Hill. HX3-1C 119
mill Hill. LS28-4D 61
mill La. BD6-4D 79
mill La. HX3-1C 119
mill La. LS19-4D 7
mill La. LS26-4A 114
mill La. LS27-2A 108
mill Mt. LS10-1A 112
mill Pl. LS19-3D 7
mill Rd. LS10-1A 112
sor Av. LS15-3D 71
sor Ct. LS17-3A 28
sor Ct. LS27-4C 109
sor Cres. HX2-2A 116
sor Cres. LS26-2A 114
sor Gro. BD13-4A 54
sor Gro. HX3-1D 117
Booth Town Rd.)
sor Mt. LS15-2D 71
sor Rd. BD18-1C 35
sor St. BD4-1C 81
sor St. HX1-4D 117
sor Ter. LS27-2A 108
sor Wlk. HX3-4C 121
y Bank La. BD13-2D 97
y Bank La. BD19-4C 123
y Gro. BD15-4A 32
eld Dri. BD4-2B 104
eld Gro. LS2-1C 67
eld Pl. LS2-1C 67
eld Ter. LS2-1C 67
field Mt. BD3-2C 59
field St. BD3-3C 59
peg Pl. LS7-1A 46
ose App. LS10-1A 112
ose Av. LS10-4A 90
ose Clo. BD12-3D 101
ose Cres. LS10-4A 90
ose Dri. LS10-1A 112
ose Garth. LS10-1A 112
ose Gro. LS10-4A 90
ose Hill. LS10-4A 90
low Rd. BD10-3A 38
tanley Ter. LS6-4A 44
ton Gdns. LS6-3D 43
ton Mt. LS6-3D 43
ton Ter. BD7-4C 57
erbourne Av. LS27-2C 109
er Ct. BD15-4C 33
er St. HX1-1B 124
erton Dri. BD12-3D 101
horpe Av. WF3-4A 112
horpe Cres. WF3-4A 112
horpe St. LS6-2B 44
on Grn. BD6-2C 101
oun St. LS7-1A 68
hfield Ct. HX3-2A 100
f Carr Ho. Rd.)
ens Hill Croft. HX2-1A 96
ens New Rd. HX2-3A 74
ens Rd. WF17-4B 106
urn Ter. BD14-2C 77
l Clo. BD13-4A 54
ey Av. LS12-3A 86
ey Ct. LS12-3A 86
ey Dri. LS12-3A 86
ey Gdns. LS12-3A 86
seley Rd. LS4-1A 66
seley St. BD14-1D 77
sley Ter. HX1-3C 117
ston Clo. BD4-3B 82
nersley Ct. LS28-4A 62
f Womersley Pl.)
nersley Pl. LS28-4A 62
udsey)
nersley Pl. LS28-1C 61
anningley)
nersley St. HX1-3B 116
dale Av. BD9-4A 34
dbine Gro. BD10-1C 37
dbine St. BD3-3C 59
dbine St. HX1-1C 125
dbine Ter. BD10-1D 37
dbine Ter. LS6-2A 44
dbine Ter. LS13-4D 41
dbine Ter. LS18-1D 41
dbourne. LS8-1D 47
dbourne Av. LS17-4D 27

Woodbridge Clo. LS6-3C 43
Woodbridge Cres. LS6-2C 43
Woodbridge Fold. LS6-2C 43
Woodbridge Gdns. LS6-2C 43
Woodbridge Garth. LS6-3C 43
Woodbridge Grn. LS6-3C 43
Woodbridge Lawn. LS6-3C 43
Woodbridge Pl. LS6-3C 43
Woodbridge Rd. LS6-2C 43
Woodbridge Vale. LS6-3C 43
Woodbrook Av. HX2-3A 96
Woodbrook Clo. HX2-3A 96
Woodbrook Pl. HX2-3A 96
Woodbrook Rd. HX2-3A 96
Woodbury Rd. BD8-1D 57
Wood Clo. BD17-3D 17
Wood Clo. LS7-1D 45
Wood Clo. LS26-2A 114
Woodcot Av. BD17-3A 18
Wood Cres. LS26-2A 114
Woodcross. LS27-2C 109
Woodcross End. LS27-1C 109
Woodcross Fold. LS27-2C 109
Woodcross Gdns. LS27-2C 109
Woodcross Garth. LS27-2C 109
Wood Dri. LS26-2D 113
Woodend Ct. BD5-3B 80
Wood End Cres. BD18-4A 18
Woodfield Ter. LS28-4B 62
Woodford Av. HX3-2A 126
Woodford Clo. BD15-2C 55
Wood Gro. LS12-3D 63
Woodhall Av. BD3-2B 60
Woodhall Av. LS5-2A 42
Woodhall Clo. LS28-1C 61
Woodhall Ct. LS28-2C 39
Woodhall Cres. HX3-3C 125
Woodhall Croft. LS28-1C 61
Woodhall Dri. LS5-2A 42
Woodhall La. LS28-4C 39
Woodhall Pk. Av. LS28-1C 61
Woodhall Pk. Cres. E. LS28-1C 61
Woodhall Pk. Cres. W. LS28-1C 61
Woodhall Pk. Dri. LS28-1C 61
Woodhall Pk. Gdns. LS28-1C 61
Woodhall Pk. Gro. LS28-1C 61
Woodhall Pk. Mt. LS28-1C 61
Woodhall Pl. BD3-2B 60
Woodhall Rd. BD3 & LS28
-2B 60 to 2D 39
Woodhall Ter. BD3-2B 60
Woodhall View. BD3-2B 60
Woodhead La. LS27-2D 107
Woodhead Rd. BD7-4D 57
Woodhead Rd. WF17-4C 107
Woodhead St. HX2-2A 116
Wood Hill. LS26-2D 113
Wood Hill Ct. LS16-1A 24
Wood Hill Cres. LS16-2D 23
Wood Hill Gdns. LS16-1A 24
Wood Hill Garth. LS16-1A 24
Wood Hill Gro. LS16-2D 23
Wood Hill Rise. LS16-2A 24
Wood Hill Rd. LS16-2A 24
Woodhouse Cliff. LS6-4C 45
Woodhouse Gro. BD15-3C 33
Woodhouse Hill Av. LS10-3A 90
Woodhouse Hill Gro. LS10-3A 90
Woodhouse Hill M. LS10-3A 90
Woodhouse Hill Mt. LS10-3A 90
Woodhouse Hill Pl. LS10-3A 90
Woodhouse Hill Rd. LS10-3A 90
(in two parts)
Woodhouse Hill St. LS10-3A 90
Woodhouse Hill Ter. LS10-3A 90
(off Woodhouse Hill Rd.)
Woodhouse Hill View. LS10-3A 90
Woodhouse La. HX3-2C 125
Woodhouse La. LS2 & LS1-4C 45
Woodhouse Sq. LS3-2C 67
Woodhouse St. LS6-4C 45
Woodhouse Ter. BD6-4A 80
Woodkirk Gro. BD12-2D 121
Woodland Av. LS26-4B 94
Woodland Clo. BD9-3D 33
Woodland Clo. LS15-2D 71
Woodland Ct. BD16-1A 14
Woodland Ct. LS8-2B 46
Woodland Cres. BD9-3D 33
Woodland Cres. LS26-2A 114
Woodland Croft. LS18-3D 23
Woodland Dri. HX2-1A 124
Woodland Dri. LS7-1A 46
Woodland Dri. LS26-4B 94
Woodland Gro. BD9-3D 33
Woodland Gro. LS7-3A 46
Woodland Gro. LS26-4B 94
Woodland Hill. LS15-2C 71
Woodland La. LS7-1D 45
Woodland Mt. LS7-3B 46
Woodland Pk. LS26-3D 115
Woodland Pk. Rd. LS6-2B 44
Woodland Rise. LS15-2D 71
Woodland Rd. LS15-2C 71
Woodlands. BD17-1B 18
Woodlands. LS17-3A 28
Woodlands Av. BD13-3C 77
Woodlands Av. HX3-2D 117
Woodlands Av. LS28-1D 61

Woodlands Ct. LS16-4C 25
Woodlands Ct. LS28-1A 84
Woodlands Dri. BD10 & LS19
-3B 20 to 3A 22
Woodlands Dri. LS27-2B 108
Woodlands Fold. BD11-3C 105
Woodlands Gro. BD13-4C 77
Woodlands Gro. BD16-1C 33
Woodlands Gro. BD17-3B 16
Woodlands Gro. HX3-2D 117
Woodlands Gro. LS28-1D 61
Woodlands Mt. HX3-1D 117
Woodlands Pk. Gro. LS28-1A 84
Woodlands Pk. Rd. LS28-4A 62
Woodlands Rd. BD8-2C 57
Woodlands Rd. BD13-3C 77
Woodlands Rd. BD16-1A 16
Woodlands Rd. HX3-2D 117
Woodlands Rd. HX5-4B 126
Woodlands St. BD8-3D 57
Woodlands Ter. BD8-2C 57
Woodlands Ter. BD12-3C 103
Woodlands Ter. LS28-1D 61
Woodlands View. HX3-2D 117
Woodland Ter. LS7-1C 45
Woodland View. LS7-1D 45
Woodland View. LS28-1C 39
Woodland Vs. LS14-3A 50
Wood La. BD2-3B 36
Wood La. HX2-2A 116
Wood La. HX3-3D 119 to 2D 11
Wood La. LS6-3A 44
Wood La. LS7-1D 45
Wood La. LS12-3A 64
(Gamble Hill)
Wood La. LS12-3A 86 to 2C 87
(Whitehall Rd.)
Wood La. LS13-3D 41
Wood La. LS15-2A 50
Wood La. LS18-4D 23
(Broadway)
Wood La. LS18-1D 41
(Cragg Hill)
Wood La. LS26-1D 113 to 2A 11
Wood La. LS28-1C 39
Wood La. Ct. LS6-3A 44
Woodlea App. LS19-4B 6
Woodlea Clo. LS19-4B 6
Woodlea Ct. LS17-1C 29
Woodlea Dri. LS19-4B 6
Woodlea Gro. LS11-3B 88
Woodlea Gro. LS19-4B 6
Woodlea Mt. LS11-2B 88
Woodlea Mt. LS19-4B 6
Woodlea Pl. LS11-2B 88
Woodlea Rd. LS19-4B 6
Woodlea St. LS11-3B 88
Woodlea View. LS19-4B 6
Woodleigh Av. BD5-4B 80
Woodliffe Ct. LS7-1D 45
Woodliffe Cres. LS7-1D 45
Woodliffe Dri. LS7-1D 45
Woodman St. LS15-3C 71
Woodman Yd. LS16-2D 43
(off Otley Rd.)
Wood Mt. HX2-2B 124
Wood Mt. LS26-2D 113
Woodnook Clo. LS16-2A 24
Woodnook Dri. LS16-3A 24
Woodnook Garth. LS16-2A 24
Wood Nook La. HX6-1A 124
Woodnook Rd. LS16-2A 24
Wood Nook Ter. LS28-1D 61
Wood Pl. BD9-3D 35
Wood Pl. LS11-2C 89
Wood Rd. BD5-1B 80
Wood Rd. BD9-3D 35
Woodrow Dri. BD12-2B 102
Woodroyd Dri. HX3-1B 116
Woodroyd Rd. BD5-2B 80 & 3B 80
(in three parts)
Woodroyd Ter. BD5-3B 80
Woodside. BD18-1A 36
Woodside Av. BD16-1B 32
Woodside Av. BD18-4B 16
Woodside Av. LS4-1D 65
Woodside Clo. LS27-2C 109
Woodside Ct. LS18-4A 24
Woodside Cres. BD16-1B 32
Woodside Cres. HX3-2D 117
Woodside Dri. BD16-1B 32
Woodside Dri. LS27-2C 109
Woodside Gdns. LS27-2C 109
Woodside Gro. HX3-2D 117
Woodside Hill Clo. LS18-4A 24
Woodside La. LS27-2C 109
Woodside Mt. HX3-2D 117
Woodside Pk. Av. LS18-4A 24
Woodside Pk. Dri. LS18-4A 24
Woodside Pl. HX3-2D 117
Woodside Pl. LS4-1D 65
Woodside Rd. BD12-3D 101
Woodside Rd. HX3-2D 117
Woodside Ter. HX3-2D 117
Woodside Ter. LS4-1D 65
Wood Side View. BD16-1C 33
Woodside View. HX3-2D 117
Woodside View. LS4-1D 65
Woodsley Grn. LS6-1B 66

Woodsley Rd. BD10-2C 37
Woodsley Rd. LS6, LS3 & LS2-1B 66
Woodsley Ter. LS2-1C 67
Wood Sq. HX3-1C 117
Woods Row. LS28-1A 62
Woodstock Clo. LS16-2A 26
Woodstock Wlk. BD5-1A 80
Wood St. BD8-2D 57
Wood St. BD12-2A 102
Wood St. BD15-2D 55
Wood St. BD17-3D 17
Wood St. BD19-4D 123
Wood St. LS13-2B 40
Wood St. LS18-2D 23
Wood St. LS27-3B 108
Wood St. N. HX3-1C 117
Woodthorne Croft. LS17-1B 28
Woodvale Clo. BD4-1A 82
Woodvale Cres. BD16-1C 15
Woodvale Gro. BD7-1A 78
Woodvale Ter. LS18-1A 42
Woodvale Way. BD7-1A 78
Wood View. BD8-4A 36
Woodview. BD11-1A 106
Wood View. BD12-3C 103
Wood View. LS27-1D 109
Woodview Av. BD17-1B 18
Woodview Clo. LS18-3D 23
Wood View Dri. BD2-1D 59
Woodview Gro. LS11-3D 89
Woodview Mt. LS11-3C 89
Woodview Pl. LS11-3D 89
Woodview Rd. LS11-3C 89
Woodview St. LS11-3D 89
Wood View Ter. BD8-4A 36
Woodview Ter. LS11-3C 89
Wood View Ter. LS27-1D 109
Woodville Av. LS18-4A 24
Woodville Ct. LS8-3C 29
Woodville Cres. LS18-4A 24
Woodville Gro. LS10-4A 90
Woodville Gro. LS18-4A 24
Woodville Mt. LS10-4A 90
(off E. Grange Dri.)
Woodville Pl. BD9-4B 34
Woodville Pl. LS18-4A 24
Woodville Sq. LS10-3A 90
Woodville St. BD18-4A 18
Woodville St. HX3-2C 117
Woodville St. LS18-4A 24
Woodville Ter. BD5-1A 80
Woodville Ter. BD18-4A 18
Woodville Ter. LS18-4A 24
Wood Vine St. LS28-1D 61
Woodway. BD16-1B 32
Woodway. LS18-1D 41
Woodway Dri. LS18-1D 41
Wooler Av. LS11-3B 88
Wooler Dri. LS11-3C 89
Wooler Gro. LS11-3C 89
Wooler Pl. LS11-3B 88
Wooler Rd. BD12-3A 102
Wooler Rd. LS11-3B 88
Wooler St. LS11-3B 88
Woolman St. LS9-3A 68
Woolrow La. HD6-4D 121
Woolshops. HX1-3A 118
Wootton St. BD5-2A 80
Worcester Av. LS10-3B 112
Worcester Dri. LS10-3B 112
Worcester Pl. BD4-2C 81
Worden Gro. BD7-1A 78
Wordsworth Dri. LS26-4D 115
Worlds End. LS19-3D 7
Wormald Lea. BD4-2B 82
Wormald Row. LS2-2D 67
Worrall St. LS27-4B 108
Worsnop Bldgs. BD12-3D 101
Worsnop St. BD12-2A 102
Worthing Head Clo. BD12-1A 122
Worthing Head Rd. BD12-4D 101
Worthing St. BD12-4A 102
Worthington St. BD8-3D 57
Wortley Heights. LS12-4A 66
Wortley La. LS11 & LS12-4B 66
(in two parts)
Wortley Moor La. LS12-4C 65
Wortley Moor Rd. LS12-3C 65
Wortley Pk. LS12-4A 66
Wortley Rd. LS12-3C 65
Wortley St. BD16-2C 15
Wortley Towers. LS12-4A 66
Wranghthorn Av. LS6-4B 44
Wrangthorn Pl. LS6-4B 44
Wrangthorn Ter. LS6-4B 44
Wren Av. BD7-1B 78
Wrenbury Av. LS16-1A 24
Wrenbury Cres. LS16-1A 24
Wrenbury Gro. LS16-1A 24
Wrigley Av. BD4-4D 81
Wrigley Hill. HX2-3A 96
Wroe Cres. BD12-4D 101
Wroe Pl. BD12-4D 101
Wroe Ter. BD12-4D 101
Wrose Av. BD2-2C 37
Wrose Av. BD18-2A 36
Wrose Brow Rd. BD18-4A 18
Wrosecliffe Gro. BD18 & BD10-1B 36
Wrose Dri. BD18-2A 36

Wrose Gro. BD2-2B 36
Wrose Gro. BD18-2A 36
Wrose Hill Pl. BD2-3A 36
Wrose Mt. BD18-2B 36
Wrose Rd. BD18 & BD2-1A 36
Wrose View. BD17-2D 17
Wrose View. BD18-2A 36
Wycliffe Clo. LS13-2A 40
Wycliffe Dri. LS17-2A 28
Wycliffe Gdns. BD18-4C 17
Wycliffe Rd. BD18-1C 35
Wycliffe Rd. LS13-2A 40
Wycoller Rd. BD12-3D 101
Wycombe Grn. BD4-2B 82
Wykebeck Av. LS9-3A 70
Wykebeck Cres. LS9-2A 70
Wykebeck Gdns. LS9-2A 70
Wykebeck Gro. LS9-2A 70
Wykebeck Mt. LS9-3A 70
Wykebeck Pl. LS9-2A 70
Wykebeck Rd. LS9-3A 70
Wykebeck Sq. LS9-2A 70
Wykebeck St. LS9-3A 70
Wykebeck Ter. LS9-2A 70
Wykebeck Valley Rd. LS9-1A 70
Wykebeck View. LS9-2A 70
Wyke Bottoms. BD12-3B 102
Wyke Cres. BD12-1A 122
Wyke La. BD12-1D 121 to 4C 10
Wykelea Clo. BD12-1A 122
Wyke Old La. HD6-3D 121
Wyncliffe Ct. LS17-3D 27
Wyncliffe Gdns. LS17-3D 27
Wyncroft Gro. LS16-1B 10
Wyndham Av. BD2-4B 36
Wynford Av. LS16-4C 25
Wynford Gro. LS16-4C 25
Wynford Mt. LS16-4C 25
Wynford Rise. LS16-3C 25
Wynford Ter. LS16-3C 25
Wynford Way. BD12-1A 102
Wynmore Av. LS16-1B 10
Wynmore Cres. LS16-1B 10
Wynmore Dri. LS16-1B 10
Wynne St. BD1-3A 58
Wynyard Dri. LS27-3B 108
Wyther Av. LS5-4B 42
Wyther La. LS5-4B 42
Wyther La. Ind. Est. LS5-4B 42
Wyther Pk. Av. LS12-1B 64
Wyther Pk. Clo. LS12-1B 64
Wyther Pk. Cres. LS12-1B 64
Wyther Pk. Grange. LS12-1B 64
Wyther Pk. Grn. LS12-1B 64
Wyther Pk. Gro. LS12-1B 64
Wyther Pk. Heights. LS12-1B 64
Wyther Pk. Hill. LS12-1B 64
Wyther Pk. Mt. LS12-2B 64
Wyther Pk. Pl. LS12-1B 64
Wyther Pk. Rd. LS12-1B 64
Wyther Pk. Sq. LS12-1B 64
Wyther Pk. St. LS12-1B 64
Wyther Pk. Ter. LS12-1B 64
Wyther Pk. View. LS12-1B 64
Wyvern Clo. BD7-4B 56
Wyvern Pl. HX2-3A 116
Wyvern Ter. HX2-3A 116

Yardley Way. BD12-2A 102
Yarn St. LS10-1B 90
Yarn St. LS11-1C 89
Yarwood Gro. BD7-3B 78
Yates Flat. BD18-2A 36
Yeadon Moor Rd. LS18-3B 8
Yeadon Moor Rd. LS19-4B 8
Yeadon Row. LS18-1D 41
Yewdall Rd. LS13-2A 40
Yewdall Way. BD10-2D 37
Yew Tree Av. BD8-2A 56
Yew Tree Cres. BD8-2A 56
Yew Tree Gro. BD8-2A 56
Yew Tree La. BD15-2A 54
Yew Trees Av. HX3-4C 99
York Cres. BD16-2C 15
York Ho. LS28-1A 62
York Pl. LS1-3C 67
York Rd. LS9, LS14 & LS15
-3A 68 to 1A 50
York St. BD8-3B 56
York St. BD13-4A 76
York St. BD16-2C 15
York St. HX1-4D 117
York St. LS2 & LS9-3D 67
York Ter. HX3-2D 117
York Towers. LS9-2C 69
Young St. BD8-3B 56

Zealand St. BD4-2A 82
Zermatt Gro. LS7-2D 45
Zermatt Mt. LS7-2D 45
Zermatt St. LS7-2D 45
Zermatt Ter. LS7-2A 46
Zetland Pl. LS8-4B 46
Zion St. LS9-4A 68
Zoar St. LS27-3C 109

Printed and bound in Great Britain by
BPCC Hazell Books Ltd
Member of BPCC Ltd